# Saab 9-5
## Gör-det-själv-handbok

Peter T Gill

**Modeller som behandlas**

Sedan & Kombi
**Bensin:** 2,0 liter (1985cc) & 2,3 liter (2290cc) turbo
**Turbodiesel:** 1,9 liter (1910cc)

*Behandlar inte 'BioPower'-modeller eller nya versioner introducerade juli 2010*

*(SV4914 – 336/4891 – 336)*

ABCDE
FGHIJ
KLMNO
P

© Haynes Publishing 2011

En bok i **Haynes serie Gör-det-själv handböcker**

ISBN **978 1 78521 271 0**

Tryckt i Malaysia

**Haynes Publishing**
Sparkford, Yeovil, Somerset BA22 7JJ, England

**Haynes North America, Inc**
859 Lawrence Drive, Newbury Park, California 91320, USA

*Printed using NORBRITE BOOK 48.8gsm (CODE: 40N6533) from NORPAC; procurement system certified under Sustainable Forestry Initiative standard. Paper produced is certified to the SFI Certified Fiber Sourcing Standard (CERT - 0094271)*

# Innehåll

## DIN SAAB 9-5

## UNDERHÅLL

# Innehåll

## REPARATIONER OCH UNDERHÅLL

# Inledning till Saab 9-5

Saab 9-5 lanserades år 1997 i Storbritannien som en stor företagsbil. Liksom 9-3, som i grund och botten är en 900, är 9-5 baserad på samma chassi som Opel Vectra och konkurrerar med modellerna i BMW 5-serien, Mercedes E-klass och Audi A6. Den fanns ursprungligen som en fyrdörrars sedanmodell med turboladdade 2,0- och 2,3-liters motorer med balansaxlar och 16 ventiler. Modellen med V6-motor på 3,0 liter (behandlas inte i den här handboken) lanserades i februari 1998 och fanns i utförande med automatväxellåda och antispinnsystem. Kombimodellen lanserades i november 1998. Modellerna kan ha en femväxlad manuell växellåda eller en fyrväxlad automatisk växellåda på motorns vänstra sida. I september 2001 byttes automatväxellådan ut mot en 5-växlad manuell växellåda.

Saab 9-5-modellerna från 2005 fick en fullständig ansiktslyftning, med nya karosspaneler från A-stolpen och framåt, nya bakre paneler och yttre ljus. Klädseln fick en förbättring med ny instrumentpanel. Komponenter till fjädring och chassi har också uppdaterats.

Som standard är bilen försedd med servostyrning, ABS-bromsar, fjärrmanövrerat centrallås, fram- och sidokrockkuddar vid både förar- och passagerarsätet, elektriska fönsterhissar och speglar samt luftkonditionering. Som tillval finns elektrisk taklucka, elektriska framsäten, läderklädsel och CD-växlare.

Alla modeller är framhjulsdrivna och har individuella hjulupphängningar runt om, med fjäderben, gasfyllda stötdämpare och spiralfjädrar.

Det är relativt okomplicerat att underhålla och reparera en Saab 9-5 eftersom den är utformad för att ha så låga driftkostnader som möjligt och det är lätt att få tag på reservdelar.

## Din handbok till Saab 9-5

Syftet med den här handboken är att hjälpa dig att få så stor glädje av din bil som möjligt. Det kan göras på flera sätt. Det kan hjälpa dig att avgöra vilket arbete som måste utföras (vare sig du gör det, eller överlåter det till en verkstad), ge information om rutinunderhåll och service, och ge en logisk arbetsordning och diagnosprocess när det uppstår slumpmässiga fel. Förhoppningsvis kommer handboken dock att användas till försök att klara av arbetet på egen hand. Vad gäller enklare jobb kan det till och med gå snabbare att ta hand om det själv än att först boka tid på en verkstad och sedan ta sig dit två gånger, en gång för att lämna bilen och en gång för att hämta den. Och kanske viktigast av allt: en hel del pengar kan sparas genom att man undviker de avgifter verkstäder tar ut för att kunna täcka arbetskraft och chefslöner.

Handboken innehåller teckningar och beskrivningar som förklarar de olika komponenternas funktion och utformning. Arbetsgången är beskriven och fotograferad i tydlig ordningsföljd, steg för steg.

Hänvisningar till vänster eller höger avser vänster eller höger för en person som sitter i förarsätet och tittar framåt.

## Tack

Tack till Draper Tools Limited, som stod för en del av verktygen, samt till alla på Sparkford som hjälpte till att producera den här boken.

**Vi strävar efter att ge noggrann information i denna handbok, men tillverkarna gör ibland ändringar i funktion och design under produktionen av en viss modell utan att informera oss. Författarna och förlaget kan inte ta på sig något ansvar för förluster, skador eller personskador till följd av felaktig eller ofullständig information i denna bok.**

## Demonstrationsbil

Den bil som använts vid förberedelserna av handboken och som syns på flera av fotografierna är en 2007 Saab 9-5 sedan Aero med 2,3-liters bensinmotor med turbo och automatväxellåda.

Att arbeta på din bil kan vara farligt. Den här sidan visar potentiella risker och faror och har som mål att göra dig uppmärksam på och medveten om vikten av säkerhet i ditt arbete.

# Allmänna faror

## Skållning

• Ta aldrig av kylarens eller expansionskärlets lock när motorn är het.
• Motorolja, automatväxellådsolja och styrservovätska kan också vara farligt varma om motorn just varit igång.

## Brännskador

• Var försiktig så att du inte bränner dig på avgassystem och motor. Bromsskivor och -trummor kan också vara heta efter körning.

## Lyftning av fordon

• Vid arbete nära eller under ett lyft fordon, använd alltid extra stöd i form av pallbockar eller använd ramper. *Arbeta aldrig under en bil som endast stöds av en domkraft.*
• När muttrar eller skruvar med högt åtdragningsmoment skall lossas eller dras, bör man lossa dem något innan bilen lyfts och göra den slutliga åtdragningen när bilens hjul åter står på marken.

## Brand och brännskador

• Bränsle är mycket brandfarligt och bränsleångor är explosiva.
• Spill inte bränsle på en het motor.
• Rök inte och använd inte öppen låga i närheten av en bil under arbete. Undvik också gnistbildning (elektrisk eller från verktyg).
• Bensinångor är tyngre än luft och man bör därför inte arbeta med bränslesystemet med fordonet över en smörjgrop.
• En vanlig brandorsak är kortslutning i eller överbelastning av det elektriska systemet. Var försiktig vid reparationer eller ändringar.
• Ha alltid en brandsläckare till hands, av den typ som är lämplig för bränder i bränsle- och elsystem.

## Elektriska stötar

• Högspänningen i tändsystemet kan vara farlig, i synnerhet för personer med hjärtbesvär eller pacemaker. Arbeta inte med eller i närheten av tändsystemet när motorn går, eller när tändningen är på.

• Nätspänning är också farlig. Se till att all nätansluten utrustning är jordad. Man bör skydda sig genom att använda jordfelsbrytare.

## Giftiga gaser och ångor

• Avgaser är giftiga. De innehåller koloxid vilket kan vara ytterst farligt vid inandning. Låt aldrig motorn vara igång i ett trångt utrymme, t ex i ett garage, med stängda dörrar.
• Även bensin och vissa lösnings- och rengöringsmedel avger giftiga ångor.

## Giftiga och irriterande ämnen

• Undvik hudkontakt med batterisyra, bränsle, smörjmedel och vätskor, speciellt frostskyddsvätska och bromsvätska. Sug aldrig upp dem med munnen. Om någon av dessa ämnen sväljs eller kommer in i ögonen, kontakta läkare.
• Långvarig kontakt med använd motorolja kan orsaka hudcancer. Bär alltid handskar eller använd en skyddande kräm. Byt oljeindränkta kläder och förvara inte oljiga trasor i fickorna.
• Luftkonditioneringens kylmedel omvandlas till giftig gas om den exponeras för öppen låga (inklusive cigaretter). Det kan också orsaka brännskador vid hudkontakt.

## Asbest

• Asbestdamm kan ge upphov till cancer vid inandning, eller om man sväljer det. Asbest kan finnas i packningar och i kopplings- och bromsbelägg. Vid hantering av sådana detaljer är det säkrast att alltid behandla dem som om de innehöll asbest.

# Speciella faror

## Flourvätesyra

• Denna extremt frätande syra bildas när vissa typer av syntetiskt gummi i t ex O-ringar, tätningar och bränsleslangar utsätts för temperaturer över 400 °C. Gummit omvandlas till en sotig eller kladdig substans som innehåller syran. *När syran väl bildats är den farlig i flera år. Om den kommer i kontakt med huden kan det vara tvunget att amputera den utsatta kroppsdelen.*
• Vid arbete med ett fordon, eller delar från ett fordon, som varit utsatt för brand, bär alltid skyddshandskar och kassera dem på ett säkert sätt efteråt.

## Batteriet

• Batterier innehåller svavelsyra som angriper kläder, ögon och hud. Var försiktig vid påfyllning eller transport av batteriet.
• Den vätgas som batteriet avger är mycket explosiv. Se till att inte orsaka gnistor eller använda öppen låga i närheten av batteriet. Var försiktig vid anslutning av batteriladdare eller startkablar.

## Airbag/krockkudde

• Airbags kan orsaka skada om de utlöses av misstag. Var försiktig vid demontering av ratt och/eller instrumentbräda. Det kan finnas särskilda föreskrifter för förvaring av airbags.

## Dieselinsprutning

• Insprutningspumpar för dieselmotorer arbetar med mycket högt tryck. Var försiktig vid arbeten på insprutningsmunstycken och bränsleledningar.

⚠ *Varning: Exponera aldrig händer eller annan del av kroppen för insprutarstråle; bränslet kan tränga igenom huden med ödesdigra följder*

---

# Kom ihåg...

## ATT

• Använda skyddsglasögon vid arbete med borrmaskiner, slipmaskiner etc, samt vid arbete under bilen.

• Använda handskar eller skyddskräm för att skydda händerna.

• Om du arbetar ensam med bilen, se till att någon regelbundet kontrollerar att allt står väl till.

• Se till att inte löst sittande kläder eller långt hår kommer i vägen för rörliga delar.

• Ta av ringar, armbandsur etc innan du börjar arbeta på ett fordon - speciellt med elsystemet.

• Försäkra dig om att lyftanordningar och domkraft klarar av den tyngd de utsätts för.

## ATT INTE

• Ensam försöka lyfta för tunga delar - ta hjälp av någon.

• Ha för bråttom eller ta osäkra genvägar.

• Använda dåliga verktyg eller verktyg som inte passar. De kan slinta och orsaka skador.

• Låta verktyg och delar ligga så att någon riskerar att snava över dem. Torka upp olje- och bränslespill omgående.

• Låta barn eller husdjur leka nära en bil under arbetets gång.

Följande sidor är tänkta att vara till hjälp vid hantering av vanligt förekommande problem. Mer detaljerad information om felsökning finns i slutet av boken, och beskrivningar av reparationer finns i bokens olika huvudkapitel.

## Om bilen inte startar och startmotorn inte går runt

☐ Om det är en modell med automatväxellåda, kontrollera att växelväljaren står i läge P eller N.
☐ Öppna motorhuven och kontrollera att batterifästena är rena och sitter fast ordentligt.
☐ Slå på strålkastarna och försök starta motorn. Om strålkastarljuset försvagas mycket under startförsöket är batteriet troligen urladdat. Lös problemet genom att använda startkablar (se nästa sida) och en annan bil.

## Om bilen inte startar trots att startmotorn går runt som vanligt

☐ Finns det bensin i tanken?
☐ Finns det fukt i elsystemet under motorhuven? Slå av tändningen och torka bort synlig fukt med en torr trasa. Spraya vattenavstötande medel (WD-40 eller liknande) på tändningens och bränslesystemets elektriska kontaktdon som visas nedan. Kontrollera särskilt tändspolens kontaktdon.

**A** Kontrollera att batterikablarna är ordentligt anslutna.

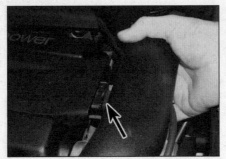

**B** Kontrollera att tändningskassettens kablage är ordentligt anslutet.

**C** Kontrollera att luftflödesmätarens kablage är väl anslutet.

Kontrollera att alla elektriska kopplingar sitter ordentligt (med tändningen avstängd) och spraya dem med vattenavstötande medel av typen WD-40 om problemet misstänks bero på fukt.

**D** Kontrollera att motorkabelhärvans multikontakter sitter fast ordentligt.

**E** Kontrollera att alla säkringar i motorrummet är hela.

## Starthjälp

**HAYNES TiPS** *Start med startkablar löser problemet för stunden, men det är viktigt att ta reda på vad som orsakar batteriets urladdning.*

*Det finns tre möjliga orsaker:*

*1 Batteriet har laddats ur på grund av upprepade startförsök eller på grund av att strålkastarna lämnats påslagna.*

*2 Laddningssystemet fungerar inte som det ska (generatorns drivrem lös eller trasig, generatorkablarna eller själva generatorn defekt)..*

*3 Batteriet är defekt (elektrolytnivån är låg eller batteriet är utslitet).*

Tänk på följande när en bil startas med hjälp av ett laddningsbatteri:

✔ Se till att tändningen är avslagen innan laddningsbatteriet ansluts.

✔ Kontrollera att all elektrisk utrustning (strålkastare, värme, vindrutetorkare etc.) är avslagen.

✔ Observera eventuella säkerhets-anvisningar på batteriet.

✔ Kontrollera att laddningsbatteriet har samma spänning som det urladdade batteriet i bilen.

✔ Om batteriet startas med startkablar från en annan bil, får bilarna INTE VIDRÖRA varandra.

✔ Se till att växellådan är i neutralläge (eller i parkeringsläge om det är en automatväxellåda).

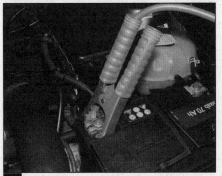

**1** Anslut den ena änden av den röda startkabeln till den positiva (+) polen på det urladdade batteriet.

**2** Anslut den andra änden av den röda startkabeln till den positiva (+) polen på laddningsbatteriet.

**3** Anslut den ena änden av den svarta startkabeln till den negativa (-) polen på laddningsbatteriet.

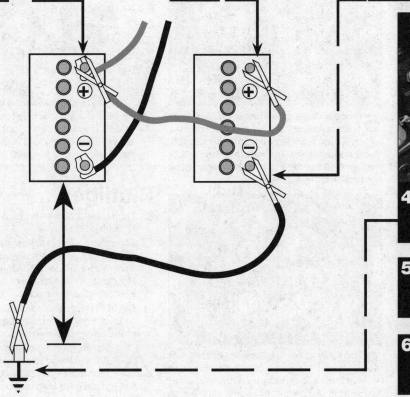

**4** Koppla den andra änden av den svarta startkabeln till en bult eller fästbygel, långt från batteriet, i den bil som ska startas.

**5** Se till att startkablarna inte kommer i kontakt med fläkten, drivremmarna eller någon annan rörlig del i motorn.

**6** Starta motorn med laddningsbatteriet och låt den gå på tomgång. Slå på strålkastarna, bakrutevärmen och värmefläktsmotorn. Koppla sedan loss startkablarna i omvänd ordning mot anslutningen. Slå av strålkastarna etc.

# Hjulbyte

⚠️ **Varning:** Byt aldrig hjul om du befinner dig i en situation där du riskerar att bli påkörd av ett annat fordon. Försök att stanna i en parkeringsficka eller på en mindre avtagsväg om du befinner dig på en väg med mycket trafik. Håll uppsikt över passerande trafik när du byter hjul – det är lätt att bli distraherad av arbetet med hjulbytet.

## Förberedelser

- ☐ Vid punktering, stanna så snart det är säkert för dig och dina medtrafikanter.
- ☐ Parkera om möjligt på plan mark där du inte hamnar i vägen för annan trafik.
- ☐ Använd varningsblinkers om det behövs.

- ☐ Använd en varningstriangel (obligatorisk utrustning) för att göra andra trafikanter uppmärksamma på bilens närvaro.
- ☐ Dra åt handbromsen och lägg i ettan eller backen (P på automatväxellåda).

- ☐ Blockera det hjul som sitter diagonalt mot det hjul som ska tas bort – några stora stenar kan användas till detta.
- ☐ Om underlaget är mjukt, använd t.ex. en plankstump för att sprida tyngden.

## Hjulbyte

**1** Reservhjul, domkraft och verktyg för demontering av hjul finns under en lucka i bagageutrymmet.

**2** Skruva loss fästmuttern och lyft fram reservhjulet. Placera delen under tröskeln som skydd om domkraften slutar fungera. Observera att reservhjulet är av kompakttyp.

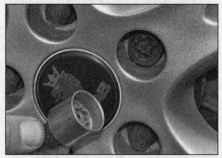

**3** Dra loss navkapseln från hjulet innan du fäster det. Använd det medföljande plastverktyget för att ta bort kapseln från den låsbara hjulbulten (gäller aluminiumfälgar) innan du fäster adaptern.

**4** Lossa alla hjulbultar ett halvt varv innan du hissar upp bilen.

**5** Placera domkraften under de förstärkta stödpunkterna närmast det hjul som ska bytas (urfasningarna i karmunderstycket). Vrid handtaget tills domkraftens bas vidrör marken direkt under tröskeln. Höj sedan bilen tills hjulet lyfts från marken.

**6** Ta bort bultarna och lyft av hjulet från bilen. Placera delen under tröskeln på reservdelens plats som skydd om domkraften slutar fungera.

**7** Montera reservhjulet, skruva i hjulbultarna och dra åt dem något med hjälp av fälgkorset.

**8** Sänk ner bilen till marken, dra till sist åt hjulbultarna i korsvis ordning. Ta bort hjulblockeringen. Observera att hjulbultarna ska dras åt till angivet moment så snart som möjligt.

## Slutligen...

- ☐ Lägg tillbaka domkraft och verktyg på sin rätta plats.
- ☐ Kontrollera lufttrycket i det nymonterade däcket. Om det är lågt eller om en tryckmätare inte finns tillgänglig, kör långsamt till närmaste bensinstation och kontrollera/justera trycket.
- ☐ Byt ut eller låt reparera det trasiga däcket så snart som möjligt, så att du inte blir strandad om du får en ny punktering.

 **Varning: Kör aldrig fortare än 70 km/tim med reservhjulet monterat – se din bilhandbok för ytterligare information.**

## Att hitta läckor

Pölar på garagegolvet (eller där bilen parkeras) eller våta fläckar i motorrummet tyder på läckor som man måste försöka hitta. Det är inte alltid så lätt att se var läckan är, särskilt inte om motorrummet är mycket smutsigt. Olja eller andra vätskor kan spridas av fartvinden under bilen och göra det svårt att avgöra var läckan egentligen finns.

 *Varning: De flesta oljor och andra vätskor i en bil är giftiga. Vid spill bör man tvätta huden och byta indränkta kläder så snart som möjligt*

 HAYNES TiPS *Lukten kan vara till hjälp när det gäller att avgöra varifrån ett läckage kommer och vissa vätskor har en färg som är lätt att känna igen. Det är en bra idé att tvätta bilen ordentligt och ställa den över rent papper över natten för att lättare se var läckan finns. Tänk på att motorn ibland bara läcker när den är igång.*

### Olja från sumpen

Motorolja kan läcka från avtappningspluggen . . .

### Olja från oljefiltret

. . . eller från oljefiltrets packning.

### Växellådsolja

Växellådsolja kan läcka från tätningarna i ändarna på drivaxlarna.

### Frostskydd

Läckande frostskyddsvätska lämnar ofta kristallina avlagringar liknande dessa.

### Bromsvätska

Läckage vid ett hjul är nästan alltid bromsvätska.

### Servostyrningsvätska

Servostyrningsvätska kan läcka från styrväxeln eller dess anslutningar.

# Bogsering

När ingenting annat hjälper kan du behöva bli bogserad hem – eller kanske är det du som får hjälpa någon annan. Bogsering längre sträckor bör överlåtas till en verkstad eller en bärgningsfirma. När det gäller kortare sträckor går det utmärkt att låta en annan privatbil bogsera, men tänk på följande:

☐ Använd en riktig bogserlina – de är inte dyra. Fordonet som bogseras bör ha en skylt med texten BOGSERING i bakrutan.

☐ Slå alltid på tändningen när bilen bogseras, så att rattlåset släpper och blinkers och bromsljus fungerar.

☐ Fäst bogserlinan i de befintliga bogseringsöglorna och ingen annanstans. Den främre

bogseringsöglan ingår i bilens verktygssats och skruvas fast i hålet i mitten av kryssrambalken; dra åt öglan med fälgkorset. Den bakre bogseringsöglan är fast monterad i mitten under den bakre stötfångaren.

☐ Lossa handbromsen och lägg växeln i friläge innan bogseringen börjar.

☐ Tänk på följande vid bogsering av modeller med automatväxellåda (undvik att bogsera bilen om du är tveksam, eftersom felaktig bogsering kan leda till skador på växellådan):

a) Bogsera endast bilen framlänges.

b) Växelväljaren måste vara i läget N.

c) Fordonet får bogseras i högst 30 km/tim och inte längre än 50 km.

☐ Observera att du behöver trycka hårdare än vanligt på bromspedalen när du bromsar eftersom servon bara fungerar när motorn är igång. På samma sätt behöver du använda mer kraft än vanligt för att vrida på ratten.

☐ Föraren av den bogserade bilen måste vara noga med att hålla bogserlinan spänd hela tiden för att undvika ryck.

☐ Försäkra er om att båda förarna känner till den planerade färdvägen innan ni startar.

☐ Bogsera aldrig längre sträcka än nöd-vändigt och håll lämplig hastighet (högsta tillåtna hastighet vid bogsering är 30 km/tim). Kör försiktigt och sakta ner mjukt och lång-samt innan korsningar.

# Inledning

Det finns ett antal mycket enkla kontroller som endast tar några minuter i anspråk, men som kan bespara dig mycket besvär och stora kostnader.

Dessa *veckokontroller* kräver inga större kunskaper eller specialverktyg, och den korta tid de tar att utföra kan visa sig vara väl använd:

☐ Att hålla ett öga på däckens lufttryck och skick förebygger inte bara att de slits ut i förtid utan det kan också rädda liv.

☐ Många motorhaverier orsakas av elektriska problem. Batterirelaterade fel är särskilt vanliga och genom regelbundna kontroller kan de flesta av dem förebyggas.

☐ Om bilen får en läcka i bromssystemet kanske den upptäcks först när bromsarna slutar att fungera. Vid regelbundna kontroller av bromsvätskenivån uppmärksammas sådana fel i god tid.

☐ Om olje- eller kylvätskenivån blir för låg är det t.ex. betydligt billigare att laga läckan direkt, än att bekosta dyra reparationer av de motorskador som annars kan uppstå.

# Kontrollpunkter i motorrummet

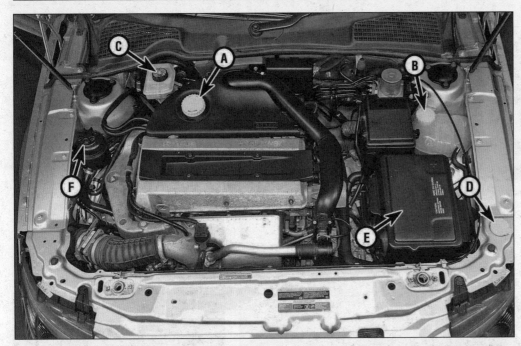

◄ **2,3-liters bensinmotor**

**A** *Påfyllningslock och oljemätsticka för motorolja*

**B** *Kylvätskebehållare*

**C** *Bromsvätskebehållare*

**D** *Spolarvätskebehållare*

**E** *Batteri*

**F** *Behållare för servostyrningsolja*

◄ **1,9-liters dieselmotor**

**A** *Påfyllningslock för motorolja*

**B** *Mätsticka för motorolja*

**C** *Kylvätskebehållare*

**D** *Bromsoljebehållare*

**E** *Spolarvätskebehållare*

**F** *Batteri*

**G** *Behållare för servostyrningsvätska*

# Motoroljenivå

## Innan du börjar

✔ Se till att bilen står på plan mark.
✔ Oljenivån måste kontrolleras innan bilen körs, eller tidigast 5 minuter efter det att motorn har stängts av.

**Om oljenivån kontrolleras direkt efter det att bilen har körts, kommer en del av oljan att vara kvar i den övre delen av motorn. Detta ger felaktig avläsning på mätstickan.**

## Korrekt oljetyp

Moderna motorer ställer höga krav på oljans kvalitet. Det är mycket viktig att man använder en lämplig olja till sin bil (se *Smörjmedel och vätskor*).

## Bilvård

● Om oljan behöver fyllas på ofta bör bilen kontrolleras med avseende på oljeläckor. Lägg ett rent papper under motorn över natten och se om det finns fläckar på det på morgonen. Finns där inga läckor kan det hända att motorn bränner olja.

● Oljenivån ska alltid vara någonstans mellan oljestickans övre och nedre markering (se bild 3). Om oljenivån är för låg kan motorn ta allvarlig skada. Oljetätningarna kan gå sönder om man fyller på för mycket olja.

**1** Mätstickan sitter fast i oljepåfyllnings-locket baktill till höger på motorn (se *Kontrollpunkter i motorrummet* på sidan 0•10). Skruva loss locket och dra ut mät-stickan.

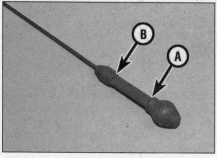
**3** Kontrollera oljenivån på mätstickans ände, som ska vara mellan det övre märket (B) och det nedre märket (A). Det skiljer ungefär en liter olja mellan min- och maxnivån.

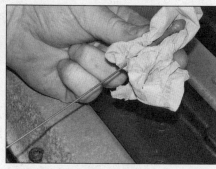
**2** Torka av oljan från mätstickan med en ren trasa eller en bit papper. Sätt i den rena mätstickan i röret och dra åt locket. Dra sedan ut stickan igen.

**4** Vid påfyllning av olja, använd gärna en tratt eller en kanna med pip för att undvika spill. Häll i oljan långsamt och kontrollera på mätstickan så att behållaren fylls med rätt mängd. Fyll inte på för mycket. Sätt tillbaka och skruva åt påfyllningslocket.

---

# Kylvätskenivå

⚠️ **Varning: Skruva aldrig av expansionskärlets lock när motorn är varm, eftersom det finns risk för brännskador. Låt inte behållare med kylvätska stå öppna eftersom vätskan är giftig.**

## Bilvård

● Ett slutet kylsystem ska inte behöva fyllas på regelbundet. Om kylvätskan behöver fyllas på ofta har bilen troligen en läcka i kylsystemet. Kontrollera kylaren samt alla slangar och fogytor efter stänk och våta märken och åtgärda eventuella problem.

● Det är viktigt att frostskyddsvätska används i kylsystemet året runt, inte bara under vintermånaderna. Fyll inte på med enbart vatten, då sänks koncentrationen av frostskyddsvätska.

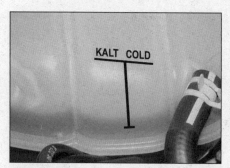
**1** Kylvätskenivån varierar med motorns temperatur. När motorn är kall ska kylarvätskans nivå ligga i nivå med eller något över markeringen KALT/COLD på sidan av tanken. När motorn är varm stiger nivån.

**2** Vänta med att fylla på kylvätska **tills motorn är kall.** Skruva försiktigt loss locket till expansionskärlet, för att släppa ut övertrycket ur kylsystemet, och ta bort det.

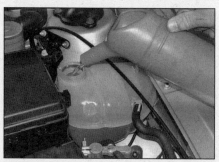
**3** Fyll på kylvätska genom att hälla en blandning av vatten och frostskydds-vätska i expansionskärlet. En tratt hjälper till att minimera spill. Sätt tillbaka locket och dra åt ordentligt.

# Broms- och kopplingsvätskenivå

**Varning:**
● Var försiktig vid hantering av bromsvätska – den kan skada dina ögon och bilens lack.
● Använd inte vätska ur kärl som har stått öppna en längre tid. Bromsvätska drar åt sig fukt från luften vilket kan försämra bromsegenskaperna avsevärt.

● Se till att bilen står på plan mark.
● Nivån i vätskebehållaren sjunker en aning allt eftersom bromsklossarna slits. Nivån får dock aldrig sjunka under MIN-markeringen.

## Säkerheten främst!

● Om bromsvätskebehållaren måste fyllas på ofta har bilen fått en läcka i bromssystemet. Detta måste undersökas omedelbart.
● Vid en misstänkt läcka i systemet får bilen inte köras förrän bromssystemet har under-sökts. Ta aldrig några risker med bromsarna.

**1** MAX- och MIN-markeringarna finns på framsidan av behållaren, som sitter baktill och till höger i motorrummet. Vätskenivån måste alltid hållas mellan dessa två markeringar.

**2** Om vätska behöver fyllas på, torka först av området runt påfyllningslocket för att förhindra att bromssystemet förorenas. Skruva loss locket och lägg det på en trasa.

**3** Fyll på vätska försiktigt. Var noga med att inte spilla på intilliggande komponenter. Använd endast rekommenderad broms-vätska. Om olika typer blandas kan systemet skadas. När vätskenivån är återställd, skruva på locket och torka bort eventuellt spill.

# Spolarvätskenivå

● Spolarvätskekoncentrat rengör inte bara rutan, utan fungerar även som frostskydd så att spolarvätskan inte fryser under vintern. Fyll inte på med enbart vatten, eftersom spolar-vätskan då späds ut för mycket och kan frysa.

● Kontrollera att vindrute- och bakrute-spolarna fungerar. Justera munstyckena med en nål om det behövs. Rikta strålen på en punkt något över mitten av den del av rutan som torkarbladet sveper över.
*Använd aldrig kylvätska i spolarsystemet. Det kan missfärga eller skada lacken.*

**1** Spolarvätskebehållaren för vindrutans, strålkastarnas och (i förekommande fall) bakrutans spolarsystem är placerad till vänster i motorrummets främre del.

**2** När behållaren fylls på, tillsätt spolar-vätskekoncentrat enligt rekommend-ationerna på flaskan.

# Däck – skick och tryck

Det är viktigt att däcken är i bra skick och att de har rätt tryck. Om ett däck går sönder vid hög hastighet kan det vara väldigt farligt.

Däckens slitage påverkas av körstil – hårda inbromsningar och accelerationer eller tvära kurvtagningar leder till högt slitage. Generellt sett slits framdäcken ut snabbare än bakdäcken. Axelvis byte mellan fram och bak kan jämna ut slitaget, men om detta är effektivt kan du komma att behöva byta ut alla fyra däcken samtidigt!

Ta bort spikar och stenar som fastnat i däckmönstret så att de inte orsakar punktering. Om det visar sig att däcket är punkterat när en spik tas bort, sätt tillbaka spiken för att märka ut platsen för punkteringen. Byt sedan omedelbart ut det punkterade däcket och lämna in det till en däckverkstad för reparation.

Kontrollera regelbundet däcken med avseende på skador i form av rispor eller bulor, särskilt på däcksidorna. Skruva loss däcken med jämna mellanrum för att rengöra dem invändigt och utvändigt. Undersök hjulfälgarna efter rost, korrosion eller andra skador. Lättmetallfälgar skadas lätt om man kör på trottoarkanten vid parkering. Stålhjul kan också bli buckliga. Om ett hjul är svårt skadat är ett hjulbyte ofta den enda lösningen. Nya däck ska balanseras när de monteras men de kan också behöva balanseras om i takt med att de slits ut eller om motvikten på hjulfälgen ramlar av. Obalanserade däck slits ut snabbare än balanserade och orsakar dessutom onödigt slitage på styrning och fjädring. Vibrationer är ofta ett tecken på obalanserade hjul, särskilt om vibrationerna förekommer vid en viss hastighet (oftast runt 70 km/tim). Om vibrationerna endast känns genom styrningen är det troligen bara framhjulen som behöver balanseras. Om vibrationerna däremot känns i hela bilen är det antagligen bakhjulen som är obalanserade. Balansering av hjul ska utföras av en lämpligt utrustad verkstad.

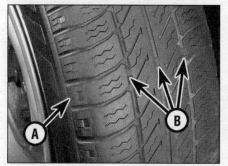 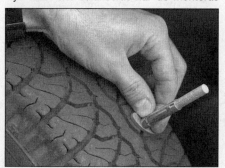 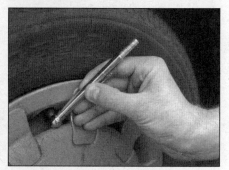

**1 Mönsterdjup - visuell kontroll**
Originaldäcken har slitagevarningsband (B), som blir synliga när däcken slitits ner till ungefär 1,6 mm. En trekantig markering på däcksidan (A) anger bandens placering.

**2 Mönsterdjup - manuell kontroll**
Mönsterdjupet kan också kontrolleras med hjälp av en enkel och billig mönsterdjupsmätare.

**3 Däcktryck – kontroll**
Kontrollera däcktrycket regelbundet när däcken är kalla. Justera inte däcktrycket omedelbart efter det att bilen har använts, det kommer att resultera i felaktigt tryck.

# Däckslitage

### Slitage på sidorna
**Lågt däcktryck (slitage på båda sidorna)**
Är trycket i däcken för lågt kommer däcket att överhettas på grund av för stora rörelser och mönstret kommer att ligga an mot underlaget på ett felaktigt sätt. Det bidrar till sämre väggrepp och betydande slitage och risken för punktering på grund av upphettning ökar.
*Kontrollera och justera trycket*
**Felaktig cambervinkel (slitage på en sida)**
*Reparera eller byt ut fjädringsdetaljer*
**Hård kurvtagning**
*Sänk hastigheten!*

### Slitage i mitten
**För högt däcktryck**
För högt lufttryck orsakar snabbt slitage av mittersta delen av däcket, dessutom sämre väggrepp, stötigare gång och risk för stöt-skador i korden.
*Kontrollera och justera trycket*

*Om däcktrycket ibland måste ändras till högre tryck avsett för maximal lastvikt eller ihållande hög hastighet, glöm inte att minska trycket efteråt.*

### Ojämnt slitage
Framdäcken kan slitas ojämnt på grund av felaktig hjulinställning. De flesta däckåterförsäljare och verkstäder kan kontrollera och justera hjulinställningen till en låg kostnad.
**Felaktig camber- eller castervinkel**
*Reparera eller byt ut fjädringsdetaljer*
**Defekt fjädring**
*Reparera eller byt ut fjädringsdetaljer*
**Obalanserade hjul**
*Balansera hjulen*
**Felaktig toe-inställning**
*Justera framhjulsinställningen*
**Observera:** *Den fransiga ytan i mönstret, ett typiskt tecken på toe-slitage, kontrolleras bäst genom att man känner med handen över ytan.*

## Torkarblad

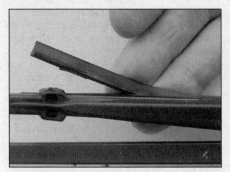

**1** Kontrollera torkarbladens skick. Byt dem om de är spruckna eller visar tecken på slitage, eller om området på rutan är kladdigt. För bästa resultat bör du byta torkarblad en gång per år.

**2** Ta bort ett torkarblad genom att lyfta upp armen från rutan helt tills det tar stopp. Rotera bladet 90° och kläm ihop låsklämman. Ta därefter bort torkarbladet från armen. När du monterar ett nytt blad, se till att bladet fäster ordentligt i armen och att det är korrekt riktat.

**3** Om du har en kombimodell, kom ihåg att även kontrollera bakrutetorkaren. Torkar-bladet är fastklämt på armen.

## Batteri

*Varning: Läs säkerhetsföreskrifterna i Säkerheten främst! (i början av handboken) innan något arbete utförs på batteriet.*

✔ Se till att batterilådan är i gott skick och att klämman sitter ordentligt. Rost på plåten, hållaren och batteriet kan tas bort med en lösning av vatten och bikarbonat. Skölj noggrant alla rengjorda delar med vatten. Alla rostskadade metalldelar bör först målas med en zinkbaserad grundfärg och därefter lackeras.

✔ Kontrollera regelbundet (ungefär var tredje månad) batteriets skick enligt beskrivningen i kapitel 5A.

✔ Om batteriet är urladdat och det behövs starthjälp för att starta bilen, se *Starthjälp*.

**1** Batteriet sitter framtill och till vänster i motorrummet, och skyddas av en plastkåpa. Batteriets yttre bör inspekteras då och då för att se efter om där finns skador, till exempel om det finns sprickor i höljet eller på locket.

**2** Kontrollera att batteriets kabelklämmor sitter ordentligt för bästa ledareffekt. Det ska inte gå att rubba dem. Kontrollera även kablarna beträffande sprickor och skadade ledare.

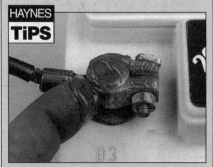

*Korrosion på batteriet kan minimeras genom att lite vaselin stryks på batteriklämmorna och polerna när de har dragits åt.*

**3** Om korrosion finns, ta bort kablarna från batteripolerna, rengör dem med en liten stålborste och sätt tillbaka dem. Hos en biltillbehörsbutik kan man köpa ett särskilt verktyg för rengöring av batteripoler. . .

**4** . . . och kabelklämmor.

# Elsystem

✔ Kontrollera att alla yttre lampor samt signalhornet fungerar. Se lämpliga avsnitt i kapitel 12 om någon krets inte fungerar. Byt ut säkringen om det behövs.

✔ Se över alla tillgängliga kontaktdon, kablar och kabelklämmor så att de sitter ordentligt och inte är skavda eller skadade.

> **Om du måste kontrollera blinkers och bromsljus ensam, backa upp mot en vägg eller garageport och slå på ljusen. Det reflekterade skenet visar om de fungerar eller inte.**

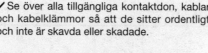

**1** Om enstaka blinkers, bromsljus, eller strålkastare inte fungerar beror det antagligen på en trasig glödlampa. Se kapitel 12 för mer information. Om båda bromsljusen är ur funktion är det möjligt att kontakten är defekt (se kapitel 9).

**2** Om mer än en blinkers eller strålkastare inte fungerar har troligen en säkring gått eller ett fel uppstått i kretsen (se kapitel 12). Huvudsäkringarna sitter under en lucka i änden av instrumentbrädan. Övriga säkringar och reläer sitter till vänster i motorrummet.

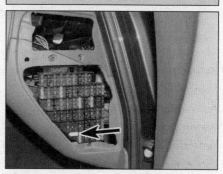

**3** Om en säkring måste bytas, ta loss den med det bifogade verktyget. Sätt i en ny säkring av samma strömstyrka (finns att köpa i biltillbehörsbutiker). Om säkringen går upprepade gånger, försök hitta orsaken med hjälp av informationen i kapitel 12.

## Smörjmedel och vätskor

**Motor:**

Bensin . . . . . . . . . . . . . . . . . . . . . . . . . . . . . . . . . . . . . . Saab Long Life Turbo motorolja eller helsyntetisk motorolja enligt GM-LL-A025, viskositet 0W-30 till 0W-40

Diesel . . . . . . . . . . . . . . . . . . . . . . . . . . . . . . . . . . . . . . Saab Long Life Turbo motorolja eller helsyntetisk motorolja enligt GM-LL-B025, viskositet 5W-40

**Kylsystem** . . . . . . . . . . . . . . . . . . . . . . . . . . . . . . . . . Endast Saab original kylvätska/frostskyddsvätska

**Manuell växellåda** . . . . . . . . . . . . . . . . . . . . . . . . . Saab syntetisk växellådsolja MTF 0063, delnr. 93 165 290

**Automatisk växellåda** . . . . . . . . . . . . . . . . . . . . . . Saab automatväxelvätska 3309

**Servostyrningsbehållare** . . . . . . . . . . . . . . . . . . . Saab servostyrningsvätska CHF 11S eller CHF 202

**Bromsvätskebehållare** . . . . . . . . . . . . . . . . . . . . . Hydraulvätska enligt DOT 4

## Däcktryck (kallt)

**Observera:** *Tryckvärdena på etiketten gäller de originaldäck som specificeras och kan variera om du använder någon annan typ eller annat märke av däck; Om andra däck monteras, kontrollera tillverkarens rekommendationer. Tryckvärden anges även på passagerarsidans B-stolpe.*

| Däckstorlek | Fram | Bak |
|---|---|---|
| **195/65 R15:** | | |
| 1 till 3 personer, max 160 km/h | 2,4 bar | 2,4 bar |
| 4 till 5 personer, max 160 km/h | 2,6 bar | 2,6 bar |
| **205/65 R15:** | | |
| 1 till 3 personer, max 160 km/h | 2,3 bar | 2,1 bar |
| 4 till 5 personer, max 160 km/h | 2,8 bar | 2,6 bar |
| **215/55 R16:** | | |
| 1 till 3 personer, max 160 km/h | 2,4 bar | 2,2 bar |
| 4 till 5 personer, max 160 km/h | 2,9 bar | 2,7 bar |
| **225/45 R17:** | | |
| 1 till 3 personer, max 160 km/h | 2,5 bar | 2,4 bar |
| 4 till 5 personer, max 160 km/h | 3,0 bar | 2,9 bar |
| **235/45 R17:** | | |
| 1 till 3 personer, max 160 km/h | 2,4 bar | 2,4 bar |
| 4 till 5 personer, max 160 km/h | 2,8 bar | 2,8 bar |
| T115/70R16 (kompakt reserv) | 4,2 bar | |

# Kapitel 1 Del A:
# Rutinunderhåll och service – bensinmotorer

## Innehåll

## Svårighetsgrader

| Enkelt, passer novisen med lite erfarenhet |  | Ganska enkelt, passar nybörjaren med viss erfarenhet | | Ganska svårt, passer kompetent hemmamekaniker | | Svårt, passer hemmamekaniker med erfarenhet |  | Mycket svårt, för professionell mekaniker | 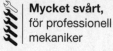 |

## Smörjmedel och vätskor

Se slutet av *Veckokontroller* på sidan 0•17

## Volymer

### Motorolja

| | |
|---|---|
| Alla motorer (dränering och återfyllning med filterbyte) . . . . . . . . . . . . . | 4,0 liter |
| Total torrmängd inklusive motoroljekylare . . . . . . . . . . . . . . . . . . . . . . | 5,4 liter |
| Skillnad mellan oljemätstickans MAX- och MIN-markeringar . . . . . . . . | 1,0 liter |
| Kylsystem . . . . . . . . . . . . . . . . . . . . . . . . . . . . . . . . . . . . . . . . . . . . . . | 7,4 liter |

### Växellåda

| | |
|---|---|
| Manuell: | |
| Dränering och påfyllning . . . . . . . . . . . . . . . . . . . . . . . . . . . . . . . . . | 1,5 liter |
| Torr . . . . . . . . . . . . . . . . . . . . . . . . . . . . . . . . . . . . . . . . . . . . . . . . | 1,9 liter |
| Automat: | |
| Dränering och påfyllning . . . . . . . . . . . . . . . . . . . . . . . . . . . . . . . . . | 3,5 liter |
| Torr (inklusive momentomvandlare och kylare) . . . . . . . . . . . . . . . . | 7,0 liter |

### Bromssystem

| | |
|---|---|
| Systemvolym . . . . . . . . . . . . . . . . . . . . . . . . . . . . . . . . . . . . . . . . . . . | 0,9 liter |

### Servostyrning

| | |
|---|---|
| Systemvolym . . . . . . . . . . . . . . . . . . . . . . . . . . . . . . . . . . . . . . . . . . . | 1,3 liter |
| Bränsletank . . . . . . . . . . . . . . . . . . . . . . . . . . . . . . . . . . . . . . . . . . . . | 75,0 liter |

## Kylsystem

| | |
|---|---|
| Frostskyddsblandning*: | |
| 50 % frostskydd . . . . . . . . . . . . . . . . . . . . . . . . . . . . . . . . . . . . . . . . | Skydd ner till -37 °C |
| 55 % frostskydd . . . . . . . . . . . . . . . . . . . . . . . . . . . . . . . . . . . . . . . . | Skydd ner till -45 °C |

* **Observera:** *Kylvätska från Saab-återförsäljare är färdigblandad med vatten i korrekta proportioner.*

## Tändsystem

| | | |
|---|---|---|
| Tändföljd . . . . . . . . . . . . . . . . . . . . . . . . . . . . . . . . . . . . . . . . . . . . . . | 1 – 3 – 4 – 2 | |
| Tändstift: | **Typ** | **Elektrodavstånd** |
| 2,0-liters motorer . . . . . . . . . . . . . . . . . . . . . . . . . . . . . . . . . . . . . . | NGK BCPR6ES-11 | 1,0 mm |
| 2,3-liters motorer . . . . . . . . . . . . . . . . . . . . . . . . . . . . . . . . . . . . . . | NGK PFR 6H-10 | 1,0 mm |

## Bromsar

| | |
|---|---|
| Minsta tjocklek på bromsklossbelägg . . . . . . . . . . . . . . . . . . . . . . . | 4,0 mm vid service (varningssignal vid 3,0 mm) |

## Däcktryck

Se slutet av *Veckokontroller* på sidan 0•17

## Åtdragningsmoment

| | Nm |
|---|---|
| Automatväxel, avtappningsplugg . . . . . . . . . . . . . . . . . . . . . . . . . . . . | 40 |
| Hjulbultar . . . . . . . . . . . . . . . . . . . . . . . . . . . . . . . . . . . . . . . . . . . . . . | 110 |
| Manuell växellåda, avtappnings-, nivå- och påfyllningspluggar . . . . . . | 50 |
| Motoroljesumpens avtappningsplugg . . . . . . . . . . . . . . . . . . . . . . . . | 18 |
| Tändstift . . . . . . . . . . . . . . . . . . . . . . . . . . . . . . . . . . . . . . . . . . . . . . | 28 |

# Underhållsschema – bensinmodeller 1A•3

Underhållsintervallen i denna handbok är angivna efter förutsättningen att du utför arbetet på egen hand. Dessa uppfyller tillverkarens minimikrav på underhållsintervall för bilar som körs dagligen. Om bilen konstant ska hållas i toppskick bör vissa moment utföras oftare. Vi rekommenderar regelbundet underhåll eftersom det höjer bilens effektivitet, prestanda och andrahandsvärde.

Om bilen körs på dammiga vägar, används till bärgning, körs mycket i kösituationer eller korta körsträckor, ska intervallen kortas av.

Medan bilen är ny skall underhållsservice utföras av auktoriserad verkstad så att garantin ej förverkas. Biltillverkaren kan avslå garantianspråk om du inte kan bevisa att service har utförts på det sätt och vid de tidpunkter som har angivits, och då endast

med originalutrustning eller delar som har godkänts som likvärdiga.

Alla Saabmodeller är utrustade med en display för serviceintervall (eller Saabs informationsdisplay–SID) på instrumentbrädan som visar TIME FOR SERVICE när det är dags för service. Saab poängterar dock att p.g.a. förhållandet mellan tid och körsträcka kan vissa användarförhållanden göra det lämpligare med årlig service .

## Var 400:e km eller en gång i veckan
- [ ] Se Veckokontroller

## Var 15 000:e km
- [ ] Motorolja och filter – byte (avsnitt 3)

**Observera:** *Täta olje- och filterbyten är bra för motorn. Vi rekommenderar oljebyten efter de körsträckor som anges här, eller minst en gång om året om körsträckan inte uppnår de angivna värdena.*

## Var 30 000:e km
- [ ] Servicemätare – återställning (avsnitt 4)
- [ ] Slangar och vätska – läckagekontroll (avsnitt 5)
- [ ] Styrning och fjädring – kontroll (avsnitt 6)
- [ ] Handbromskontroll och justering (avsnitt 7)
- [ ] Säkerhetsbälten – kontroll (avsnitt 8)
- [ ] Krockkuddar – kontrollera (avsnitt 9)
- [ ] Strålkastarinställning – kontroll (avsnitt 10)
- [ ] Servostyrningsvätskenivå – kontroll (avsnitt 11)
- [ ] Landsvägsprov (avsnitt 12)
- [ ] Frostskyddsblandning – kontroll (avsnitt 13)
- [ ] Automatväxellådans olja, nivå – kontroll (avsnitt 14)
- [ ] Drivaxelleder och damasker – kontroll (avsnitt 15)
- [ ] Avgassystem – kontroll (avsnitt 16)
- [ ] Bromsklosslitage – kontroll (avsnitt 17)
- [ ] Gångjärn och lås – smörjning (avsnitt 18)
- [ ] Dräneringsslangar för luftkonditionering – kontroll (avsnitt 19)
- [ ] Pollenfilter – byte (avsnitt 20)
- [ ] Drivrem – kontroll (avsnitt 21)

## Var 60 000:e km
- [ ] Tändstift – byte (avsnitt 22)
- [ ] Manuell växellåda, oljenivå – kontroll (avsnitt 23)
- [ ] Luftfilter – byte (avsnitt 24)

## Vart 3:e år
- [ ] Kylvätska – byte (avsnitt 25)

**Observera:** *Detta arbete ingår inte i Saab schema, och ska inte behövas om man använder det frostskyddsmedel som Saab rekommenderar.*

## Var 120 000:e km
- [ ] Bränslefilter – byte (avsnitt 26)
- [ ] Drivrem – byte (avsnitt 27)
- [ ] Automatväxelolja – byte (avsnitt 28)

## Vart 4:e år
- [ ] Bromsvätska – byte (avsnitt 29)

## Bild av motorrummet för modell med 2,3-liters bensinmotor med turbo

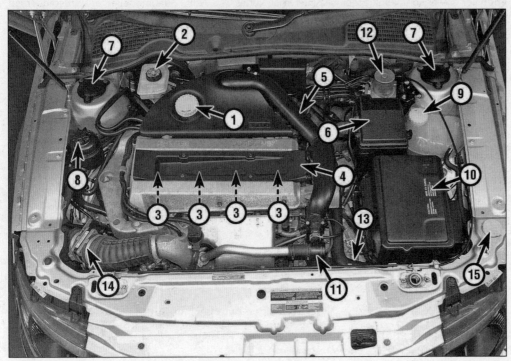

1 Påfyllningslock och oljemätsticka för motorolja
2 Bromsvätskebehållare
3 Tändstift (dolda)
4 Tändspole
5 Luftintagsrör mellan turboaggregat och motor
6 Säkringsdosa för motorrum
7 Främre fjäderbenets övre fäste
8 Behållare för servostyrningsvätska
9 Expansionskärl för kylvätska
10 Batteri
11 Bypassventil för turboaggregatskontroll
12 ABS enhet
13 Kylarens övre slang
14 Luftflödesmätare för bränsleinsprutningssystem
15 Vindrutans spolarvätskebehållare, påfyllningslock

## Översikt över det främre underredet

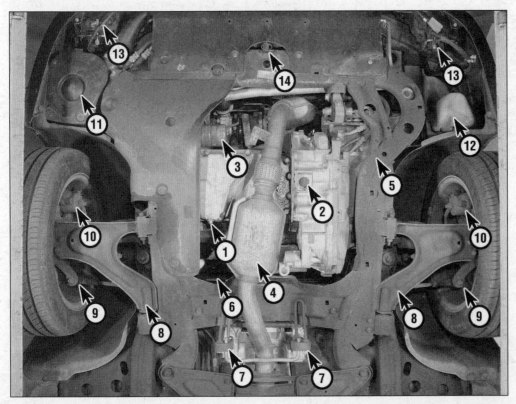

1 Motoroljans dräneringsplugg
2 Dräneringsplugg för automatväxelolja
3 Motoroljefilter
4 Främre avgasrör
5 Framfjädring/motorns kryssrambalk
6 Styrväxel
7 Gummifästen för avgassystem
8 Framfjädringens länkarmar
9 Styrstagsändar
10 Främre bromsok
11 Luftfilterhus
12 Spolarvätskebehållare för vindruta
13 Främre dimljus
14 Plats för främre bogseringsögla

## Översikt över det bakre underredet

1 Bakfjädringens tvärbalk
2 Bakre krängningshämmare
3 Nedre tvärlänk för bakfjädring
4 Flexibla slangar för bromshydraulik
5 Handbromsvajrar
6 Bränsletank
7 Bakfjädringens länkarmar
8 Bakre fjäderben/stötdämpare
9 Bakre ljuddämpare och avgasrör

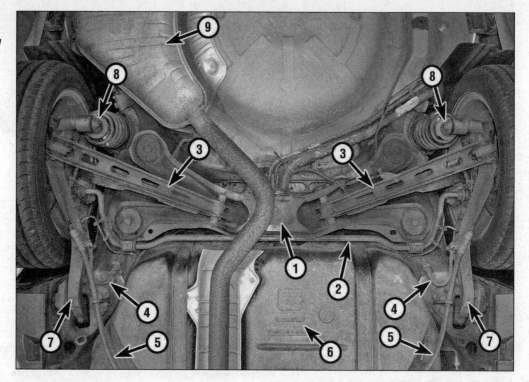

# Underhållsprocedurer

## 1 Allmän information

1 Informationen i detta kapitel är avsedd att hjälpa hemmamekanikern att underhålla sin bil för att få god säkerhet, driftsekonomi, lång tjänstgöring och toppprestanda.
2 Kapitlet innehåller ett underhållsschema som följs av avsnitt som i detalj tar upp varje post på schemat. Bland annat behandlas användbara saker som kontroller, justeringar och byte av delar. Se de tillhörande bilderna av motorrummet och bottenplattan vad gäller de olika delarnas placering.
3 Underhållsschemat för tid/körsträcka och de följande avsnitten ger dig ett tydligt underhållsprogram som, om du följer det, bidrar till att din bils tjänstgöring blir både lång och säker. Planen är heltäckande så om man väljer att bara underhålla vissa delar, men inte andra, vid angivna tidpunkter går det inte att garantera samma goda resultat.
4 Ofta kan eller bör flera åtgärder utföras samtidigt på bilen, antingen för att den åtgärd som ska utföras kräver det eller för att delarnas läge gör det praktiskt. Om bilen av någon anledning hissas upp kan t.ex. inspektion av avgassystemet utföras samtidigt som styrning och fjädring kontrolleras.

5 Första steget i detta underhållsprogram är förberedelser innan arbetet påbörjas. Läs igenom relevanta avsnitt, gör sedan upp en lista på vad som behövs och skaffa verktyg och delar. Rådfråga en specialist på reservdelar eller vänd dig till återförsäljarens serviceavdelning om problem uppstår.

## 2 Rutinunderhåll

1 Om underhållsschemat följs noga från det att bilen är ny och om vätske- och oljenivåerna och de delar som är utsatta för stort slitage kontrolleras enligt denna handboks rekommendationer, kommer motorn att hållas i bra skick och behovet av extra arbete minimeras.
2 Ibland går motorn dåligt på grund av bristande underhåll. Risken för detta ökar om bilen är begagnad och inte fått tät och regelbunden service. I sådana fall kan extra arbeten behöva utföras, utöver det normala underhållet.
3 Om motorn misstänks vara sliten ger ett kompressionsprov (se kapitel 2A) värdefull information om de inre huvudkomponenternas skick. Ett kompressionsprov kan användas för att avgöra omfattningen på det kommande

arbetet. Om provet avslöjar allvarligt inre slitage är det slöseri med tid och pengar att utföra underhåll på det sätt som beskrivs i detta kapitel, om inte motorn först renoveras (kapitel 2C).
4 Följande åtgärder är de som oftast behövs för att förbättra effekten hos en motor som går dåligt:

### I första hand

a) Rengör, kontrollera och testa batteriet (Veckokontroller och kapitel 5A).
b) Kontrollera alla motorrelaterade vätskor (Veckokontroller).
c) Kontrollera drivremmens skick och spänning (avsnitt 21).
d) Byt tändstiften (avsnitt 22).
e) Kontrollera luftfiltrets skick och byt vid behov (se avsnitt 24).
f) Byt bränslefiltret (avsnitt 26).
g) Kontrollera skick på samtliga slangar och leta efter läckor (avsnitt 5).

### Sekundära åtgärder

5 Om ovanstående åtgärder inte har någon inverkan ska följande åtgärder utföras:
a) Kontrollera laddningssystemet (kapitel 5A).
b) Kontrollera tändningssystemet (kapitel 5B).
c) Kontrollera bränslesystemet (kapitel 4A).

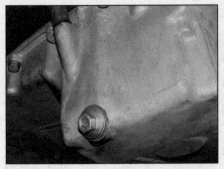

3.4 Motoroljans dräneringsplugg

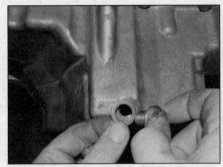

3.6 Om det behövs, byt
sumpdräneringspluggens bricka

3.8 Ta bort oljefiltret

# Var 15 000:e km

### 3 Motorolja och filter – byte

1 Täta oljebyten är det bästa förebyggande underhåll en hemmamekaniker kan ge en motor eftersom begagnad olja blir utspädd och förorenad med tiden, vilket medför att motorn slits ut i förtid.
2 Innan arbetet påbörjas, plocka fram alla verktyg och material som behövs. Se även till att ha gott om rena trasor och tidningar till hands för att torka upp eventuellt spill. Motoroljan ska helst vara varm eftersom den rinner ut lättare då och även tar med sig slam. Se dock till att inte vidröra avgassystemet eller andra heta delar vid arbete under bilen. Använd handskar för att undvika skållning och för att skydda huden mot irritationer och skadliga föroreningar i begagnad motorolja.
3 Dra åt handbromsen. Lyft upp framvagnen och ställ den på pallbockar (se *Lyftning och stödpunkter*).
4 Oljedräneringspluggen sitter bakom sumpen; Lossa pluggen ungefär ett halvt varv. Ställ behållaren under dräneringspluggen och skruva ur pluggen helt. Ta vara på packningen **(se bild)**.
5 Ge den gamla oljan tid att rinna ut, och observera att det kan bli nödvändigt att flytta behållaren när oljeflödet minskar.
6 När all olja har tappats ur; torka av dräneringspluggen med en ren trasa. Kontrollera att tätningsbrickan är i gott skick och byt ut den om det behövs **(se bild)**. Montera en ny tätningsbricka, rengör området kring pluggen och skruva in den. Dra åt avtappningspluggen till angivet moment.
7 Placera behållaren på plats under oljefiltret, som sitter framtill på cylinderblocket. Du kommer åt oljefiltret underifrån bilen.
8 Lossa filtret med ett oljefilterverktyg om det behövs, och skruva sedan loss det för hand **(se bild)**. Töm det gamla oljefiltret i behållaren och kasta det.
9 Torka bort all olja, smuts och slam från filtrets tätningsyta på hållaren med en ren trasa.
10 Applicera ett tunt lager ren motorolja på det nya filtrets tätningsring, och skruva det sedan på plats på motorn. Dra åt filtret ordentligt, men endast för hand – använd inte något verktyg. Rengör filtret och sumpens avtappningsplugg.
11 Ta bort behållaren med gammal olja och verktygen under bilen. Sänk sedan ner bilen.
12 Ta bort oljepåfyllningslocket och dra ut oljemätstickan från påfyllningsröret. Fyll motorn med rätt klass och typ av olja (se *Smörjmedel och vätskor*). En oljekanna eller tratt kan minska spillet. Häll först i hälften av den angivna mängden olja. Vänta sedan några minuter så att oljan hinner rinna ner i sumpen. Fortsätt fylla på små mängder i taget till dess att nivån når det nedre märket på mätstickan. Ytterligare 1,0 liter tar upp nivån till mätstickans övre märke. Sätt i oljestickan och sätt tillbaka locket.
13 Starta motorn och låt den gå några minuter. Leta efter läckor runt oljefiltrets tätning och sumpens dräneringsplugg. Observera att det kan ta ett par sekunder innan oljetryckslampan släcks sedan motorn startats första gången efter ett oljebyte. Detta beror på att oljan cirkulerar runt i kanalerna och det nya filtret innan trycket byggs upp.
14 Stäng av motorn och vänta ett par minuter på att oljan ska rinna tillbaka till sumpen. När den nya oljan har cirkulerat runt motorn och fyllt filtret ska oljenivån kontrolleras igen, fyll på mer vid behov.
15 Ta hand om den använda motoroljan på ett säkert sätt i enlighet med rekommendationerna i referensavsnittet.

# Var 30 000:e km

### 4 Servicemätare – återställning

1 En servicemätare i Saabs informationsdisplay (SID) på instrumentbrädan. När det börjar bli dags för nästa service ger mätaren utslag. 'Dags för service. Kontakta service'. När bilen servats nollställs servicemätaren för hand. **Observera:** *Mätaren återställs automatiskt när meddelandet visats 20 gånger.*
2 För att återställa servicemätaren manuellt trycker du på knappen CLEAR (ÅTERSTÄLL) på SID-panelen och håller in den under 8 sekunder. När du hör två ljudsignaler i snabb följd släpper du knappen. Meddelandet SERVICE börjar blinka vilket betyder att serviceintervallet är återställt.
3 Du kan när som helst återställa visaren med Saabs diagnostikverktyg.

### 5 Slangar och vätskor – läckagekontroll

#### Kylsystem

 *Varning: Läs säkerhetsinformationen i 'Säkerheten främst!' och Kapitel 3 innan du flyttar några av kylsystemets komponenter.*

**1** Kontrollera noggrant kylaren och hela kylvätskeslangarna. Byt ut alla slangar som är spruckna, svullna eller visar tecken på åldrande. Sprickor är lättare att se om slangen trycks ihop. Var extra noga med slangklämmorna som håller fast slangarna vid kylsystemets komponenter. För hårt åtdragna slangklämmor kan klämma och punktera slangarna, vilket leder till läckor i kylsystemet.
**2** Undersök alla delar av kylsystemet (slangar, fogytor etc.) och leta efter läckor. Om några läckor förekommer ska den trasiga komponenten eller dess packning bytas ut enligt beskrivningen i kapitel 3 **(se Haynes tips)**.

## Bränslesystem

⚠️ **Varning: Läs säkerhetsinformationen i 'Säkerheten främst!' och kapitel 4A innan du modifierar någon av komponenterna i bränslesystemet.**

**3** Bränsleläckor kan vara svåra att hitta om inte läckaget är uppenbart och syns tydligt. Bränsle tenderar att förångas snabbt vid kontakt med luft, särskilt i ett varmt motorrum. Små droppar kan försvinna innan själva läckan hittas. Låt bilen stå över natten om du misstänker att det finns ett bränsleläckage i motorrummet och kallstarta sedan motorn med motorhuven öppen. Metallkomponenter krymper en aning vid kyla och gummitätningar och slangar stelnar, så eventuella läckor blir lättare att hitta när motorn värms upp från kallstart.
**4** Kontrollera alla bränsleledningar vid anslutningarna till bränslefördelarskenan, bränsletrycksregulatorn och bränslefiltret. Undersök alla bränsleslangar av gummi efter hela deras längd med avseende på sprickor och skador. Leta efter läckor i de veckade skarvarna mellan gummislangarna och metalledningarna. Undersök anslutningarna mellan bränsleledningarna av metall och bränslefiltrets hus. Kontrollera även området runt bränsleinsprutarna efter tecken på O-ringsläckage.
**5** Lyft upp bilen på pallbockar för att kunna hitta läckor mellan bränsletanken och motorrummet (se *Lyftning och stödpunkter*). Undersök bensintanken och påfyllningsröret efter hål, sprickor och andra skador. Anslutningen mellan påfyllningsröret och tanken är speciellt kritisk. Ibland läcker ett påfyllningsrör av gummi eller en slang beroende på att slangklämmorna är för löst åtdragna eller att gummit åldrats.
**6** Undersök noga alla gummislangar och metallrör som leder från tanken. Leta efter lösa anslutningar, åldrade slangar, veck på rör och andra skador. Var extra uppmärksam på ventilationsrör och slangar som ofta är lindade runt påfyllningsröret och kan bli igensatta eller veckade så att det blir svårt att tanka. Följ bränsletillförsel- och returledningarna till den främre delen av bilen och undersök dem noga efter tecken på skador eller rost. Byt ut skadade delar vid behov.

## Motorolja

**7** Undersök området kring kamaxelkåpan, topplocket, oljefiltret och sumpens fogytor. Tänk på att det med tiden är naturligt med en viss genomsippring i dessa områden. Sök efter tecken på allvarligt läckage som orsakats av fel på packningen. Motorolja som sipprar från botten på kamremskåpan eller balanshjulskåpan kan vara tecken på att vevaxelns eller växellådans ingående axels oljetätningar läcker. Om ett läckage påträffas, byt den defekta packningen eller tätningen enligt beskrivning i relevant kapitel i denna handbok.

## Automatväxelolja

**8** Kontrollera slangarna som går till växellådsoljekylningen, som är inbyggd i kylaren. Leta efter slitage som orsakats av korrosion och efter skador som orsakats av att slangarna släpat i marken eller av stenskott. Automatväxelolja är en tunn, ofta rödfärgad olja.

## Servostyrningsvätska

**9** Undersök slangen mellan oljebehållaren och servostyrningspumpen samt returslangen från kuggstången till oljebehållaren. Kontrollera även högtrycksslangen mellan pumpen och kuggstången.
**10** Undersök noga varje slang. Leta efter slitage som orsakats av korrosion och efter skador som orsakats av att slangarna släpat i marken eller av stenskott.
**11** Var extra noga med veckade anslutningar och området runt de slangar som är fästa med justerbara skruvklämmor. Liksom automatväxelolja är servostyrningsolja tunn och ofta rödfärgad.

## Luftkonditioneringens kylmedel

⚠️ **Varning: Läs säkerhetsinformationen i 'Säkerheten främst!' och Kapitel 3 om farorna med att flytta några av delarna i luftkonditioneringssystemet.**

**12** Luftkonditioneringssystemet är fyllt med flytande kylmedel som förvaras under högt tryck. Om luftkonditioneringssystemet öppnas och tryckutjämnas utan specialutrustning kommer kylmedlet omedelbart att förångas och blanda sig med luften. Om vätskan kommer i kontakt med hud kan den orsaka allvarliga förfrysningsskador. Kylvätskan innehåller dessutom ämnen som är miljöfarliga. Därför ska det inte släppas ut okontrollerat i atmosfären.
**13** Misstänkt läckage på luftkonditioneringssystemet ska omedelbart överlåtas till en Saab-verkstad eller en luftkonditioneringsspecialist. Läckage yttrar sig genom att nivån på kylmedel i systemet sjunker stadigt.
**14** Observera att vatten kan droppa från kondensatorns avtappningsrör under bilen omedelbart efter det att luftkonditioneringssystemet har använts. Detta är normalt och behöver inte åtgärdas.

*Kylvätskeläckage visar sig vanligen som vita eller rostfärgade, sköra avlagringar i området runt läckan.*

## Broms- och kopplingsolja

⚠️ **Varning: Läs säkerhetsinformationen i 'Säkerheten främst!' och Kapitel 9 om farorna med att hantera bromsolja.**

**15** Undersök området runt bromsrörens anslutningar vid huvudcylindern efter tecken på läckage, enligt beskrivningen i kapitel 9. Kontrollera området runt oljebehållarens botten efter läckage som orsakats av defekta tätningar. Undersök även bromsrörens anslutningar vid den hydrauliska ABS-enheten.
**16** Om uppenbar oljeförlust föreligger men inget läckage kan upptäckas i motorrummet ska bilen lyftas upp på pallbockar och bromsoken samt underredets bromsledningar kontrolleras (se *Lyftning och stödpunkter*). Oljeläckage från bromssystemet är ett allvarligt fel som kräver omedelbart åtgärdande.
**17** Hydrauloljan till bromsarna/växellådan är giftig och har en vattnig konsistens. Ny hydraulolja är i det närmaste färglös, men den mörknar med tid och användning.

## Oidentifierade vätskeläckage

**18** Om det finns tecken på att vätska av någon sort läcker från bilen, men det inte går att avgöra vilken sorts vätska eller var den kommer ifrån, parkera bilen över natten och lägg en stor bit kartong under den. Förutsatt att kartongbiten är placerad på någorlunda rätt ställe kommer även mycket små läckor att synas på den. Detta gör det lättare både att avgöra var läckan är placerad samt att, med hjälp av vätskans färg, identifiera vätskan. Tänk på att vissa läckage bara ger ifrån sig vätska när motorn är igång!

## Vakuumslangar

**19** Fastän bromssystemet är hydraulstyrt förstärker bromsservon kraften på bromspedalen med hjälp av insugsgrenrörets vakuum. Detta skapas av motorn och förstärks av vakuumpumpen på automatväxlade modeller eller av en 'ejektoranordning' på modeller med manuell växellåda (se kapitel 9 för mer information). Vakuumet leds till servon genom en bred slang. Läckor på slangen minskar bromsarnas effektivitet och kan även påverka motorn.

**20** Några av komponenterna under motorhuven, särskilt avgaskontrollens komponenter, drivs av vakuum från insugsröret via smala slangar. En läcka i vakuumslangen innebär att luft kommer in i slangen (i stället för att pumpas ut från den), vilket gör läckan mycket svår att upptäcka. Ett sätt är att använda en bit vakuumslang som ett slags stetoskop. Håll den ena änden mot örat och den andra änden på olika ställen runt den misstänkta läckan. När slangens ände befinner sig direkt ovanför vakuumläckan hörs ett tydligt väsande ljud genom slangen. Motorn måste vara igång vid en sådan här undersökning, så var noga med att inte komma åt heta eller rörliga komponenter. Byt ut alla vakuumslangar som visar sig vara defekta.

## 6 Styrning och fjädring – kontroll

### Framfjädring och styrning

**1** Lyft upp framvagnen, och ställ den på pallbockar (se *Lyftning och stödpunkter*).
**2** Undersök spindelledernas dammskydd samt kuggstångens och kugghjulets damasker. De får inte vara spruckna eller skavda och gummit får inte ha torkat. Slitage på någon av dessa delar gör att smörjmedel läcker ut och att smuts och vatten kan tränga in, vilket snabbt sliter ut spindellederna eller styrinrättningen.
**3** Kontrollera servostyrningens oljeslangar och leta efter tecken på skavning och åldrande och undersök rör- och slanganslutningar för att se om det finns oljeläckage. Leta även efter läckor under tryck från styrinrättningens gummidamasker, vilket indikerar trasiga tätningar i styrinrättningen.
**4** Ta tag i hjulet längst upp och längst ner och försök vicka på det **(se bild)**. Ett ytterst litet spel kan märkas, men om rörelsen är stor krävs en närmare undersökning för att fastställa orsaken. Fortsätt rucka på hjulet medan en medhjälpare trycker på bromspedalen. Om

**6.4 Kontrollera om det föreligger slitage i navlagren genom att ta tag i hjulet och försöka vicka på det.**

spelet försvinner eller minskar markant är det troligen fråga om ett defekt hjulnavlager. Om spelet finns kvar när bromsen är nedtryckt rör det sig om slitage i fjädringens leder eller fästen.
**5** Greppa sedan hjulet på sidorna och försök rucka på det igen. Märkbart spel beror antingen på slitage på hjullager eller på styrstagets kulleder. Om den yttre spindelleden är sliten är det synliga spelet tydligt. Om den inre spindelleden misstänks vara sliten kan detta kontrolleras genom att man placerar handen över kuggstångens gummidamask och tar tag om styrstaget. Om hjulet ruckas kommer rörelsen att kännas vid den inre spindelleden om den är sliten.
**6** Använd en stor skruvmejsel eller ett plattjärn och leta efter glapp i fjädringsfästenas bussningar genom att bända mellan relevant komponent och dess fästpunkt. En viss rörelse är att vänta eftersom bussningarna är av gummi, men eventuellt större slitage visar sig tydligt. Kontrollera även skicket på synliga gummibussningar, leta efter bristningar, sprickor eller föroreningar i gummit.
**7** Ställ bilen på marken och låt en medhjälpare vrida ratten fram och tillbaka ungefär en åttondels varv åt vardera hållet. Det ska inte finnas något, eller bara ytterst lite, spel mellan rattens och hjulens rörelser. Om så inte är fallet observerar noggrant du lederna och fästen som beskrevs tidigare. Kontrollera dessutom om rattstångens kardanknutarar är slitna och själva kuggstångsstyrningens drev.
**8** Kontrollera att framfjädringens fästen sitter ordentligt.

### Bakfjädring

**9** Klossa framhjulen och ställ bakvagnen på pallbockar (se *Lyftning och stödpunkter*).
**10** Kontrollera att de bakre hjullagren, bussningarna och fjäderbenet eller stötdämparens fästen (i förekommande fall) inte är slitna, med samma metod som för framvagnens fjädring.
**11** Kontrollera att bakfjädringens fästen sitter ordentligt.

### Stötdämpare

**12** Leta efter tecken på oljeläckage runt stötdämpare eller från gummidamaskerna runt kolvstängerna. Om det finns spår av olja är stötdämparen defekt och ska bytas. **Observera:** *Stötdämpare måste alltid bytas parvis på samma axel.*
**13** Stötdämparens effektivitet kan kontrolleras genom att bilen gungas i varje hörn. I normala fall ska bilen återta planläge och stanna efter en nedtryckning. Om den höjs och återvänder med en studs är troligen stötdämparen defekt. Undersök även om stötdämparens övre och nedre fästen visar tecken på slitage.

### Löstagbar bogsertillsats

**14** Rengör kopplingsstiftet och stryk lite fett

på sätet. Kontrollera att tillsatsen enkelt kan monteras och låses korrekt på plats.

## 7 Handbroms – kontroll och justering

**1** Klossa framhjulen, lyft upp bakvagnen med hjälp av en domkraft och stötta upp den på pallbockar (se *Lyftning och stödpunkter*).
**2** Lägg ur handbromsspaken helt.
**3** Dra handbromsen till det 4:e hacket och kontrollera att båda bakhjulen är låsta när du försöker vrida dem för hand.
**4** Vid behov av justering, se kapitel 9.
**5** Sänk ner bilen.

## 8 Säkerhetsbälten – kontroll

**1** Arbeta med ett säkerhetsbälte i taget, undersök bältesväven ordentligt efter revor eller tecken på allvarlig fransning eller åldrande. Dra ut bältet så långt det går och undersök väven efter hela dess längd.
**2** Spänn fast bilbältet och öppna det igen, kontrollera att bältesspännet sitter säkert och att det löser ut ordentligt när det ska. Kontrollera också att bältet rullas upp ordentligt när det släpps.
**3** Kontrollera att infästningarna till säkerhetsbältena sitter säkert. De är åtkomliga inifrån bilen utan att klädsel eller andra detaljer behöver demonteras.
**4** Kontrollera att bältespåminnaren fungerar.

## 9 Krockkuddar – kontroll

**1** Följande arbete kan utföras av en amatörmekaniker, men om elektroniska problem uppdagas är det nödvändigt att uppsöka en Saab-verkstad som har den nödvändiga diagnostiska utrustningen för avläsning av felkoder i systemet.
**2** Vrid tändningsnyckeln till körläge (tändningens varningslampa på) och kontrollera att varningslampan för SRS (Supplementary Restraint System) lyser i 3 till 4 sekunder. Efter fyra sekunder ska varningslampan slockna som ett tecken på att systemet är kontrollerat och fungerar som det ska.
**3** Om varningslampan inte släcks, eller om den inte tänds, ska systemet kontrolleras av en Saab-verkstad.
**4** Undersök rattens mittplatta och krockkuddemodulen på passagerarsidan efter yttre skador. Kontrollera även framsätenas utsida runt krockkuddarna. Kontakta en Saab-verkstad vid synliga skador.
**5** I säkerhetssyfte, se till att inga lösa

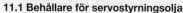

**11.1 Behållare för servostyrningsolja**

**11.3 Vätskenivåmarkeringar på mätstickan**

föremål finns i bilen som kan träffa krockkuddemodulerna om en olycka skulle inträffa.

## 10 Strålkastarinställning – kontroll

Se kapitel 12 för ytterligare information.

## 11 Servostyrningsvätskans nivå – kontroll

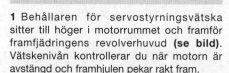

**1** Behållaren för servostyrningsvätska sitter till höger i motorrummet och framför framfjädringens revolverhuvud (se bild). Vätskenivån kontrollerar du när motorn är avstängd och framhjulen pekar rakt fram.
**2** Torka först av påfyllningslocket och området omkring det på behållaren. Skruva loss locket från behållaren och torka bort all olja från mätstickan med en ren trasa.
**3** Skruva på locket med handkraft och skruva sedan bort det igen och kontrollera vätskenivån på mätstickan. När motorn är kall vid en omgivningstemperatur på 20 °C ska vätskenivån ligga mellan den övre (MAX) och nedre (MIN) markeringen på mätstickan, helst nära MAX-markeringen (se bild). Om motorn är varm kan nivån stiga något, men nivån ska aldrig ligga under MIN-markeringen.
**4** Fyll på behållaren med angiven styrservoolja (fyll inte på för mycket, se bild), sätt sedan tillbaka locket och vrid åt det.

## 12 Landsvägsprov

### Instrument och elektrisk utrustning

**1** Kontrollera funktionen hos alla instrument och den elektriska utrustningen.

**2** Kontrollera att instrumenten ger korrekta avläsningar och slå på all elektrisk utrustning i tur och ordning för att kontrollera att den fungerar korrekt. Kontrollera att värmen, luftkonditioneringen och den automatiska klimatanläggningen fungerar.

### Fjädring och styrning

**3** Kontrollera om bilen uppför sig onormalt i styrning, fjädring, köregenskaper och vägkänsla.
**4** Kör bilen och var uppmärksam på ovanliga vibrationer eller ljud.
**5** Kontrollera att styrningen känns positiv, utan överdrivet "fladder" eller kärvningar, lyssna efter missljud från fjädringen vid kurvtagning eller gupp. Kontrollera att servostyrningen fungerar.

### Drivaggregat

**6** Kontrollera att motorn, kopplingen (manuell växellåda), växellådan och drivaxlarna fungerar. Kontrollera att visaren för turboladdningstryck går upp i det högre området vid kraftigt gaspådrag. Nålen kan korta ögonblick röra sig in på det röda området, men om detta händer ofta, eller under längre perioder, kan det vara fel på turboladdningsmekanismen.
**7** Lyssna efter ovanliga ljud från motorn, kopplingen (manuell växellåda) och transmissionen.
**8** Kontrollera att motorn går jämnt på tomgång, och att den inte tvekar vid acceleration.
**9** På modeller med manuell växellåda, kontrollera att kopplingen är mjuk och effektiv, att kraften tas upp mjukt och att pedalen rör sig korrekt. Lyssna även efter missljud när kopplingspedalen är nedtryckt. Kontrollera att alla växlar går i mjukt utan missljud, och att växelspaken går jämnt och inte känns onormalt inexakt eller hackig.
**10** På modeller med automatväxellåda kontrollerar du att alla växlingar är ryckfria, mjuka och fria från ökning av motorvarvet mellan växlar. Kontrollera att alla lägen

kan väljas när bilen står stilla. Om problem föreligger ska dessa tas om hand av en Saab-verkstad.
**11** Kör bilen långsamt i en cirkel med fullt utslag på ratten och lyssna efter metalliska klick från framvagnen. Utför kontrollen åt båda hållen. Om du hör klickljud är det ett tecken på slitage i drivaxelleden, se kapitel 8.

### Bromssystem

**12** Kontrollera att bilen inte drar åt ena hållet vid inbromsning, och att hjulen inte låser sig vid hård inbromsning.
**13** Kontrollera att ratten inte vibrerar vid inbromsning.
**14** Kontrollera att parkeringsbromsen fungerar ordentligt, utan för stort spel i spaken, och att den kan hålla bilen stilla i backe.
**15** Testa bromsservot på följande sätt. Stäng av motorn. Tryck ner bromspedalen fyra till fem gånger, så att vakuumet trycks ut. Starta sedan motorn samtidigt som du håller bromspedalen nedtryckt. När motorn startar ska pedalen ge efter märkbart medan vakuumet byggs upp. Låt motorn gå i minst två minuter och stäng sedan av den. Om pedalen nu trycks ner igen ska ett väsande ljud höras från servon. Efter 4–5 upprepningar bör inget pysande höras, och pedalen bör kännas betydligt hårdare.

**11.4 Påfyllning av servostyrningsvätska**

14.3a Utdragning av mätsticka för automatväxelladans oljenivå

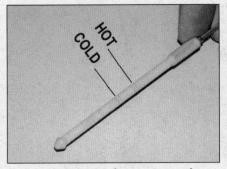

14.3b Vätskenivåmarkeringar på mätstickan

15.2 Kontrollera skicket på drivaxeldamaskerna

## 13 Frostskyddsvätskans koncentration – kontroll

1 Kylsystemet ska fyllas med rekommenderad frost- och korrosionsskyddsvätska. Efter ett tag kan vätskans koncentration sjunka på grund av påfyllningar (detta kan man undvika genom att fylla på med rätt blandning av frostskyddsmedel) eller vätskeförlust. Om det är uppenbart att kylvätskan har läckt är det viktigt att man utför de reparationer som krävs innan man fyller på med ny vätska. Det exakta blandningsförhållandet mellan frostskyddsvätska och vatten beror på vädret. Blandningen ska innehålla minst 40 % frostskyddsmedel, men inte mer än 70 %. Läs uppställningen över blandningsförhållanden på behållaren till frostskyddsmedlet innan du fyller på kylvätska. Använd frostskyddsmedel som motsvarar biltillverkarens specifikationer. Observera att kylvätska från Saab-återförsäljare är färdigblandad med vatten i korrekta proportioner.
2 Ta bort locket från expansionskärlet. Motorn ska vara kall. Om motorn inte är helt kall, lägg en trasa över locket innan du tar bort det, och ta bort locket långsamt så att eventuellt tryck kan ta sig ut.
3 Kylvätsketestare finns att köpa i tillbehörsbutiker. Dra upp lite kylvätska från expansionskärlet och kontrollera hur många plastbollar som flyter i kontrollverktyget. Normalt sett ska två eller tre bollar flyta om frostskyddsmedlets koncentration är korrekt, men följ tillverkarens instruktioner.
4 Om koncentrationen är felaktig måste man antingen ta bort en del kylvätska och fylla på med kylmedel eller tappa ur den gamla kylvätskan och fylla på med ny av korrekt koncentration (se avsnitt 35).

## 14 Automatväxeloljenivå – kontroll

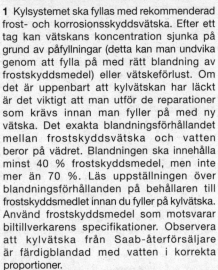

1 Kontrollera vätskenivån med mätstickan

som sitter på växellådans framsida till vänster i motorutrymmet under batteriet.
2 Kör motorn på tomgång och lägg i "D" i ungefär 15 sekunder, lägg sedan i "R" och vänta ytterligare 15 sekunder. Gör om samma sak i läge P, och lämna motorn på tomgångskörning.
3 Dra ut mätstickan ur röret och torka av det noggrant med en ren trasa eller pappershandduk. Stick in den rena mätstickan i röret och dra ut den igen. Observera vätskenivån på mätstickans ände. Änden är försedd med markeringar för kall och varm vätska (se bilder). Följ markeringarna för varm vätska om motorn har uppnått normal arbetstemperatur.
4 Fyll på vätska i mätstickans rör om det behövs. Observera: *Fyll aldrig på så mycket att oljenivån går över det övre märket. Använd en tratt med en finmaskig sil för att undvika att spill och att smuts kommer in i växellådan.* Observera att volymen mellan markeringarna MIN och MAX är 0,4 liter.
5 Efter påfyllning, ta en kort åktur med bilen så att den nya oljan kan fördelas i systemet, kontrollera oljan på nytt och fyll på vid behov.
6 Kontrollera att vätskenivån alltid är korrekt. Om nivån får sjunka under den nedre markeringen kan det leda till vätskebrist, vilket kan orsaka allvarliga skador på växellådan.

## 15 Drivaxelleder och damasker – kontroll

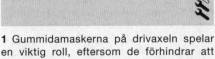

1 Gummidamaskerna på drivaxeln spelar en viktig roll, eftersom de förhindrar att smuts och vatten kommer in i drivknutarna och skadar dem. Yttre föroreningar kan leda till att materialet åldras snabbare, och därför rekommenderar vi att du då och då tvättar gummidamaskerna med tvål och vatten.
2 Med bilens framvagn på pallbockar, vrid ratten till fullt utslag. Snurra sedan långsamt varje framhjul. Undersök konditionen för de yttre drivknutarnas gummidamasker, och tryck på damaskerna så att vecken öppnas

(se bild). Leta efter sprickor eller tecken på att gummit åldrats, vilket kan göra att fettet läcker ut och att vatten och smuts kommer in i leden. Kontrollera även damaskernas klamrar vad gäller åtdragning och skick. Upprepa dessa kontroller på de inre drivknutarna. Om skador eller åldrande upptäcks bör damaskerna bytas enligt beskrivningen i kapitel 8.
3 Kontrollera samtidigt de yttre drivknutarnas allmänna skick genom att hålla fast drivaxeln och samtidigt försöka vrida hjulen. Upprepa kontrollen för de inre drivknutarna genom att hålla fast oket på den inre drivknuten, samtidigt som du försöker rotera drivaxeln.
4 Varje märkbar rörelse i drivknuten är ett tecken på slitage, slitage i drivaxelspårningen eller på lösa fästmuttrar till drivaxeln.

## 16 Avgassystem – kontroll

1 När motorn är kall undersöker du hela avgassystemet från motorn avgasröret. Lyft upp bilen fram och bak om det behövs och ställ den säkert på pallbockar (se *Lyftning och stödpunkter*). Ta bort eventuella undre skyddskåpor, så att du kommer åt hela avgassystemet.
2 Kontrollera om avgasrör eller anslutningar visar tecken på läckage, allvarlig korrosion eller andra skador. Se till att alla fästbyglar och fästen är i gott skick, och att relevanta muttrar och bultar är ordentligt åtdragna. Läckage i någon fog eller annan del visar sig vanligen som en sotfläck i närheten av läckan.
3 Skaller och andra missljud kan ofta härledas till avgassystemet, speciellt till dess fästen och gummiupphängningar. Försök att rubba rör och ljuddämpare. Om det går att få delarna att komma i kontakt med underredet eller fjädringen, bör systemet förses med nya fästen. Man kan också skilja på fogarna (om det går) och vrida rören så att de kommer på tillräckligt stort avstånd.

## 17 Bromsklosslitage – kontroll

**Observera:** *Ett varningslarm finns för den yttre bromsklossen, som består av en metallremsa som kommer i kontakt med bromsskivan när belägget blir tunnare än 3,0 mm. Larmet ger ifrån sig ett skrapande missljud som varnar föraren att bromsklossarna är slitna* **(se bild)**.

**1** Kontrollera bromsklossarna genom att dra åt handbromsen och sedan lyfta upp framvagnen eller bakvagnen (beroende på vilka bromsar som ska kontrolleras) och stöda den ordentligt på pallbockar (se *Lyftning och stödpunkter*).

**2** En snabb kontroll av bromsbeläggens tjocklek kan göras genom hålen i aluminiumfälgarna **(se bild)**. Mät tjockleken på bromsklossbeläggningen, exklusive stödplattan. Det måste vara minst så tjockt som anges i Specifikationer.

**3** Tittar du genom hjulet ser du endast slitaget på den yttre bromsklossen. Vid fullständig kontroll tar man bort hjulen och sedan bromsklossarna och rengör dem. Du kan även kontrollera bromsokets funktion och bromsskivans båda sidor.

**4** Om friktionsmaterialet på något belägg är slitet till angiven tjocklek eller mindre; måste alla fyra klossarna bytas ut på samma gång. Se kapitel 9 för mer information.

**5** Avsluta med att montera hjulen och sänk ner bilen.

## 18 Gångjärn och lås – smörjning

**1** Arbeta runt bilen och smörj motorhuvens gångjärn, dörrar och bakruta med lätt maskinolja.

**2** Smörj försiktigt de två huvlåsen med lämpligt fett.

**3** Kontrollera noga att alla gångjärn, spärrar och lås fungerar och är säkra. Kontrollera att centrallåssystemet fungerar.

**4** Kontrollera skick och funktion hos motorhuvens/bakluckans fjäderben, byt

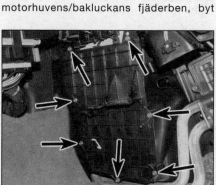

**20.3a Lossa skruvarna . . .**

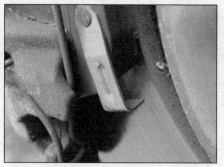

**17.0 Varningssignalenhet på den yttre främre bromsklossen**

ut dem om de läcker eller inte förmår hålla motorhuven/bakluckan öppen.

## 19 Dräneringsslangar för luftkonditionering – kontroll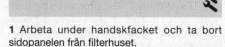

**1** Arbeta under handskfacket och ta bort sidopanelen från filterhuset.

**2** Ta bort ljudisoleringen från båda sidorna av värmeenheten.

**3** Vik undan mattan från båda sidorna av mittkonsolen och ta bort isoleringen från passagerarsidan.

**4** Lossa klämmorna och koppla loss båda dräneringsslangarna från värmeenhetens sidor.

**5** För bästa resultat kan du blåsa tryckluft genom dräneringsslangarna, men du kan också använda en tygtrasa. Rengör även värmeenhetens bussningar.

**6** Återmontera slangarna i omvänd ordningsföljd.

## 20 Pollenfilter – byte

**1** Demontera handskfacket enligt beskrivningen i kapitel 11.

**2** Demontera sidodekoren/mattan från mittkonsolen enligt beskrivningen i kapitel 11. Klipp samtidigt av buntbanden som håller

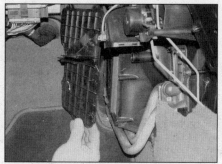

**20.3b . . . och ta bort kåpan . . .**

**17.2 Den yttre bromsklossens tjocklek kan mätas genom öppningen i hjulet**

fast kabelhärvan i kåpan och kylarslangen i handskfacket.

**3** Lossa skruvarna och ta bort dem från kåpan över pollenfiltret **(se bilder)**.

**4** Skjut loss pollenfiltret från huset **(se bild)**. Pilarna visar luftens flödesriktning genom filtret.

**5** Kontrollera att det sitter en tätning upptill på filtret. Montera annars en passande tätning. I modeller där luftkonditionering har eftermonterats bryter du av plasttapparna från filtertoppen.

**6** Lossa klämmorna och koppla loss båda dräneringsslangarna från värmeenhetens sidor. För bästa resultat rengör du slangarna med tryckluft, som du blåser genom dem, men du kan också använda en passande borste. Rengör även värmeenhetens bussningar.

**7** Sätt tillbaka dräneringsslangarna och dra åt klämmorna. Montera sedan det nya pollenfiltret i omvänd ordning mot demonteringen.

## 21 Drivrem – kontroll

**1** En enkel, flertandad drivrem används för att vidarebefordra kraft från vevaxelns remskiva till kylvätskepumpen, generatorn, servostyrningspumpen och luftkonditioneringskompressorn **(se bild 28.6)**. Drivremmen styrs av två överföringsremskivor och spänns automatiskt av en fjäderförsedd spännarremskiva.

**2** Dra åt handbromsen och lyft upp

**20.4 . . . skjut sedan pollenfiltret från huset**

framvagnen på pallbockar för att lättare komma åt drivremmen (se *Lyftning och stödpunkter*). Ta bort det högra framhjulet, ta sedan bort den nedre delen av plastfodringen under det högra hjulhuset för att komma åt vevaxelns remskiva och drivremmen.

**3** Kontrollera att markeringen överst på spännararmen (bakom och till höger om motorn) står mellan de två markeringarna på den fasta spännarens fästbygel.

Om spännararmens markering ligger bakom den bakersta markeringen på fästbygeln är drivremmen uttänjd och bör bytas ut.

**4** Tryck ner den främre delen av drivremmen mellan servostyrningspumpen och kompressorremskivorna och släpp sedan upp den. Kontrollera att den återgår till det spända läget. I så fall fungerar spännaren korrekt. Om spännaren inte kan röra sig fritt bör du ta bort

den och undersöka den. Byt ut den om det behövs.

**5** Håll bulten till vevaxelns remskiva med en lämplig hylsnyckel, rotera vevaxeln så att drivremmen/remmarna kan undersökas efter hela sin längd. Kontrollera drivremmen med avseende på sprickor, revor, fransar eller andra skador. Leta också efter tecken på polering (blanka fläckar) och efter delning av remlagren. Byt ut remmen om den är utsliten eller skadad.

# Var 60 000:e km

## 22 Tändstift – byte

**1** Det är av avgörande betydelse att tändstiften fungerar som de ska för att motorn ska gå jämnt och effektivt. Det är viktigt att tändstiften är av en typ som passar motorn. Om rätt typ används och motorn är i bra skick ska tändstiften inte behöva åtgärdas mellan de schemalagda bytesintervallen.

**2** Demontera urladdningsmodulen enligt beskrivningen i kapitel 5A.

⚠️ **Varning: När du tar bort urladdningsmodulen måste den hållas upprätt. Om modulen har varit upp- och nervänd under en tid ska du låta den vara monterad ett par timmar innan du startar motorn.**

**3** Det är klokt att rengöra tändstiftsbrunnarna med ren borste, dammsugare eller tryckluft innan tändstiften tas bort, så att smuts inte kan falla ner i cylindrarna.

**4** Skruva loss tändstiften med en tändstiftsnyckel eller passande hylsnyckel med förlängare. Håll hylsan rakt riktad mot tändstiftet – om den tvingas åt sidan kan porslinsisolatorn brytas av.

*22.11 Det är ofta svårt att placera tändstift i sina hål utan att felgänga dem. Undvik detta genom att sätta en kort bit gummislang över änden på tändstiftet.*

**5** En undersökning av tändstiften ger en god indikation av motorns skick. Om isolatorns spets är ren och vit, utan avlagringar indikerar detta en mager bränsleblandning eller ett stift med för högt värmetal (ett stift med högt värmetal överför värme långsammare från elektroden medan ett med lågt värmetal överför värmen snabbare).

**6** Om isolatorns spets är täckt med en hård svartaktig avlagring, indikerar detta att bränsleblandningen är för fet. Om tändstiftet är svart och oljigt är det troligt att motorn är ganska sliten, förutom att bränsleblandningen är för fet.

**7** Om isolatorns spets är täckt med en ljusbrun eller gråbrun beläggning är bränsleblandningen korrekt och motorn sannolikt i god kondition.

**8** Tändstiftets elektrodavstånd är av avgörande betydelse, eftersom ett felaktigt avstånd påverkar gnistans storlek och effektivitet negativt. Elektrodavståndet ska vara ställt till det som anges i specifikationerna.

**9** Du justerar avståndet genom att mäta det med ett bladmått eller en trådtolk och sedan bända upp eller in den yttre elektroden tills du får till rätt avstånd. Centrumelektroden får inte böjas eftersom detta spräcker isolatorn och förstör tändstiftet, om inget värre händer. Om bladmått används ska avståndet vara så stort att det rätta bladet precis ska gå att skjuta in. Observera att vissa modeller är utrustade med tändstift med flera elektroder – försök inte justera elektrodavståndet på den här typen av tändstift.

**10** Specialverktyg för justering av elektrodavstånd finns att köpa i biltillbehörsaffärer, eller från tändstiftstillverkaren.

**11** Innan tändstiften monteras, försäkra dig om att tändstift och gängor är rena och att gängorna inte går snett. Det är ofta svårt att placera tändstift i sina hål utan att felgänga dem. Detta kan undvikas genom att man sätter en kort bit gummislang över änden på tändstiftet **(se Haynes tips)**.

**12** Ta bort gummislangen (om du använt en sådan) och dra åt stiftet till angivet moment (se Specifikationer) med hjälp av tändstiftshylsan och en momentnyckel. Upprepa med de resterande tändstiften.

**13** Montera tillbaka urladdningsmodulen enligt beskrivningen i kapitel 5A.

## 23 Manuell växellåda, oljenivå – kontroll

**Observera:** *En lämplig insexnyckel behövs för att kunna skruva loss den manuella växellådans påfyllnings- och nivåpluggar. Insexnycklar finns i flesta bilbutiker och hos din Saab-verkstad.*

**1** Se till att bilen är parkerad på plant underlag. Rengör området runt nivåpluggen, som är placerad till vänster om differentialhuset bakpå växellådan, bakom vänster drivaxel. Du kommer åt pluggen från motorrummet. Du kan också dra åt handbromsen och lyfta upp bilen på pallbockar (se *Lyftning och stödpunkter*). Observera att fordonet måste vara vågrätt; du måste alltså lyfta både fram- och bakänden.

**2** Skruva loss pluggen med en lämplig insexnyckel och rengör den med en trasa **(se bild)**. Oljenivån ska nå upp till nivåhålets nederkant. En skvätt olja samlas bakom pluggen och rinner ut när den tas bort. Det betyder inte nödvändigtvis att nivån är korrekt. Kontrollera nivån ordentligt genom att vänta tills oljan sipprat klart och sedan använda en bit ren ståltråd, böjd i rät vinkel, som mätsticka.

**3** Om olja behöver fyllas på, rengör ytan runt

*23.2 Lossa oljepluggen till växellådan med en insexnyckel*

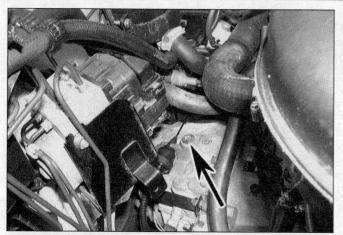

23.3a Växellådans påfyllningsplugg är placerad ovanpå växelhuset

23.3b Skruva loss pluggen med en insexnyckel

23.4 Fyll på växellådan

24.2a Skruva loss skruvarna (markerade med pil) . . .

24.2b . . . och ta bort kåpan och luftfiltret

påfyllningspluggen, som är placerad ovanpå växelhuset. Lossa pluggen och torka ren den **(se bilder)**.

**4** Fyll på olja tills ett stadigt sipprande av olja kommer från nivåhålet **(se bild)**. Använd endast den olja som specificerats. En tratt i påfyllningspluggens öppning gör det lättare att fylla på olja i växellådan utan att spilla.

**5** När nivån är korrekt, montera och dra åt nivå- och påfyllningspluggarna till angivet åtdragningsmoment. Torka bort eventuellt spill.

## 24 Luftfilter – byte

**1** Luftrenaren sitter i motorrummets främre högra hörn bakom stötfångaren, och luftintaget sitter i bilens framdel bakom kylargrillen. Du kommer lättare åt filtret om du drar åt handbromsen, lyfter upp framvagnen och ställer den på pallbockar (se *Lyftning och stödpunkter*), och sedan lossar skruven och

drar den främre stötfångaren/spoilern åt sidan.

**2** Lossa skruvarna och ta bort kåpan och filtret från luftfilterhusets botten **(se bilder)**. Ta loss O-ringstätningen.

**3** Lägg märke till hur elementet är monterat och ta sedan bort det från kåpan.

**4** Rengör kåpans och husets insidor

**5** Placera det nya filtret på kåpan och sätt fast kåpan, tillsammans med O-ringen, på husets botten. Sätt i skruvarna och dra åt dem.

**6** Sänk ner bilen.

# Vart 3:e år

## 25 Kylvätska – byte

**Observera:** *Detta arbete ingår inte i Saab schema, och ska inte behövas om man använder det frostskyddsmedel som Saab rekommenderar.*

⚠️ **Varning: Låt inte frostskyddsmedel komma i kontakt med huden eller lackerade ytor på bilen. Skölj genast förorenade områden med mängder av vatten. Förvara ny och gammal**

kylvätska oåtkomligt från barn och djur – dess söta doft kan vara lockande för dem. Förtäring av den minsta mängd kylvätska kan vara dödlig. Torka genast upp spill på verkstadsgolvet. Håll behållarna med frostskyddsmedel övertäckta och reparera läckor på kylsystemet så fort de upptäcks.

⚠️ **Varning: Flytta aldrig expansionskärlet påfyllningslock när motorn går, eller just har stängts av.** Eftersom kylsystemet är hett finns risk för ånga och skållande kylvätska som kan vålla allvarliga olyckor.

⚠️ *Varning: Vänta till dess att motorn är helt kall innan arbetet påbörjas.*

### Avtappning av kylsystemet

**1** När motorn är helt kall kan expansionskärlets påfyllningslock tas bort. Vrid locket moturs och vänta tills allt återstående tryck försvunnit ur systemet, skruva sedan loss locket och ta bort det.

**2** I förekommande fall tar du bort motorns undre skyddskåpa och placerar en lämplig behållare under kylarens vänstra sida.

**3** Lossa dräneringspluggen på den nedre

**25.3 Kylarens dräneringsplugg – markerad med pil**

vänstra monteringstappen **(se bild)**, och låt kylvätskan rinna ner i behållaren. Fäst en bit slang vid avtappningspluggen om det behövs, för att leda vätskan till behållaren.

**4** När vätskeflödet upphör, dra åt avtappningspluggen och montera den undre skyddskåpan, om det behövs.

**5** Om kylvätskan har tömts av någon annan anledning än byte kan den återanvändas (även om det inte rekommenderas), förutsatt att den är ren och mindre än två år gammal.

## Spolning av kylsystemet

**6** Om kylvätskebyte inte utförts regelbundet eller om frostskyddet spätts ut, kan kylsystemet med tiden förlora i effektivitet på grund av att kylvätskekanalerna sätts igen av rost, kalkavlagringar och annat sediment. Kylsystemets effektivitet kan återställas genom att systemet spolas ur.

**7** För att undvika förorening ska kylsystemet spolas oberoende av motorn.

## Spolning av kylare

**8** Lossa de övre och nedre slangarna och alla andra relevanta slangar från kylaren enligt beskrivningen i kapitel 3.

**9** Stick in en trädgårdsslang i det övre kylarinloppet. Spola in rent vatten i kylaren och fortsätt spola till dess att rent vatten rinner ur kylarens nedre utlopp.

**10** Om det efter en rimlig tid fortfarande inte kommer ut rent vatten kan kylaren spolas ur med kylarrengöringsmedel. Det är viktigt att spolmedelstillverkarens anvisningar följs noga. Om kylaren är svårt förorenad, ta bort kylaren och stick in slangen i nedre utloppet och spola ur kylaren baklänges, sätt sedan tillbaka den.

### Spolning av motor

**11** Demontera termostaten enligt beskrivning i kapitel 3, och sätt sedan tillfälligt tillbaka termostatlocket. Om kylarens övre slang har kopplats loss, koppla tillbaka den tillfälligt.

**12** Lossa de övre och nedre kylarslangarna från kylaren och stick in en trädgårdsslang i den övre kylarslangen. Spola in rent vatten i motorn och fortsätt att spola till dess att rent vatten rinner ur nedre slangen.

**13** När spolningen är avslutad, montera tillbaka termostaten och anslut slangarna enligt beskrivning i kapitel 3.

### Påfyllning av kylsystemet

**14** Kontrollera innan påfyllningen inleds att alla slangar och slangklämmor är i gott skick och att klämmorna är väl åtdragna. Observera att frostskydd ska användas året runt för att förhindra korrosion i motorn.

**15** Se till att luftkonditioneringen (A/C) eller den automatiska klimatanläggningen (ACC) är avstängd. På så sätt förhindras luftkonditioneringssystemet att starta kylarfläkten innan motorn har uppnått normal temperatur vid påfyllningen.

**16** Skruva av expansionskärlets lock och fyll systemet långsamt tills kylvätskenivån når MAX-markeringen på sidan av expansionskärlet.

**17** Sätt tillbaka och dra åt expansionskärlets påfyllningslock.

**18** Starta motorn och vrid upp temperaturen. Kör motorn tills den har uppnått normal arbetstemperatur (kylfläkten slås på och stängs av). Om du kör motorn med olika varvtal värms den upp snabbare.

**19** Stanna motorn och låt den svalna, kontrollera sedan kylvätskenivån igen enligt beskrivningen i Veckokontroller. Fyll på mera vätska om det behövs, och sätt tillbaka expansionskärlets påfyllningslock. Sätt tillbaka stänkskyddet under kylaren.

### Frostskyddsblandning

**20** Frostskyddsmedlet ska alltid bytas regelbundet med angivna intervall. Detta inte bara för att bibehålla de frostskyddande egenskaperna utan även för att förhindra korrosion som annars kan uppstå därför att korrosionshämmarna gradvis förlorar effektivitet.

**21** Använd endast etylenglykolbaserat frostskyddsmedel som är lämpat för motorer med blandade metaller i kylsystemet. Mängden frostskyddsvätska och olika skyddsnivåer anges i specifikationerna.

**22** Innan frostskyddsmedlet hälls i ska kylsystemet tappas ur helt och helst spolas igenom. Samtliga slangar ska kontrolleras beträffande kondition och tillförlitlighet.

**23** När kylsystemet fyllts med frostskyddsmedel är det klokt att sätta en etikett på expansionskärlet som anger frostskyddsmedlets typ och koncentration, samt datum för påfyllningen. Varje efterföljande påfyllning ska göras med samma typ och koncentration av frostskyddsmedel.

*Varning: Använd inte motorfrostskyddsmedel i vindrutans/bakrutans spolarvätska, eftersom den skadar lacken. Använd spolarvätska i den koncentration som anges på flaskan i spolarsystemet.*

# Var 120 000:e km

**26 Bränslefilter** – byte

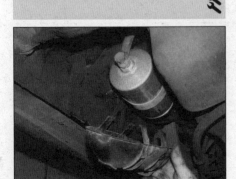

**26.4 Ta bort plastskyddet från bränslefiltret**

⚠️ *Varning: Innan arbetet påbörjas, se föreskrifterna i Säkerheten främst! i början av denna handbok och följ dem till punkt och pricka. Bensin är en ytterst brandfarlig vätska och säkerhetsföreskrifterna för hantering kan inte nog betonas.*

**1** Bränslefiltret på alla modeller är monterat i anslutning till bränsletanken under bilens bakre del.

**2** Avlasta trycket i bränslesystemet enligt beskrivning i kapitel 4A.

**3** Klossa framhjulen, lyft sedan med hjälp av en domkraft upp bakvagnen och stöd den på pallbockar (se *Lyftning och stödpunkter*).

**4** Ta loss plastskyddet där sådant är monterat, rengör sedan områdena kring bränslefiltrets insugs- och utblåsningsanslutningar **(se bild)**.

**5** Placera ett kärl, eller trasor, under filtret för att samla upp bensin som rinner ut.

**6** På filter med banjokopplingsbultar, skruva loss bultarna från båda ändarna på filtret och håll samtidigt fast kopplingen med en skiftnyckel. Ta bort tätningsbrickorna **(se bilder)**.

**26.6a Lossa banjokopplingsbultarna med hjälp av två nycklar från bränslefiltrets båda ändar . . .**

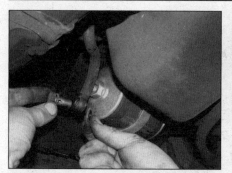

26.6b . . . och ta vara på tätningsbrickorna

26.7a Passa in specialverktyget runt filtrets utgångsrör. . .

26.7b . . . dra verktyget i bränsleslanganslutningen . . .

26.7c . . . och lossa slangen

26.8 Skruva loss fästskruven . . .

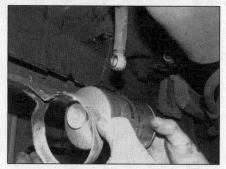

26.9 . . . och ta bort bränslefiltret

**7** På filter med anslutningar som trycks fast behöver man ett specialverktyg för att lossa låsklämmorna inuti slanganslutningarna. Montera verktyget runt bränslefiltrets utloppsrör och för det längs med för att lossa låsklämmorna inuti slangen (se bilder). Upprepa tillvägagångssättet på andra sidan av filtret.
**8** Lossa fästklammerns fästskruv (se bild).
**9** Ta bort filtret från monteringskonsolen och notera åt vilket håll pilmarkeringen på filterhöljet pekar, lossa fästklammern och dra bort filtret från bilen (se bild).
**10** Placera det nya filtret i fästklämman, montera det och dra åt fästskruven. Se till att flödespilen på filterhöljet pekar mot utsläppet som leder till motorrummet (se bild).
**11** På filter med banjokopplingsbultar, kontrollera tätningsbrickornas tillstånd

och byt dem vid behov. Sätt tillbaka banjokopplingarna och slangarna till filtrets ändar tillsammans med tätningsbrickorna. Dra åt bultarna ordentligt, håll kopplingarna med en nyckel.
**12** På filter med anslutningar som sticks fast, montera tillbaka kopplingarna/slangarna på varje ände av filtret, tryck fast slangarna ordentligt på filtrets utlopps- och inloppsrör och säkerställ att fästklämmorna har säkrats korrekt.
**13** Torka bort spilld bensin, sätt tillbaka plastskyddet och sänk ner bilen på marken.
**14** Starta motorn och kontrollera att inget läckage förekommer vid filterslangarnas anslutningar.
**15** Det gamla filtret ska kasseras på lämpligt sätt, och kom ihåg att det är ytterst lättantändligt.

Ta bort höger framhjul och skruva loss fästskruvarna. Ta sedan bort den nedre delen av plastfodret från höger hjulhus och själva hjulhusfodret för att exponera vevaxelns remskiva och drivrem. Skruva loss klämman som håller fast servostyrningens rör mot hjälpramen, omedelbart nedanför vevaxelns remskiva.
**2** Placera en garagedomkraft under motorn och hissa upp domkraften så att den precis lyfter motorn. Se till att domkraftens lyftsadel inte står mot sumpens undersida; lägg en träkloss mellan sumpen och domkraftshuvudet. En alternativ metod är att placera en lyftbom över motorrummet och lyfta motorn i lyftöglan till höger om topplocket. Skruva loss motorns högra fäste från motorn och ta bort fästmuttern ovanpå motorfästet

26.10 Se till att flödespilen på filterhöljet pekar mot utsläppet som leder till motorrummet

## 27 Drivrem – byte

**1** Dra åt handbromsen. Öppna motorhuven och lossa motorns toppkåpa (om sådan finns) ovanför insugsgrenröret. Lossa sedan de två fästklämmorna och ta bort luftflödesgivarens insugsslang; täck över givarens inlopp för att förhindra att smuts eller främmande föremål kommer in i insugskanalen (se bild). Lyft upp framvagnen och ställ den på pallbockar (se *Lyftning och stödpunkter*).

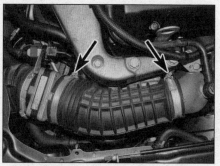

27.1 Lossa fästskruvarna (markerade med pilar) och ta bort insugsslangen av gummi. . .

**27.2** . . . ta bort motorfästet (muttern och bultarna markerade med pil) för att komma åt multiremmen och sträckaren

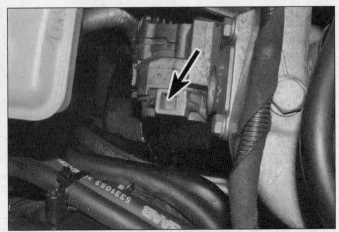

**27.3a** För in en rak 1/2" förlängningsstång i tappen ovanpå spännarens utstickande (rörliga) del. . .

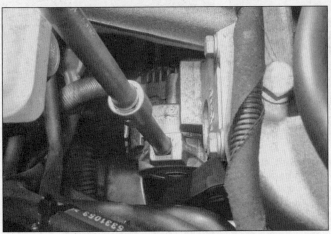

**27.3b** . . . och rotera spännaren mot fjäderspänningen tills hålet i stopptappen linjeras med hålet på spännarens inre (fasta) del

**27.4** Använd ett 3 mm borr eller liknande för att låsa spännaren i sitt läge

**(se bild).** Ta bort motorfästbygeln och lossa servostyrningsslangen från fästklämman undertill.

**3** Spännarremskivans fjäder måste nu pressas ihop och spärras. För in en rak 1/2" förlängningsstång eller liknande i det fyrkantiga hålet i tappen ovanpå spännarens utstickande (rörliga) del. Vrid sträckaren medurs mot fjäderspänningen tills hålet i stopptappen är i linje med motsvarande hål

i den inre (fasta) delen av spännarenheten. Observera att spännarens fjäder är mycket stark och att det krävs betydande kraft för att pressa ihop den, men försök inte tvinga den utanför sin bana, eller låta den slå tillbaka mot fjädertrycket; den kommer att gå sönder **(se bilder).**

**4** Håll spännaren i detta läge och för en 3 mm insexnyckel (eller ett borrbit) genom hålen i låstappen och i den inre (fasta) delen av

spännarenheten **(se bild).** Minska långsamt trycket på förlängningsstången och se till att spännaren stannar i sitt låsta läge.

**5** Ta bort drivremmen från remskivorna **(se bild).** Kontrollera försiktigt remskivorna (speciellt sträckaren och tomgångsremskivan). Byt alla remskivor som är skadade eller visar tecken på ojämnheter eller ryck när de roteras **(se bilder).**

**6** Vid återmonteringen, dra drivremmen över remskivorna enligt bilden och kontrollera att,

**27.5a** Ta bort drivremmen från vevaxelns remskiva

**27.5b** Kontrollera spännaren och tomgångsremskivorna noggrant . . .

**27.5c** . . . och byt delar som eventuellt är skadade eller roterar ryckigt, eller kärvar

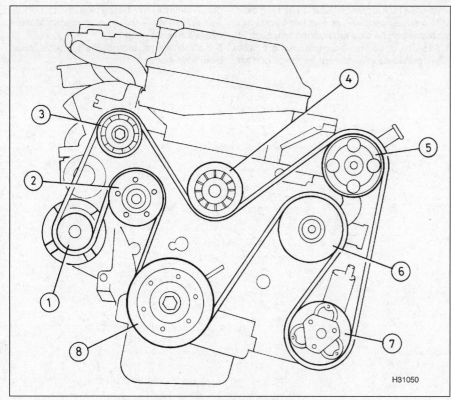

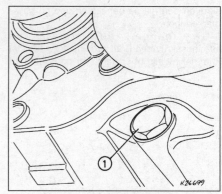

**28.2 Dräneringsplugg för automatväxellåda**

## 28 Automatväxelolja – byte

1 Kör bilen en kort sträcka så att växellådan värms upp till normal arbetstemperatur. Parkera bilen över en smörjgrop eller hissa upp den och stöd den på pallbockar (se *Lyftning och stödpunkter*). Oavsett vilken metod som används, se till att bilen står plant så att oljenivån ska kunna kontrolleras senare. Lossa fästanordningarna om sådana finns och ta bort motorns nedre skyddskåpa.

2 Placera en lämplig behållare under växellådan, skruva bort avtappningspluggen och låt oljan rinna ner i behållaren **(se bild)**. Observera att det behövs en särskild adapternyckel för att skruva bort pluggen.

> ⚠️ **Varning: Oljan är mycket het så vidtag försiktighetsåtgärder för att undvika skållning. Tjocka, vattentäta handskar rekommenderas.**

3 När all olja har runnit ut, torka avtappningspluggen ren och montera den i växelhuset. Om tillämpligt, montera en ny tätningsbricka på pluggen. Dra åt avtappningspluggen till angivet moment.

4 Fyll på automatväxellådan med angiven mängd olja av rätt grad. Se avsnitt 14 och fyll upp till rätt nivå. Använd först mätstickans markeringar för låg temperatur, kör sedan en sväng med bilen. När oljan har nått arbetstemperatur, kontrollera oljenivån igen med mätstickans markeringar för hög temperatur.

**27.6 Korrekt monterad multirem**

*Observera: På senare bilmodeller finns en kortare drivrem som går direkt från den övre tomgångsremskivan (nummer 3) till servostyrningspumpens remskiva (nummer 5) – den nedre eller centrala tomgångsremskivan (nummer 4) har eliminerats.*

| | | |
|---|---|---|
| 1 Generator | tomgångsremskiva (om | 7 Luftkonditionerings- |
| 2 Spännare | monterad) | kompressor |
| 3 Övre tomgångsremskiva | 5 Servostyrningspump | 8 Vevaxelns remskiva |
| 4 Nedre/central | 6 Kylvätskepump | |

om tillämpligt, den flerspåriga sidan hamnar rätt i remskivornas spår **(se bild)**. **Observera:** *Nyare bilmodeller har en kortare drivrem.*

7 Tryck ihop spännarfjädern på samma sätt som vid demonteringen. Ta bort låsverktyget och lösgör långsamt spännaren så att den åter kan trycka på drivremmens baksida.

8 Se till att remmen sitter korrekt på alla remskivor. Montera sedan tillbaka höger motorfäste och kläm fast servostyrningens slang på undersidan av fästet. Dra åt muttern och bultarna till angivet åtdragningsmoment (se kapitel 2A). Dra åt bulten ordentligt som

håller fast servostyrningens slangklämma mot hjälpramen. Montera sedan tillbaka hjulhusfodret av plast och den nedre delen. Montera tillbaka hjulet och sänk ner bilen. Avtäck luftflödesgivaren och montera tillbaka insugsslangen. Montera sedan tillbaka motorns toppkåpa på insugsgrenröret.

9 Avsluta med att starta motorn och låt den gå på tomgång några minuter. Detta gör att spännaren kan återta sin plats och fördela spänningen jämnt längs hela remmen. Stanna motorn och kontrollera än en gång att remmen sitter korrekt på alla remskivor.

# Vart 4:e år

## 29 Bromsvätska – byte

> ⚠️ **Varning: Hydraulisk bromsolja kan skada ögonen och bilens lack, så var ytterst försiktig vid hanteringen.**

*Använd aldrig olja som stått i ett öppet kärl under någon längre tid eftersom den absorberar fukt från luften. För mycket fukt i bromsoljan kan medföra att bromseffekten minskar, vilket är livsfarligt.*

1 Beskrivningen är identisk med den för luftning av hydraulsystemet enligt beskrivningen i kapitel 9.

2 Arbeta enligt beskrivningen i kapitel 9 och öppna den första luftningsskruven i ordningen, och pumpa sedan försiktigt på bromspedalen tills nästan all gammal olja runnit ut ur huvudcylinderbehållaren. Fyll på ny olja till MAX-markeringen och fortsätt pumpa tills det bara finns ny olja i behållaren och ny olja kan ses rinna ut från luftningsskruven. Dra åt

skruven och fyll på behållaren upp till MAX-markeringen.

**3** Gå igenom de återstående luftningsskruvarna i rätt ordningsföljd tills det kommer ny olja ut ur dem. Var noga med att alltid hålla huvudcylinderbehållarens nivå över MIN-markeringen, annars kan luft tränga in i systemet och då ökar arbetstiden betydligt.

**4** Avsluta med att kontrollera att alla luftningsskruvar är ordentligt åtdragna och att deras dammskydd sitter på plats. Tvätta bort allt spill och kontrollera huvudcylinderbehållarens oljenivå en sista gång.

**5** Kontrollera att bromsarna fungerar innan bilen körs igen.

# Kapitel 1 Del B:
# Rutinunderhåll och service – dieselmodeller

## Innehåll

## Svårighetsgrad

 **Enkelt,** passar novisen med lite erfarenhet

 **Ganska enkelt,** passar nybörjaren med viss erfarenhet

 **Ganska svårt,** passar kompetent hemmamekaniker

 **Svårt,** passar hemmamekaniker med erfarenhet

 **Mycket svårt,** för professionell mekaniker

## Smörjmedel och vätskor
Se slutet av *Veckokontroller* **på sidan 0•17**

### Volymer

**Motorolja**

| | |
|---|---|
| Tömning och påfyllning inklusive filterbyte ....................... | 4,3 liter |
| Skillnad mellan oljemätstickans MAX- och MIN-markeringar ........ | 1,0 liter |
| Kylsystem............................................. | 8,0 liter |

**Växellåda**

Manuell:

| | |
|---|---|
|   Dränering och påfyllning.................................. | 1,5 liter |
|   Torr  ............................................... | 1,9 liter |

Automat:

| | |
|---|---|
|   Dränering och påfyllning.................................. | 3,5 liter |
|   Torr (inklusive momentomvandlare och kylare) ................ | 7,0 liter |

**Bromssystem**

| | |
|---|---|
| Systemvolym .......................................... | 0,9 liter |

**Servostyrning**

| | |
|---|---|
| Systemvolym .......................................... | 1,3 liter |
| Bränsletank ........................................... | 72,0 liter |

### Kylsystem

Frostskyddsblandning:

| | |
|---|---|
|   50 % frostskydd ....................................... | Skydd ner till -37 °C |
|   55 % frostskydd ....................................... | Skydd ner till -45 °C |

**\* Observera:** *Kylvätska från Saab-återförsäljare är färdigblandad med vatten i korrekta proportioner.*

### Bromsar

| | |
|---|---|
| Minsta tjocklek på bromsklossbelägg ....................... | 4,0 mm vid service (varningssignal vid 3,0 mm) |

### Däcktryck
Se slutet av *Veckokontroller* **på sidan 0•17**

### Åtdragningsmoment

| | Nm |
|---|---|
| Automatväxel, avtappningsplugg........................... | 40 |
| Bränslefilter .......................................... | 20 |
| Hjulbultar ............................................ | 110 |
| Manuell växellådans påfyllnings-/nivåplugg................... | 50 |
| Motoroljesumpens avtappningsplugg ....................... | 18 |
| Oljefilterkåpa .......................................... | 25 |

Underhållsintervallen i denna handbok är angivna efter förutsättningen att du utför arbetet på egen hand. Dessa uppfyller tillverkarens minimikrav på underhållsintervall för bilar som körs dagligen. Om bilen konstant ska hållas i toppskick bör vissa moment utföras oftare. Vi rekommenderar regelbundet underhåll eftersom det höjer bilens effektivitet, prestanda och andrahandsvärde.

Om bilen körs på dammiga vägar, används till bärgning, körs mycket i kösituationer eller korta körsträckor, ska intervallen kortas av.

Medan bilen är ny skall underhållsservice utföras av auktoriserad verkstad så att garantin ej förverkas. Biltillverkaren kan avslå garantianspråk om du inte kan bevisa att service har utförts på det sätt och vid de tidpunkter som har angivits, och då endast med originalutrustning eller delar som har godkänts som likvärdiga.

Alla Saabmodeller är utrustade med en display för serviceintervall (eller Saabs informationsdisplay–SID) på instrumentbrädan som visar TIME FOR SERVICE när det är dags för service. Saab poängterar dock att 'p.g.a. förhållandet mellan tid och körsträcka kan vissa användarförhållanden göra det lämpligare med årlig service'.

## Var 400:e km eller en gång i veckan
- [ ] Se Veckokontroller

## Var 15 000:e km
- [ ] Motorolja och filter – byte (avsnitt 3)

**Observera:** *Täta olje- och filterbyten är bra för motorn. Vi rekommenderar oljebyten efter de körsträckor som anges här, eller minst en gång om året om körsträckan inte uppnår de angivna värdena.*

## Var 30 000:e km
- [ ] Servicemätare – återställning (avsnitt 4)
- [ ] Slangar och vätska – läckagekontroll (avsnitt 5)
- [ ] Styrning och fjädring – kontroll (avsnitt 6)
- [ ] Handbromskontroll och justering (avsnitt 7)
- [ ] Säkerhetsbälten – kontroll (avsnitt 8)
- [ ] Krockkuddar – kontrollera (avsnitt 9)
- [ ] Strålkastarinställning – kontroll (avsnitt 10)
- [ ] Servostyrningsvätskenivå – kontroll (avsnitt 11)
- [ ] Landsvägsprov (avsnitt 12)
- [ ] Frostskyddsblandning – kontroll (avsnitt 13)
- [ ] Automatväxellådans olja, nivå – kontroll (avsnitt 14)
- [ ] Drivaxelleder och damasker – kontroll (avsnitt 15)
- [ ] Avgassystem – kontroll (avsnitt 16)
- [ ] Bromsklosslitage – kontroll (avsnitt 17)
- [ ] Gångjärn och lås – smörjning (avsnitt 18)
- [ ] Pollenluftfilter – byte (avsnitt 19)
- [ ] Dräneringsslangar för luftkonditionering – kontroll (avsnitt 20)
- [ ] Drivrem – kontroll (avsnitt 21)
- [ ] Bränslefilter – byte (avsnitt 22)

## Var 60 000:e km
- [ ] Luftfilter – byte (avsnitt 23)
- [ ] Manuell växellåda, vätskenivå – kontroll (avsnitt 24)

## Var 120 000:e km
- [ ] Kamrem – byte (avsnitt 25)

**Observera:** *Saab rekommenderar att intervallet för byte av kamremmen är 120 000 km eller 6 år. Om bilen i huvudsak används för kortare resor eller körning med frekvent start och stopp, rekommenderas emellertid ett kortare bytesintervall. Hur lång tid som ska gå mellan rembytena är upp till den enskilde bilägaren, men eftersom motorn kommer att skadas allvarligt om remmen går av med motorn igång, rekommenderar vi att du tar det säkra för det osäkra och följer det kortare intervallet.*

- [ ] Automatväxelolja – byte (avsnitt 26)
- [ ] Drivrem – byte (avsnitt 27)

## Vart 3:e år
- [ ] Kylvätska – byte (avsnitt 28)

**Observera:** *Detta arbete ingår inte i Saab schema, och ska inte behövas om man använder det frostskyddsmedel som Saab rekommenderar.*

## Vart 4:e år
- [ ] Bromsvätska – byte (avsnitt 29)

## Översikt under motorhuven

1 Mätsticka för motorolja
2 Påfyllningslock för motorolja
3 Kylsystemets expansionskärl
4 Luftrenarenheten
5 Broms- och
  kopplingsvätskebehållare
6 Luftflödesgivare
7 Batteri
8 Servoolja
9 Säkringsdosa
10 Common (bränsle) rail
11 Spolarvätska
12 ABS enhet

## Översikt över det främre underredet

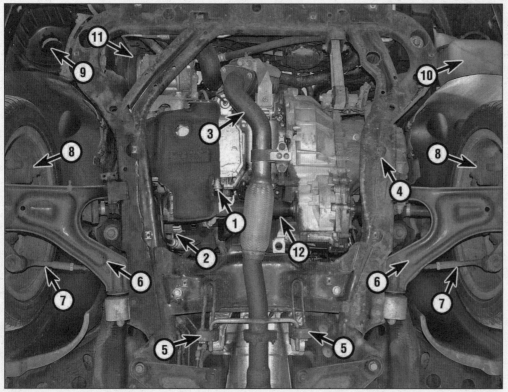

1 Motoroljesumpens
  avtappningsplugg
2 Motoroljefilter
3 Främre avgasrör
4 Framfjädring/motorns
  kryssrambalk
5 Gummifästen för avgassystem
6 Främre, nedre arm
7 Styrstagsändar
8 Främre bromsok
9 Luftfilterhus
10 Spolarvätskebehållare för
  vindruta
11 Luftkonditionerings-
  kompressor
12 Mellanaxel

## Översikt över det bakre underredet

1 Bakfjädringens tvärbalk
2 Bakre krängningshämmare
3 Nedre tvärlänk för bakfjädring
4 Flexibla slangar för
   bromshydraulik
5 Handbromsvajrar
6 Bränsletank
7 Bakfjädringens länkarmar
8 Bakre fjäderben/stötdämpare
9 Bakre ljuddämpare och
   avgasrör

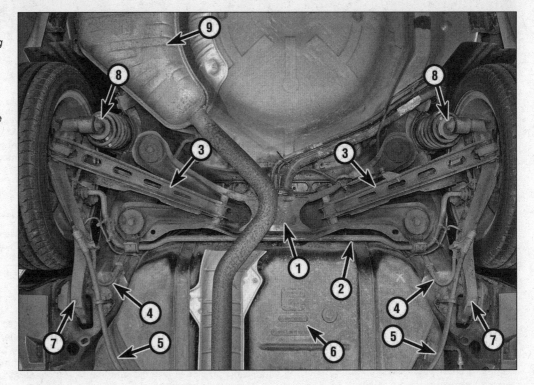

# Underhållsprocedurer

## 1 Allmän information

1 Informationen i detta kapitel är avsedd att hjälpa hemmamekanikern att underhålla sin bil för att få god säkerhet, driftsekonomi, lång tjänstgöring och toppresstanda.
2 Kapitlet innehåller ett underhållsschema som följs av avsnitt som i detalj tar upp varje post på schemat. Bland annat behandlas användbara saker som kontroller, justeringar och byte av delar. Se de tillhörande bilderna av motorrummet och bottenplattan vad gäller de olika delarnas placering.
3 Underhållsschemat för tid/körsträcka och de följande avsnitten ger dig ett tydligt underhållsprogram som, om du följer det, bidrar till att din bils tjänstgöring blir både lång och säker. Underhållsprogrammet är heltäckande, så om man väljer att bara underhålla vissa delar, men inte andra, vid angivna tidpunkter går det inte att garantera samma goda resultat.
4 Ofta kan eller bör flera åtgärder utföras samtidigt på bilen, antingen för att den åtgärd som ska utföras kräver det eller för att delarnas läge gör det praktiskt. Om bilen av någon anledning hissas upp kan t.ex. inspektion av avgassystemet utföras samtidigt som styrning och fjädring kontrolleras.
5 Första steget i detta underhållsprogram är förberedelser innan arbetet påbörjas. Läs igenom relevanta avsnitt, gör sedan upp en lista på vad som behövs och skaffa verktyg och delar. Rådfråga en specialist på reservdelar eller vänd dig till återförsäljarens serviceavdelning om problem uppstår.

## 2 Rutinunderhåll

1 Om underhållsschemat följs noga från det att bilen är ny och om vätske- och oljenivåerna och de delar som är utsatta för stort slitage kontrolleras enligt denna handboks rekommendationer, kommer motorn att hållas i bra skick och behovet av extra arbete minimeras.
2 Ibland går motorn dåligt på grund av bristande underhåll. Risken för detta ökar om bilen är begagnad och inte fått tät och regelbunden service. I sådana fall kan extra arbeten behöva utföras, utöver det normala underhållet.
3 Om motorn misstänks vara sliten ger ett kompressionsprov (se kapitel 2B) värdefull information om de inre huvuddelarnas skick.

Ett kompressionsprov kan användas för att avgöra omfattningen på det kommande arbetet. Om provet avslöjar allvarligt inre slitage är det slöseri med tid och pengar att utföra underhåll på det sätt som beskrivs i detta kapitel, om inte motorn först renoveras (kapitel 2C).
4 Följande åtgärder är de som oftast behövs för att förbättra effekten hos en motor som går dåligt:

### I första hand

a) Rengör, kontrollera och testa batteriet (Veckokontroller och kapitel 5A).
b) Kontrollera alla motorrelaterade vätskor (Veckokontroller).
c) Kontrollera drivremmens skick och spänning (avsnitt 21).
d) Kontrollera luftfiltrets skick och byt vid behov (avsnitt 23).
e) Byt bränslefilter (avsnitt 22).
f) Kontrollera skicket på samtliga slangar och leta efter läckor (avsnitt 5).

### Sekundära åtgärder

5 Om ovanstående åtgärder inte har någon inverkan ska följande åtgärder utföras:
a) Kontrollera laddningssystemet (kapitel 5A).
b) Kontrollera bränslesystemet (kapitel 4B).

3.5a Dräneringspluggen för motorolja sitter bakom sumpen (se pil)

3.5b Skruva loss pluggen och låt oljan rinna ut

3.7 Montera tillbaka dräneringspluggen med en ny tätningsbricka

## Var 15 000:e km

### 3 Motorolja och filter – byte

**1** Täta oljebyten är det bästa förebyggande underhåll en hemmamekaniker kan ge en motor eftersom begagnad olja blir utspädd och förorenad med tiden, vilket medför att motorn slits ut i förtid.
**2** Innan arbetet påbörjas, plocka fram alla verktyg och material som behövs. Se även till att ha gott om rena trasor och tidningar till hands för att torka upp eventuellt spill.

Motoroljan ska helst vara varm eftersom den rinner ut lättare då och även tar med sig slam. Se dock till att inte vidröra avgassystemet eller andra heta delar vid arbete under bilen. Använd handskar för att undvika skållning och för att skydda huden mot irritationer och skadliga föroreningar i begagnad motorolja.
**3** Dra åt handbromsen. Lyft upp framvagnen och ställ den på pallbockar (se *Lyftning och stödpunkter*).
**4** Om tillämpligt, skruva loss hållarna och ta bort motorns undre skyddskåpa
**5** Oljedräneringspluggen sitter bakom sumpen; Lossa pluggen ungefär ett halvt varv.

Ställ behållaren under dräneringspluggen och skruva ur pluggen helt. Ta vara på packningen **(se bilder)**.
**6** Ge den gamla oljan tid att rinna ut, och observera att det kan bli nödvändigt att flytta behållaren när oljeflödet minskar.
**7** Torka av avtappningspluggen med en ren trasa när all olja runnit ut. Rengör området kring dräneringspluggen och montera den med en ny O-ringstätning. Dra åt pluggen till angivet moment **(se bild)**.
**8** Placera behållaren under oljefilterhuset, lossa filterhusets kåpa några varv med en 32 mm hylsa och tappa ur oljan i behållaren. På vissa modeller har filterhuset ett avloppsrör på sidan för att förhindra att olja kommer i kontakt med avgassystemet. Låt inte oket hänga i bromsslangen utan stöd **(se bilder)**.
**9** När oljan slutat rinna ut, skruva loss och ta bort oljefilterkåpan tillsammans med filterinsatsen. Kasta kåpans O-ringstätningar, nya tätningar måste användas vid återmonteringen.
**10** Använd en ren trasa för att ta bort all olja, smuts och slam från filterhuset och kåpan.
**11** Sätt i en ny filterinsats i filterhuset, och O-ringstätningarna i filterkåpan **(se bilder)**.
**12** Applicera ett tunt lager ren motoroljan motorolja på O-ringstätningen på filterkåpan, och sätt sedan in filtret och kåpan i huset och dra

3.8a Skruva loss husets lock (se pil) några varv med en 32 mm hylsnyckel . . .

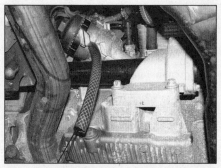

3.8b . . . och låt oljan rinna igenom slangen innan du tar bort locket

3.11a Det nya oljefiltret ska vara utrustat med nya O-ringstätningar

3.11b Sätt in det nya filtret i huset . . .

3.11c . . . och de nya O-ringstätningarna på huskåpan

åt till angivet moment **(se bild)**. Sänk ner bilen.
**13** Ta bort oljepåfyllningslocket och dra ut oljemätstickan från påfyllningsröret. Fyll på motorn med rätt olja (se *Smörjmedel och vätskor*). En oljekanna eller tratt kan minska spillet. Häll först i hälften av den angivna mängden olja. Vänta sedan några minuter så att oljan hinner rinna ner i sumpen. Fortsätt fylla på små mängder i taget till dess att nivån når det nedre märket på mätstickan. Ytterligare 1,0 liter tar upp nivån till mätstickans övre märke. Sätt in mätstickan och montera tillbaka påfyllningslocket **(se bild)**.
**14** Starta motorn och låt den gå några minuter. Leta efter läckor runt oljefiltrets tätning och sumpens dräneringsplugg. Observera att det kan ta ett par sekunder innan oljetryckslampan släcks sedan motorn startats första gången efter ett oljebyte. Detta beror på att oljan cirkulerar runt i kanalerna och det nya filtret innan trycket byggs upp.

**3.12 Montera locket med O-ringarna på huset**

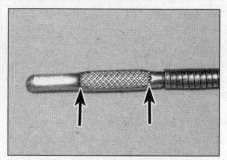

**3.13 Det skiljer ungefär 1,0 liter mellan mätstickans MIN- och MAX-markering.**

**15** Stäng av motorn och vänta ett par minuter på att oljan ska rinna tillbaka till sumpen. När den nya oljan har cirkulerat runt motorn och fyllt filtret ska oljenivån kontrolleras igen, fyll på mer vid behov.

**16** Montera tillbaka motorns undre skyddskåpa om den tagits bort.
**17** Ta hand om den använda motoroljan på ett säkert sätt i enlighet med rekommendationerna i Allmänna reparationsanvisningar.

# Var 30 000:e km

## 4 Servicemätare – återställning

**1** En servicemätare i Saabs informationsdisplay (SID) på instrumentbrädan. När det är dags för nästa service visas meddelandet 'Dags för service. Kontakta service'. När bilen servats nollställs servicemätaren för hand. **Observera:** *Mätaren återställs automatiskt när meddelandet visats 20 gånger.*
**2** För att återställa servicemätaren manuellt trycker du på knappen CLEAR (ÅTERSTÄLL) på SID-panelen och håller in den under 8 sekunder. När du hör två ljudsignaler i snabb följd släpper du knappen. Meddelandet SERVICE börjar blinka vilket betyder att serviceintervallet är återställt.
**3** Du kan när som helst återställa visaren med Saabs diagnostikverktyg.

## 5 Slangar och vätskor – läckagekontroll

### Kylsystem

⚠ **Varning:** *Se säkerhetsinformationen i Säkerheten främst! och Kapitel 3 innan du flyttar några av kylsystemets komponenter.*
**1** Kontrollera noggrant kylaren och hela kylvätskeslangarna. Byt ut alla slangar som är spruckna, svullna eller visar tecken på åldrande. Sprickor är lättare att se om slangen trycks ihop. Var extra noga med slangklämmorna som håller fast slangarna vid kylsystemets komponenter. För hårt åtdragna slangklämmor kan klämma och punktera slangarna, vilket leder till läckor i kylsystemet.

**2** Undersök alla delar av kylsystemet (slangar, fogytor etc.) och leta efter läckor. Om några läckor förekommer ska den trasiga komponenten eller dess packning bytas ut enligt beskrivningen i kapitel 3 **(se Haynes tips).**

### Bränslesystem

⚠ **Varning:** *Se säkerhetsinformationen i Säkerheten främst! och kapitel 4B innan du flyttar några av bränslesystemets komponenter.*
**3** Bränsleläckor kan vara svåra att hitta om inte läckaget är uppenbart och syns tydligt. Bränsle tenderar att förångas snabbt vid kontakt med luft, särskilt i ett varmt motorrum. Små droppar kan försvinna innan själva läckan hittas. Låt bilen stå över natten om du misstänker att det finns ett bränsleläckage i motorrummet och kallstarta sedan motorn med motorhuven öppen. Metallkomponenter krymper en aning vid kyla och gummitätningar och slangar stelnar, så eventuella läckor blir lättare att hitta när motorn värms upp från kallstart.
**4** Kontrollera alla bränsleledningar vid anslutningarna till bränslepumpen, common rail och bränslefiltret. Undersök alla bränsleslangar av gummi efter hela deras längd med avseende på sprickor och skador. Leta efter läckor i de veckade skarvarna mellan gummislangarna och metalledningarna. Undersök anslutningarna mellan bränsleledningarna av metall och bränslefiltrets hus. Kontrollera även området runt bränsleinsprutarna efter tecken på O-ringsläckage.
**5** Lyft upp bilen på pallbockar för att kunna hitta läckor mellan bränsletanken och motorrummet (se *Lyftning och stödpunkter*). Undersök bensintanken och påfyllningsröret efter hål, sprickor och andra skador.

Anslutningen mellan påfyllningsröret och tanken är speciellt kritisk. Ibland läcker ett påfyllningsrör av gummi eller en slang beroende på att slangklämmorna är för löst åtdragna eller att gummit åldrats.
**6** Undersök noga alla gummislangar och metallrör som leder från tanken. Leta efter lösa anslutningar, åldrade slangar, veck på rör och andra skador. Var extra uppmärksam på ventilationsrör och slangar som ofta är lindade runt påfyllningsröret och kan bli igensatta eller veckade så att det blir svårt att tanka. Följ bränsletillförsel- och returledningarna till den främre delen av bilen och undersök dem noga efter tecken på skador eller rost. Byt ut skadade delar vid behov.

### Motorolja

**7** Undersök området kring kamaxelkåpan, topplocket, oljefiltret och sumpens fogytor. Tänk på att det med tiden är naturligt med en viss genomsippring i dessa områden. Sök efter tecken på allvarligt läckage som

*En läcka i kylsystemet syns normalt som vita eller rostfärgade porösa avlagringar på området runt läckan*

orsakats av fel på packningen. Motorolja som sipprar från botten på kamremskåpan eller balanshjulskåpan kan vara tecken på att vevaxelns eller växellådans ingående axels oljetätningar läcker. Om ett läckage påträffas, byt den defekta packningen eller tätningen enligt beskrivning i relevant kapitel i denna handbok.

### Automatväxelolja

**8** Om tillämpligt, kontrollera slangarna som leder till växellådoljans kylare i motorrummets framände beträffande läckage. Leta efter slitage som orsakats av korrosion och efter skador som orsakats av att slangarna släpat i marken eller av stenskott. Automatväxelolja är en tunn, ofta rödfärgad olja.

### Servostyrningsvätska

**9** Undersök slangen mellan oljebehållaren och servostyrningspumpen samt returslangen från kuggstången till oljebehållaren. Kontrollera även högtrycksslangen mellan pumpen och kuggstången.
**10** Undersök noga varje slang. Leta efter slitage som orsakats av korrosion och efter skador som orsakats av att slangarna släpat i marken eller av stenskott.
**11** Var extra noga med veckade anslutningar och området runt de slangar som är fästa med justerbara skruvklämmor. Liksom automatväxelolja är servostyrningsolja tunn och ofta rödfärgad.

### Luftkonditioneringens kylmedel

 **Varning: Se säkerhets informationen i Säkerheten främst! och kapitel 3 om farorna med att flytta några av delarna i luftkonditioneringssystemet.**

**12** Luftkonditioneringssystemet är fyllt med flytande kylmedel som förvaras under högt tryck. Om luftkonditioneringssystemet öppnas och tryckutjämnas utan specialutrustning kommer kylmedlet omedelbart att förångas och blanda sig med luften. Om vätskan kommer i kontakt med hud kan den orsaka allvarliga förfrysningsskador. Kylvätskan innehåller dessutom ämnen som är miljöfarliga. Därför ska det inte släppas ut okontrollerat i atmosfären.
**13** Misstänkt läckage på luftkonditionerings-

**6.4 Kontrollera om det föreligger slitage i navlagren genom att ta tag i hjulet och försöka vicka på det.**

systemet ska omedelbart överlåtas till en Saab-verkstad eller en luftkonditioneringsspecialist. Läckage yttrar sig genom att nivån på kylmedel i systemet sjunker stadigt.
**14** Observera att vatten kan droppa från kondensatorns avtappningsrör under bilen omedelbart efter det att luftkonditioneringssystemet har använts. Detta är normalt och behöver inte åtgärdas.

### Broms- och kopplingsolja

 **Varning: Se säkerhets informationen i Säkerheten främst! och kapitel 9 om farorna med att hantera bromsolja.**

**15** Undersök området runt bromsrörens anslutningar vid huvudcylindern efter tecken på läckage, enligt beskrivningen i kapitel 9. Kontrollera området runt oljebehållarens botten efter läckage som orsakats av defekta tätningar. Undersök även bromsrörens anslutningar vid den hydrauliska ABS-enheten.
**16** Om uppenbar oljeförlust föreligger men inget läckage kan upptäckas i motorrummet ska bilen lyftas upp på pallbockar och bromsoken samt underredets bromsledningar kontrolleras (se Lyftning och stödpunkter). Oljeläckage från bromssystemet är ett allvarligt fel som kräver omedelbart åtgärdande.
**17** Hydrauloljan till bromsarna/växellådan är giftig och har en vattnig konsistens. Ny hydraulolja är i det närmaste färglös, men den mörknar med tid och användning.

### Oidentifierade vätskeläckage

**18** Om det finns tecken på att vätska av någon sort läcker från bilen, men det inte går att avgöra vilken sorts vätska eller var den kommer ifrån, parkera bilen över natten och lägg en stor bit kartong under den. Förutsatt att kartongbiten är placerad på någorlunda rätt ställe kommer även mycket små läckor att synas på den. Detta gör det lättare både att avgöra var läckan är placerad samt att, med hjälp av vätskans färg, identifiera vätskan. Tänk på att vissa läckage bara ger ifrån sig vätska när motorn är igång!

### Vakuumslangar

**19** Fastän bromssystemet är hydraulstyrt förstärker bromsservon kraften på bromspedalen med hjälp insugsgrenrörets vakuum. Detta skapas av motorn och förstärks av vakuumpumpen som drivs av avgaskamaxeln. Vakuumet leds till servon genom en bred slang. Läckor på slangen minskar bromsarnas effektivitet och kan även påverka motorn.
**20** Några av komponenterna under motorhuven, särskilt avgaskontrollens komponenter, drivs av vakuum från insugsröret via smala slangar. En läcka i vakuumslangen innebär att luft kommer in i slangen (i stället för att pumpas ut från den), vilket gör läckan mycket svår att upptäcka. En metod är att använda en gammal vakuumslang som stetoskop – håll en ände nära (men inte i)

örat och använd den andra änden för att undersöka området runt den misstänkta läckan. När slangens ände befinner sig direkt ovanför vakuumläckan hörs ett tydligt väsande ljud genom slangen. Motorn måste vara igång vid en sådan här undersökning, så var noga med att inte komma åt heta eller rörliga komponenter. Byt ut alla vakuumslangar som visar sig vara defekta.

### 6 Styrning och fjädring – kontroll

### Framfjädring och styrning

**1** Lyft upp framvagnen, och ställ den på pallbockar (se Lyftning och stödpunkter).
**2** Undersök spindelledernas dammskydd samt kuggstångens och kugghjulets damasker. De får inte vara spruckna eller skavda och gummit får inte ha torkat. Slitage på någon av dessa delar gör att smörjmedel läcker ut och att smuts och vatten kan tränga in, vilket snabbt sliter ut spindellederna eller styrinrättningen.
**3** Kontrollera servostyrningens oljeslangar och leta efter tecken på skavning och åldrande och undersök rör- och slanganslutningar efter oljeläckage. Leta även efter läckor under tryck från styrinrättningens gummidamasker, vilket indikerar trasiga tätningar i styrinrättningen.
**4** Ta tag i hjulet längst upp och längst ner och försök vicka på det **(se bild)**. Ett ytterst litet spel kan märkas, men om rörelsen är stor krävs en närmare undersökning för att fastställa orsaken. Fortsätt rucka på hjulet medan en medhjälpare trycker på bromspedalen. Om spelet försvinner eller minskar markant är det troligen fråga om ett defekt hjulnavlager. Om spelet finns kvar när bromsen är nedtryckt rör det sig om slitage i fjädringens leder eller fästen.
**5** Greppa sedan hjulet på sidorna och försök rucka på det igen. Märkbart spel beror antingen på slitage på hjullager eller på styrstagets spindelleder. Om den yttre kulleden är sliten kommer den synliga rörelsen att vara tydlig. Om den inre drivknuten misstänks vara defekt, kan detta kännas genom att man lägger en hand på kuggstångens gummidamask och tar tag i styrstaget. När hjulet ruckas kommer rörelsen att kännas vid den inre spindelleden om den är sliten.
**6** Använd en stor skruvmejsel eller ett plattjärn och leta efter glapp i fjädringsfästenas bussningar genom att bända mellan relevant komponent och dess fästpunkt. En viss rörelse är att vänta eftersom bussningarna är av gummi, men eventuellt större slitage visar sig tydligt. Kontrollera även skicket på synliga gummibussningar, leta efter bristningar, sprickor eller föroreningar i gummit.
**7** Ställ bilen på marken och låt en medhjälpare vrida ratten fram och tillbaka ungefär en åttondels varv åt vardera hållet. Det ska inte finnas något, eller bara ytterst lite, spel mellan

**11.1 Behållare för servostyrningsolja**

**11.3 Vätskenivåmarkeringar på mätstickan**

rattens och hjulens rörelser. Om så inte är fallet observerar noggrant du lederna och fästen som beskrevs tidigare. Kontrollera dessutom om rattstångens kardanknutarar är slitna och själva kuggstångsstyrningens drev.

**8** Kontrollera att framfjädringens fästen sitter ordentligt.

## Bakfjädring

**9** Klossa framhjulen och ställ bakvagnen på pallbockar (se *Lyftning och stödpunkter*).

**10** Kontrollera att de bakre hjullagren, bussningarna och fjäderbenet eller stötdämparens fästen (i förekommande fall) inte är slitna, med samma metod som för framvagnens fjädring.

**11** Kontrollera att bakfjädringens fästen sitter ordentligt.

## Stötdämpare

**12** Leta efter tecken på oljeläckage runt stötdämpare eller från gummidamaskerna runt kolvstängerna. Om det finns spår av olja är stötdämparen defekt och ska bytas. **Observera:** *Stötdämpare måste alltid bytas parvis på samma axel.*

**13** Stötdämparens effektivitet kan kontrolleras genom att bilen gungas i varje hörn. I normala fall ska bilen återta planläge och stanna efter en nedtryckning. Om den höjs och återvänder med en studs är troligen stötdämparen defekt. Undersök även om stötdämparens övre och nedre fästen visar tecken på slitage.

## Löstagbar bogsertillsats

**14** Rengör kopplingsstiftet och stryk lite fett på sätet. Kontrollera att tillsatsen enkelt kan monteras och låses korrekt på plats.

### 7 Handbroms –
kontroll och justering

**1** Klossa framhjulen, lyft upp bakvagnen med hjälp av en domkraft och stötta upp den på pallbockar (se *Lyftning och stödpunkter*).

**2** Lägg ur handbromsspaken helt.

**3** Dra handbromsen till det 4:e hacket och kontrollera att båda bakhjulen är låsta när du försöker vrida dem för hand.

**4** Vid behov av justering, se kapitel 9.

**5** Sänk ner bilen.

### 8 Säkerhetsbälte skick –
kontroll

**1** Arbeta med ett säkerhetsbälte i taget, undersök bältesväven ordentligt efter revor eller tecken på allvarlig fransning eller åldrande. Dra ut bältet så långt det går och undersök väven efter hela dess längd.

**2** Spänn fast bilbältet och öppna det igen, kontrollera att bältesspännet sitter säkert och att det löser ut ordentligt när det ska. Kontrollera också att bältet rullas upp ordentligt när det släpps.

**3** Kontrollera att infästningarna till säkerhetsbältena sitter säkert. De är åtkomliga inifrån bilen utan att klädsel eller andra detaljer behöver demonteras.

**4** Kontrollera att bältespåminnaren fungerar.

### 9 Krockkuddesystem –
kontroll

**1** Följande arbete kan utföras av en amatörmekaniker, men om elektroniska problem uppdagas är det nödvändigt att uppsöka en Saab-verkstad som har den nödvändiga diagnostiska utrustningen för avläsning av felkoder i systemet.

**2** Vrid tändningsnyckeln till körläge (tändningens varningslampa på) och kontrollera att varningslampan för SRS (Supplementary Restraint System) lyser i 3 till 4 sekunder. Efter fyra sekunder ska varningslampan slockna som ett tecken på att systemet är kontrollerat och fungerar som det ska.

**3** Om varningslampan inte släcks, eller om den inte tänds, ska systemet kontrolleras av en Saab-verkstad.

**4** Undersök rattens mittplatta och krockkuddemodulen på passagerarsidan efter yttre skador. Kontrollera även framsätenas utsida runt krockkuddarna. Kontakta en Saab-verkstad vid synliga skador.

**5** I säkerhetssyfte, se till att inga lösa föremål

finns i bilen som kan träffa krockkuddemodulerna om en olycka skulle inträffa.

### 10 Strålkastarinställning –
kontroll

Se kapitel 12 för mer information.

### 11 Servostyrningsvätskans nivå – kontroll

**1** Behållaren för servostyrningsvätska sitter till höger i motorrummet och framför framfjädringens revolverhuvud **(se bild)**. Vätskenivån kontrollerar du när motorn är avstängd och framhjulen pekar rakt fram.

**2** Torka först av påfyllningslocket och området omkring det på behållaren. Skruva loss locket från behållaren och torka bort all olja från mätstickan med en ren trasa.

**3** Skruva på locket med handkraft och skruva sedan bort det igen och kontrollera vätskenivån på mätstickan. När motorn är kall vid en omgivningstemperatur på 20 °C ska vätskenivån ligga mellan den övre (MAX) och nedre (MIN) markeringen på mätstickan, helst nära MAX-markeringen **(se bild)**. Om motorn är varm kan nivån stiga något, men nivån ska aldrig ligga under MIN-markeringen.

**4** Fyll på behållaren med angiven styrservoolja (fyll inte på för mycket, se bild), sätt sedan tillbaka locket och vrid åt det.

**11.4 Påfyllning av servostyrningsvätska**

## 12 Landsvägsprov

### Instrument och elektrisk utrustning

**1** Kontrollera funktionen hos alla instrument och den elektriska utrustningen.

**2** Kontrollera att instrumenten ger korrekta avläsningar och slå på all elektrisk utrustning i tur och ordning för att kontrollera att den fungerar korrekt. Kontrollera att värmen, luftkonditioneringen och den automatiska klimatanläggningen fungerar.

### Fjädring och styrning

**3** Kontrollera om bilen uppför sig onormalt i styrning, fjädring, köregenskaper och vägkänsla.

**4** Kör bilen och var uppmärksam på ovanliga vibrationer eller ljud.

**5** Kontrollera att styrningen känns positiv, utan överdrivet "fladder" eller kärvningar, lyssna efter missljud från fjädringen vid kurvtagning eller gupp. Kontrollera att servostyrningen fungerar.

### Drivaggregat

**6** Kontrollera att motorn, kopplingen (manuell växellåda), växellådan och drivaxlarna fungerar. Kontrollera att visaren för turboladdningstryck går upp i det högre området vid kraftigt gaspådrag. Nålen kan korta ögonblick röra sig in på det röda området, men om detta händer ofta, eller under längre perioder, kan det vara fel på turboladdningsmekanismen (se kapitel 4B).

**7** Lyssna efter ovanliga ljud från motorn, kopplingen (manuell växellåda) och transmissionen.

**8** Kontrollera att motorn går jämnt på tomgång, och att den inte tvekar vid acceleration.

**9** På modeller med manuell växellåda, kontrollera att kopplingen är mjuk och effektiv, att kraften tas upp mjukt och att pedalen rör sig korrekt. Lyssna även efter missljud när kopplingspedalen är nedtryckt. Kontrollera att alla växlar går i mjukt utan missljud, och att växelspaken går jämnt och inte känns onormalt inexakt eller hackig.

**10** På modeller med automatväxellåda kontrollerar du att alla växlingar är ryckfria, mjuka och fria från ökning av motorvarvet mellan växlar. Kontrollera att alla lägen kan väljas när bilen står stilla. Om problem föreligger ska dessa tas om hand av en Saab-verkstad.

**11** Kör bilen långsamt i en cirkel med fullt utslag på ratten och lyssna efter metalliska klick från framvagnen. Utför kontrollen åt båda hållen. Om du hör klickljud är det ett tecken på slitage i drivaxelleden, se kapitel 8.

### Bromssystem

**12** Kontrollera att bilen inte drar åt ena hållet vid inbromsning, och att hjulen inte låser sig vid hård inbromsning.

**13** Kontrollera att ratten inte vibrerar vid inbromsning.

**14** Kontrollera att parkeringsbromsen fungerar ordentligt, utan för stort spel i spaken, och att den kan hålla bilen stilla i backe.

**15** Testa bromsservot på följande sätt. Stäng av motorn. Tryck ner bromspedalen fyra till fem gånger, så att vakuumet trycks ut. Starta sedan motorn samtidigt som du håller bromspedalen nedtryckt. När motorn startar ska pedalen ge efter märkbart medan vakuumet byggs upp. Låt motorn gå i minst två minuter och stäng sedan av den. Om pedalen nu trycks ner igen ska ett väsande ljud höras från servon. Efter 4–5 upprepningar bör inget pysande höras, och pedalen bör kännas betydligt hårdare.

## 13 Frostskyddsvätskans koncentration – kontroll

**1** Kylsystemet ska fyllas med rekommenderad frost- och korrosionsskyddsvätska. Efter ett tag kan vätskans koncentration sjunka på grund av påfyllningar (detta kan man undvika genom att fylla på med rätt blandning av frostskyddsmedel) eller vätskeförlust. Om det är uppenbart att kylvätskan har läckt är det viktigt att man utför de reparationer som krävs innan man fyller på med ny vätska. Exakt vilken blandning av frostskyddsvätska och vatten som ska användas beror på väderförhållandena. Blandningen ska innehålla minst 40 % frostskyddsmedel, men inte mer än 70 %. Läs uppställningen över blandningsförhållanden på behållaren till frostskyddsmedlet innan du fyller på kylvätska. Använd frostskyddsmedel som motsvarar biltillverkarens specifikationer. Observera att kylvätska från Saab-återförsäljare är färdigblandad med vatten i korrekta proportioner.

**2** Ta bort locket från expansionskärlet. Motorn ska vara kall. Om motorn inte är helt kall, lägg en trasa över locket innan du tar bort det, och ta bort locket långsamt så att eventuellt tryck kan ta sig ut.

**3** Kylvätsketestare finns att köpa i tillbehörsbutiker. Dra upp lite kylvätska från expansionskärlet och kontrollera hur många plastbollar som flyter i kontrollverktyget. Normalt sett ska två eller tre bollar flyta om frostskyddsmedlets koncentration är korrekt, men följ tillverkarens instruktioner.

**4** Om koncentrationen är felaktig måste man antingen ta bort en del kylvätska och fylla på med kylmedel eller tappa ur den gamla kylvätskan och fylla på med ny av korrekt koncentration (se avsnitt 35).

## 14 Automatväxeloljenivå – kontroll

**1** Kontrollera vätskenivån med mätstickan som sitter på växellådans framsida till vänster i motorutrymmet under batteriet.

**2** Kör motorn på tomgång och lägg i "D" i ungefär 15 sekunder, lägg sedan i "R" och vänta ytterligare 15 sekunder. Gör om samma sak i läge P, och lämna motorn på tomgångskörning.

**3** Dra ut mätstickan ur röret och torka av det noggrant med en ren trasa eller pappershandduk. Stick in den rena mätstickan i röret och dra ut den igen. Observera vätskenivån på mätstickans ände. Änden är försedd med markeringar för kall och varm vätska **(se bilder)**. Följ markeringarna för varm vätska om motorn har uppnått normal arbetstemperatur.

**4** Fyll på vätska i mätstickans rör om det behövs. **Observera:** *Fyll aldrig på så mycket att oljenivån går över det övre märket. Använd en tratt med en finmaskig sil för att undvika att spill och att smuts kommer in i växellådan.* Observera att volymen mellan markeringarna MIN och MAX är 0,4 liter.

**5** Efter påfyllning, ta en kort åktur med bilen så att den nya oljan kan fördelas i systemet, kontrollera oljan på nytt och fyll på vid behov.

**6** Kontrollera att vätskenivån alltid är korrekt. Om nivån får sjunka under den nedre markeringen kan det leda till vätskebrist, vilket kan orsaka allvarliga skador på växellådan.

**14.3a Utdragning av mätsticka för automatväxeloljenivå**

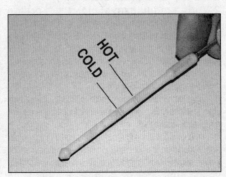

**14.3b Vätskenivåmarkeringar på mätstickan**

**15.2 Kontrollera skicket på drivaxel-damaskerna (1) och fästklämmorna (2)**

## 15 Drivaxelleder och damasker – kontroll

1 Gummidamaskerna på drivaxeln spelar en viktig roll, eftersom de förhindrar att smuts och vatten kommer in i drivknutarna och skadar dem. Yttre föroreningar kan leda till att materialet åldras snabbare, och därför rekommenderar vi att du då och då tvättar gummidamaskerna med tvål och vatten.

2 Med bilen lyft och stödd ordentligt på pallbockar, vrid ratten helt åt endera hållet och snurra sedan långsamt på hjulet. Undersök konditionen för de yttre drivknutarnas gummidamasker, och tryck på damaskerna så att vecken öppnas **(se bild)**. Leta efter spår av sprickor, delningar och åldrat gummi som kan släppa ut fett och släppa in vatten och smuts i drivknuten. Kontrollera även damaskernas klamrar vad gäller åtdragning och skick. Upprepa dessa kontroller på de inre drivknutarna. Om skador eller åldrande upptäcks bör damaskerna bytas enligt beskrivningen i kapitel 8.

3 Kontrollera samtidigt drivknutarnas allmänna skick genom att hålla fast drivaxeln och samtidigt försöka vrida hjulet. Håll sedan fast innerknuten och försök vrida på drivaxeln.

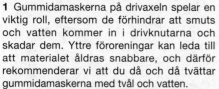

4 Varje märkbar rörelse i drivknuten är ett tecken på slitage, slitage i drivaxelspårningen eller på lösa fästmuttrar till drivaxeln.

## 16 Avgassystem – kontroll

1 När motorn är kall undersöker du hela avgassystemet från motorn avgasröret. Lyft upp bilen fram och bak om det behövs och ställ den säkert på pallbockar (se *Lyftning och stödpunkter*). Ta bort eventuella undre skyddskåpor, så att du kommer åt hela avgassystemet.

2 Kontrollera om avgasrör eller anslutningar visar tecken på läckage, allvarlig korrosion eller andra skador. Se till att alla fästbyglar och fästen är i gott skick, och att relevanta muttrar och bultar är ordentligt åtdragna. Läckage i någon fog eller annan del visar sig vanligen som en sotfläck i närheten av läckan.

3 Skaller och andra missljud kan ofta härledas till avgassystemet, speciellt till dess fästen och gummiupphängningar. Försök att rubba rör och ljuddämpare. Om det går att få delarna att komma i kontakt med underredet eller fjädringen, bör systemet förses med nya fästen. Man kan också skilja på fogarna (om det går) och vrida rören så att de kommer på tillräckligt stort avstånd.

## 17 Bromsklosslitage – kontroll

**Observera:** *Ett varningslarm finns för den yttre bromsklossen, som består av en metallremsa som kommer i kontakt med bromsskivan när belägget blir tunnare än 3,0 mm. Larmet ger ifrån sig ett skrapande missljud som varnar föraren att bromsklossarna är slitna (se bild).*

1 Kontrollera bromsklossarna genom att dra åt handbromsen och sedan lyfta upp framvagnen eller bakvagnen (beroende på

vilka bromsar som ska kontrolleras) och stöda den ordentligt på pallbockar (se *Lyftning och stödpunkter*).

2 En snabb kontroll av bromsbeläggens tjocklek kan göras genom hålen i aluminiumfälgarna **(se bild)**. Mät tjockleken på bromsklossbeläggningen, exklusive stödplattan. Det måste vara minst så tjockt som anges i Specifikationer.

3 Tittar du genom hjulet ser du endast slitaget på den yttre bromsklossen. Vid fullständig kontroll tar man bort hjulen och sedan bromsklossarna och rengör dem. Du kan även kontrollera bromsokets funktion och bromsskivans båda sidor.

4 Om friktionsmaterialet på något belägg är slitet till angiven tjocklek eller mindre; måste alla fyra klossarna bytas ut på samma gång. Se kapitel 9 för mer information.

5 Avsluta med att montera hjulen och sänk ner bilen.

## 18 Gångjärn och lås – smörjning

1 Arbeta runt bilen och smörj motorhuvens gångjärn, dörrar och bakruta med lätt maskinolja.

2 Smörj försiktigt de två huvlåsen med lämpligt fett.

3 Kontrollera noga att alla gångjärn, spärrar och lås fungerar och är säkra. Kontrollera att centrallåssystemet fungerar.

4 Kontrollera skick och funktion hos motorhuvens/bakluckans fjäderben, byt ut dem om de läcker eller inte förmår hålla motorhuven/bakluckan öppen.

## 19 Pollenfilter – byte

1 Demontera handskfacket enligt beskrivningen i kapitel 11.

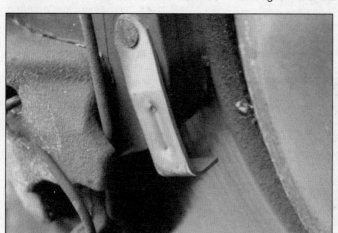

**17.0 Varningssignalenhet på den yttre främre bromsklossen**

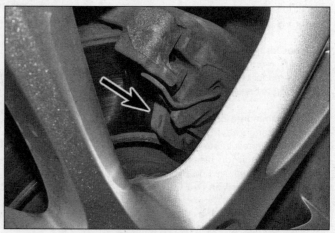

**17.2 Den yttre bromsklossens tjocklek kan mätas genom öppningen i hjulet**

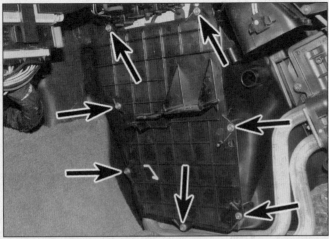

19.3a Skruva loss skruvarna . . .

19.3b . . . och ta bort kåpan . . .

19.4 . . . skjut sedan pollenfiltret från huset

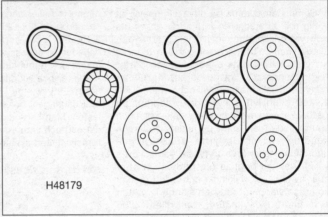

H48179

21.1 Korrekt monterad multirem

2 Demontera sidodekoren/mattan från mittkonsolen enligt beskrivningen i kapitel 11. Klipp samtidigt av buntbanden som håller fast kabelhärvan i kåpan och kylarslangen i handskfacket.

3 Lossa skruvarna och ta bort dem från kåpan över pollenfiltret (se bilder).

4 Skjut loss pollenfiltret från huset (se bild). Pilarna visar luftens flödesriktning genom filtret.

5 Kontrollera att det sitter en tätning upptill på filtret. Montera annars en passande tätning. I modeller där luftkonditionering har eftermonterats bryter du av plasttapparna från filtertoppen.

6 Lossa klämmorna och koppla loss båda dräneringsslangarna från värmeenhetens sidor. För bästa resultat rengör du slangarna med tryckluft, som du blåser genom dem, men du kan också använda en passande borste. Rengör även värmeenhetens bussningar.

7 Sätt tillbaka dräneringsslangarna och dra åt klämmorna. Montera sedan det nya pollenfiltret i omvänd ordning mot demonteringen.

## 20 Dräneringsslangar för luftkonditionering – kontroll

1 Arbeta under handskfacket och ta bort sidopanelen från filterhuset.

2 Ta bort ljudisoleringen från båda sidorna av värmeenheten.

3 Vik undan mattan från båda sidorna av mittkonsolen och ta bort isoleringen från passagerarsidan.

21.2 Ta bort hjulhusfodret för att komma åt vevaxelremskivan och drivremmen

4 Lossa klämmorna och koppla loss båda dräneringsslangarna från värmeenhetens sida.

5 För bästa resultat kan du blåsa tryckluft genom dräneringsslangarna, men du kan också använda en tygtrasa. Rengör även värmeenhetens bussningar.

6 Återmontera slangarna i omvänd ordningsföljd.

## 21 Drivrem – kontroll

1 På alla motorer används en enkel, flertandad drivrem för att vidarebefordra kraft från vevaxelns remskiva till kylvätskepumpen, generatorn, servostyrningspumpen och luftkonditioneringskompressorn (se bild). Drivremmen spänns automatisk av en fjäderbelastad sträckarremskiva.

2 Dra åt handbromsen och lyft upp framvagnen på pallbockar för att lättare komma åt drivremmen (se Lyftning och stödpunkter). Ta bort det högra framhjulet, och plastfodringen under det högra hjulhuset för att komma åt vevaxelns remskiva (se bild).

**3** Använd en lämplig hylsnyckel och förlängningsstång som fästs vid vevaxelremskivans bult, vrid vevaxeln så att hela drivremmens längd kan undersökas. Kontrollera drivremmen med avseende på sprickor, revor, fransar eller andra skador. Leta också efter tecken på polering (blanka fläckar) och efter delning av remlagren. Byt ut remmen om den är utsliten eller skadad.

## 22 Bränslefilter – byte

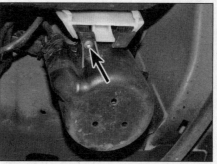

22.2 Skruva loss Torx-skruven (markerad med pil) och sänk ner plastkåpan

22.3a Lossa givarens anslutningskontakt (markerad med pil) . . .

**⚠ Varning: Observera yttersta renhet under denna procedur. Till och med den minsta lilla smutspartikeln kan orsaka omfattande skador på bränslesystemet.**

**1** Bränslefiltret sitter på bränsletankens sida, under bilen.
**2** Skruva loss Torx-skruven och dra ner skyddskåpan på filtrets bas (se bild).
**3** Koppla loss vattensensorns anslutningskontakt och ta bort sensorn från filtret (se bilder). Var beredd på bränslespill – sätt en behållare under filtret som kan fånga upp bränslet.
**4** Skruva loss filterinsatsen från huset med en bandtång eller filterborttagningsverktyg (se bild).
**5** Smörj den nya filtertätningen med lite ren diesel, och skruva sedan det nya filtret på dess plats (se bilder). Dra åt filtret till angivet moment.
**6** Skruva i vattengivaren i botten av det nya filtret och se till att gummitätningen är rätt monterad.
**7** Återanslut vattengivarens anslutningskontakt, montera tillbaka kåpan och dra åt fästskruven.
**8** Starta motorn och kontrollera filtret beträffande läckage.
**9** Avfallshantera det gamla filtret på ett säkert sätt.

22.3b . . . skruva sedan loss sensorn och låt filtret tömmas

22.4 Använd ett filter demonteringsverktyg för att lossa oljefiltret

22.5a Smörj filtertätningen med ren motorolja . . .

22.5b . . . och skruva den på sin plats

# Var 60 000:e km

## 23 Luftfilter – byte

**1** Luftrenaren sitter i motorrummets främre högra hörn bakom stötfångaren, och luftintaget sitter i bilens framdel bakom kylargrillen. Du kommer lättare åt filtret om du drar åt handbromsen, lyfter upp framvagnen och ställer den på pallbockar (se Lyftning och stödpunkter) och sedan lossar skruven och drar den främre stötfångaren/spoilern åt sidan.
**2** Lossa skruvarna och ta bort kåpan och filtret från luftfilterhusets botten (se bilder). Ta loss O-ringstätningen.

23.2a Ta bort kåpan . . .

23.2b . . . och ta bort filterelement

**3** Lägg märke till hur elementet är monterat och ta sedan bort det från kåpan.
**4** Rengör kåpans och husets insidor
**5** Placera det nya filtret på kåpan och sätt fast kåpan, tillsammans med O-ringen, på husets botten. Sätt i skruvarna och dra åt dem.
**6** Sänk ner bilen.

## 24 Manuell växellåda, oljenivå – kontroll

**Observera:** *En lämplig insexnyckel behövs för att kunna skruva loss den manuella växellådans påfyllnings- och nivåpluggar. Insexnycklar finns i flesta bilbutiker och hos din Saab-verkstad.*

**1** Se till att bilen är parkerad på plant underlag. Rengör området runt nivåpluggen, som är placerad till vänster om differentialhuset bakpå växellådan, bakom vänster drivaxel. Du kommer åt pluggen från motorrummet. Du kan också dra åt handbromsen och lyfta upp bilen på pallbockar (se *Lyftning och stödpunkter*). Observera att fordonet måste vara vågrätt; du måste alltså lyfta både fram- och bakänden.
**2** Skruva loss pluggen med en lämplig insexnyckel och rengör den med en trasa **(se bild)**. Oljenivån ska nå upp till nivåhålets nederkant. En skvätt olja samlas bakom pluggen och rinner ut när den tas bort. Det betyder inte nödvändigtvis att nivån är korrekt. Kontrollera nivån ordentligt genom att vänta tills oljan sipprat klart och sedan använda en bit ren ståltråd, böjd i rät vinkel, som mätsticka.
**3** Om olja behöver fyllas på, rengör ytan runt

**24.2 Lossa oljepluggen till växellådan med en insexnyckel**

**24.3b Skruva loss pluggen med en insexnyckel**

**24.3a Växellådans påfyllningsplugg är placerad ovanpå växelhuset**

**24.4 Fyll på växellådan**

påfyllningspluggen, som är placerad ovanpå växelhuset. Lossa pluggen och torka ren den **(se bilder)**.
**4** Fyll på olja tills ett stadigt sipprande av olja kommer från nivåhålet **(se bild)**. Använd endast den olja som specificerats. En tratt i

påfyllningspluggens öppning gör det lättare att fylla på olja i växellådan utan att spilla.
**5** När nivån är korrekt, montera och dra åt nivå- och påfyllningspluggarna till angivet åtdragningsmoment. Torka bort eventuellt spill.

# Var 120 000:e km

## 25 Kamrem – byte

Se kapitel 2B.

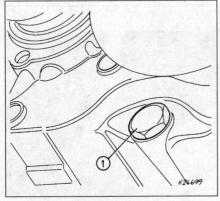
**26.2 Växellådans vätskedräneringsplugg (1)**

## 26 Automatväxelolja – byte

**1** Kör bilen en kort sträcka så att växellådan värms upp till normal arbetstemperatur. Parkera bilen över en smörjgrop eller hissa upp den och stöd den på pallbockar (se *Lyftning och stödpunkter*). Oavsett vilken metod som används, se till att bilen står plant så att oljenivån ska kunna kontrolleras senare. Lossa fästanordningarna om sådana finns och ta bort motorns nedre skyddskåpa.
**2** Placera en lämplig behållare under växellådan, skruva bort avtappningspluggen och låt oljan rinna ner i behållaren **(se bild)**. Observera att det behövs en särskild adapternyckel för att skruva bort pluggen.

⚠ *Varning: Oljan är mycket het så vidtag försiktighetsåtgärder för att undvika skållning. Tjocka, vattentäta handskar rekommenderas.*

**3** När all olja har runnit ut, torka

avtappningspluggen ren och montera den i växelhuset. Om tillämpligt, montera en ny tätningsbricka på pluggen. Dra åt avtappningspluggen till angivet moment.
**4** Fyll på automatväxellådan med angiven mängd olja av rätt grad. Se avsnitt 14 och fyll upp till rätt nivå. Använd först mätstickans markeringar för låg temperatur, kör sedan en sväng med bilen. När oljan har nått arbetstemperatur, kontrollera oljenivån igen med mätstickans markeringar för hög temperatur.

## 27 Drivrem – byte

**1** På alla motorer används en enkel drivrem med flera spår för att överföra kraft från vevaxelns remskiva till generatorn och kylmedelskompressorn. Drivremmen spänns automatisk av en fjäderbelastad sträckarremskiva.
**2** Dra åt handbromsen och lyft upp framvagnen på pallbockar för att lättare komma åt drivremmen (se *Lyftning och*

27.3a Vrid drivremsspännaren medurs genom att vrida remskivans centralbult (se pil) med en skiftnyckel . . .

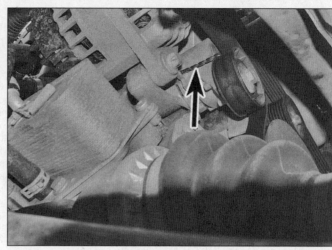

27.3b . . . lås sedan spännaren genom att föra in en låssprint eller ett borrbit (se pil) genom specialhålet

*stödpunkter*). Ta bort det högra framhjulet, och plastfodringen under det högra hjulhuset för att komma åt vevaxelns remskiva.

3 Spännarremskivans fjäder måste nu pressas ihop och spärras. Använd en skruvnyckel eller hylsa med stång och vrid sträckaren medurs. Lås sedan sträckaren i rätt läge med en låssprint/5 mm borrbit när hålen i armen och stommen är i linje (se bilder).

4 Skjut av drivremmen från remskivorna och

ta sedan bort den från motorrummet genom det högra hjulhuset. Märk ut åt vilket håll remmen sitter om den ska återmonteras.

5 Placera drivremmen över samtliga remskivor och kontrollera att flerspårssidan griper i spåren på remskivorna (se bild 21.1).

6 Tryck ihop spännfjädern och ta bort låssprinten/borrbitet. Lossa sträckaren långsamt och låt dess tryck verka på drivremmens baksida.

7 Se till att remmen sitter ordentlig på remskivorna, starta sedan motorn och låt den gå på tomgång i några minuter. Detta gör att spännaren kan återta sin plats och fördela spänningen jämnt längs hela remmen. Stanna motorn och kontrollera än en gång att remmen sitter korrekt på alla remskivor.

8 Sätt sedan tillbaka hjulhusets plastfodring, montera hjulet och sänk ner bilen.

# Vart 3:e år

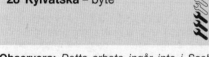

## 28 Kylvätska – byte

**Observera:** *Detta arbete ingår inte i Saab schema, och ska inte behövas om man använder det frostskyddsmedel som Saab rekommenderar.*

⚠ *Varning: Låt inte frostskyddsmedel komma i kontakt med huden eller lackerade ytor på bilen. Skölj genast förorenade områden med mängder av vatten. Förvara ny och gammal kylvätska oåtkomligt från barn och djur – dess söta doft kan vara lockande för dem. Förtäring av den minsta mängd kylvätska kan vara dödlig. Torka genast upp spill på verkstadsgolvet. Håll behållarna med frostskyddsmedel övertäckta och reparera läckor på kylsystemet så fort de upptäcks.*

⚠ *Varning: Flytta aldrig expansionskärlet påfyllningslock när motorn går, eller just har stängts av. Eftersom kylsystemet är hett finns risk för ånga och skållande kylvätska som kan vålla allvarliga olyckor.*

⚠ *Varning: Vänta till dess att motorn är helt kall innan arbetet påbörjas.*

## Avtappning av kylsystemet

1 När motorn är helt kall kan expansionskärlets påfyllningslock tas bort. Vrid locket moturs och vänta tills allt återstående tryck försvunnit ur systemet, skruva sedan loss locket och ta bort det.

2 Lyft upp framvagnen och stöd den ordentligt på pallbockar (se *Lyftning och stödpunkter*).

3 I förekommande fall tar du bort motorns undre skyddskåpa och placerar en lämplig behållare under kylarens vänstra sida.

4 Lossa dräneringspluggen på den nedre vänstra monteringstappen (se bild), och låt kylvätskan rinna ner i behållaren. Fäst en bit slang vid avtappningspluggen om det behövs, för att leda vätskan till behållaren.

5 När vätskeflödet upphör, dra åt avtappningspluggen och montera den undre skyddskåpan, om det behövs.

6 Om kylvätskan har tömts av någon annan anledning än byte kan den återanvändas (även om det inte rekommenderas), förutsatt att den är ren och mindre än två år gammal.

## Spolning av kylsystemet

7 Om kylvätskebyte inte utförts regelbundet eller om frostskyddet spätts ut, kan kylsystemet med tiden förlora i effektivitet på grund av att kylvätskekanalerna sätts igen

av rost, kalkavlagringar och annat sediment. Kylsystemets effektivitet kan återställas genom att systemet spolas ur.

8 För att undvika förorening ska kylsystemet spolas oberoende av motorn.

### Spolning av kylare

9 Lossa de övre och nedre slangarna och alla andra relevanta slangar från kylaren enligt beskrivningen i kapitel 3.

10 Stick in en trädgårdsslang i det övre kylarinloppet. Spola in rent vatten i kylaren och fortsätt spola till dess att rent vatten rinner ur kylarens nedre utlopp.

28.4 Dräneringspluggen (markerad med pil) sitter på kylarens vänstra ände

**28.18 Luftningsskruven (markerad med pil) sitter i kylvätskeledningen av metall på motorns framsida.**

**11** Om det efter en rimlig tid fortfarande inte kommer ut rent vatten kan kylaren spolas ur med kylarrengöringsmedel. Det är viktigt att spolmedelstillverkarens anvisningar följs noga. Om kylaren är svårt förorenad, ta bort kylaren och stick in slangen i nedre utloppet och spola ur kylaren baklänges, sätt sedan tillbaka den.

### Spolning av motor

**12** Ta bort termostathuset enligt beskrivningen i kapitel 3. Om kylarens övre slang har kopplats loss, koppla tillbaka den tillfälligt.
**13** Lossa de övre och nedre kylarslangarna från kylaren och stick in en trädgårdsslang i den övre kylarslangen. Spola in rent vatten i motorn och fortsätt att spola till dess att rent vatten rinner ur nedre slangen.
**14** När spolningen är avslutad, montera

tillbaka termostaten och anslut slangarna enligt beskrivning i kapitel 3.

### Påfyllning av kylsystemet

**15** Kontrollera innan påfyllningen inleds att alla slangar och slangklämmor är i gott skick och att klämmorna är väl åtdragna. Observera att frostskydd ska användas året runt för att förhindra korrosion i motorn.
**16** Se till att luftkonditioneringen (A/C) eller den automatiska klimatanläggningen (ACC) är avstängd. På så sätt förhindras luftkonditioneringssystemet att starta kylarfläkten innan motorn har uppnått normal temperatur vid påfyllningen.
**17** Skruva av expansionskärlets påfyllningslock och fyll systemet långsamt tills kylvätskenivån når 30 mm över MAX-markeringen på sidan av expansionskärlet.
**18** Skruva loss luftningsskruven i kylvätskeröret på motorns framsida **(se bild)**. Låt all instängd luft tränga ut och stäng luftningsskruven när kylvätska utan bubblor kommer ur röret.
**19** Kontrollera kylvätskenivån och fyll på vid behov, sätt sedan tillbaka och dra åt expansionskärlets påfyllningslock.
**20** Starta motorn och vrid upp temperaturen. Kör motorn tills den har uppnått normal arbetstemperatur (kylfläkten slås på och stängs av). Om du kör motorn med olika varvtal värms den upp snabbare.
**21** Stanna motorn och låt den svalna, kontrollera sedan kylvätskenivån igen enligt beskrivningen i Veckokontroller. Fyll på mera

vätska om det behövs, och sätt tillbaka expansionskärlets påfyllningslock.

### Frostskyddsblandning

**22** Frostskyddsmedlet ska alltid bytas regelbundet med angivna intervall. Detta inte bara för att bibehålla de frostskyddande egenskaperna utan även för att förhindra korrosion som annars kan uppstå därför att korrosionshämmarna gradvis förlorar effektivitet.
**23** Använd endast etylenglykolbaserat frostskyddsmedel som är lämpat för motorer med blandade metaller i kylsystemet. Mängden frostskyddsvätska och olika skyddsnivåer anges i specifikationerna.
**24** Innan frostskyddsmedlet hälls i ska kylsystemet tappas ur helt och helst spolas igenom. Samtliga slangar ska kontrolleras beträffande kondition och tillförlitlighet.
**25** När kylsystemet fyllts med frostskyddsmedel är det klokt att sätta en etikett på expansionskärlet som anger frostskyddsmedlets typ och koncentration, samt datum för påfyllningen. Varje efterföljande påfyllning ska göras med samma typ och koncentration av frostskyddsmedel.
*Varning: Använd inte motorfrostskyddsmedel i vindrutans/bakrutans spolarvätska, eftersom den skadar lacken. Använd spolarvätska i den koncentration som anges på flaskan i spolarsystemet.*

# Vart 4:e år

### 29 Bromsvätska – byte

⚠️ *Varning: Hydraulisk bromsolja kan skada ögonen och bilens lack, så var ytterst försiktig vid hanteringen. Använd aldrig olja som stått i ett öppet kärl under någon längre tid eftersom den absorberar fukt från luften. För mycket fukt i bromsoljan kan medföra att bromseffekten minskar, vilket är livsfarligt.*

**1** Beskrivningen är identisk med den för luftning av hydraulsystemet enligt beskrivningen i kapitel 9.
**2** Arbeta enligt beskrivningen i kapitel 9 och öppna den första luftningsskruven i ordningen, och pumpa sedan försiktigt på bromspedalen tills nästan all gammal olja runnit ut ur huvudcylinderbehållaren. Fyll på ny olja till MAX-markeringen och fortsätt pumpa tills det bara finns ny olja i behållaren och ny olja kan ses rinna ut från luftningsskruven. Dra åt skruven och fyll på behållaren upp till MAX-markeringen.

**3** Gå igenom de återstående luftningsskruvarna i rätt ordningsföljd tills det kommer ny olja ut ur dem. Var noga med att alltid hålla huvudcylinderbehållarens nivå över MIN-markeringen, annars kan luft tränga in i systemet och då ökar arbetstiden betydligt.
**4** Avsluta med att kontrollera att alla luftningsskruvar är ordentligt åtdragna och att deras dammskydd sitter på plats. Tvätta bort allt spill och kontrollera huvudcylinderbehållarens oljenivå en sista gång.
**5** Kontrollera att bromsarna fungerar innan bilen körs igen.

# Kapitel 2  Del A:
# Reparationer med motorn kvar i bilen – bensinmotorer

## Innehåll

## Svårighetsgrad

| Enkelt, passar novisen med lite erfarenhet 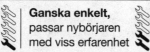 | Ganska enkelt, passar nybörjaren med viss erfarenhet 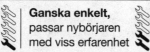 | Ganska svårt, passar kompetent hemmamekaniker 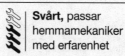 | Svårt, passar hemmamekaniker med erfarenhet 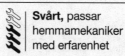 | Mycket svårt, för professionell mekaniker  |
|---|---|---|---|---|

## Specifikationer

### Allmänt

Beteckning:
| | |
|---|---|
|   1985 cc motor . . . . . . . . . . . . . . . . . . . . . . . . . . . . . . . . . . . . . . . . . | B205 |
|   2290 cc motor . . . . . . . . . . . . . . . . . . . . . . . . . . . . . . . . . . . . . . . . . | B235 |
| Cylinderdiameter . . . . . . . . . . . . . . . . . . . . . . . . . . . . . . . . . . . . . . . . | 90,00 mm |

Kolvslag:
| | |
|---|---|
|   1985 cc motor . . . . . . . . . . . . . . . . . . . . . . . . . . . . . . . . . . . . . . . . . | 78,00 mm |
|   2290 cc motor . . . . . . . . . . . . . . . . . . . . . . . . . . . . . . . . . . . . . . . . . | 90,00 mm |
| Vevaxelns rotationsriktning. . . . . . . . . . . . . . . . . . . . . . . . . . . . . . . . . | Medurs (sett från fordonets högra sida) |
| Cylinder nr 1, placering . . . . . . . . . . . . . . . . . . . . . . . . . . . . . . . . . . . | Vid motorns kamkedjesida |

Kompressionsförhållande:
| | |
|---|---|
|   B205 . . . . . . . . . . . . . . . . . . . . . . . . . . . . . . . . . . . . . . . . . . . . . . . | 8.8 : 1 |
|   B235 . . . . . . . . . . . . . . . . . . . . . . . . . . . . . . . . . . . . . . . . . . . . . . . | 9.3 : 1 |

Maximal kraft/moment:
| | |
|---|---|
|   B205E . . . . . . . . . . . . . . . . . . . . . . . . . . . . . . . . . . . . . . . . . . . . . | 110 kW @ 5500 varv per minut/240 Nm @ 1800 varv per minut |
|   B205E (med monterad tillbehörssats) . . . . . . . . . . . . . . . . . . . . . . . | 136 kW @ 5500 varv per minut/280 Nm @ 1800 varv per minut |
|   B235E . . . . . . . . . . . . . . . . . . . . . . . . . . . . . . . . . . . . . . . . . . . . . | 136 kW @ 5500 varv per minut/280 Nm @ 1800 varv per minut |
|   B235R (HOT Aero-modeller) . . . . . . . . . . . . . . . . . . . . . . . . . . . . . | 184 kW @ 5300 varv per minut/350 Nm @ 1900 varv per minut |

### Motorkoder

**Observera:** *Motorkoden är instämplad på framsidan av motorn, på motorblockets främre vänstra sida.*

Tecken 1:
| | |
|---|---|
|   B . . . . . . . . . . . . . . . . . . . . . . . . . . . . . . . . . . . . . . . . . . . . . . . . . | Bensinmotor |

Tecken 2 och 3:
| | |
|---|---|
|   20 . . . . . . . . . . . . . . . . . . . . . . . . . . . . . . . . . . . . . . . . . . . . . . . . | 1985 cc |
|   23 . . . . . . . . . . . . . . . . . . . . . . . . . . . . . . . . . . . . . . . . . . . . . . . . | 2290 cc |

Tecken 4:
| | |
|---|---|
|   5 . . . . . . . . . . . . . . . . . . . . . . . . . . . . . . . . . . . . . . . . . . . . . . . . . | 4 cylindrar, rakt motorblock med 2 balansaxlar och dubbla överliggande kamaxlar med 4 ventiler per cylinder |

Tecken 5:
| | |
|---|---|
|   E . . . . . . . . . . . . . . . . . . . . . . . . . . . . . . . . . . . . . . . . . . . . . . . . . | Motor med lågtrycksturbo och laddluftkylare |
|   L . . . . . . . . . . . . . . . . . . . . . . . . . . . . . . . . . . . . . . . . . . . . . . . . . | Motor med turbo och mellankylare – Steg 1 |
|   R . . . . . . . . . . . . . . . . . . . . . . . . . . . . . . . . . . . . . . . . . . . . . . . . . | Motor med turbo och mellankylare – Steg 2 |

Tecken 6:
| | |
|---|---|
|   D . . . . . . . . . . . . . . . . . . . . . . . . . . . . . . . . . . . . . . . . . . . . . . . . . | Saab 9-3 |
|   E . . . . . . . . . . . . . . . . . . . . . . . . . . . . . . . . . . . . . . . . . . . . . . . . . | Saab 9-5 |

## Motorkoder (forts.)

Tecken 7:

| | |
|---|---|
| A | Automatväxellåda |
| M | Manuell växellåda |

Tecken 8 och 9:

| | |
|---|---|
| 00 | Vanlig motor |
| 18 | Motor som anpassats för automatik |
| 19 | Motor med oljekylare |
| 20 | Motor med diagnossystem OBD II |

Tecken 10:

| | |
|---|---|
| 5 | 2005 |
| 6 | 2006 |
| 7 | 2007 |
| 8 | 2008 |
| 9 | 2009 |
| Tecken 11 till 16 | Serienummer |

## Kamaxlar

| | |
|---|---|
| Drift | Kedja från vevaxeln |
| Antal lager | 5 på varje kamaxel |
| Kamaxellagrets axeltapp, diameter (yttre diameter) | 28,922 till 28,935 mm |
| Lyft | 8,31 mm |
| Axialspel | 0,08 till 0,35 mm |

## Smörjningssystem

| | |
|---|---|
| Oljepump, typ | Kugghjulspump, driven från vevaxeln |
| Lägsta oljetryck vid 80 °C | 2,5 bar vid 2000 varv per minut, med 10W/30-motorolja |
| Kontakten till varningslampan för oljetryck aktiveras vid | 0,3 till 0,5 bar |
| Spel mellan pumpens yttre rotor och kamremskåpans hus | 0,03 till 0,08 mm |
| Den tryckreglerande ventilen öppnas vid | 3,8 bar |
| Oljekylarens termostat öppnas vid | ca 105 °C |

## Åtdragningsmoment

| | Nm |
|---|---|
| Avtappningsplugg för motorolja | 25 |
| Bakre motorfäste: | |
| Fästbygel till växellåda | 84 |
| Motorfäste till kryssrambalk | 26 |
| Fästmutter | 26 |
| Balansaxeldrev | 22 |
| Balansaxelns överföringskedjedrev | 25 |
| Bultar, motor till växellåda | 70 |
| Bultar, vevstakslageröverfall: | |
| Steg 1 | 20 |
| Steg 2 | Vinkeldra ytterligare 70° |
| Drivplatta | 95 |
| Främre motorfäste: | |
| Fästbygel till motor | 47 |
| Kardanstag till kaross | 121 |
| Kardanstag till fästbygel | 47 |
| Höger motorfäste: | |
| Motorfäste till bultar på innerflygel | 47 |
| Bultar mellan fäste och motor | 47 |
| Motorfäste till fästbygelmutter | 105 |
| Kamaxeldrev | 63 |
| Kamaxellageröverfall | 15 |
| Kamaxelns kedjespännare, plugg | 22 |
| Kamkedjespännarhus | 63 |
| Kamkedjkåpa, bultar | 22 |
| Kolvens kylmunstycke | 18 |
| Oljekylare, slanganslutningar | 8 |
| Oljekylningstermostat, plugg | 60 |
| Plugg för kamkedjespännare | 22 |
| Ramlageröverfallets bultar: | |
| Steg 1 | 20 |
| Steg 2 | Vinkeldra ytterligare 70° |
| Reducerventil för oljetryck, plugg | 30 |
| Sump, bultar | 22 |
| Svänghjul | 80 |

## Åtdragningsmoment (forts.)

Topplocksbultar:

| | Nm |
|---|---|
| Steg 1 | 40 |
| Steg 2 | 60 |
| Steg 3 | Vinkeldra ytterligare 90° |
| Ventilkåpa | 15 |
| Vevaxelns remskiva, bult | 175 |

Vänster fäste för växellåda:

| | Nm |
|---|---|
| Fästmutter | 85 |
| Motorfäste till kaross | 60 |

Fästbygel till växellåda:

| | Nm |
|---|---|
| Manuell | 40 |
| Automatisk | 84 |

## 1  Allmän information

### Vad innehåller detta kapitel

Den här delen av kapitel 2 beskriver de reparationsåtgärder som kan utföras medan motorn är monterad i bilen. Om motorn har tagits ur bilen och tagits isär enligt beskrivningen i del C, kan alla preliminära isärtagningsinstruktioner ignoreras.

Observera att även om det är möjligt att fysiskt renovera delar som kolven/vevstaken medan motorn sitter i bilen, så utförs sällan sådana åtgärder separat. Normalt måste flera ytterligare åtgärder utföras (för att inte nämna rengöring av komponenter och smörjkanaler). Av den anledningen klassas alla sådana åtgärder som större renoveringsåtgärder, och beskrivs i del C i det här kapitlet.

Del C beskriver demontering av motor/växellåda, samt tillvägagångssättet för de reparationer som kan utföras med motorn/växellådan demonterad.

### Motorbeskrivning

Bilen har en rak fyrcylindrig motor med dubbla överliggande kamaxlar tvärmonterad fram. Den har 16 ventiler och växellåda på vänster sida. Saab 9-5 är utrustad med motorn 1985 cc eller 2290 cc, som har balansaxlar i motorblocket för att dämpa vibrationer. Alla motorer har bränsleinsprutning genom ett Saab-tillverkat Trionic-motorstyrningssystem.

Vevaxeln går genom fem ramlager. Tryckbrickor har monterats på det mittersta ramlagret (endast övre halvan) för styrning av vevaxelns axialspel.

Vevstakarna roterar på vågrätt delade lagerskålar vid vevlagren. Kolvarna är fästa vid vevstakarna med flytande kolvbultar, som hålls kvar i kolvarna med hjälp av låsringar. Lättmetallkolvarna är monterade med tre kolvringar – två kompressionsringar och en oljekontrollring.

Motorblocket är av gjutjärn, och cylinderloppen utgör en del av motorblocket. Insugs- och avgasventilerna stängs med spiralfjädrar, och ventilerna själva löper i styrhylsor som är intryckta i topplocket. Ventilsätesringarna trycks också in i topplocket

och kan bytas separat om de blir slitna. Varje cylinder har fyra ventiler.

Kamaxlarna drivs av en enkelradig kamkedja och driver i sin tur de 16 ventilerna via hydrauliska ventillyftare. Med hjälp av hydrauliska kammare och en spännfjäder upprätthåller de hydrauliska ventillyftarna ett förbestämt spel mellan kamloben och änden på ventilskaftet. Ventillyftare förses med olja från motorns smörjkrets.

Balansaxeln roteras i motsatt riktning av en liten enkelradig kedja från ett drev på framsidan av vevaxeln. Balansaxelns kedja styrs av två fasta styrskenor och ett överföringskedjedrev. Kedjan är placerad utanför kamaxelns kamkedja och dess spänning kontrolleras av en oljetrycksdriven spännare.

Smörjningen sköts av en dubbelroterande oljepump som drivs från den främre delen av vevaxeln och som är placerad i kamremskåpan. En avlastningsventil i kamremskåpan begränsar oljetrycket vid höga motorvarvtal genom att återföra överflödig olja till sumpen. Oljan sugs från sumpen genom en sil, passerar oljepumpen och tvingas genom ett yttre filter och en oljekylare och sedan in i motorblockets/vevhusets ledningar. Därifrån fördelas oljan till vevaxeln (ramlager), balansaxlarnas kamaxellager och de hydrauliska ventillyftarna. Den smörjer även det vattenkylda turboaggregatet och kolvarnas kylmunstycken på vevhuset. Vevstakslagren förses med olja via inre utborrningar i vevaxeln medan kamloberna och ventilerna stänksmörjs, liksom övriga motorkomponenter.

### Reparationer med motorn kvar i bilen

Följande arbeten kan utföras med motorn monterad i bilen:

a) Kompressionstryck – kontroll.
b) Ventilkåpa – demontering och montering.
c) Kamaxelns oljetätningar – byte.
d) Kamaxlar – demontering, kontroll och montering.
e) Topplock – demontering och montering.
f) Topplock och kolvar – sotning (se del C i detta kapitel).
g) Sump – demontering och montering.
h) Oljepump – demontering, reparation och montering
i) Vevaxelns oljetätningar – byte.

j) Svänghjul/drivplatta – demontering, kontroll och montering.
k) Motor-/växellådsfästen – kontroll och byte.

## 2  Kompressionsprov – beskrivning och tolkning

1 Om motorns prestanda sjunker, eller om misständningar uppstår som inte kan hänföras till tändning eller bränslesystem, kan ett kompressionsprov ge en uppfattning om motorns skick. Om kompressionsprov tas regelbundet kan de ge förvarning om problem innan några andra symptom uppträder.

2 Motorn måste vara uppvärmd till normal arbetstemperatur, batteriet måste vara fulladdat och alla tändstift måste vara urskruvade (kapitel 1A). Dessutom behövs en medhjälpare.

3 Koppla bort tändsystemet genom att lossa anslutningskontakten från den fördelarlösa tändningsenheten.

4 För att förhindra att oförbränt bränsle förs in i katalysatorn måste även bränslepumpen avaktiveras genom att relevanta säkringar och/eller reläer demonteras. Se kapitel 4A där det är tillämpligt för mer information.

5 Montera en kompressionsprovare i tändstiftshålet till cylinder nr 1 – för att få korrekta värden måste en provare av den typ som skruvas in i tändstiftsgängorna användas.

6 Låt medhjälparen trampa gaspedalen i botten och dra runt motorn med startmotorn. Efter ett eller två varv bör kompressionstrycket byggas upp till maxvärdet och sedan stabiliseras. Anteckna det högsta värdet.

7 Upprepa testet på återstående cylindrar och notera trycket på var och en.

8 Trycket i alla cylindrarna bör hamna på i stort sett samma värde. en skillnad på mer än 2 bar mellan två av cylindrarna indikerar ett fel. Observera att kompressionen ska byggas upp snabbt i en fungerande motor; om kompressionen är låg i det första kolvslaget och sedan ökar gradvis under följande slag är det ett tecken på slitna kolvringar. Lågt tryck som inte stiger är ett tecken på läckande ventiler eller trasig topplockspackning (eller ett sprucket topplock). Avlagringar på undersidan

**3.1 ÖD-märken (pilar) på svänghjulet och motorns fästplatta**

**3.3 ÖD-märken (pil) på kamkedjans kåpa och vevaxelns remskiva**

av ventilhuvudena kan också orsaka dålig kompression.

**9** Saab anger att det kompressionstryck som krävs är 12 bar för B205 (1985 cc)-motorn och 14 bar för B235 (2290 cc). Cylindertryck under 10 bar för B205 eller 12 bar för B235 är inte godtagbart. Rådfråga en Saab-verkstad eller annan specialist om du är tveksam till om ett avläst tryck är godtagbart.

**10** Om trycket i en cylinder är mycket lägre än i de andra kan följande kontroll utföras för att hitta orsaken. Häll i en tesked ren olja i cylindern genom tändstiftshålet och upprepa provet.

**11** Om tillförsel av olja tillfälligt förbättrar kompressionen är det ett tecken på att slitage på kolvringar eller lopp orsakar tryckfallet. Om ingen förbättring sker tyder det på läckande/brända ventiler eller trasig topplockspackning.

**12** Lågt tryck i endast två angränsande cylindrar är med stor säkerhet ett tecken på att topplockspackningen mellan dem är trasig. Om det finns kylvätska i motoroljan bekräftar detta felet.

**13** Om en cylinder har ett värde som är 20 % lägre än de andra cylindrarna, och motorns tomgång är något ojämn; orsaken kan vara en sliten kamlob.

**14** Vid avslutat prov, skruva i tändstiften och anslut tändsystem och bränslepump.

## 3 Övre dödpunkt för kolv nr 1 – hitta

**1** ÖD-tändningsinställningsmärken finns ofta som en tillverkad skåra i vevaxelns remskiva och en motsvarande stång ingjuten i kamkedjans kåpa. ÖD-märken finns även på svänghjulet och den bakre oljetätningens hus – dessa är användbara om motorn demonterats **(se bild)**. *Observera: När tändningsinställningsmärkena är i linje kommer kolvarna 1 (vid kamkedjans sida av motorn) och 4 (vid svänghjulets sida av motorn) att befinna sig vid den övre dödpunkten (ÖD), med kolv 1 i sitt kompressionsslag.*

**2** Dra åt handbromsen och lyft upp framvagnen på pallbockar för att lättare komma åt bulten till vevaxelns remskiva (se *Lyftning och stödpunkter*). Ta bort det högra framhjulet, ta bort skruvarna och koppla loss inspektionskåpan från den högra hjulhusfodringen.

**3** Sätt en hylsa på vevaxelns remskiva och vrid

motorn tills ÖD-skåran i vevaxelns remskiva är i linje med skåran på kamremskåpan **(se bild)**. Kolv nr 1 (på kamkedjans sida av motorn) kommer att vara högst upp i sitt kompressionsslag. Kompressions kan kontrolleras genom att man tar bort det första tändstiftet och känner efter komprimering med ett finger ovanför tändstiftshålet medan kolven närmar sig höjden av sitt slag. Avsaknad av tryck är ett tecken på att cylindern är i sitt avgasslag och därför ett vevaxelvarv ur linje.

**4** Ta bort ventilkåpan enligt beskrivningen i avsnitt 4.

**5** Kontrollera att ÖD-markeringarna på kamaxelns remskivesidor är i linje med motsvarande ÖD-märken på kamaxellageröverfallen **(se bild)**. Vrid vevaxeln om det behövs för att placera märkena i linje.

## 4 Ventilkåpan – demontering och montering

### Demontering

**1** Öppna motorhuven och ta bort plastkåpan från insugsröret **(se bild)**.

**3.5 ÖD-märken (pil) på kamaxeln och lageröverfallet**

**4.1 Lossa plastkåpan**

4.2  Lossa kablaget och slangen från fästklämmorna (markerade med pil)

4.3  Koppla loss ventilationsslangen från kåpan

4.4a  Koppla loss kontaktdonet från tändningsenheten . . .

**2** Lossa kablaget och vevhusets ventilationsrör från topplockskåpans högra ände **(se bild)**.
**3** Lossa vevhusets ventilationsslang från kåpan genom att lossa fästklämman (och i förekommande fall vakuumslangen), och placera dem åt sidan **(se bild)**.
**4** Koppla från kontaktdonet. Skruva sedan loss skruvarna och ta bort tändningsenheten från mitten av ventilkåpan. Se kapitel 5B, avsnitt 3, om det behövs **(se bilder)**.

**5** Skruva loss ventilkåpan och ta bort packningen. Knacka försiktigt på kåpan med handflatan för att få loss den om den sitter fast.

## Montering

**6** Rengör kontaktytorna på ventilkåpan och topplocket. Placera den nya packningen ordentligt i skåran i ventilkåpan. **Observera:** *Packningen består av två delar: inre och yttre packningar (se bilder).*

**7** Montera ventilkåpan och sätt tillbaka fästbultarna. Dra åt bultarna stegvis och i ordningsföljd **(se bild)** tills alla bultarna har dragits åt till angivet moment.
**8** Återanslut slangen till vevhusventilationen (och i förekommande fall vakuumslangen) till ventilkåpan.
**9** Montera tändningsenheten i mitten av ventilkåpan och dra åt skruvarna. Se kapitel 5B.
**10** Montera motorns toppkåpa.

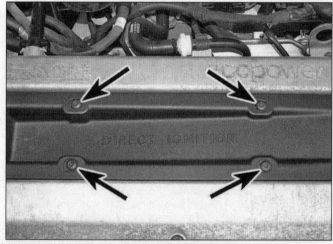

4.4b  . . . och ta sedan bort ventilkåpans fästskruvar (pilar)

4.6a  Återmontering av ventilkåpans inre packning . . .

4.6b  . . . och yttre packning, sitter säkert i spåret

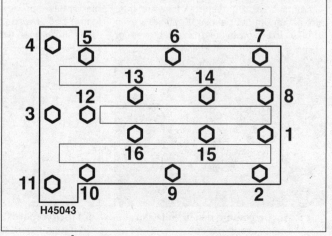

4.7  Åtdragningsordning för ventilkåpans bultar

**5.9 Kamaxellageröverfallen är markerade efter position (markerad med pil – lageröverfall nr. 10)**

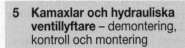

## 5 Kamaxlar och hydrauliska ventillyftare – demontering, kontroll och montering

**Observera:** *Följande beskrivning behandlar demontering och montering av kamaxlarna och de hydrauliska ventillyftarna med topplocket monterat i bilen. Vid behov kan arbetet utföras utanför bilen med topplocket demonterat från motorn. Om så är fallet, följ anvisningarna från och med punkt 8, när topplocket demonterats.*

### Demontering

**1** Öppna motorhuven och rengör motorn runt topplocket.
**2** Dra åt handbromsen och lyft med hjälp av en domkraft upp framvagnen på pallbockar (se *Lyftning och stödpunkter*). Ta bort det högra framhjulet.
**3** Lossa skruvarna och ta bort skärmlisten och innerskärmen från högra framskärmen.
**4** Ta bort batterikåpan och koppla sedan loss batteriets minusledare. För ledaren bort från batteripolen.
**5** Demontera ventilkåpan enligt beskrivningen i avsnitt 4.
**6** Sätt en hylsa på vevaxelns remskiva och vrid motorn tills ÖD-skåran i vevaxelns remskiva är i linje med tändningsinställningsstången på kamremskåpan. Se avsnitt 3 för ytterligare information om det behövs. Kontrollera även att ÖD-märkena på kamaxelns kedjedrevssidor

**5.11a Demontera den hydrauliska ventillyftaren**

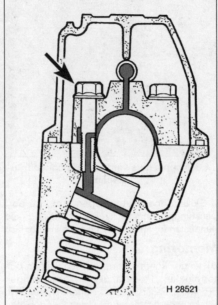

H 28521

**5.10a Kamaxellageröverfallets inre bultar (pil) är ihåliga för att kunna förse de hydrauliska ventillyftarna med olja**

är i linje med motsvarande ÖD-märken på kamaxellageröverfallen.
**7** Skruva loss bulten på tomgångsdrevet och ta bort kamkedjespännaren. Använd en 27 mm hylsnyckel när du har tagit bort pluggen med fjäder och tryckstång.
**8** Håll fast varje kamaxel med en nyckel på de flata punkterna på kamaxlarnas växellådsändar, skruva loss bultarna, dra bort kedjedreven och låt dem vila på kamkedjans styrningar. Observera att kedjedreven har utskjutande delar som passar in i de utskurna delarna i ändarna på kamaxlarna. Kamkedjan kan inte dras bort från vevaxelns kedjedrev eftersom det sitter en styrning under kedjedrevet.
**9** Kontrollera att kamaxellageröverfallen och kamaxlarna är märkta för att underlätta återmonteringen. De har stämplar på kåpan – blanda inte ihop dessa när du monterar dem igen. 1 till 5 används för inloppssidan och 6 till 10 för utblåssidan **(se bild)**.

**5.11b Hydraulisk ventillyftare borttagen från topplocket. Lägg ventillyftaren i ett oljebad medan den är demonterad**

**5.10b Placering (pilar) av de inre bultarna till lageröverfallen, med svarta huvuden och borrningar för oljetillförsel**

**10** Skruva stegvis loss lageröverfallens bultar så att överfallen inte utsätts för onödiga påfrestningar av ventilfjädrarna. Se till att lageröverfallen närmast de öppna ventilerna tas bort sist för att undvika att kamaxeln utsätts för onödiga påfrestningar. Ta bort bultarna helt och lyft bort överfallen, lyft sedan bort kamaxlarna från topplocket. Observera att lageröverfallets inre bultar (förutom i änden på kamkedjan) har svarta huvuden och sitter i utborrningar för oljematningen till de hydrauliska ventillyftarna. Se alltid till att du sätter tillbaka rätt bultar **(se bilder)**. Märk kamaxlarna noga för att underlätta återmonteringen.
**11** Skaffa sexton små rena plastbehållare och märk dem med 1i till 8i (insug) och 1e till 8e (avgas). Alternativt, dela in en större behållare i sexton avdelningar och märk dem på samma sätt för insugs- och avgaskamaxlarna. Använd en gummipipett eller en magnet för att dra upp de hydrauliska ventillyftarna i tur och ordning, och placera dem i respektive behållare **(se bilder)**. Förväxla inte ventillyftarna med varandra. Förhindra att de hydrauliska ventillyftarna töms på olja genom att hälla ny olja i behållarna så att de täcks.
*Varning: Var mycket noga med att inte repa loppen i topplocket när ventillyftarna dras ut.*

### Kontroll

**12** Undersök kamaxellagrens ytor och kamloberna efter tecken på slitage och repor. Byt kamaxeln om några fel hittas. Kontrollera att lagerytorna på kamaxellagrens axeltappar, kamaxellageröverfallen och topplocket är i gott skick. Om topplockets eller lageröverfallens ytor är mycket utslitna måste topplocket bytas ut. Om nödvändig mätutrustning finns tillgänglig kan slitage på kamaxellagrets axeltappar kontrolleras direkt och jämföras med de angivna specifikationerna.
**13** Mät kamaxelns axialspel genom att placera varje kamaxel i topplocket, montera kedjedreven och använd ett bladmått mellan kamaxelns främre del och ytan på topplockets främre lager.
**14** Kontrollera de hydrauliska ventillyftarna med avseende på slitage, revor och punktkorrosion där de är i kontakt med

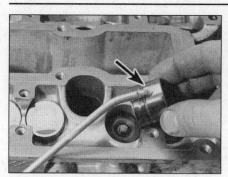

**5.16 Olja in den hydrauliska ventillyftaren före montering**

**5.26 Dra åt kamaxeldrevets fästbultar. Håll kamaxeldrevet på plats med hjälp av en skiftnyckel på de flata sidorna (pil)**

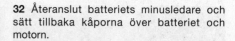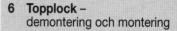

loppen i topplocket. Ibland kan en hydraulisk ventillyftare låta konstigt när motorn är i gång och behöva bytas ut. Det är svårt att se om en ventillyftare har invändiga skador eller är sliten när den väl har demonterats. Om du är tveksam bör du byta ut hela uppsatsen ventillyftare.

15 Rengör de inre borrningarna på kamaxellageröverfallen så att oljan kan passera till de hydrauliska ventillyftarna.

## Montering

16 Smörj loppen för de hydrauliska ventillyftarna i topplocket, placera dem sedan i sina ursprungliga lägen **(se bild)**.
17 Smörj lagerytorna på kamaxlarna i topplocket.
18 Placera kamaxlarna på sina rätta platser i topplocket så att ventilerna på cylinder nr 1 (kamkedjeänden) är stängda och ventilerna på cylinder nr 4 'svänger'.
19 Tändningsinställningsmärkena på drevsidan av kamaxlarna ska vara parallella **(se bild 3.5)**.
20 Smörj lagerytorna i överfallen, placera dem sedan på sina platser och sätt i fästbultarna. Dra åt bultarna stegvis till angivet moment. **Observera:** *Se till att de svartfärgade oljetillförselbultarna sitter på rätt plats (se bild 5.10b)*.
21 Kontrollera att varje kamaxel är i ÖD-läge – tändningsinställningsmärkena är placerade på den främre delen av kamaxlarna och ska

vara i linje med märket på lageröverfallen – se avsnitt 3
22 Kontrollera att ÖD-skåran i vevaxelns remskiva är i linje med tändningsinställningsstången på kamremskåpan **(se bild 3.3)**.
23 Placera kedjedreven på kamaxlarna, montera först den för utblåsning och sedan den för insug. Dra inte åt bultarna helt och hållet i detta steg. Kontrollera att kamkedjan är korrekt placerad på styrningarna och kedjedreven.
24 Montera tillbaka kamkedjespännare, enligt beskrivningen i kapitel 2C.
25 Använd en hylsnyckel på vevaxelns remskiva och vrid motorn två kompletta varv medurs, kontrollera att tändningsinställningsmärkena fortfarande är korrekt inriktade.
26 Dra åt kamaxeldrevets fästbultar till angivet moment medan de hålls på plats med en skiftnyckel på de flata punkterna **(se bild)**.
27 Rengör kontaktytorna på ventilkåpan och topplocket. Montera ventilkåpan enligt beskrivning i avsnitt 4.
28 Montera inspektionskåpan eller DI-kassetten mitt på ventilkåpan och dra åt fästskruvarna.
29 Anslut slangen till vevhuset.
30 Montera skärmlisten och den främre hjulhusfodringen under den högra framskärmen och dra åt fästskruvarna.
31 Montera höger framhjul och sänk ner bilen.

32 Återanslut batteriets minusledare och sätt tillbaka kåporna över batteriet och motorn.

## 6 Topplock – demontering och montering

## Demontering

1 Öppna motorhuven och rengör motorn runt topplocket. Låt motorn gå på tomgångsvarvtal och ta bort bränslepumpens säkring (kupén – säkring nummer 15); se kapitel 12 för exakt placering av säkringar på din modell. Slå av tändningen när motorn har stannat. Nu finns inget bränsletryck i bränsleledningarna. Sätt tillbaka säkringen.
2 Dra åt handbromsen och lyft med hjälp av en domkraft upp framvagnen på pallbockar (se *Lyftning och stödpunkter*). Ta bort höger framhjul och ta bort den nedre motorkåpan.
3 Ta bort batterikåpan och koppla sedan loss batteriets minusledare. För ledaren bort från batteripolen.
4 Lossa fästskruvarna och ta innerskärmen från högra framskärmen.
5 Tappa av kylsystemet enligt beskrivningen i kapitel 1A.
6 Ta bort oljepåfyllningslocket/mätstickan och snäpp bort kåpan från insugsröret.
7 Ta tag under motorns högra sida. Skruva loss fästbultarna och lossa det övre högra motorfästet från bilen. Mer information finns i avsnitt 13.
8 Ta bort massluftflödesgivaren och gummidamasken från motorrummet enligt beskrivningen i kapitel 4A, avsnitt 14. Dra tillbaka gummikåpan och lossa anslutningskontakten från tryckluftsventilen **(se bild)**. Lossa slangklämman och ta bort insugstrummorna mellan turboaggregatet och mellankylaren, och mellan mellankylaren och gasspjällshuset. Täck turboaggregatets port med en trasa för att hindra smuts från att tränga in.
9 Tryck ner den röda fästklämman för att lossa vevhusets ventilrör från luftinsugsslangen **(se bilder)**.

**6.8 Koppla loss anslutningskontakten (markerad med pil) från tryckluftsstyrningsventilen**

**6.9a Lossa den röda låsringen . . .**

**6.9b . . . och ta bort vevhusventilationsröret**

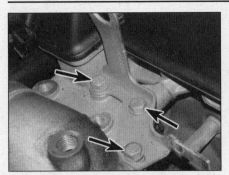

6.10 Skruva loss fästbultarna (pilar) och ta bort motorlyftöglan

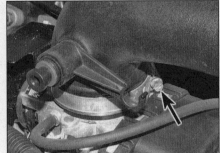

6.11a Lossa fästklämman (pil) . . .

6.11b . . . ta bort fästklämmorna (markerade med pil) . . .

10 Skruva loss motorlyftöglan från topplockets främre högra sida (se bild).
11 Lossa låsklämmorna och ta bort laddluftröret från mittemot topplockets vänstra sida. Skruva loss fästbulten från änden av topplocket. Lossa bypass-ventilen och tryck/ temperaturgivarens kontaktdon. Koppla loss förbikopplingsventilens vakuumslang. Fäst gasspjällshuset och slangen vid luftkylaren (se bilder).
12 Se kapitel 1A och ta bort multiremmen.
13 Demontera generatorn på en sida (se kapitel 5A), och skruva sedan loss generatorns fästbygel från topplocket (se bild).
14 Koppla loss kontaktdonet från temperaturgivaren på vänster sida av topplocket.
15 Lossa slangklämmorna och koppla loss kylvätskeslangarna från topplocket.

16 Skruva loss kåpan över gasspjällshusets arm och koppla loss gasvajern från gasspjällshuset (se bild).
17 Skruva loss stödfästet och lossa röret till motorns oljemätsticka samt själva mätstickan från topplocket.
18 Lossa slangklämmorna och koppla loss slangarna från gasspjällshuset.
19 Placera dig under bilen och skruva loss grenrörets stödbygel på baksidan av motorn (se bild).
20 Ta bort avgassystemets värmesköld enligt instruktionerna i kapitel 4A och skruva sedan loss det främre avgasröret från turboaggregatet.
21 Skruva loss servostyrningspumpen från dess fästen enligt beskrivningen i kapitel 10 och fäst den på sidan med hjälp av kabelband av nylon eller liknande. Observera att du inte

behöver koppla loss hydrauloljeslangarna från pumpen. Skruva loss den nedre fästbulten på servostyrningspumpens fästbygel (se bild).
22 Demontera motorns högra lyftögla från insugsröret och flytta kabelnätets fäste till ena sidan. Se kapitel 4A och ta bort insugsröret från topplocket.
23 Skruva loss ventilkåpan och ta bort packningen enligt beskrivningen i avsnitt 4. Knacka försiktigt på kåpan med handflatan för att få loss den om den sitter fast. Ta vid behov bort alla fyra tändstiften enligt beskrivningen i kapitel 1A.
24 Använd en hylsa på vevaxelns remskiva, vrid motorn tills ÖD-märken på vevaxelns remskiva är i linje med tändningsinställningsmärket på kamremskåpan och kolv nr 1 (vid motorns kamkedjeände) är högst upp i sitt kompressionsslag. Se avsnitt 3 för ytterligare

6.11c . . . skruva loss fästbultarna (markerad med pil) . . .

6.11d . . . och koppla sedan loss kontaktdonet (markerad med pil) och vakuumröret (markerad med pil)

6.13 Skruva loss de övre fästbultarna på generatorns fästbygel (pilar)

6.16 Ta bort kåpan över gasspjällets länksystem/kabel

6.19 Skruva loss de båda fästbultarna (se pilar) till fästbygeln

6.21 Ta bort den nedre fästbulten (pil) från servostyrningspumpens fästbygel

6.26  Ta bort överföringshjulet och skruva sedan loss
kamkedjespännaren (pil)

6.28  Skruva loss de två bultarna (pilar) som håller fast
kamremskåpan i topplocket

information om det behövs. Kontrollera även
att ÖD-märkena på kamaxelns kedjedrevssidor
är i linje med motsvarande ÖD-märken på
kamaxellageröverfallen.
**25** Håll kamaxlarna stadigt på plats med
en skiftnyckel på de flata delarna vid
svänghjulets/drivplattans sida av kamaxeln
och lossa bultarna **(se bild 5.26)**. Ta inte bort
dem än.
**26** Skruva loss bulten på
tomgångsöverföringshjulet och ta bort
kamkedjespännaren**(se bild)**. Använd en 27
mm hylsnyckel när du har tagit bort pluggen
med fjäder och tryckstång.
**27** Skruva loss kamaxeldrevets fästbultar.
Haka av kedjehjulen från kedjan och ta ut dem
ur motorn. Fäst ett gummiband/buntband runt
kedjestyrningarna så att inte kedjan hänger
ner.
**28** Skruva loss de två bultarna som fäster
kamremskåpan i topplocket **(se bild)**.
**29** Arbeta i omvänd ordningsföljd **(se bild 6.44)**
och lossa stegvis de tio topplocksbultarna ett
halvt varv i taget tills alla bultar kan skruvas
loss för hand. Bultarna måste skruvas loss
med en Torx-nyckel eftersom de har sex yttre
räfflor.
**30** När alla topplocksbultar har tagits bort,
se till att kamkedjan är placerad så att den
svängbara kedjestyrningen inte är i vägen för
demontering av topplocket. Lyft av topplocket
från toppen av motorblocket och placera det
på en ren arbetsyta utan att skada fogytan.
Ta hjälp av en medhjälpare om det behövs,
eftersom topplocket är mycket tungt. Om
topplocket sitter fast, försök skaka det en
aning för att lossa det från packningen –
stick inte in en skruvmejsel eller liknande
i packningsfogen, då skadas fogytorna.
Huvudet sitter på stiften; så försök inte få loss
det genom att knacka det i sidled.
**31** Ta bort packningen från motorblockets
översida, lägg märke till styrstiften. Om
styrstiften sitter löst, ta bort dem och förvara
dem tillsammans med topplocket **(se bild)**.

Kasta inte packningen – den kan behövas för
identifiering.
**32** Om topplocket ska tas isär för reparation
ska kamaxlarna demonteras enligt
beskrivningen i avsnitt 5.

## Förberedelser för montering

**33** Fogytorna mellan topplocket och
motorblocket måste vara noggrant rengjorda
innan topplocket monteras. Ta bort alla
packningsrester och allt sot med en plast-
eller treskrapa; och rengör även kolvkronorna.
Var mycket försiktig vid rengöringen, den
mjuka lättmetallen skadas lätt. Se även till att
sot inte kommer in i olje- och vattenkanalerna
– detta är särskilt viktigt när det gäller
smörjningen eftersom sotpartiklar kan täppa
igen oljekanaler och blockera oljematningen
till motordelarna. Försegla vattenkanaler,
oljekanaler och bulthål i motorblocket med
tejp och papper. När en kolv är rengjord ska
alla spår av fett och sot borstas bort från dess
öppning med en liten borste och sedan ska
öppningen torkas med en ren trasa. Rengör
alla kolvarna på samma sätt.
**34** Kontrollera fogytorna på motorblocket
och topplocket och leta efter hack, djupa
repor och andra skador. Om de är små kan
de försiktigt filas bort, men om de är stora är
slipning eller byte den enda lösningen.
**35** Kontrollera topplockspackningens yta
med en ställinjal om den misstänks vara skev.
Se del C i detta kapitel om det behövs.
**36** Kontrollera alltid skicket på
topplocksbultarna, särskilt gängorna,
när de demonteras. Tvätta bultarna med
lämpligt lösningsmedel och torka dem torra.
Kontrollera varje bult efter tecken på synligt
slitage eller skador, byt ut bultar om det
behövs. Mät längden på alla bultarna och
jämför med längden på en ny bult. Även om
Saab inte anger att bultarna måste bytas är
det högst rekommendabelt att byta ut hela
uppsättningen bultar om motorn har gått
långt.

## Montering

**37** Om kamaxlarna har demonterats ska de
monteras enligt beskrivning i avsnitt 5.
**38** Rengör topplockets och motorblockets/
vevhusets fogytor. Kontrollera att de
två styrstiften är korrekt placerade på
motorblocket.
**39** Placera en ny packning på motorblockets
yta, kontrollera att den sitter åt rätt
håll.
**40** Kontrollera att varje kamaxel är i ÖD-läge
– tändningsinställningsmärkena är placerade
på den främre delen av kamaxeln och ska
vara i linje med märkena på lageröverfallen –
se avsnitt 3
**41** Vrid vevaxeln ett kvarts varv bort från
ÖD. Alla fyra kolvarna står nu en bit in i sina
lopp och är inte i vägen när du sätter tillbaka
topplocket.
**42** Kontrollera att kamkedjan är korrekt
placerad på kedjestyrningarna, sänk därefter
försiktigt ner topplocket på motorblocket i
linje med styrstiften.
**43** Applicera lite fett på topplocksbultarnas
gängor och på undersidan av bultskallarna.
Sätt i bultarna och dra åt dem för
hand.
**44** Dra åt topplocksbultarna stegvis i
ordningsföljd. Använd en momentnyckel och

6.31  Ta bort topplockets
styrstift

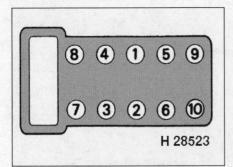

**6.44 Topplocksbultarnas åtdragningsordning**

dra åt topplocksskruvarna till angivet moment för steg 1 **(se bild)**.

**45** Dra åt topplocksbultarna till angivet moment för steg 2 i samma ordning.

**46** När alla topplocksbultar är åtdragna till steg 2 ska de vinkeldras till steg 3 i samma ordningsföljd med en hylsa med förlängningsskaft. En vinkelmätare bör användas i det här momentet av åtdragningen för att garantera att bultarna dras åt korrekt **(se bild)**.

**47** Rotera vevaxeln ett kvarts varv tillbaka till ÖD-läget (se avsnitt 3).

**48** Sätt i och dra åt de två bultarna som fäster kamremskåpan på topplocket.

**49** Kontrollera att de båda kamaxlarna är i linje vid sina respektive ÖD-lägen enligt beskrivningen i avsnitt 3. Fäst kamaxeldreven i kamkedjan (enligt beskrivningen i kapitel 2C, avsnitt 10) och montera dreven på kamaxlarna, montera först insugsdrevet, sedan avgasdrevet. Dra inte åt bultarna helt och hållet i detta steg. Kontrollera att kamkedjan är korrekt placerad på styrningarna och kedjedreven.

**50** Montera kamkedjespännaren enligt beskrivningen i kapitel 2C, avsnitt 11.

**51** Använd en hylsnyckel på vevaxelns remskiva och vrid motorn två kompletta varv medurs, kontrollera att tändningsinställningsmärkena fortfarande är korrekt inriktade.

**52** Dra åt kamaxeldrevets fästbultar till angivet moment, håll fast kamaxlarna med en nyckel på de flata punkterna på axlarnas växellådsändar.

**53** Montera ventilkåpan enligt beskrivningen i avsnitt 4, montera sedan tändstiften enligt beskrivningen i kapitel 1A.

**54** Montera insugsröret enligt beskrivningen i kapitel 4A. Fäst motorns lyftöglor och kabelnätets stödfäste på sina platser.

**55** Återanslut kylvätskeslangarna för gasspjällshuset, termostathuset och kupévärmaren till respektive port på topplocket och dra åt slangklämmorna ordentligt.

**56** Placera röret till motorns oljemätsticka intill topplocket och fäst det med fästskruven.

**57** Återanslut vakuum- och vevhusventileringsslangarna till ventilkåpan.

**58** Montera det främre avgasröret till turboaggregatet och dra åt bultarna till angivet moment enligt beskrivningen i kapitel 4A.

**59** Montera servostyrningspumpen enligt beskrivningen i kapitel 10.

**60** Sätt tillbaka generatorn enligt kapitel 5A och montera sedan drivremmen enligt beskrivningen i kapitel 1A.

**61** Montera insugstrumman och luftflödesmätaren enligt beskrivningen i kapitel 4A.

**62** Sätt tillbaka turboaggregatets vevhusventilationsrör och montera sedan insugstrummorna mellan mellankylaren och gasspjällshuset.

**63** Montera kåpan över insugsröret och sätt i oljepåfyllningslocket/mätstickan.

**64** Återanslut batteriets minusledare och sätt tillbaka batterikåpan.

**65** Montera mittpanelen under kylaren följt av höger innerskärm och skärmlist.

**66** Montera höger framhjul och sänk ner bilen.

**67** Fyll på kylsystemet (se kapitel 1A).

**68** Starta motorn och observera säkerhetsanvisningarna i kapitel 2C, avsnitt 23.

---

### 7 Sump – demontering och montering

### *Demontering*

**1** Dra åt handbromsen och ställ framvagnen på pallbockar (se *Lyftning och stödpunkter*). Ta bort batterikåpan och koppla loss minusledaren.

**2** Ta bort båda framhjulen. Skruva loss fästskruvarna och sänk ner den undre skyddskåpan under bilen.

**3** Ta bort den övre motorkåpan och tappa av motoroljan. Rengör och sätt tillbaka oljepluggen och dra åt den till angivet moment. Ta bort oljemätstickan från röret och placera en ren trasa över påfyllningshalsen för att hindra intrång av smuts. Om motorn närmar sig sitt serviceintervall, då oljan och filtret ska bytas ut, rekommenderas att även filtret tas bort och byts ut mot ett nytt. Efter återmontering kan motorn fyllas med ny olja. Se kapitel 1A för ytterligare information.

**4** Koppla ur lambdasondens kontaktdon som sitter på ett fäste till vänster om topplocket **(se bild)**.

**5** Skruva loss det främre avgasröret från turboaggregatet enligt beskrivningen i kapitel 4A. Skruva loss det främre röret från stödfästena och dra bort det från motorrummets undersida. **Observera:** *Den rörliga delen av avgasröret FÅR INTE utsättas för hög belastning. Då kan det läcka och till slut gå av.*

**6** Skruva loss fästbultarna och ta bort svänghjulets skyddsplåt från växellådssidan av sumpen **(se bild)**.

**7** Koppla i förekommande fall loss vevhusets ventilationsslang från baksidan av sumpen.

**8** Skruva stegvis loss bultarna som håller fast

---

**6.46 Använd ett vinkelmått för att dra åt topplocksbultarna till moment 3**

**7.4 Lambdasondens kontaktdon (pilar) – modell med två lambdasonder**

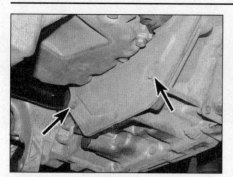

**7.6  Skruva loss fästbultarna (pilar) och ta bort skyddsplåten**

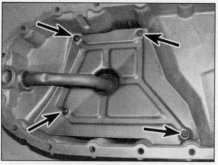

**7.11  Skruva loss fästbultarna (pilar) och ta bort oljepumpens pickup och renare**

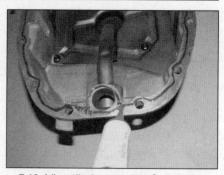

**7.13  Lägg tätningsmedel på sumpens fläns**

sumpen i motorblocket. Låt en eller två bultar sitta kvar så att inte sumpen faller ner.

9  Ta bort de kvarvarande bultarna och sänk ner sumpen på marken. Ta isär fogen mellan sumpen och vevhuset genom att slå till sumpen med handflatan.

10  Du kan behöva använda en hävarm mellan innerflygeln och vevaxelns remskiva för att flytta motorn till vänster så att sumpen kan tas bort.

11  Passa på att kontrollera oljepumpens oljeupptagare/sil efter tecken på igensättning eller skador medan sumpen är borttagen **(se bild)**.

## Montering

12  Ta bort alla spår av tätningsmedel från motorblockets/vevhusets och sumpens fogytor, rengör sedan sumpen och motorn invändigt med en ren trasa.

13  Se till att sumpens och motorblockets fogytor är rena och torra, stryk därefter på ett tunt lager lämpligt tätningsmedel (ca 1 mm tjockt) på sumpens fläns **(se bild)**.

14  Passa in sumpen och montera fästbultarna, dra åt dem stegvis till angivet moment.

15  Se kapitel 4A och montera det främre avgasröret. Applicera lämpligt antikärvningsmedel på pinnbultarna mellan det främre avgasröret och turboaggregatet och dra åt pinnbultsmuttrarna till angivet moment. Montera fästbulten mellan det främre avgasröret och stödfästet och dra åt den ordentligt.

16  Sätt tillbaka svänghjulets skyddsplåt på växellådssidan av sumpen.

17  Montera de undre skydden på framsidan av bilen och dra åt fästskruvarna.

18  Montera framhjulen och sänk ner bilen.

19  Återanslut lambdasondens motorstyrningskretsar.

20  Fyll på motorn med rätt mängd olja av rätt kvalitet enligt beskrivningen i kapitel 1A, rengör därefter oljemätstickan/påfyllningslocket och montera det.

21  Starta motorn och låt den värmas upp. Kontrollera områdena runt sumpens fogytor efter tecken på läckage.

---

## 8  Oljepump– demontering, kontroll och återmontering

### Demontering

1  Dra åt handbromsen och lyft med hjälp av en domkraft upp framvagnen på pallbockar (se *Lyftning och stödpunkter*). Ta bort det högra framhjulet.

2  Skruva loss fästskruvarna och dra fram hjulhusfodret från under skärmen. Snäpp sedan loss servostyrningsröret från kryssrambalken.

3  Ta tag under motorns högra sida. Skruva loss fästbultarna och lossa det övre högra motorfästet från bilen.

4  Ta bort drivremmen enligt beskrivningen i kapitel 1A.

5  Lossa centrumbulten på vevaxelns remskiva. För att det ska gå måste vevaxeln hållas på plats med någon av följande

metoder. På modeller med manuell växellåda, låt en medhjälpare trycka ner bromspedalen och lägga i 4:ans växel. Alternativt, ta bort svänghjulskåpan eller startmotorn enligt beskrivningen i kapitel 5A, för sedan in en flatbladig skruvmejsel genom växellådans svänghjulskåpa och haka fast den i startkransen för att hindra vevaxeln från att vrida sig. På modeller med automatväxel bör endast den senare metoden användas.

6  Ta bort vevaxelns remskivebult och dra bort remskivan och navet från änden av vevaxeln. Om de sitter fast kan du behöva bända lätt **(se bild)**.

7  Dra ut den stora låsringen och dra bort oljepumpskåpan från kamremskåpan. Observera att låsringen är hårt spänd och att det behövs en stor låsringstång för att trycka ihop den. Observera även inställningspilarna på kåpan och kamremskåpan **(se bilder)**.

**8.6  Ta bort vevaxelns remskivebult och vevaxelns remskiva**

**8.7a  Använd låsringstång för att dra ut oljepumpkåpans låsring**

**8.7b  Ta bort oljepumpskåpan från kamremskåpan**

**8.7c  Inställningspilar på oljepumpkåpan**

8.8 Demontera O-ringstätningen från spåret i oljepumpkåpan

8.9a Använd ett fininställningsmått och kontrollera djupet på oljetätningen i kåpan . . .

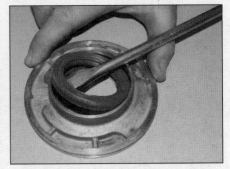

8.9b . . . innan du bänder ut vevaxelns oljetätning från oljepumpens kåpa

8.11a Skruva loss den inre rotorn . . .

8.11b . . . och den yttre rotorn från kamremskåpan. Observera att placeringsmarkeringen (pil) är riktad utåt

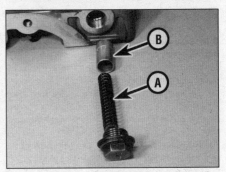

8.12 Skruva loss pluggen och ta bort avlastningsventilens fjäder (A) och tryckkolv (B)

**8** Ta bort O-ringstätningen från spåret i kåpan **(se bild)**.

**9** Notera hur vevaxelns oljetätning är placerad i oljepumpskåpan, bänd sedan bort den med en skruvmejsel **(se bilder)**.

### Kontroll

**10** Rengör pumprotorernas innerytor och märk dem med märkpenna för att underlätta placeringen vid återmonteringen. Det är viktigt att rotorerna inte förväxlas med varandra utan placeras på sina ursprungliga platser vid återmonteringen. Observera att den yttre rotorn är placerad så att stanshålet är riktat utåt.

**11** Ta bort rotorerna från kamremskåpan (oljepumpshuset) och märk dem för att underlätta placeringen vid återmonteringen **(se bilder)**.

**12** Skruva loss pluggen och ta bort avlastningsventilens fjäder och tryckkolv, notera åt vilket håll de är placerade **(se bild)**. Ta loss pluggbrickan.

**13** Rengör komponenterna och kontrollera om de är slitna eller skadade. Undersök pumprotorerna och huset efter tecken på slitage och repor. Använd ett bladmått och kontrollera avståndet mellan den yttre rotorn och kamremskåpan, se Specifikationer **(se bild)**. Vid kraftigt slitage måste hela pumpenheten bytas ut.

**14** Undersök avlastningsventilens tryckkolv efter tecken på slitage eller skador och byt ut den om det behövs. Skicket på utjämningsventilens kolv kan bara mätas genom att man jämför den med en ny kolv. Om det råder minsta tvekan om en komponents skick ska den bytas.

**15** Vid tecken på smuts eller avlagringar i oljepumpen kan det vara nödvändigt att demontera sumpen (se avsnitt 7), och rengöra oljeupptagaren/silen.

**16** Sätt i tryckkolven och fjädern i reducerventilen, montera därefter pluggen tillsammans med en ny bricka och dra åt pluggen.

**17** Smörj rotorerna med ny motorolja, placera dem sedan på sina ursprungsplatser i oljepumpshuset. Rotorerna måste placeras med identifikationsmarkeringen utåt, se punkt 11.

### Montering

**18** Rengör oljetätningens säte i pumphuset och montera in en ny oljetätning i huset **(se bild)**. Se till att den placeras i det utmärkta läget.

**19** Montera en ny O-ringstätning och sätt

in oljepumpen i kamremskåpan, se till att inställningspilarna pekar mot varandra. Montera den stora låsringen i spåret så att fasningen är riktad utåt och öppningen är riktad nedåt.

**20** Placera vevaxelns remskiva och nav på änden av vevaxeln. Sätt i mittbulten och dra åt den till angivet moment, håll fast vevaxeln på något av de sätt som beskrivs i punkt 5.

**21** Montera drivremmen enligt beskrivningen i kapitel 1A.

**22** Montera innerskärmen och hjulhusfodringen och dra åt skruvarna.

**23** Montera höger framhjul och sänk ner bilen.

**24** Före motorn startas, sätt tändsystemet ur drift genom att koppla loss tändningens kabelnät till DI-kassetten (se kapitel 5B), ta sedan bort bränslepumpens säkring (se kapitel 12). Starta motorn på startmotorn tills

8.13 Kontrollera spelet mellan oljepumpens yttre rotor och kamremskåpan

8.18 Montera en ny tätning till oljepumpkåpan

9.4a  Skruva loss oljerörets fästbult (pil) . . .

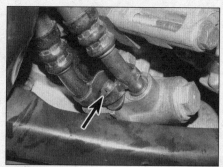

9.4b  . . . och oljerörets fästbygel och mutter (pil) från oljekylaren

9.5  Skruva loss fästbultarna (pilar) och ta bort oljekylaren

oljetrycket är återställt och varningslampan för oljetrycket slocknar. Återanslut tänd- och bränslesystemen och kör motorn för att leta efter läckor.

## 9  Oljekylare och termostat – demontering och montering

### Oljekylare/adapter

#### Demontering

1  En oljekylare/adapter sitter mellan oljefiltret och motorblocket. Om motorn närmar sig sitt serviceintervall, då oljan och filtret ska bytas ut, bör filtret tas bort och bytas ut mot ett nytt. Efter återmontering kan motorn fyllas med ny olja. Se kapitel 1A för ytterligare information.
2  Tappa ur motoroljan enligt beskrivningen i kapitel 1A, sätt sedan tillbaka avtappningspluggen och dra åt den.
3  Hissa upp bilens framvagn och stöd den på pallbockar (se *Lyftning och stödpunkter*). Skruva ur fästskruvarna och ta bort den nedre kåpan/framspoilern.
4  Placera en behållare under oljekylaren på motorrummets högra framsida. Skruva loss anslutningarna från den övre och nedre delen av oljekylaren **(se bilder)**. Låt oljan rinna ner i behållaren.
5  Skruva loss fästbultarna och ta bort oljekylaren från motorrummet **(se bild)**.

#### Montering

6  Montering utförs i omvänd ordning, men dra åt anslutningarna till angivet åtdragningsmoment. Fyll på med olja i motorn enligt beskrivningen i kapitel 1A. Avsluta med att starta motorn och köra den på snabb tomgång i flera minuter så att oljan hinner fylla oljekylaren. Kontrollera oljenivån och fyll på med motorolja om det behövs enligt beskrivningen i kapitlet Veckokontroller.

### Termostat

#### Demontering

7  Termostaten för oljetemperatur sitter framtill på höger sida av oljefiltrets kylare/adapter.
8  Tappa ur motoroljan enligt beskrivningen i kapitel 1A, sätt sedan tillbaka avtappningspluggen och dra åt den.

9.9  Skruva loss pluggen framför termostaten

9  Placera en behållare under termostaten och skruva ur pluggen, ta loss tätningen/brickan och låt den överflödiga oljan rinna ner i behållaren **(se bild)**.
10  Ta loss termostaten och fjädern från filteradaptern **(se bild)**.

#### Montering

11  Montera den nya termostaten i filteradaptern och se till att flänsen vilar i fördjupningen i huset.
12  Skjut in fjädern på plats och sätt tillbaka tätningen/brickan på pluggen, skruva in pluggen i filterhuset och dra åt till angivet moment.
13  Fyll på med olja i motorn enligt beskrivningen i kapitel 1A. Avsluta med att starta motorn och köra den på snabb tomgång i flera minuter. Se sedan efter om du ser några

10.1  Oljetrycksbrytaren (pil) är fastskruvad på baksidan av motorblocket

9.10  Termostat, fjäder, tätningsbricka och fästbult/plugg

tecken på läckage kring termostatpluggen. Kontrollera motoroljenivån och fyll på om det behövs (se Veckokontroller).

## 10  Brytare till varningslampa för oljetryck – demontering och montering

### Demontering

1  Oljetrycksbrytaren skruvas fast på baksidan av motorblocket, under insugsröret och bakom startmotorn **(se bild)**. Börja med att hissa upp framvagnen och ställ den på pallbockar (se *Lyftning och stödpunkter*).
2  Följ kablarna bakåt från givaren och koppla loss dem vid kontaktdonet **(se bild)**.
3  Lossa kontakten från motorblocket. En del

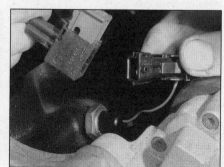

10.2  Lossa kablarna från oljetryckskontakten

olja kan rinna ut **(se bild)**. Om kontakten ska vara borttagen under en längre tid bör hålet tätas för att hindra smuts från att tränga in.

## Montering

**4** Rengör kontaktens och monteringshålets gängor. För inte in verktyg eller kablar i hålet längst ut på brytaren för att rengöra den, då kan de invändiga komponenterna skadas.
**5** Sätt fast kontakten på motorblocket och dra åt ordentligt.
**6** Återanslut brytarens kontaktdon.
**7** Starta motorn och kontrollera om läckage föreligger, sänk därefter ner bilen. Kontrollera motoroljenivån och fyll på om det behövs (se Veckokontroller).

## 11 Vevaxelns oljetätningar – byte

## Höger oljetätning

**Observera:** *Nedan beskrivs hur tätningen monteras på plats. Se avsnitt 8 för information om demontering av oljepumpkåpan och byte av tätning utanför motorn.*
**1** Dra åt handbromsen och lyft med hjälp av en domkraft upp framvagnen på pallbockar (se *Lyftning och stödpunkter*). Ta bort höger framhjul. Skruva loss fästskruvarna och ta bort hjulhusfodret. Snäpp i förekommande fall loss servostyrningsröret från kryssrambalken.
**2** Ta tag under motorns högra sida. Skruva loss fästbultarna och lossa det övre högra motorfästet från bilen (se avsnitt 13).
**3** Ta bort drivremmen enligt beskrivningen i kapitel 1A.
**4** Skruva loss och ta bort mittbulten från vevaxelns remskiva. För att det ska gå måste vevaxeln hållas på plats med någon av följande metoder. På modeller med manuell växellåda, låt en medhjälpare trycka ner bromspedalen och lägga i 4:ans växel. Alternativt, ta bort svänghjulets skyddsplåt enligt beskrivningen i kapitel 5A. För sedan in en flatbladig skruvmejsel genom växellådans svänghjulskåpa och spärra startkransen för att hindra vevaxeln från att vrida sig. På modeller med automatväxel bör endast den senare metoden användas.
**5** Dra bort vevaxelns remskiva och nav från änden på vevaxeln. Använd försiktigt två hävarmar om remskivan eller navet sitter hårt.
**6** Observera djupet på oljetätningen i huset och bänd sedan bort oljetätningen ur oljepumpshuset med hjälp av en skruvmejsel. Alternativt, stansa eller borra två små hål mitt emot varandra i tätningen. Skruva i självgängande skruvar i hålen och dra i skruvhuvudena med tång för att få ut tätningen. Du kan även ta bort oljepumpens kåpa enligt beskrivningen i avsnitt 8 och ta bort oljetätningen på bänken **(se bilder i avsnitt 8)**.

**7** Rengör oljepumpshusets säte, smörj sedan in kanterna på den nya oljetätningen med ren motorolja och placera den på oljepumpshuset. Se till att tätningens slutna ände är vänd utåt. Använd en lämpligt ihålig dorn (t.ex. en hylsa) som endast trycker på tätningens yttre kanter, driv tätningen på plats, till samma djup som originaltätningen var monterad från början.
**8** Placera vevaxelns remskiva och nav på änden av vevaxeln. Sätt i mittbulten och dra åt den till angivet moment, håll fast vevaxeln på något av de sätt som beskrivs i punkt 4.
**9** Montera drivremmen enligt beskrivningen i kapitel 1A och sätt sedan tillbaka motorfästet.
**10** Sätt tillbaka hjulhusfodrets främre del och fodring och dra åt skruvarna.
**11** Montera höger framhjul och sänk ner bilen.

## Vänster oljetätning

**12** Demontera svänghjulet/drivplattan enligt beskrivningen i avsnitt 12.
**13** Anteckna hur djupt tätningen sitter i huset. Stansa eller borra två små hål mitt emot varandra i tätningen. Skruva i självgängande skruvar i hålen och dra i skruvhuvudena med tång för att få ut tätningen. En alternativ metod är att bända ut tätningen med hjälp av en skruvmejsel.
**14** Rengör sätet i oljepumphuset, smörj därefter kanterna på den nya oljetätningen med ny motorolja och placera försiktigt tätningen på vevaxeländen.
**15** Använd en lämpligt ihålig dorn som endast trycker på tätningens yttre kanter, driv tätningen på plats, till samma djup som originaltätningen var monterad från början.
**16** Rengör oljetätningen och montera sedan svänghjulet/drivplattan enligt beskrivningen i avsnitt 12.

## 12 Svänghjul/drivplatta – demontering, kontroll och montering

## Demontering

**1** Demontera växellådan enligt beskrivning i kapitel 7A eller 7B.
**2** På modeller med manuell växellåda, demontera kopplingen enligt beskrivning i kapitel 6.
**3** Hindra svänghjulet/drivplattan från att vrida sig genom att blockera startkranskuggarna med en bredbladig skruvmejsel eller liknande. Alternativt, sätt ihop svänghjulet/drivplattan med motorblocket/vevaxeln med en bult (använd bulthålen till kopplingen eller momentomvandlaren).
**4** Skruva loss och ta bort fästbultarna, ta bort låsverktyget och demontera svänghjulet/drivplattan från vevaxelflänsen. Observera att enheten är monterad med en enkel låssprint och måste placeras korrekt.

**10.3 Använd en ringnyckel och ta bort oljetrycksbrytaren**

## Kontroll

**5** På modeller med manuell växellåda måste svänghjulet bytas ut om fogytorna på svänghjulets koppling är kraftigt repade, spruckna eller har andra skador. Men det kan eventuellt gå att slipa ytan. Ta hjälp av en Saab-verkstad eller en specialist på motorrenoveringar.
**6** På modeller med automatväxel ska även drivplattans kondition kontrolleras.
**7** Om startkransen är mycket sliten eller saknar kuggar kan den bytas ut. Det här jobbet bör överlåtas till en Saab-verkstad eller en specialist på motorrenoveringar. Temperaturen som den nya startkransen måste värmas upp till för att kunna installeras är kritisk, blir något fel förstörs hårdheten och kuggarna.

## Montering

**8** Rengör fogytorna på svänghjulet/drivplattan och vevaxeln. Rengör fästbultarnas gängor och gängorna i hålen på vevaxeln.
**9** Se till att styrstiftet är i rätt läge, lyft därefter upp svänghjulet och placera det på styrstiftet.
**10** Applicera låsvätska på fästbultarnas gängor. Sätt i bultarna och dra åt dem till angivet moment, håll svänghjulet/drivplattan på plats med någon av metoderna som beskrivs i punkt 3 **(se bild)**.
**11** På modeller med manuell växellåda, montera kopplingen enligt beskrivning i kapitel 6.
**12** Montera växellådan enligt beskrivningen i kapitel 7A eller 7B.

**12.10 Stryk låsvätska på bultgängorna och dra åt dem till angivet moment**

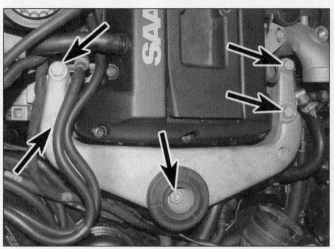

13.10 Skruva loss bultarna och muttern (pil) och ta bort motorfästbygeln

13.11 Lossa slangen från fästklämman (markerad med pil) under motorfästet

## 13 Motorns/växellådans fästen – kontroll och byte

### Kontroll

**1** Hissa upp framvagnen och ställ den på pallbockar för att lättare komma åt (se *Lyftning och stödpunkter*).
**2** Motorfästena finns på höger framsida, vänster sida av växellådan under batterihyllan, på baksidan av motorn och, på vissa modeller, på ett kardanstag på framsidan.
**3** Kontrollera gummifästena för att se om de har spruckit, hårdnat eller släppt från metallen någonstans. Byt fästet om du ser tecken på sådana skador.
**4** Kontrollera att fästenas hållare är hårt åtdragna.
**5** Använd en stor skruvmejsel eller ett bräckjärn och leta efter slitage i fästet genom att försiktigt försöka bända det för att leta efter fritt spel. Där detta inte är möjligt, låt en medhjälpare vicka på motorn/växellådan framåt/bakåt och i sidled, medan du studerar fästet. Ett visst spel är att vänta även från nya delar medan ett större slitage märks tydligt. Om för stort spel förekommer, kontrollera först

att hållarna är tillräckligt åtdragna, och om det behövs, byt sedan slitna komponenter enligt beskrivningen nedan.

### Byte

#### Höger fäste

**6** Dra åt handbromsen och lyft med hjälp av en domkraft upp framvagnen på pallbockar (se *Lyftning och stödpunkter*). Ta bort det högra framhjulet.
**7** Skruva ur skruvarna och ta bort den högra framskärmens innerskärm och hjulhusfodringen.
**8** Ta bort fästskruvarna och lossa plasttråget från framspoilern.
**9** Placera en garagedomkraft under motorn och hissa upp domkraften så att den precis lyfter motorn. Se till att domkraften inte ligger mot undersidan av sumpen. Använd en träkloss mellan sumpen och domkraftshuvudet. En alternativ metod är att placera en lyftbom över motorrummet och lyfta motorn i lyftöglan till höger om topplocket.
**10** Skruva loss bultarna som håller fast motorfästbygeln i motorn och fästmuttern ovanpå motorfästet **(se bild)**. Se till att inte belasta de andra motorfästena när detta utförs.
**11** Ta bort motorfästbygeln från bilen genom

att snäppa loss servostyrningsslangen från fästklämman **(se bild)**. Skruva loss de tre fästbultarna och ta bort motorfästet från den inre skärmpanelen.
**12** Montera de nya fästena i omvänd arbetsordning, se till att bultarna/muttrarna dras åt till angivet moment.

#### Vänster fäste

**13** Dra åt handbromsen och lyft med hjälp av en domkraft upp framvagnen på pallbockar (se *Lyftning och stödpunkter*).
**14** Ta bort batterikåpan och koppla sedan loss batteriets ledare (minusledaren först). För ledarna bort från batteripolerna.
**15** Ta bort fästskruvarna och lossa plasttråget från framspoilern.
**16** Placera en garagedomkraft under växellådan och hissa upp domkraften så att den precis lyfter motorn och växellådan. På modeller med automatväxel, se till att domkraftshuvudet inte stöder mot undersidan av växellådans sump. Lägg en träkloss mellan sumpen och domkraftshuvudet. En alternativ metod är att placera en lyftbom över motorrummet och lyfta motorn i lyftöglan till vänster om topplocket.
**17** Skruva loss fästmuttern och ta bort batteriet från bilen (koppla loss ventilationsslangen i förekommande fall). Skruva loss fästbultarna och ta bort batterihyllan från bilen **(se bild)**.
**18** Skruva loss bultarna som håller fast fästbygeln för motorn/växellådan i karossen och mittmuttern från fästet **(se bild)**. Se till att växellådan har stöd och att inga andra motorfästen belastas.
**19** Ta bort fästet från den inre skärmpanelen och växellådan. Koppla i förekommande fall loss kopplingens hydraulslang från fästbygeln.
**20** Vid behov kan växellådans fästbygel tas bort från växellådan genom att fästbultarna skruva loss från växellådshuset.
**21** Montera det nya fästet i omvänd arbetsordning, se till att muttrarna dras åt till angivet moment.

13.17 Skruva loss fästbultarna (markerade med pil) för att ta bort batterilådan

13.18 Skruva loss bultarna, muttern och fästskruven (pilar) och ta bort motorfästbygeln

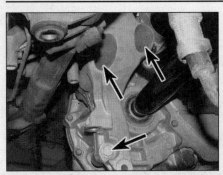

13.31 Skruva loss bultarna (pilar – två övre bultar inuti huset) och ta bort den bakre motorfästbygeln

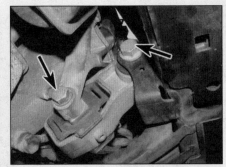

13.35 Skruva loss bultarna (pilar) på det främre motorfästet/kardanstaget

## Bakre fäste

22 Placera en lyftbom över motorrummet, i linje med framfjädringsfästena. Fäst lyftbommens arm i motorns lyftögla till vänster om topplocket. Höj lyftarmen så mycket att lyftbommen precis börjar lyfta motorn.

23 Ta bort batterikåpan och koppla sedan loss batteriets ledare (minusledaren först). För ledarna bort från batteripolerna. Ta bort motorns toppkåpa.

24 På manuella modeller tar du bort stoppet för växlingens länksystem från den bakre motorfästbygeln.

25 Skruva loss den övre muttern och bultarna som håller fast det bakre motorfästet i kryssrambalken.

26 Haka loss förbikopplingsröret och -ventilen från turbogrenröret. Skruva sedan loss fästbultarna och ta bort avgasgrenrörets värmesköld.

27 Koppla loss lambdasondens kablar från kontaktdonet som sitter på en fästbygel i den vänstra kanten av topplocket och ta bort eventuella buntband.

28 Se till att lyftbommen stöder motorn och växellådan helt, demontera sedan det bakre motorfästets mittbultar.

29 Lyft upp framvagnen och stöd den ordentligt på pallbockar (se *Lyftning och*

*stödpunkter*). Demontera båda framhjulen.

30 Skruva loss det främre avgasröret från turboaggregatet enligt beskrivningen i kapitel 4A. Skruva loss det främre röret från stödfästena och dra bort det från motorrummets undersida. **Observera:** *Den rörliga delen av avgasröret FÅR INTE utsättas för hög belastning. Då kan det läcka och till slut gå av.*

31 Skruva loss motorfästbygeln från växelhusets baksida och ta bort den och motorfästet från motorrummet **(se bild)**.

32 Montera det nya fästet i omvänd arbetsordning, se till att muttrarna dras åt till angivet moment.

## Främre fäste

33 Lyft upp framvagnen och stöd den ordentligt på pallbockar (se *Lyftning och stödpunkter*).

34 Ta bort fästskruvarna och lossa plasttråget från framspoilern.

35 Skruva loss de två muttrarna och bultarna som håller fast kardanstagsfästet i växellådan och kryssrambalken **(se bild)**. Staget kan sedan tas ut ur bilen.

36 Vid behov kan växellådans fästbygel tas bort från växellådan genom att fästbultarna skruva loss från växellådshuset.

37 Montera det nya fästet i omvänd arbetsordning, se till att muttrarna dras åt till angivet moment.

# Kapitel 2 Del B:
# Reparationer med motorn kvar i bilen – dieselmotorer

## Innehåll

## Svårighetsgrad

| | | | | |
|---|---|---|---|---|
| **Enkelt,** passar novisen med lite erfarenhet  | **Ganska enkelt,** passar nybörjaren med viss erfarenhet  | **Ganska svårt,** passar kompetent hemmamekaniker  | **Svårt,** passar hemmamekaniker med erfarenhet  | **Mycket svårt,** för professionell mekaniker  |

## Specifikationer

### Allmänt

| | |
|---|---|
| Motortyp . . . . . . . . . . . . . . . . . . . . . . . . . . . . . . . . . . . . . . . . . . . . | Fyra cylindrar, rak, vattenkyld. Dubbel överliggande kamaxel, remdriven |
| Tillverkarens motorkode* . . . . . . . . . . . . . . . . . . . . . . . . . . . . . . . . . | Z19DTH |
| Lopp . . . . . . . . . . . . . . . . . . . . . . . . . . . . . . . . . . . . . . . . . . . . . . . | 82,0 mm |
| Slaglängd . . . . . . . . . . . . . . . . . . . . . . . . . . . . . . . . . . . . . . . . . . . | 90,4 mm |
| Effekt . . . . . . . . . . . . . . . . . . . . . . . . . . . . . . . . . . . . . . . . . . . . . . | 1910 cc |
| Kompressionsförhållande. . . . . . . . . . . . . . . . . . . . . . . . . . . . . . . . | 17.5:1 |

Utgående värde:

| | |
|---|---|
|   Vridmoment . . . . . . . . . . . . . . . . . . . . . . . . . . . . . . . . . . . . . . . | 320 Nm @ 2000-2700 varv/minut |
|   Effekt . . . . . . . . . . . . . . . . . . . . . . . . . . . . . . . . . . . . . . . . . . . | 110 kW @ 4000 varv/minut |
| Tändningsföljd . . . . . . . . . . . . . . . . . . . . . . . . . . . . . . . . . . . . . . . | 1-3-4-2 (cylinder nr 1 vid motorns kamremsände) |
| Vevaxelns rotationsriktning. . . . . . . . . . . . . . . . . . . . . . . . . . . . . . | Medurs (sett från motorns kamremssida) |

*\* För information om motorkodens placering, se Identifikationsnummer i referenskapitlet.*

### Kompressionstryck

| | |
|---|---|
| Maximal skillnad mellan två cylindrar. . . . . . . . . . . . . . . . . . . . . . . | 1.5 bar |

### Smörjningssystem

Minimum oljetryck at 80°C:

| | |
|---|---|
|   Vid tomgångsvarvtal. . . . . . . . . . . . . . . . . . . . . . . . . . . . . . . . . . | 1,0 bar |
|   Vid 4000 varv per minut . . . . . . . . . . . . . . . . . . . . . . . . . . . . . . | 4,0 bar |
| Oljepumpstyp . . . . . . . . . . . . . . . . . . . . . . . . . . . . . . . . . . . . . . . | Rotortyp, driven via vevaxelremskivan/vibrationsdämpare från vevaxeln |

## Åtdragningsmoment

| | Nm |
|---|---|
| Bult för kamremmens tomgångsöverföring | 50 |
| Bultar mellan växellåda och motor: | |
|   M10-bultar | 40 |
|   M12 bultar | 60 |
| Bultar till kamremmens toppkåpa: | |
|   M6-bultar | 9 |
|   M8 bultar | 25 |
| Bultar till stödfästet för mellanaxelns lagerhus | 55 |
| Drivplattans bultar* | 160 |
| Drivremspännarens bultar | 50 |
| Hjulbultar | 110 |
| Högtrycksbränslepumpens drevmutter* | 50 |
| Kamaxeldrevets bult* | 120 |
| Kamaxeldrevets bult* | 16 |
| Kamaxelns tryckplatta bultar | 120 |
| Kamaxelns tryckplatta bultar | 25 |
| Kamremsspännarens bult | 25 |
| Luftkonditioneringskompressorns fästbygel på motorblock/sump | 50 |
| Motorfäste: | |
|   Främre fäste till växellåda | 80 |
|   Främre fäste till kryssrambalk | 80 |
|   Vänster: | |
|     Bultar mellan fäste och kaross | 20 |
|     Fästbygel till växellådans fäste | 55 |
|     Växellådans fästbygel mot växellådan | 55 |
|   Bakre fäste till växellåda | 80 |
|   Bakre fäste till kryssrambalk | 60 |
|   Bakre fäste till växellådsfäste | 80 |
|   Höger: | |
|     Bultar mellan motorfästbygel och motor | 55 |
|       Nedre bultar (M8) | 25 |
|       Övre bultar (M10) | 50 |
|     Bultar/muttrar mellan fäste och kaross | 55 |
|     Bultar mellan fäste och motorfäste | 55 |
| Oljefilterhuset till motorblocket | 50 |
| Oljepumpens upptagarrör/sil bultar | 9 |
| Oljepumpshuset till motorblocket | 9 |
| Oljepåfyllningshusets bultar | 9 |
| Oljesumpens avtappningsplugg | 20 |
| Ramlageröverfall bultar*: | |
|   Steg 1 | 25 |
|   Steg 2 | Vinkeldra ytterligare 100° |
| Sumpbultar: | |
|   M6-bultar | 9 |
|   M8 bultar | 25 |
|   M10-bultar | 40 |
| Svänghjulets bultar* | 160 |
| Tomgångremskivans bult | 25 |
| Topplocksbultar:* | |
|   Steg 1 | 20 |
|   Steg 2 | 65 |
|   Steg 3 | Vinkeldra ytterligare 90° |
|   Steg 4 | Vinkeldra ytterligare 90° |
|   Steg 5 | Vinkeldra ytterligare 90° |
| Vevaxeldrevets bult*† | 360 |
| Vevaxelns oljetätningshus | 9 |
| Vevaxelremskiva/vibrationsdämparens bultar | 25 |
| Vevstakens storändslager, kåpans bult*: | |
|   Steg 1 | 25 |
|   Steg 2 | Vinkeldra ytterligare 60° |

\* Återanvänds inte
† Vänstergängad

## 1  Allmän information

### Vad innehåller detta kapitel

Den här delen av kapitel 2 beskriver de reparationer som kan utföras med motorn monterad i bilen. Om motorn har tagits ur bilen och tagits isär enligt beskrivningen i kapitel 2C, kan alla preliminära isärtagningsinstruktioner ignoreras.

Det är visserligen fysiskt möjligt att göra en översyn av sådana delar som kolvar och vevstakar med motorn kvar i bilen, men sådana åtgärder utförs vanligen inte som separata operationer, och kräver normalt att ytterligare åtgärder utförs (för att inte tala om rengöring av komponenter och smörjkanaler). av den anledningen klassas alla sådana åtgärder som större renoveringsåtgärder, och beskrivs i kapitel 2C.

Kapitel 2C beskriver demontering av motor/ växellåda, samt tillvägagångssättet för de reparationer som kan utföras med motorn/ växellådan demonterad.

### Motorbeskrivning

Dieselmotorn på 1,9 liter med dubbla överliggande kamaxlar har sexton ventiler och fyra cylindrar i rakt tvärställt motorblock med växellådan i vänstra änden.

Vevaxeln hålls på plats i motorblocket av fem huvudlager av skåltyp. Tryckbrickor sitter monterade på ramlager 3 för att kontrollera vevaxelns axialspel.

Vevstakarna roterar på vågrätt delade lagerskålar vid vevlagren. Kolvarna sitter fast i vevstakarna med kolvbultar som hålls fast av låsringar. Lättmetallkolvarna är monterade med tre kolvringar – två kompressionsringar och en oljeskrapring.

Kamaxlarna sitter i ett separat hus som är fastskruvat på topplockets överdel. Avgaskamaxeln drivs av vevaxeln via en tandad kamrem av kompositgummi (som också driver högtrycksbränslepumpen och kylvätskepumpen). Avgaskamaxeln driver insugskamaxeln via ett cylindriskt drev. Varje cylinder har fyra ventiler (två för insug och två för avgas) som öppnas och stängs via lyftare, vilka stöds av hydrauliska självjusterande ventillyftar vid den ledade änden. Den ena kamaxeln verkar på insugsventilerna, och den andra verkar på avgasventilerna.

Insugs- och avgasventilerna stängs med en spiralfjäder vardera. Ventilerna själva löper i styrhylsor som är intryckta i topplocket.

Smörjningen sker med tryckmatning från en oljepump av rotortyp som sitter på höger sida om vevaxeln. Olja sugs genom ett filter i sumpen och tvingas sedan genom ett utvändigt monterat fullflödesfilter av insatstyp. Oljan flödar in i kanalerna i motorblocket/

vevhuset, varifrån den fördelas till vevaxeln (huvudlagren) och kamaxlarna. Vevstakslagren förses med olja via inre borrningar i vevaxeln, medan kamaxellagren även förses med olja under tryck. Kamloberna och ventilerna smörjs av oljestänk på samma sätt som övriga motorkomponenter.

Vevhusventilationen är ett halvslutet system; gaser från vevhuset dras ut från oljeseparatorn som sitter på motorblocket via en slang till kamaxelhuset. Gaserna leds sedan via en slang till insugsgrenröret.

### Reparationer med motorn kvar i bilen

Följande arbeten kan utföras utan att motorn behöver lyftas ur bilen.

a) Demontering och montering av topplocket.

b) Demontering och montering av kamrem, sträckare, tomgångsöverföring och drev.

c) Byte av kamaxelns oljetätning.

d) Demontering och montering av kamaxelhuset.

e) Demontering och montering av kamaxlarna och lyftare.

f) Demontering och montering av sumpen.

g) Demontering och montering av vevstakar och kolvar.*

h) Demontering och montering av oljepumpen.

i) Demontering och montering av oljefilterhuset.

j) Byte av vevaxelns oljetätningar.

k) Byte av motorfästen.

l) Demontering och montering av svänghjulet/drivplattan.

* Även om ett förfarande märkt med en asterisk kan utföras med motorn kvar i bilen efter att sumpen tagits bort, är det bättre om motorn tas ur eftersom arbetet blir renare och åtkomsten bättre. Av detta skäl beskrivs tillvägagångssättet i kapitel 2C.

## 2  Kompressionsprov och tryckförlusttest – beskrivning och tolkning 🔧

### Kompressionsprov

**Observera 1:** *En kompressionsprovare speciellt avsedd för dieselmotorer måste användas eftersom trycket är högre.*

**Observera 2:** *Batteriet ska vara väl laddat, luftfiltret måste vara rent och motorn ska hålla normal arbetstemperatur.*

**1** Om motorns prestanda sjunker, eller om misständningar uppstår som inte kan hänföras till bränslesystemet, kan ett kompressionsprov ge en uppfattning om motorns skick. Om kompressionsprov tas regelbundet kan de ge förvarning om problem innan några andra symptom uppträder.

**2** Provaren är ansluten till en adapter som

är inskruvad i glödstiftshålet. Det är inte troligt att det är ekonomiskt försvarbart att köpa en sådan provare för sporadiskt bruk, men det kan gå att låna eller hyra en. Om detta inte är möjligt, låt en verkstad utföra kompressionsprovet. Om den nödvändiga utrustningen finns till hands, fortsätt på följande sätt.

**3** Ta bort glödstiften enligt beskrivningen i kapitel 5A.

**4** Skruva i kompressionsprovarens adapter i glödstiftshålet på cylinder nr 1.

**5** Ta hjälp av en medhjälpare och dra runt motorn med startmotorn; efter ett eller två varv bör kompressionstrycket byggas upp till maxvärdet och sedan stabiliseras. Anteckna det högsta värdet.

**6** Upprepa testet på återstående cylindrar och notera trycket på var och en.

**7** Alla cylindrar ska producera ungefär samma tryck. En skillnad som är större än det maxvärde som anges i Specifikationer indikerar att ett fel föreligger. Observera att kompressionen ska byggas upp snabbt i en fungerande motor; om kompressionen är låg i det första kolvslaget och sedan ökar gradvis under följande slag är det ett tecken på slitna kolvringar. Lågt tryck som inte höjs är ett tecken på läckande ventiler eller trasig topplockspackning (eller ett sprucket topplock). **Observera:** *Orsaken till dålig kompression är svårare att fastställa på en dieselmotor än en bensinmotor. Effekten av att tillföra olja i cylindrarna (våt testning) är inte entydig, eftersom det finns en risk att oljan sätter sig i urtagen på kolvkronorna i stället för att ledas till kolvringarna.*

**8** Avsluta med att montera tillbaka glödstiften enligt beskrivningen i kapitel 5A.

### Tryckförlusttest

**9** Ett tryckförlusttest mäter hur snabbt trycket sjunker på tryckluft som förs in i cylindern. Det är ett alternativ till kompressionsprov som på många sätt är överlägset, eftersom den utströmmande luften anger var tryckfallet uppstår (kolvringar, ventiler eller topplockspackning).

**10** Den utrustning som krävs för tryckförlusttest är som regel inte tillgänglig för hemmamekaniker. Om dålig kompression misstänks ska detta prov därför utföras av en Saab-verkstad med lämplig utrustning.

## 3  Övre dödpunkt för kolv nr 1 – hitta 🔧

**Observera:** *För att fastställa exakt ÖD-läge för kolv nr 1 kan man behöva använda Saabs specialverktyg 32 025 009 (eller likvärdigt verktyg). Verktyget används för att sätta vevaxeln i ÖD-läget, tillsammans med kamaxelns inpassningsverktyg, Saabs*

**3.0a Ett Saab-specialverktyg (eller motsvarande) krävs för att ställa in ÖD-läget för kolv nr 1...**

**3.0b ... tillsammans med verktygen för att ställa in kamaxelpositionen**

**3.5 Skruva loss den centrala fästbulten (se pil) och ta bort drivremmens spännarenhet**

**3.8 Skruva loss de 6 bultar (markerade med pil) som håller fast motorfästet på karossen och motorfästet**

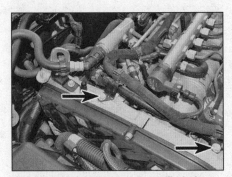

**3.9 Motorventilationsrörets fästbultar (markerade med pil)**

**3.10 Skruva loss bulten (markerad med pil) och lossa mätstickans styrhylsa från kylvätskeröret**

**3.11 Skruva loss förslutningsbulten från kontrollhålet för ventiltidsinställning i kamaxelns hus.**

**3.14 Skruva fast fästsprinten hos specialverktyg 32 025 009 i oljepumphuset**

*specialverktyg 32 025 008 (eller likvärdigt verktyg) (se bilder).*

**1** Övre dödpunkten (ÖD) är den högsta punkt kolven når under sin rörelse upp och ner när vevaxeln roterar. Varje kolv når visserligen ÖD i högsta läget av både kompressions- och avgastakten, men vid tändningsinställning menar man läget för kolv (1) i högsta läget av dess kompressionstakt då man refererar till ÖD.

**2** Kolv 1 (och cylindern) sitter på motorns högra sida (vid kamremmen) och dess ÖD-läge hittar du på följande sätt. Observera att vevaxeln roterar medurs, betraktad från bilens högra sida.

**3** Koppla ifrån batteriets jordledning som det beskrivs i kapitel 5A, lyft sedan bort plastkåpan över motorns överdel.

**4** Ta bort vevaxelns remskiva/vibrationsdämpare enligt beskrivningen i avsnitt 5.

**5** Skruva loss fästbulten och ta bort drivremmens spännarenhet från motorfästet (se bild).

**6** Demontera luftrenaren och luftintagskanalen enligt beskrivningen i kapitel 4B.

**7** Ta bort motorns undre skyddskåpa. Placera en garagedomkraft under motorns högersida med en träbit på domkraftens lyftsadel. Lyft domkraften tills den tar upp motorns vikt.

**8** Märk upp bultarnas placering för korrekt återmontering. Skruva sedan loss de tre bultarna som håller fast höger motorfäste mot motorns fästbygel samt de tre bultarna som håller fast fästet mot karossen. Ta bort fästet (se bild).

**9** Lossa fästklämman som säkrar motorns ventilationsslang till ventilröret intill mätstickan för motorolja. Skruva loss de två bultarna som håller fast ventilröret mot topplocket. Lossa sedan röret från slangen (se bild).

**10** Skruva loss bulten och lossa mätstickans styrhylsa från kylvätskeröret (se bild).

**11** Skruva loss förslutningsbulten från kontrollhålet för ventiltidsinställning i kamaxelhuset (se bild).

**12** Skruva fast kamaxelns inpassningsverktyg (Saab-specialverktyg 32 025 008) i kontrollhålet för ventiltidsinställning.

**13** Använd en hylsa och en förlängningsstång till vevaxelns drevbult, vrid vevaxeln i dess normala rotationsriktning tills den fjäderbelastade tryckkolven hos inpassningsverktyget glider in i spåret på kamaxeln. När detta sker ska det höras ett klick från verktyget.

**14** Skruva loss bulten från den nedre vänstra sidan av oljepumphuset och skruva fast fästtappen på Saab-specialverktyget 32 025 009 (se bild).

**15** Fäst inpassningsringen hos verktyg 32 025 009 över fästtappen och se till att det griper in i vevaxeldrevet. Se till att hålet i inpassningsringen hakar in i tappen på drevet. Fäst verktyget i rätt läge med fästbulten och muttern (se bild).

**16** Med vevaxelinpassningsringen på plats och kamaxelinpassningsverktyget inpassat i skåran på kamaxeln, ställs motorn in så att kolv nr 1 är i ÖD vid kompression.

## 4  Ventiltidsinställning – kontroll och justering

**Observera:** *För att kontrollera och justera ventiltidsinställningen är det nödvändigt att använda Saab-specialverktyg (eller lämpliga motsvarigheter) för att ställa vevaxeln och kamaxlarna i ÖD-läget (se avsnitt 3).*

### Kontroll

**1** Koppla ifrån batteriets jordledning (se kapitel 5A), lyft sedan bort plastkåpan över motorns överdel.

**2** Lossa fästklämman som säkrar motorns ventilationsslang till ventilröret intill mätstickan för motorolja. Skruva loss de två bultarna som håller fast ventilröret mot topplocket. Lossa sedan röret från slangen **(se bild 3.9)**.

**3** Skruva loss bulten och lossa mätstickans styrhylsa från kylvätskeröret **(se bild 3.10)**.

**4** Skruva loss förslutningsbulten från kontrollhålet för ventiltidsinställning i kamaxelhuset **(se bild 3.11)**.

**5** Skruva fast avgaskamaxelns inpassningsverktyg (Saab-specialverktyg 32 025 008) i kontrollhålet för ventiltidsinställning.

**6** Skruva loss stängningsbulten från kontrollhålet för ventiltidsinställning i insugssidan av kamaxelhuset. Stängningsbulten sitter nedanför bränsletrycksregleringsventilen på bränslefördelarskenan.

**7** Skruva fast insugskamaxelns inpassningsverktyg (Saab-specialverktyg 32 025 008) i kontrollhålet för ventiltidsinställning.

**8** Använd en hylsa med förlängningsstång till vevaxeldrevets bult och vrid vevaxeln i dess normala rotationsriktning tills de fjäderbelastade tryckkolvarna hos inpassningsverktyget glider in i spåret på kamaxlarna. När detta sker ska det höras ett klick från verktygen.

**9** Ta bort vevaxelns remskiva/vibrationsdämpare enligt beskrivningen i avsnitt 5.

**10** Skruva loss bulten från den nedre vänstra sidan av oljepumphuset och skruva fast fästtappen på Saab-specialverktyget 32 025 009 **(se bild 3.14)**.

**11** Fäst inpassningsringen hos verktyg 32 025 009 över fästtappen och se till att det griper in i vevaxeldrevet. Se till att hålet i inpassningsringen hakar i i tappen på drevet. Fäst verktyget i rätt läge med fästbulten och muttern **(se bild 3.15)**.

**12** Om det inte är möjligt att fästa inpassningsringen hos verktyg 32 025 009 som beskrivet, eller om kamaxelns inpassningsverktyg inte passats in i kamaxlarnas skåror, justerar du ventiltidsinställningen som följer.

### Justering

**13** Demontera kamremmen enligt beskrivningen i avsnitt 6.

**14** Använd en hylsa och en förlängningsstång på vevaxeldrevets bult, vrid vevaxeln moturs

med 90°. Detta gör att kolvarna hamnar halvvägs i loppen för att förhindra att ventilerna vidrör kolvkronorna under följande procedur.

**15** Ta bort inpassningsverktygen för insugs- och avgaskamaxlarna från kontrollhålen för ventiltidsinställningen.

**16** Använd ett lämpligt verktyg som griper in i kamremmens drev på avgaskamaxeln. Vrid vredet ungefär 90° medurs **(se Verktygstips i avsnitt 7)**. Var försiktig så att inte kamaxelgivaren skadas av verktyget när drevets vrids runt.

**17** Skruva fast insugskamaxelns inpassningsverktyg (Saab-specialverktyg 32 025 008) i kontrollhålet för ventiltidsinställning.

**18** Vrid kamaxeldrevet medurs tills den fjäderbelastade tryckkolven hos inpassningsverktyget glider in i skåran på insugskamaxeln. När detta sker ska det höras ett klick från verktyget.

**19** Lossa de två fästklämmorna och ta loss laddluftslangen från gasspjället/ gasspjällshuset och från laddluftkylarens luftslang.

**20** Lossa klämman och koppla loss vevhusventilationens slang från påfyllningshuset för motorolja.

**21** Koppla loss kablagets kontaktdon från temperaturgivaren för kylvätska och skruva sedan loss de tre fästbultarna och ta bort oljepåfyllningshuset.

**22** Ta bort bromssystemets vakuumpump enligt beskrivningen i kapitel 9.

**23** Arbeta genom öppningen i oljepåfyllningshuset och använd fasthållningsverktyget för att hindra att kamaxeln roterar, lossa bulten för insugskamaxelns drivhjul. Arbeta genom vakuumpumpens öppning och lossa fästbulten på avgaskamaxelns drivhjul på samma sätt.

**24** Skruva fast avgaskamaxelns inpassningsverktyg (Saab-specialverktyg 32 025 008) i kontrollhålet för ventiltidsinställning.

**25** Vrid kamaxeldrevet medurs tills den fjäderbelastade tryckkolven hos inpassningsverktyget glider in i skåran på avgaskamaxeln. När detta sker ska det höras ett klick från verktyget.

**26** Håll kamaxeldrevet på plats med verktyget och dra åt drivhjulets båda fästbultar till angivet moment.

**27** Ta bort inpassningsverktyget från insugskamaxeln och sätt tillbaka låsbulten. Dra åt bulten till angivet moment.

**28** Montera tillbaka oljepåfyllningshuset på kamaxelhuset med en ny packning, sätt tillbaka fästbultarna och dra åt bultarna till angivet moment. Återanslut kylvätsketemperaturgivarens kontaktdon, och återanslut vevhusets ventilationsslang.

**29** Montera tillbaka bromssystemets vakuumpump enligt beskrivningen i kapitel 9.

**30** Montera tillbaka laddluftslangen på gasspjället/gasspjällshuset och laddluftkylarens laddluftrör och säkra med fästklämmor.

**31** Montera tillbaka kamremmen enligt beskrivningen i avsnitt 6.

**3.15  Inpassningsringen hos verktyg 32 025 009 (markerad med pil) är nu fäst vid fästsprinten och vevaxeldrevet.**

## 5  Vevaxelremskiva/ vibrationsdämpare – demontering och montering

### Demontering

**1** Dra åt handbromsen. Lyft sedan upp framvagnen och ställ den på pallbockar (se *Lyftning och stödpunkter*). Ta bort höger framhjul, skriva loss bultarna och ta bort motorns undre skyddskåpa för att komma åt vevaxelns remskiva.

**2** Ta bort drivremmen enligt beskrivningen i kapitel 1B. Innan demonteringen, markera remmens rotationsriktning så att remmen monteras åt rätt håll.

**3** Skruva loss de fyra bultar som håller fast remskivan till vevaxeldrevet och ta bort det från drevet **(se bild)**.

### Montering

**4** Placera vevaxelremskivan på drevet, säkerställ att hålet på baksidan av remskivan passar in över tappen på drevet.

**5** Sätt i de fyra fästbultar och dra åt dem till angivet moment.

**6** Montera drivremmen enligt beskrivningen i kapitel 1B. Använd den markering du gjorde före borttagningen så att remmen monteras åt rätt håll.

**7** Montera tillbaka hjulet och motorns undre skyddskåpa, sänk sedan ner bilen på marken och dra åt hjulbultarna till angivet moment.

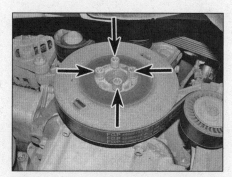

**5.3  Vevaxelremskiva/vibrationsdämparens fästbultar (markerad med pil)**

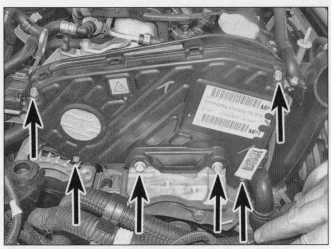

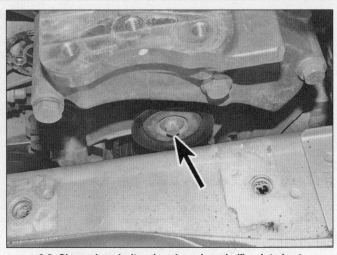

6.2 Övre kamremkåpans fästbultar (markerade med pil)

6.3 Skruva loss bulten (markerad med pil) och ta bort drivremmens tomgångsremskiva från motorfästet

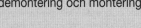

## 6 Kamrem – demontering och montering

**Observera:** *Kamremmen måste tas bort och återmonteras när motorn är kall.*

### Demontering

**1** Placera cylinderkolv nr 1 i ÖD enligt beskrivningen i avsnitt 3.
**2** Lossa kablaget från sidan av den övre kamremskåpan. Skruva loss fästbultarna och lyft av den övre kamremskåpan **(se bild)**.
**3** Skruva loss fästbulten och ta bort drivremmens tomgångsremskiva från motorfästet **(se bild)**.
**4** Skruva loss de två nedre bultar, och tre övre bultar, och ta bort motorfästet från motorn **(se bilder)**.
**5** Skruva loss muttern och bulten och ta bort vevaxelns positionsverktyg (32 025 009) från vevaxeldrevet.
**6** Lossa kamremsspännarens fästbult och låt spännaren dra tillbaka så att spänningen minskas på kamremmen.
**7** Ta bort kamremmen från dreven och ta bort den från motorn. Markera remmens rotationsriktning med vit färg eller liknande om du ska återanvända den. Undvik att rotera

vevaxeln eller kamaxlarna innan kamremmen har monterats tillbaka.
**8** Kontrollera kamremmen noggrant beträffande tecken på ojämnt slitage, delningar eller oljeföroreningar. Byt den om det finns minsta tvivel om dess skick. Om motorn genomgår renovering och närmar sig angivet intervall för rembyte (se kapitel 1B) bör man byta remmen oavsett skick. Om du ser tecken på oljenedsmutsning spårar du källa till läckaget och åtgärdar den. Skölj sedan av motorns kamremsområde och alla tillhörande komponenter för att få bort alla oljespår.

### Montering

**9** Rengör noggrant kamremmens drev och sträckaren/tomgångsöverföringar.
**10** Placera kamremmen over vevaxeldrevet. Om du monterar en begagnad rem måste de pilmarkeringar som gjordes vid demonteringen peka i den normala rotationsriktningen, som de gjorde tidigare.
**11** Kontrollera att kamaxeln och vevaxeln fortfarande är i så placerade att kolv nr 1 befinner sig i ÖD vid kompressionstakt, som det beskrevs i avsnitt 3. Kamaxelns inpassningsverktyg ska fortfarande vara på plats. Montera nu tillbaka vevaxelns inpassningsverktyg.
**12** Montera kamremmen över dreven

på vevaxeln och kamaxeln och runt tomgångsremskivorna. Se till att remmens framsida är stram (dvs. all slack är på sträckarens sida av remmen), och montera sedan remmen över kylvätskepumpens drev och sträckarens remskiva . Undvik att vrida remmen kraftigt när du sätter tillbaka den. Se till att remmens ribbor är centrerade i dreven. Observera att markeringarna på den nya remmen stämmer överens med markeringarna på vevaxeldreven och kamaxeldreven.
**13** Skruva i en lämplig bult, ungefär 50 mm lång, i det gängade hålet direkt under kamremsspännaren. Använd en skruvmejsel som vridarm på bulten, flytta justerarmen på sträckaren tills sträckarens markering är i linje med markeringen på stödplattan. Håll sträckaren på plats och dra åt dess fästbult ordentligt **(se bilder)**.
**14** Ta bort vevaxelns och kamaxelns positionsverktyg.
**15** Använd en hylsa på vevaxeldrevets bult och vrid vevaxeln försiktigt två hela varv (720°) i normal rotationsriktning för att få kamremmen i rätt position. Sluta vrida vevaxeln precis före slutet på andra varvet.
**16** Montera tillbaka kamaxelns inpassningsverktyg och fortsätt vrida vevaxeln tills kamaxelns inpassningsverktyg griper in.
**17** Fäst inpassningsringen hos verktyg 32

6.4a Skruva loss de nedre bultar (markerade med pil) . . .

6.4b . . . och de tre övre bultar (markerade med pil) . . .

6.4c . . . och ta bort fästet från motorn

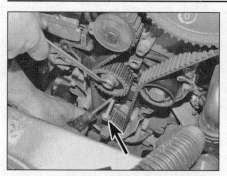

**6.13a Använd en skruvmejsel som vilar på en svängbult (se pil) för att flytta spännarens justeringsspak ...**

**6.13b ... tills spännarens pekare (markerad med pil) är i linje med markeringen på stödplattan**

025 009 över fästtappen och se till att det griper in i vevaxeldrevet. Se till att hålet i inpassningsringen hakar in i tappen på drevet. Fäst verktyget i rätt läge med fästbulten och muttern.

**18** Lossa kamremsspännarens fästbult och använd en skruvmejsel som stöder sig på bulten som balanspunkt precis som tidigare, flytta justeringsspaken på spännaren tills spännarens pekare återigen befinner sig i linje med märket på stödplattan. Håll fast sträckaren i detta läge och dra åt sträckarens fästbult till angivet moment.

**19** Ta bort alla inpassningsverktyg och rotera återigen vevaxeln försiktigt två hela varv (720°) i den normala rotationsriktningen. Kontrollera att kamremsspännarens markering fortfarande är i linje med märket på stödplattan. Om inte, upprepar du åtgärden som beskrivs i stycke 18.

**20** När allt är korrekt tar du bort spännarens svängbult. Skruva tillbaka bulten i oljepumphuset och dra åt den till angivet moment. Montera tillbaka förslutningspluggen på kamaxelhuset och dra åt till angivet moment.

**21** Placera motorns fästbygel i rätt läge och montera tillbaka de två nedre bultarna och de tre övre bultarna. Dra åt bultarna till angivet moment. Montera tillbaka drivremmens tomgångsremskiva på motorfästet och dra åt fästbulten till angivet moment.

**22** Montera tillbaka den övre kamremskåpan och dra åt fästbultarna till angivet moment. Kläm fast kabelknippet till dess plats.

**23** Placera det högra motorfästet i rätt läge och montera tillbaka de tre bultarna som säkrar fästet vid karossen. Dra åt bultarna/muttern till angivet moment. Justera fästet till dess ursprungliga läge och dra sedan åt de tre fästskruvarna till angivet moment. Ta bort domkraften underifrån motorn.

**24** Montera tillbaka luftrenaren och luftintagskanalen enligt beskrivningen i kapitel 4B.

**25** Placera drivremmens spännarenhet i rätt läge och säkerställ att styrstiftet på spännarfästets yta passar in korrekt i motsvarande hål i fästbygeln. Dra åt spännarens fästbult till angivet moment.

**26** Montera tillbaka vevaxelns remskiva/vibrationsdämparen som det beskrivs i

avsnitt 5, montera sedan tillbaka drivremmen som det beskrivs i kapitel 1B.

**27** Flytta tillbaka styrhylsan för motoroljemätstickan i rätt läge. Montera tillbaka bulten som håller fast styrhylsan mot kylvätskeröret, och dra åt bulten ordentligt.

**28** Fäst motorns ventilationsslang vid ventilröret och säkra den med fästklämman. Fäst ventilröret på topplocket med de två bultarna ordentligt åtdragna.

**29** Montera tillbaka plastkåpan ovanpå motorn.

**30** Montera tillbaka hjulet och motorns undre skyddskåpa, sänk sedan ner bilen på marken och dra åt hjulbultarna till angivet moment.

## 7 Kamremsdrev, spännare och remskivor – demontering och montering

**Observera:** *Vissa specialverktyg krävs för borttagning och återmontering av dreven. Läs igenom hela proceduren för att bekanta dig med det arbete som ingår och skaffa sedan*

*Tillverka ett fasthållningsverktyg av två stycken stålband ungefär 6 mm tjocka och 30 mm breda eller liknande, det ena 600 mm långt, det andra 200 mm långt (alla mått är ungefärliga). Skruva ihop de två banden så att de formar en gaffel utan att dra åt bulten, så att det kortare bandet kan vridas runt. Montera en mutter och bult i den andra änden av varje spets på gaffeln så att verktyget kan gripa in i ekrarna på drevet.*

*tillverkarens specialverktyg eller använd de alternativ som beskrivs.*

### Kamaxeldrev

**Observera:** *En ny fästbult för drevet kommer att behövas efter återmonteringen.*

### Demontering

**1** Ta bort kamremmen som det beskrivs i avsnitt 6, ta sedan bort kamaxelns inpassningsverktyg från kontrollhålet för ventiltidsinställning.

**2** Nu är det nödvändigt att hålla fast kamaxeldrevet för att det ska vara möjligt att ta bort fästbulten. För detta syfte finns Saab-specialverktyget 32 025 035, men ett egentillverkat verktyg kan lätt göras i ordning **(se Verktygstips).**

**3** För in verktyget i hålen i kamaxeldrevet och se till att du inte skadar kamaxelgivaren som sitter bakom drevet

**4** Skruva loss fästbulten och ta bort drevet från kamaxeländen.

### Montering

**5** Före återmonteringen, kontrollera oljetätningen efter tecken på skada eller slitage. Om det behövs, byt enligt beskrivningen i avsnitt 8.

**6** Montera drevet på kamaxeländen. Placera dess skåra mitt för styrstiftet och montera en ny fästbult. Dra enbart åt den nya fästbulten med fingrarna på det här stadiet. Slutgiltig åtdragning utförs efter att kamremmen har monterats och spänts.

**7** Montera tillbaka kamaxelns inpassningsverktyg till kontrollhålet för ventilens tidsinställning . Om det behövs, vrid kamaxeln en aning med drevet tills det hörs att verktyget griper in.

**8** Fortsätt med kamremmens återmontering enligt beskrivningen i avsnitt 6, punkt 9 till 14.

**9** Håll fast kamaxeldrevet med hjälp av fasthållningsverktyget och dra åt fästbulten till angivet moment.

**10** Fortsätt med kamremmens återmontering enligt beskrivningen i avsnitt 6, punkt 15 till 30.

### Vevaxeldrev

**Observera 1:** *Vevaxeldrevets fästbult sitter mycket hårt. Försäkra dig om att fasthållningsverktyget som används för att förhindra rotation allteftersom bulten lossas är stabilt utfört och säkert fäst.*

**Observera 2:** En ny fästbult för drevet kommer att behövas efter återmonteringen.

### Demontering

**11** Demontera kamremmen enligt beskrivningen i avsnitt 6.

**12** Nu är det nödvändigt att hålla fast vevaxeldrevet för att det ska vara möjligt att ta bort fästbulten. Saab-specialverktygen 32 025 006 och 83 95 360 finns för detta syfte, men ett egentillverkat verktyg liknande det som beskrivs i stycke 2 kan enkelt tillverkas.

**13** Använd fästbultarna till vevaxelns remskiva och fäst verktyget ordentligt på vevaxeldrevet.

7.14a Ta bort bulten och brickan . . .

7.14b . . . och skjut bort drevet från vevaxeländen

7.20 Sätt in fasthållningsverktyget i oljepumpdrevets hål och lossa fästmuttern.

7.21 Använd en lämplig avdragare för att frigöra oljepumpdrevets fäste

7.22a Dra ut drevet när fästet frigörs . . .

7.22b . . . och ta hand om woodruffkilen från pumpaxeln

Håll drevet stilla tillsammans med en medhjälpare och skruva loss fästbulten. **Observera:** *Drevets fästbult är vänstergängad och lossas genom att den skruvas medurs.*
**14** Ta bort bulten och brickan och för av drevet från vevaxeländen **(se bilder)**. Observera att nya bultar krävs vid monteringen.

### Montering

**15** Rikta in drevets inställningsnyckel med vevaxelns spår och för in drevet på plats. Montera den nya brickan och fästbulten.
**16** Håll drevet stilla med hjälp av fasthållningsverktyget och dra åt fästbulten till angivet moment. Kom ihåg att den är vänstergängad. Ta bort fasthållningsverktyget.
**17** Montera tillbaka kamremmen enligt beskrivningen i avsnitt 6.

### *Högtryckspumpens drev*

**Observera:** *En ny fästmutter för drevet kommer att behövas efter återmonteringen.*

### Demontering

**18** Demontera kamremmen enligt beskrivningen i avsnitt 6.
**19** Nu måste man hålla fast bränslepumpens drev för att kunna ta bort fästmuttern. Saab-specialverktygen 32 025 019 och 83 95 360 finns för detta syfte, men ett egentillverkat verktyg liknande det som beskrivs i stycke 2 kan enkelt tillverkas.
**20** Sätt in verktyget i oljepumpdrevets hål och lossa drevets fästmutter **(se bild)**. Observera att nya muttrar krävs vid monteringen.
**21** Fäst en lämplig avdragare i de gängade hålen i bränslepumpsdrevet, använd bultar och brickor på ett liknande sätt som det som visas i bilden **(se bild)**.

**22** Dra åt avdragarens mittbult för att lösgöra drevet från konen på pumpaxeln. Ta bort remskivan och dra av drevet när konen lossnar. Ta hand om woodruffkilen från pumpaxeln **(se bilder)**.

### Montering

**23** Rengör bränslepumpens axel och drevnavet. Säkerställ att alla rester av olja eller fett tagits bort.
**24** Montera tillbaka woodruffkilen på pumpaxeln och sätt sedan drevet på plats. Montera den nya fästmuttern.
**25** Håll fast drevet med hjälp av fasthållningsverktyget och dra åt fästmuttern till angivet moment. Ta bort fasthållningsverktyget.
**26** Montera tillbaka kamremmen enligt beskrivningen i avsnitt 6.

### *Spännarenhet*

### Demontering

**27** Demontera kamremmen enligt beskrivningen i avsnitt 6.
**28** Lossa och ta bort fästbulten och ta bort spännarenheten från motorn **(se bilder)**.

### Montering

**29** Montera spännaren på motorn, säkerställ att skåran på spännarens stödplatta är korrekt placerad över stiftet på motorns fästbygel **(se bild)**.
**30** Rengör fästbultens gängor och applicera gänglåsningsmedel på bultens gänga. Skruva i fästbulten, ställ sträckaren i indraget läge och dra åt fästbulten.

7.28a Lossa och ta bort fästbulten . . .

7.28b . . . och ta bort kamremsspännaren

**31** Montera tillbaka kamremmen enligt beskrivningen i avsnitt 6.

## Tomgångsremskiva

### Demontering

**32** Demontera kamremmen enligt beskrivningen i avsnitt 6.
**33** Skruva loss fästbulten och ta bort tomgångsremskivan från motorn **(se bild)**.

### Montering

**34** Montera tillbaka tomgångsremskivan och dra åt fästbulten till angivet moment.
**35** Montera tillbaka kamremmen enligt beskrivningen i avsnitt 6.

## 8  Kamaxelns oljetätning – byte

**1** Demontera kamaxeldrevet enligt beskrivningen i avsnitt 7.
**2** Slå eller borra försiktigt ett litet hål i packboxen. Skruva i självgängande skruvar i hålen och dra i skruvarna med tänger för att få ut tätningen.
**3** Rengör tätningshuset och vevaxeln. Putsa av alla grader eller vassa kanter som kan ha skadat tätningen.
**4** Smörj kanterna på den nya tätningen med ren motorolja och tryck den på plats med hjälp av en lämplig rörformig dorn (som t.ex. en hylsa) som enbart belastar den hårda ytterkanten av tätningen. Var noga med att inte skada tätningsläpparna under monteringen; Observera att tätningens kanter måste vara riktade inåt.
**5** Montera kamaxeldrevet enligt beskrivningen i avsnitt 7.

## 9  Kamaxelhus – demontering och montering

### Demontering

**1** Demontera kamremmen enligt beskrivningen i avsnitt 6.

**9.2e** . . . och luftkonditionerings-kompressor (markerad med pil)

**7.29  Skåran i spännarens stödplatta måste placeras över stiftet (se pil) på motorfästet**

**2** Koppla loss kabelhärvans kontakter från följande komponenter **(se bilder)**:
a) Bränsleinjektorer.
b) Bränsletrycksregleringsventil .
c) Bränsletrycksgivare.
d) Kamaxelgivare.
e) Luftkonditioneringskompressor.

**9.2a  Koppla loss kontaktdonen vid bränsleinjektoren . . .**

**9.2c . . . bränsletryckgivare . . .**

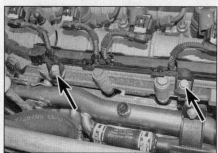
**9.3a  Skruva loss de två bultar (markerade med pil) som håller fast kabelhärvan mot kamaxelhuset . . .**

**7.33  Skruva loss fästbulten och ta bort tomgångsremskivan från motorn**

**3** Lossa luftkonditioneringskompressorns kabelknippe från klämman på oljemätstickans styrhylsa. Skruva loss de två bultarna som håller fast kabelknippets plaststyrning mot kamaxelhuset. Flytta sedan det lossade kabelknippet åt sidan **(se bilder)**.

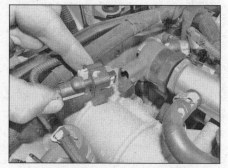
**9.2b** . . . bränsletrycksregleringsventil . . .

**9.2d** . . . kamaxelgivare . . .

**9.3b** . . . och flytta kabelknippet åt sidan

**9.4a Lossa de två vakuumslangar (markerade med pil) från rörenheten . . .**

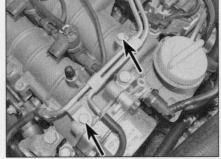

**9.4b . . . skruva sedan loss de båda fästbultarna (se pil) och lägg rörenheten åt sidan**

**9.6 Lossa fästklämmorna och ta bort laddluftslangen (markerad med pil)**

**4** Lossa de två vakuumledningarna från vakuumröret ovanpå kamaxelhuset. Skruva sedan loss de båda fästbultarna och lägg rörenheten åt sidan **(se bilder)**.

**5** Ta bort bränsleinjektorerna och bränslefördelarskenan enligt beskrivningen i kapitel 4B.

**6** Lossa de två fästklämmorna och ta loss laddluftslangen från gasspjället/gasspjällshuset och från laddluftkylarens luftslang **(se bild)**.

**7** Lossa vakuumslangens snabblossningsfäste från bromssystemets vakuumpump **(se bild)**.

**8** Lossa klämman och koppla loss vevhusventilationens slang från påfyllningshuset för motorolja **(se bild)**.

**9** Skruva loss fästbultarna och ta bort de två lyftbyglarna på motorn från kamaxelhusets vänstra ände. Skruva loss bulten som håller fast turboaggregatets laddluftrör mot den högra änden av kamaxelhuset

**10** Arbeta i ett spiralmönster från utsidan och in. Lossa stegvis och ta sedan bort de sexton bultarna som håller fast kamaxelhuset mot topplocket. Se till att huset lossnar jämnt från motorblocket.

**11** Lyft av kamaxelhuset från topplocket och ta loss packningen **(se bild)**.

**12** Rengör noggrant fogytorna på topplocket, kamaxelhuset och vakuumpumpen och skaffa en ny packning för återmonteringen.

## Montering

**13** Kontrollera att alla hydrauliska ventillyftare

och vipparmar är i korrekt läge i topplocket och att de inte har påverkats.

**14** Börja monteringen med att vrida vevaxeln moturs med 90°. Detta gör att kolvarna hamnar halvvägs i loppen för att förhindra att ventilerna vidrör kolvkronorna när kamaxelhuset monteras.

**15** Placera en ny packning på topplocket och placera sedan kamaxelhuset i rätt läge, så att det är i linje med styrstiften.

**16** Montera tillbaka de sexton bultar som håller fast kamaxelhuset. Skruva i bultarna stegvis för att dra huset nedåt och till kontakt med topplocket.

**17** Arbeta i ett spiralmönster från insidan och utåt, och dra gradvis åt de sexton bultarna till angivet moment.

**18** Montera tillbaka de två lyftfästbyglarna på vänster sida av kamaxelhuset och dra åt fästbultarna ordentligt. Montera tillbaka och dra åt laddluftrörets fästbult.

**19** Återanslut vevhusets ventilationsslang till påfyllningshuset för motorolja.

**20** Återanslut vakuumslangens snabblossningsfäste till bromssystemets vakuumpump. Försäkra dig om att fästet snäpper in ljudligt.

**21** Montera tillbaka laddluftslangen på gasspjället/gasspjällshuset och laddluftkylarens laddluftrör och säkra dem med fästklämmor.

**22** Montera tillbaka bränslefördelarskenan och bränsleinjektorerna enligt beskrivningen i kapitel 4B.

**23** Placera vakuumslangenheten på rätt plats ovanpå kamaxelhuset och montera tillbaka de två fästbultarna. Dra åt bultarna ordentligt. Anslut sedan de två vakuumslangarna.

**24** Lägg plastkabelhärvans styrning på plats på kamaxelhuset och montera sedan tillbaka de två fästbultarna och dra åt dem.

**25** Återanslut kabelhärvans anslutningskontakter till de komponenter som listas i stycke 2. Försäkra dig om att kabelhärvan är säkert fäst med alla relevanta klämmor.

**26** Vrid vevaxeln medurs (90°) för att föra kolv nr 1 och nr 4 till ungefärligt ÖD-läge.

**27** Montera tillbaka kamremmen enligt beskrivningen i avsnitt 6.

## 10 Kamaxlar – demontering, kontroll och återmontering

**Observera:** *Ytterligare inpassningsverktyg för kamaxeln behövs för detta arbete – två totalt (se avsnitt 3).*

## Demontering

**1** Utför de åtgärder som beskrivs i avsnitt 9, punkt 1 till 8.

**2** Ta bort bromssystemets vakuumpump enligt beskrivningen i kapitel 9.

**3** Koppla loss kablagets kontaktdon från temperaturgivaren för kylvätska och skruva

**9.7 Tryck in och lossa vakuumslangens snabblossningsfäste från bromssystemets vakuumpump.**

**9.8 Lossa vevaxelns ventilationsslang från motoroljepåfyllningshuset**

**9.11 Lyft kamaxelhuset från blocket och ta loss packningen.**

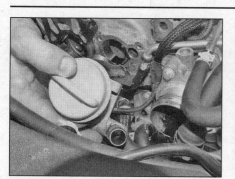

**10.3 Skruva loss de 3 bultarna och ta bort oljepåfyllningshuset**

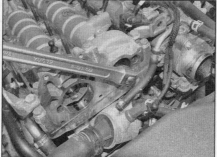

**10.8a Lossa fästbulten till insugskamaxelns drivhjul ...**

**10.8b ... och avgaskamaxelns drivhjulsfästbult**

**10.12a Skruva loss och ta bort de två bultar som lossades tidigare. . .**

**10.12b . . . lyft sedan ut avgaskamaxelns drev . . .**

**10.12c . . . och insugskamaxelns drivhjul**

sedan loss de tre fästbultarna och ta bort oljepåfyllningshuset **(se bild)**.

**4** Skruva loss fästbulten och ta bort kamaxelgivaren från kamaxelhusets högra ände.

**5** Innan kamaxelhuset tas bort helt måste fästbultarna till kamaxelns drivhjul och drev lossas på följande vis.

**6** Ta bort avgaskamaxelns inpassningsverktyg från kontrollhålet för ventiltidsinställning.

**7** Håll fast kamaxeldrevet när fästbultarna till drivhjul och drev lossas. Ett egentillverkat redskap kan lätt tillverkas (se Verktygstips i avsnitt 7).

**8** Arbeta genom öppningen i oljepåfyllningshuset och använd fasthållningsverktyget för att hindra att kamaxeln roterar, lossa bulten för insugskamaxelns drivhjul. Arbeta genom vakuumpumpens öppning och lossa fästbulten på avgaskamaxelns drivhjul på samma sätt **(se bilder)**.

**9** Använd fasthållningsverktyget igen och lossa kamaxeldrevets fästbult.

**10** Fortsätt med kamaxelhusets demontering enligt beskrivningen i avsnitt 9, punkt 9 till 11.

**11** Med kamaxelhuset placerat upp och ner på arbetsbänken, skruva ur och ta bort den tidigare lossade fästbulten och ta bort kamremsdrevet från avgaskamaxeln.

**12** Skruva ur och ta bort de två tidigare lossade fästbultarna på husets andra ände och lyft bort drivhjulen från insugs- och avgaskamaxlarna **(se bilder)**.

**13** Bänd försiktigt ut avgaskamaxelns packbox med en skruvmejsel eller ett liknande verktyg med hake. Ta försiktigt

bort avgaskamaxeln ut från kamaxelhusets kamremsände **(se bild)**.

**14** Använd en träplugg eller liknande och knacka försiktigt på den ände av insugskamaxeln som vetter mot husets kamremsände för att lösgöra täcklocket. Ta bort kåpan, och ta sedan försiktigt bort insugskamaxeln från huset **(se bild)**.

### Kontroll

**15** Undersök kamaxellagrets yta och kamloberna efter tecken på slitage och repor. Byt kamaxeln om några fel hittas. Undersök skicket på lagerytorna i kamaxelhuset. Om det finns märkbara sprickor och slitage måste kamaxelhuset bytas.

**16** Om endera kamaxeln ska bytas ut är det nödvändigt att också byta ut alla vipparmar och ventillyftare som hör till denna kamaxel (se avsnitt 11).

**10.13 Ta bort avgaskamaxeln. . .**

**17** Kontrollera om flisor slagits loss från kuggarna på kamaxelns drivhjul och drev, om det finns andra skador, slitagespår eller sprickor. Byt alla delar som behöver bytas.

### Montering

**18** Rengör noggrant alla komponenter och torka dem med en dammfri trasa före återmonteringen. Se till att alla spår av olja och fett tas bort från kontaktytorna på drivhjul, drev och kamaxlar.

**19** Smörj kamaxellagertapparna i kamaxelhuset och sätt försiktigt in insugs- och avgaskamaxlarna.

**20** Försäkra dig om att kontaktytorna är rena och torra, och montera sedan tillbaka drivhjulet på varje kamaxel. Observera att drevet med vakuumpumpens drivhakar sitter på avgaskamaxeln, och det släta drevet sitter på insugskamaxeln.

**10.14 . . . och insugskamaxeln från huset**

**10.22 Montera tillbaka kamaxelns inpassningsverktyg på kontrollhålet för ventilens tidsinställning för avgaskamaxeln**

**10.23a Skruva loss stängningsbulten från husets insugskamaxelsida . . .**

**10.23b . . . och montera ett verktyg för inpassning av kamaxeln till insugskamaxeln**

21 Skruva på en ny fästbult till drivhjulet för varje kamaxel och dra enbart åt båda bultarna för hand i detta steg.

22 Montera tillbaka kamaxelns inpassningsverktyg på kontrollhålet för ventilens tidsinställning för avgaskamaxeln. Om det behövs, vrid avgaskamaxeln en aning tills det hörs att verktyget griper in **(se bild)**.

23 Skruva loss och ta bort förslutningsbulten från insugskamaxelns sida av kamaxelhuset och montera ett andra inpassningsverktyg för kamaxeln **(se bilder)**. Om det behövs, vrid kamaxeln en aning tills det hörs att verktyget griper in.

24 Med de båda kamaxlarna spärrade genom inpassningsverktygen drar du åt drivhjulets båda fästbultar till angivet moment **(se bild)**. Det kan vara till hjälp att låta en medhjälpare stötta upp kamaxelhuset när bultarna dras åt.

25 Ta bort inpassningsverktyget från insugskamaxeln och sätt tillbaka låsbulten. Dra åt bulten till angivet moment.

26 Montera på samma sätt en ny täckplugg för insugskamaxeln på kamaxelhusets kamremsände och knacka den på plats till den ligger kant i kant med husets yttersida. Använd en lämplig hylsa eller rör, eller ett träblock **(se bilder)**.

27 Montera på samma sätt en ny packbox för insugskamaxeln på kamaxelhusets kamremsände och knacka den på plats till den ligger kant i kant med husets yttersida. Använd en lämplig hylsa eller rör, eller ett träblock **(se bild)**.

28 Montera tillbaka kamremmen på avgaskamaxeln. Placera dess skåra mitt för styrstiftet och montera en ny fästbult. Dra enbart åt den nya fästbulten med fingrarna

på det här stadiet. Slutgiltig åtdragning utförs efter att kamremmen har monterats och spänts.

29 Montera kamaxelgivaren på kamaxelhuset och dra åt fästbulten ordentligt.

30 Montera tillbaka oljepåfyllningshuset på kamaxelhuset med en ny packning, sätt tillbaka fästbultarna och dra åt dem till angivet moment . Återanslut kylvätsketemperaturgivarens kontaktdon.

31 Montera tillbaka bromssystemets vakuumpump enligt beskrivningen i kapitel 9.

32 Rengör noggrant fogytorna på topplocket och kamaxelhuset.

33 Montera tillbaka kamaxelhuset på topplocket enligt beskrivningen i avsnitt 9, styckena 13 till 26.

34 Påbörja tillbakamonteringen av kamremmen på det sätt som beskrivs i avsnitt 6, styckena 9 till 14.

35 Håll fast kamaxeldrevet med hjälp av fasthållningsverktyget och dra åt fästbulten till angivet moment.

36 Fortsätt med tillbakamonteringen av kamremmen enligt beskrivningen i avsnitt 6, styckena 15 till 30.

**10.24 Med de båda kamaxlarna spärrade drar du åt drivhjulets båda fästbultar till angivet moment**

**10.26a Montera en ny täckplugg för insugskamaxeln på kamaxelhuset . . .**

## 11 Kamföljare och hydrauliska ventillyftar – demontering, kontroll och återmontering

### Demontering

1 Demontera kamaxelhuset enligt beskrivningen i avsnitt 9.

2 Ta 16 små, rena plastbehållare och numrera dem insug 1 till 8 och avgas 1 till 8; du kan även dela in en större behållare i 16 avdelningar och numrera varje del enligt ovan.

3 Dra bort varje kamföljare och hydraulisk ventillyftare i tur och ordning. Lossa klämman som håller fast följaren vid ventillyftaren och placera dem sina respektive behållare **(se bilder)**. Kasta inte om lyftarna och ventillyftarna eftersom det ökar slitaget mycket. Fyll varje behållare med ren motorolja och se till att ventillyftaren är helt dränkt.

### Kontroll

4 Undersök kamaxelföljarnas och de hydrauliska ventillyftarnas fogytor för att

**10.26b . . . och tryck tätningen den på plats tills den är jäms med husets yta**

**10.27 Montera också en ny packbox för avgaskamaxeln på kamaxelhuset**

se om det finns innötta spår eller repor. Byt eventuella lyftare som uppvisar dessa fel.
5 Om nya hydrauliska ventillyftare ska monteras måste de först dränkas i en behållare med ren motorolja före monteringen.

## Montering

6 Olja in topplockets hydrauliska lyftares lopp och själva lyftarna med mycket olja. Arbeta på en enhet i taget. Kläm fast lyftaren på ventillyftaren, montera sedan tillbaka ventillyftaren på topplocket. Se till att den monteras på det ursprungliga loppet. Lägg lyftarna över respektive ventil (se bilder).
7 Montera tillbaka resterande ventillyftar och lyftare på samma sätt.
8 Med alla ventillyftar och lyftare på plats, montera tillbaka kamaxelhuset enligt beskrivningen i avsnitt 9.

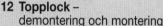

## 12 Topplock –
demontering och montering

**Observera:** *Nya topplocksbultar kommer att behöver vid återmonteringen.*

### Demontering

1 Koppla loss och ta bort batteriets jordledning enligt beskrivningen i kapitel 5A.
2 Töm kylsystemet enligt beskrivningen i kapitel 1B.
3 Demontera kamaxelhuset enligt beskrivningen i avsnitt 9.
4 Ta bort kamaxellyftare och hydrauliska ventillyftarna enligt beskrivningen i avsnitt 11.
5 Ta bort intags- och avgasgrenrören enligt beskrivningen i kapitel 4B.
6 Lossa klämmorna och lossa de resterande kylvätskeslangar från termostathuset, och kylvätskeslangen vid avgasåterföringsventilens värmeväxlare (se bild).
7 Lossa kylvätskeröret från stiftet längst ner på termostathuset (se bild).

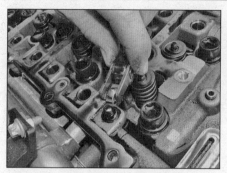
**11.3a  Ta bort alla kamföljare ...**

**11.3b ... och hydraulbehållaren, placera dem sedan i respektive kärl**

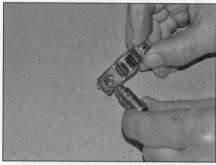
**11.6a  Fäst följaren på ventillyftaren igen ...**

**11.6b ... sätt sedan tillbaka ventillyftaren i dess originallopp och lägg följaren över resp. ventil**

8 Skruva loss bulten som håller fast högtrycksbränslepumpens fäste mot topplocket (se bild).
9 Gör en slutkontroll och se till att alla relevanta slangar, rör och kablar, o.s.v., har lossats.
10 Arbeta i omvänd ordningsföljd (se bild 12.27), och lossa stegvis de tio topplocksbultarna ett halvt varv i taget tills alla bultar kan skruvas loss för hand. Observera att det behövs en M14 RIBE hylsbit för att skruva loss bultarna. Ta bort topplocksbultarna och brickorna.

11 Anlita vid behov en medhjälpare och lyft topplocket från motorblocket (se bild).
*Varning: Placera inte överdelen på dess undre anliggningsyta; stötta upp överdelen på träblock och se till att varje block endast har kontakt med fogytan på överdelen.*
12 Ta bort packningen, men behåll den för identifieringssyfte (se stycke 19).
13 Om topplocket ska tas isär för renovering, se del C i detta kapitel.

### Förberedelser för montering

14 Fogytorna mellan motorblock och

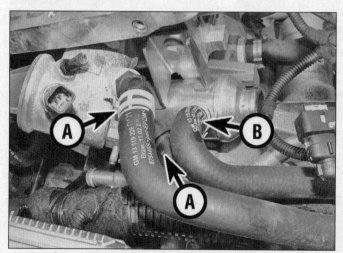
**12.6  Lossa kylvätskeslangarna vid termostathuset (A) och vid EGR-ventilens värmeväxlare (B)**

**12.7  Lossa kylvätskeröret från stiftet (se pil) längst ner på termostathuset**

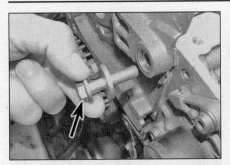

**12.8 Skruva loss bulten (markerad med pil) som håller fast högtrycksbränslepumpens fäste mot topplocket**

**12.11 Lyft av topplocket från motorblocket**

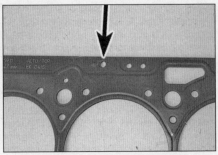

**12.19 Topplockspackningens tjockleksidentifieringsspår (markerade med pil)**

topplock måste vara noggrant rengjorda innan topplocket monteras. Ta bort alla packningsrester och allt sot med en plast- eller treskrapa; och rengör även kolvkronorna. Var extra försiktig eftersom ytorna är känsliga. Se även till att sot inte kommer in i olje- och vattenledningarna. Detta är särskilt viktigt för smörjningssystemet, eftersom sot kan blockera oljetillförseln till någon av motorns komponenter. Använd tejp och papper till att försegla vatten- och oljekanaler och bulthål i motorblocket/vevhuset. Lägg lite fett i gapet mellan kolvarna och loppen för att hindra sot från att tränga in. När en kolv är rengjord ska alla spår av fett och sot borstas bort från dess öppning med en liten borste och sedan ska öppningen torkas med en ren trasa. Rengör alla kolvarna på samma sätt.

**15** Undersök fogytorna på motorblocket/ vevhuset och topplocket och se om det finns hack, djupa repor och andra skador. Om de är små kan de försiktigt filas bort, men om de är stora är slipning eller byte den enda lösningen.

**16** Kontrollera att hålen för topplocksbultarna i vevhuset är rena och fria från olja. Sifonera eller sug upp den olja som finns kvar i bulthålen. Detta är av största vikt för att bultarna ska kunna dras åt till rätt åtdragningsmoment, och för att inte motorblocket ska spricka på grund av hydrauliskt tryck när bultarna dras åt.

**17** Topplocksbultarna måste kasseras och bytas ut oavsett deras skick.

**18** Kontrollera topplockspackningens yta med en stållinjal om den misstänks vara skev. Se del C i detta kapitel om det behövs.

**19** På den här motorn styrs spelet mellan topplocket och kolven genom att man sätter in olika tjocka topplockspackningar. Packningens tjocklek kan avgöras genom att man tittar på hålen som är stansade i kanten på packningen **(se bild)**.

| Antal hål | Tjocklek på packning |
|---|---|
| Inga hål | 0,77 till 0,87 mm |
| Ett hål | 0,87 till 0,97 mm |
| Två hål | 0,97 till 1,07 mm |

Valet av rätt tjocklek på packningen avgörs genom mätning av kolvens utbuktning på följande sätt.

**20** Fäst en indikatorklocka stabilt på blocket, så att dess pekare enkelt kan svängas mellan kolvkronan och blockets fogyta. Vrid vevaxeln så att kolv nr 1 står ungefär i ÖD-läge. Flytta indikatorklockans sond över och i kontakt med kolv nr 1. Vrid vevaxeln fram och tillbaka tills det högsta värdet visas på mätaren. Detta indikerar att kolven är i ÖD.

**21** Nollställ indikatorklockan på packningsyta på motorblocket och för sedan försiktigt indikatorn över kolv nr 1. Mät utsprånget vid den högsta punkten mellan ventilutskärningarna och sedan igen vid den högsta punkten mellan ventilutskärningarna vid 90° mot den första mätningen Upprepa detta tillvägagångssätt med kolv nr 4.

**22** Vrid vevaxeln ett halvt varv (180°) för att föra kolv nr 2 och nr 3 till ÖD. Se till att vevaxeln är rätt placerad och mät utsprången för kolv nr 2 och 3 vid de angivna punkterna. När alla kolvar har mätts upp, vrid vevaxeln så att alla kolvar står i halvt kolvslag.

**23** Välj rätt tjocklek på topplockspackningen genom att bestämma den största överskjutande kolvlängden. Använd följande tabell.

| Kolv utsprång mätning | Packning tjocklek krävs |
|---|---|
| 0,020 till 0,100 mm | 0,77 till 0,87 mm (inga hål) |
| 0,101 till 0,200 mm | 0,87 till 0,97 mm (ett hål) |
| 0,201 till 0,295 mm | 0,97 till 1,07 mm (två hål) |

## Montering

**24** Rengör topplockets och motorblockets/ vevhusets fogytor. Placera den nya packningen med orden ALTO/TOP överst **(se bild)**.

**25** Montera försiktigt tillbaka topplocksenheten på blocket och passa in den mot styrstiften.

**26** Applicera ett tunt lager motorolja på bultgängorna och på undersidan av bulthuvudena. För försiktigt in varje ny topplocksbult i respektive hål (släpp inte ner dem). Skruva in alla bultar, dra åt med bara fingrarna.

**27** Arbeta stegvis i visad ordningsföljd och dra åt topplocksbultarna till momentet för steg 1 med momentnyckel och passande hylsa **(se bild)**. Arbeta igen i samma ordningsföljd. Gå runt och dra åt alla bultar med angivet vridmoment för steg 2.

**28** När väl alla bultarna har dragits åt till rätt moment för Steg 2 arbetar du återigen i samma ordning. Gå runt och dra åt alla bultarna till den vinkel som anges för Steg 3,

**12.21 Använd en indikatorklocka för att mäta kolvens utbuktning**

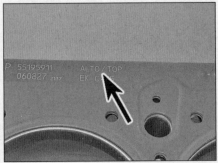

**12.24 Placera den nya packningen med orden ALTO/TOP överst (se pil)**

**12.27 Ordningsföljd för åtdragning av topplocksbultar**

sedan den vinkel som anges för Steg 4 och slutligen den vinkel som anges för Steg 5. Använd en vinkelmätare.

**29** Montera tillbaka den bult som håller fast högtrycksbränslepumpens fästbygel vid topplocket och dra åt bulten ordentligt.

**30** Passa in kylvätskeröret på tappen på termostatens hus och återanslut sedan kylvätskeslangarna till termostathuset och värmeväxlarens avgasåterföringsventil.

**31** Montera tillbaka intags- och avgasgrenrören enligt beskrivningen i kapitel 4B.

**32** Montera tillbaka kamaxellyftare och hydrauliska ventillyftarna enligt beskrivningen i avsnitt 11.

**33** Montera tillbaka kamaxelhuset enligt beskrivningen i avsnitt 9.

**34** När du är klar, återanslut batteriets jordledning . Fyll sedan på kylsystemet enligt beskrivningen i kapitel 1B.

## 13 Sump – demontering och montering

### Demontering

**1** Koppla loss och ta bort batteriets jordledning enligt beskrivningen i kapitel 5A.

**2** Dra åt handbromsen. Lyft upp framvagnen och ställ den på pallbockar (se *Lyftning och stödpunkter*). Ta bort höger framhjul, skriva loss bultarna och ta bort motorns undre skyddskåpa.

**3** Ta bort höger drivaxel och mellanaxeln enligt beskrivningen i kapitel 8.

**4** Skruva loss de tre bultarna som håller fast stödfästet för mellanaxelns lagerhus mot motorblocket och ta bort stödfästet **(se bild)**.

**5** Ta bort avgassystemet enligt beskrivningen i kapitel 4B.

**6** Skruva loss bultarna och ta bort stödfästbygeln från katalysatorn och sumpen.

**7** Ta bort vevaxelns remskiva/vibrationsdämpare enligt beskrivningen i avsnitt 5.

**8** Koppla loss kontaktdonet från luftkonditioneringskompressorn. Skruva loss de tre bultarna som håller fast luftkonditioneringskompressorn mot fästet och stötta upp kompressorn på den främre hjälpramen.

**13.4 Fästbultar till mellanaxelns lagerhus stödfäste (se pil)**

**9** Skruva loss bultarna som håller fast kompressorns fäste på motorblocket och sumpen **(se bild)**. Lossa kabelknippet och ta bort fästet.

**10** Tappa ur motoroljan enligt beskrivningen i kapitel 1B. När oljan är helt urtappad, montera tillbaka dräneringspluggen med en ny tätningsbricka, och dra åt till angivet moment.

**11** Skruva loss den övre bulten som håller fast oljemätstickans styrhylsa vid kylvätskeröret. Skruva loss den nedre bulten som håller fast styrhylsan mot sumpens fläns. Lossa sedan kabelknippet och ta bort hylsan från genomföringen i sumpens fläns.

**12** Koppla loss kontaktdonet från oljenivågivaren, lossa fästklämman och ta bort oljereturslangen.

**13** Skruva loss de två bultar som håller fast sumpens fläns vid balanshjulskåpan.

**14** Använd en hylsa och en förlängningsstång på vevaxelremskivans bult, vrid vevaxeln i dess normala rotationsriktning (medurs sett från motorns högra ände) tills öppningen i svänghjulet befinner sig i ett läge som gör det möjligt att komma åt en av sumpens bakre fästbultar. Skruva loss och ta bort bulten. Vrid sedan vevaxeln igen tills svänghjulet möjliggör borttagning av den andra bakre fästbulten. Skruva loss och ta bort bulten.

**15** Lossa stegvis och ta bort de återstående tolv bultarna som håller fast sumpen mot nederdelen av motorblocket och oljepumphuset. Sätt in en bredbladig skrapa eller liknande mellan sumpen och motorblocket. Bänd sedan försiktigt upp fogen så att sumpen frigörs.

**16** För ut sumpen från bilens undersida. Det

**13.9 Luftkonditioneringskompressorfäste fästbultar (markerade med pil)**

är extremt litet mellanrum mellan sumpen och hjälpramen. För att kunna ta bort sumpen kan det vara nödvändigt att lossa oljepumpens oljeupptagare/sil genom att skruva loss de två fästbultarna.

**17** Om det behövs, skruva loss fästbultarna och ta bort oljeskvalpplåten från sumpen **(se bild)**.

**18** Passa på att kontrollera oljepumpens oljeupptagare/sil efter tecken på igensättning eller sprickor medan sumpen är borttagen. Om du inte redan har gjort det, skruva loss oljepumpens oljeupptagare/sil och ta bort den tillsammans med tätningsringen från motorn. Silen kan sedan enkelt rengöras i lösningsmedel eller bytas ut. Byt oljeupptagarens/silens tätningsring före återmonteringen **(se bild)**.

### Montering

**19** Rengör sumpen noggrant och ta bort alla spår av silikontätningsmedel och olja från sumpens och motorblockets fogytor. Montera tillbaka oljeskvalpplåten, om den tagits bort, och dra åt fästbultarna ordentligt.

**20** Om spelet medger det, montera tillbaka oljepumpens upptagare/sil med en ny tätningsring och dra åt dess båda fästbultar ordentligt. Om det var nödvändigt att skruva loss oljeupptagaren/silen för att kunna ta bort sumpen: sätt enheten på plats och skruva i bulten löst i ramlageröverfallet. Det måste fortfarande gå att flytta framänden på röret bakåt när sumpen monteras tillbaka.

**21** Applicera en kontinuerlig sträng tätningsmedel (90 543 772 – finns hos din Saab-verkstad) ca 1,0 mm från sumpens innerkant **(se bild)**. Droppen tätningsmedel

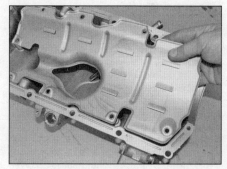

**13.17 Ta bort oljeskvalpplåten från sumpens insida**

**13.18 Byt oljeupptagarens/silens tätningsring före återmonteringen**

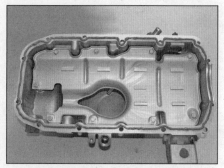

**13.21 Applicera en kontinuerlig sträng silikontätning på sumpflänsen**

14.4 Oljepumphusets fästbultar (markerade med pil)

14.5 Skruva loss fästskruvarna och ta bort oljepumpskåpa

ska vara mellan 2,0 och 2,5 mm i diameter.

**22** Placera sumpen över upptagaren/silen och montera om tillämpligt den främre änden av upptagaren/silen på oljepumphuset. Montera fästbulten. Dra åt det båda fästbultarna ordentligt.

**23** Passa in sumpen med motorblocket och skruva i alla fästbultarna löst.

**24** Arbeta från mitten i diagonal ordningsföljd, dra stegvis åt bultarna som håller fast sumpen mot motorblocket och oljepumphuset. Dra åt alla bultar till angivet moment.

**25** Dra åt bultarna som håller fast sumpens fläns mot växellådshuset enligt angivna moment.

**26** Återanslut oljenivågivarens anslutningskontakt, montera tillbaka oljereturslangen och säkra den med fästklämman.

**27** Montera tillbaka oljemätstickans styrhylsa och fäst den med genom att dra åt de två bultarna noggrant.

**28** Sätt luftkonditioneringskompressorns fästbygel på plats och montera tillbaka fästbultarna. Dra åt bultarna till angivet moment. Kläm tillbaka kabelhärvan på fästet.

**29** Placera luftkonditioneringskompressorn på fästbygeln. Montera och dra åt de tre fästbultarna till angivet moment (se kapitel 3). Återanslut sedan kompressorns kontaktdon.

**30** Montera tillbaka vevaxelns remskiva/vibrationsdämpare enligt beskrivningen i avsnitt 5.

**31** Montera katalysatorns stödfäste och dra åt de tre bultarna noggrant.

**32** Montera tillbaka avgassystemet enligt beskrivningen i kapitel 4B.

**33** Placera stödbygeln för mellanaxelns lagerhus på motorblocket och säkra det med de tre fästbultarna. Dra åt dem till angivet moment.

**34** Montera tillbaka mellanaxeln och höger drivaxel enligt beskrivningen i kapitel 8.

**35** Montera tillbaka hjulet och motorns undre skyddskåpa, sänk sedan ner bilen på marken och dra åt hjulbultarna till angivet moment.

**36** Fyll på motorn med motorolja enligt beskrivningen i kapitel 1B.

**37** Återanslut batteriets jordledning enligt beskrivningen i kapitel 5A.

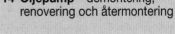

**14 Oljepump** – demontering, renovering och återmontering

### Demontering

**1** Demontera kamremmen enligt beskrivningen i avsnitt 6.

**2** Demontera vevaxeldrevet enligt beskrivningen i avsnitt 7.

**3** Demontera sumpen och oljepumpens oljeupptagare/sil enligt beskrivningen i avsnitt 13.

**4** Lossa och ta bort fästbultarna och för av oljepumphuset från vevaxeln **(se bild)**. Ta bort packningen och kasta den.

### Renovering

**5** Skruva loss fästskruvarna och lyft av pumpkåpan från husets baksida **(se bild)**.

**6** Kontrollera markeringarna på den inre och yttre rotorn så att de monteras åt rätt håll **(se bild)**. Om du inte ser några, använd en lämplig märkpenna och märk både pumpens yttre och inre rotorer

**7** Lyft ut de inre och yttre drev från pumphuset.

**8** Skruva loss oljeövertrycksventilens bult från framsidan huset och ta bort fjädern och tryckkolven, notera åt vilket håll tryckkolven sitter **(se bilder)**. Ta bort tätningsbrickan från ventilbulten.

14.6 Oljepumpens inre och yttre identifieringsmärken för rotorn (markerade med pil)

14.8a Skruva loss oljeövertrycksventilens bult . . .

14.8b . . . och ta bort fjädern. . .

14.8c . . . och tryckkolven

**9** Rengör komponenterna och undersök noggrant dreven, pumphuset och avlastningsventilens tryckkolv beträffande tecken på sprickor eller slitage. Om skador eller slitage upptäcks måste hela pumpenheten bytas.

**10** Om pumpen är ok, montera alla komponenter i omvänd ordningsföljd mot demonteringen, observera följande.

a) Se till att båda rotorer är korrekt placerade.

b) Montera en ny tätningsring på övertrycksventilens bult och dra åt bulten ordentligt.

c) Applicera lite låsmedel i gängorna och dra åt pumpkåpans skruvar ordentligt.

d) Avsluta med att prima pumpen med ren olja medan du roterar den inre rotorn *(se bild)*.

## Montering

**11** Före återmonteringen, bänd försiktigt upp vevaxelns oljetätning med en platt skruvmejsel. Montera den nya packboxen, se till att dess tätningsläpp är vänd inåt, och tryck den rakt in i huset med hjälp av en rörformig dorn som endast ska ligga an mot tätningens hårda ytterläpp. Tryck tätningen på plats så att den är jäms med huset och smörj packboxens läpp med ren motorolja.

**12** Se till att oljepumpens och motorblocket fogytor är rena och torra.

**13** Montera en ny packning på oljepumphuset och böj ner flikarna på packningens kant för att hålla fast den på oljepumphuset **(se bild)**.

**14** Placera pumphuset över vevaxelns ände och på rätt plats på motorblocket.

**15** Sätt i pumphusets fästbultar och dra åt dem till angivet moment.

**16** Montera tillbaka oljeupptagare/sil och sumpen enligt beskrivningen i avsnitt 13.

**17** Montera tillbaka vevaxeldrevet enligt beskrivningen i avsnitt 7.

**18** Montera tillbaka kamremmen enligt beskrivningen i avsnitt 6.

**19** Avsluta med att montera ett nytt oljefilter och fyll på motorn med ren olja enligt beskrivningen i kapitel 1B.

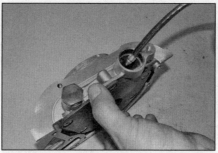

**14.10  Avsluta med att prima pumpen med ren olja medan du roterar den inre rotorn**

## 15  Oljefilterhus – demontering och montering 🔧

### Demontering

**1** Oljefilterhuset med inbyggd oljekylare sitter på motorblockets baksida, ovanför höger drivaxeln.

**2** Koppla loss och ta bort batteriets jordledning enligt beskrivningen i kapitel 5A.

**3** Dra åt handbromsen. Lyft upp framvagnen och ställ den på pallbockar (se *Lyftning och stödpunkter*). Ta bort höger framhjul, skriva loss bultarna och ta bort motorns undre skyddskåpa.

**4** Töm kylsystemet enligt beskrivningen i kapitel 1B.

**5** Ta bort filterinsatsen enligt beskrivningen i kapitel 1B.

**6** Ta bort höger drivaxel och mellanaxeln enligt beskrivningen i kapitel 8.

**7** Skruva loss de tre bultarna som håller fast stödfästet för mellanaxelns lagerhus mot motorblocket och ta bort stödfästet **(se bild 13.4)**.

**8** Lossa kontaktdonet från oljetryckskontakten.

**9** Lossa fästklämmorna och lossa de två kylvätskeslangarna från oljekylaren på oljefilterhuset.

**10** Skruva loss de tre fästbultar och ta bort oljefilterhuset från motorblocket **(se bild)**. Ta loss de två gummitätningarna från husets baksida. Observera att nya tätningar krävs vid monteringen.

**14.13  Böj ner flikarna på packningens kant för att hålla fast den på oljepumphuset**

## Montering

**11** Rengör noggrant oljefilterhuset, och montera två nya tätningsringar **(se bilder)**.

**12** Placera oljefilterhuset på motorblocket och montera tillbaka fästbultarna. Dra åt bultarna till angivet moment.

**13** Montera tillbaka de två kylvätskeslangar och fäst den med fästklämmorna. Återanslut oljetryckkontaktens kontaktdon.

**14** Placera stödbygeln för mellanaxelns lagerhus på motorblocket och säkra det med de tre fästbultarna, dra åt dem till angivet moment.

**15** Montera tillbaka mellanaxeln och höger drivaxel enligt beskrivningen i kapitel 8.

**16** Montera ett nytt oljefilter som det beskrivs i kapitel 1B.

**17** Montera tillbaka hjulet och motorns undre skyddskåpa, sänk sedan ner bilen på marken och dra åt hjulbultarna till angivet moment.

**18** Fyll på kylsystemet enligt beskrivningen i kapitel 1B.

**19** Fyll på motoroljan enligt beskrivningen i Veckokontroller.

**20** Återanslut batteriets jordledning enligt beskrivningen i kapitel 5A.

## 16  Vevaxelns oljetätningar – byte 🔧

### Höger oljetätning

**1** Demontera vevaxeldrevet enligt beskrivningen i avsnitt 7.

**15.10  Oljefilterhusets fästbultar (markerade med pil)**

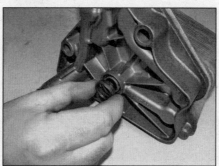

**15.11a  Placera en ny tätningsring på oljefilterhusets tillflödeskanal . . .**

**15.11b  . . . och till returkanalen**

**16.2 Skruva i en självgängande skruv i hålen och dra i skruven med tänger för att få ut tätningen.**

**16.4 Montera den nya packboxen med en hylskontakt som rörformig dorn**

**16.10 Placera det nya huset med inmonterad oljetätning över vevaxeln**

**16.12 Efter montering, ta bort skyddshylsan från huset**

**2** Slå eller borra försiktigt ett litet hål i packboxen. Skruva i självgängande skruvar i hålen och dra i skruvarna med tänger för att få ut tätningen **(se bild)**.
**3** Rengör tätningshuset och vevaxeln. Putsa av alla grader eller vassa kanter som kan ha skadat tätningen.
**4** Smörj läpparna på den nya tätningen med ren motorolja och sätt försiktigt dit tätningen i änden av axeln. Tryck tätningen rakt på plats tills den är jäms med huset. Om det behövs kan en rörformig dorn, t.ex. en hylsa, som endast vilar på tätningens hårda yttre kant användas för att knacka tätningen på plats **(se bild)**. Var noga med att inte skada packboxarnas kanter vid monteringen och säkerställ att packboxarnas kanter är vända inåt.
**5** Tvätta bort alla spår av olja och montera sedan vevaxeldrevet enligt beskrivningen i avsnitt 7.

## Vänster oljetätning

**6** Demontera svänghjulet/drivplattan enligt beskrivningen i avsnitt 17.
**7** Demontera sumpen enligt beskrivningen i avsnitt 13.
**8** Skruva loss bultarna och ta bort oljetätningshuset. Observera att oljetätningen och huset är en enda enhet.
**9** Rengör vevaxeln och vevaxeln. Putsa av alla grader eller vassa kanter som kan ha skadat tätningen.
**10** Placera det nya oljetätningshus med tätningen på vevaxeln och på rätt plats på motorblocket **(se bild)**. Notera att det nya oljetätningshuset är försett med en skyddshylsa över oljetätningen. Lämna hylsan på plats när huset monteras.
**11** Sätt tillbaka de fem fästbultar och dra åt till angivet moment.

**12** Ta bort skyddshylsan från huset **(se bild)**.
**13** Montera sumpen enligt beskrivningen i avsnitt 13.
**14** Montera tillbaka svänghjulet/drivplattan enligt beskrivningen i avsnitt 17.

## 17 Svänghjul/drivplatta – demontering, kontroll och återmontering

**Observera:** *Nya fästbultar för svänghjulet/drivplattan krävs vid återmonteringen.*

### Demontering

#### Modeller med manuell växellåda

**1** Ta bort växellådan enligt beskrivningen i kapitel 7A. Ta sedan bort kopplingen enligt beskrivningen i kapitel 6.
**2** Hindra svänghjulet från att vridas genom att låsa krondrevets kuggar med en anordning liknande den som visas **(se bild)**.
**3** Skruva loss fästbultarna och ta bort svänghjulet **(se bild)**. Tappa det inte, det är mycket tungt!

#### Modeller med automatisk växellåda

**4** Ta bort växellådan enligt beskrivningen i kapitel 7B. Ta sedan bort drivplattan enligt beskrivningen i punkt 2 och 3.

### Kontroll

**5** Om du är osäker på svänghjulets/drivplattans skick, kontakta en Saab-verkstad eller annan lämplig motorrenoveringsspecialist för råd. De kan också ge råd om huruvida det är möjligt att renovera eller om ett byte behövs.

### Montering

#### Modeller med manuell växellåda

**6** Rengör svänghjulets och vevaxelns fogytor.
**7** Passa in svänghjulet och placera det över styrstiftet på vevaxeln. Applicera en droppe låsmedel i gängorna på varje ny fästbult till svänghjulet (såvida de inte är förbehandlade) och montera de nya bultarna.
**8** Lås svänghjulet enligt samma metod som vid demonteringen. Arbeta i diagonal ordningsföljd och dra åt fästbultarna jämnt och stegvis till angivet moment.
**9** Montera kopplingen enligt beskrivning i kapitel 6, sedan avlägsna låsredskapet och montera växellådan enligt beskrivning i kapitel 7A.

#### Modeller med automatisk växellåda

**10** Montera tillbaka drivplattan enligt beskrivningen i stycke 6 till 8.
**11** Ta bort låsverktyget och montera växellådan enligt beskrivningen i kapitel 7B.

## 18 Motorns-/växellådans fästen – kontroll och byte

**17.2 Hindra svänghjulet från att vridas genom att låsa krondrevets kuggar**

**17.3 Svänghjulets fästbultar (med pil)**

Se kapitel 2A, avsnitt 13.

# Kapitel 2 Del C:
# Motor – demontering och allmän översyn

## Innehåll

## Svårighetsgrad

|  **Enkelt,** passar novisen med lite erfarenhet |  **Ganska enkelt,** passar nybörjaren med viss erfarenhet |  **Ganska svårt,** passar kompetent hemmamekaniker | 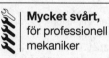 **Svårt,** passar hemmamekaniker med erfarenhet |  **Mycket svårt,** för professionell mekaniker |
|---|---|---|---|---|

## Specifikationer

**Observera:** *När specifikationer anges med N/A (uppgift saknas) betyder det att ingen information fanns tillgänglig i skrivande stund. Kontakta närmaste Saab-verkstad för den senaste informationen.*

### Bensinmotorer

#### Topplock

| | |
|---|---|
| Höjd (ny) ............................................. | 139,4 till 139,6 mm |
| Höjd (min) ............................................ | 139,0 mm |
| Spelrum mellan ventilstyrning och ventilskaft (max): | |
| Intag ............................................. | 0,17 mm |
| Utblås ............................................ | 0,22 mm |

#### Ventiler

| | |
|---|---|
| Ventilhuvuddiameter: | |
| Intag ............................................. | 33,0 mm |
| Utblåsning ........................................ | 29,0 mm |
| Ventilskaft, diameter: | |
| Insug ............................................. | 4,970 till 4,985 mm |
| Utblås ............................................ | 4,950 till 4,965 mm |
| Ventilfjäder: | |
| Fri längd ......................................... | 57,1 till 60,1 mm |
| Monterad längd .................................... | 37,5 mm |
| Ventillängd: | |
| Intag ............................................. | 107,30 mm |
| Utblås ............................................ | 107,84 mm |

#### Motorblock

| | |
|---|---|
| Cylinderloppens diameter: | |
| Standard (A) ...................................... | 90,000 till 90,020 mm |
| Standard (B) ...................................... | 90,020 till 90,040 mm |
| Första överdimension.............................. | 90,500 till 90,520 mm |
| Andra överdimension .............................. | 91,000 till 91,020 mm |

## Bensinmotorer (forts.)

### Balansaxlar

| | |
|---|---|
| Axialspel | 0,060 till 0,460 mm |
| Axeltapp, diameter: | |
| Större, inre | 39,892 till 39,908 mm |
| Mindre, yttre | 19,947 till 19,96 mm |
| Lager, diameter: | |
| Större, inre | 39,988 till 40,043 mm |
| Mindre, yttre | 20,0 till 20,021 mm |
| Lagerspel | 0,080 till 0,151 mm |

### Kolvar

**Observera:** *Kolvens diameter mäts i rät vinkel mot kolvbultens hål, 11 mm från kolvens nedre del. Kolvens klassificering är stämplad på kronan.*

| | |
|---|---|
| Kolvdiameter: | |
| AB | 89,964 till 89,975 mm |
| B | 89,975 till 89,982 mm |
| Första överdimension (+0,5 mm) | 90,457 till 90,475 mm |
| Andra överdimension (+1,0 mm) | 90,957 till 90,975 mm |
| Nominellt kolvspel (ny) | 0,025 till 0,056 mm |

### Vevstakar

| | |
|---|---|
| Längd (mitt till mitt): | |
| 2,0-liters motor | 159 mm |
| 2,3-liters motor | 153 mm |

### Vevaxel

| | |
|---|---|
| Axialspel | 0,08 till 0,34 mm |
| Lagertapp, maximal ovalitet | 0,005 mm |
| Ramlagertappens diameter: | |
| Standard | 57,981 till 58,000 mm |
| 1:a underdimension | 57,731 till 57,750 mm |
| 2:a underdimension | 57,481 till 57,500 mm |
| Ramlagerspel | 0,014 till 0,062 mm |
| Vevstakslagertapp, diameter: | |
| Standard | 51,981 till 52,000 mm |
| 1:a underdimension | 51,731 till 51,750 mm |
| 2:a underdimension | 51,481 till 51,500 mm |
| Vevstakslagerspel | 0,020 till 0,068 mm |

### Kolvringar

| | |
|---|---|
| Öppningar i cylindern: | |
| Övre kompressionsring | 0,30 till 0,50 mm |
| Nedre kompressionsring | 0,30 till 0,50 mm |
| Skrapring | 0,75 till 1,00 mm |
| Sidspel i ringspår: | |
| Övre kompressionsring | 0,035 till 0,080 mm |
| Andra kompressionsring | 0,040 till 0,075 mm |
| Oljekontrollring | N/A |

### Åtdragningsmoment

Se specifikationerna i kapitel 2A

## Dieselmotorer

### Topplock

| | |
|---|---|
| Maximal skevhet för packningsyta | 0,10 mm |
| Topplockshöjd | 105,95 till 107,05 mm |

### Ventiler och styrningar

| | |
|---|---|
| Ventilskaft, diameter: | |
| Intagsventil | 5,982 till 6,000 mm |
| Avgasventil | 5,972 till 5,990 mm |
| Ventilhuvuddiameter: | |
| Intag | 29,489 mm |
| Avgas | 27,491 mm |
| Ventillängd: | |
| Intag | 107,95 mm |
| Avgas | 107,95 mm |
| Maximalt tillåtet spel för ventilskaftet i styrningen | uppgift |
| Ventilfjäder fria längden (intag och avgas) | 43,1 mm |

## Dieselmotorer (forts.)

### Motorblock

| | |
|---|---|
| Maximal skevhet för packningsyta | 0,15 mm |
| Cylinderloppsdiameter | 82,000 till 82,030 mm |
| Max. cylinderloppsovalitet | 0,050 mm |
| Max. cylinderloppskoniskhet | 0,005 mm |

### Vevaxel och lagren

| | |
|---|---|
| Antal huvudlager | 5 |
| Diameter på ramlagertappen | 59,855 till 60,000 mm |
| Diameter på storändlagertappen | 50,660 till 50,805 mm |
| Vevstakslagerspel | Uppgift |
| Vevaxelns axialspel | 0,049 till 0,211 mm |

### Kolvar

| | |
|---|---|
| Kolvdiameter | 81,920 till 81,950 mm |

### Kolvringar

| | |
|---|---|
| Antal ringar (per kolv) | 2 kompressionstakt, 1 oljekontroll |
| Ringens ändgap: | |
| Övre kompression | 0,20 till 0,35 mm |
| Andra kompression | 0,60 till 0,80 mm |
| Oljekontroll | 0,25 till 0,50 mm |

### Åtdragningsmoment

Se specifikationerna i kapitel 2B

## 1  Allmän information

Denna del av kapitel 2 innehåller information om demontering av motorn och beskrivning av renovering av topplock, motorblock/vevaxel samt övriga komponenter i motorn.

Informationen sträcker sig från råd angående förberedelser inför renovering och inköp av nya delar till detaljerade beskrivningar steg-för-steg av hur man demonterar, kontrollerar, renoverar och monterar motorns inre komponenter.

Från och med avsnitt 8 bygger alla instruktioner på att motorn har tagits bort från bilen. Mer information om reparationer med motorn monterad, liksom demontering och montering av de externa komponenter som är nödvändiga vid fullständig renovering, finns i del A eller B i det här kapitlet. Hoppa över de isärtagningsinstruktioner i del A eller B som är överflödiga när motorn demonterats från bilen.

## 2  Motorrenovering – allmän information

Det är inte alltid lätt att bestämma när, eller om, en motor ska totalrenoveras eftersom ett antal faktorer måste tas med i beräkningen.

En lång körsträcka är inte nödvändigtvis ett tecken på att bilen behöver renoveras, lika lite som att en kort körsträcka garanterar att det inte behövs någon renovering. Förmodligen är servicefrekvensen den viktigaste faktorn. En motor som är föremål för regelbundna och täta olje- och filterbyten, liksom annat nödvändigt underhåll, ska kunna köras driftsäkert i många tusen kilometer. En vanskött motor kan däremot behöva en översyn redan på ett tidigt stadium.

Onormalt stor oljeåtgång är ett symptom på att kolvringar, ventiltätningar och/eller ventilstyrningar kräver åtgärdande. Kontrollera att oljeåtgången inte beror på oljeläckage innan du drar slutsatsen att ringarna och/eller styrningarna är slitna. Genomför ett kompressionstest (se del A i detta kapitel för bensinmotorer och del B för dieselmotorer) för att ta reda på orsaken till problemet.

Kontrollera oljetrycket med en mätare som monteras på platsen för oljetrycksbrytaren och jämför det med det angivna värdet. Om trycket är mycket lågt är troligen ram- och vevstakslagren och/eller oljepumpen utslitna.

Minskad motorstyrka, hackig körning, knackningar eller metalliska motorljud, kraftigt ventilregleringsljud och hög bensinkonsumtion är också tecken på att en renovering kan behövas, i synnerhet om dessa symptom visar sig samtidigt. Om en grundlig service inte hjälper, kan en större mekanisk genomgång vara den enda lösningen.

En motorrenovering innebär att alla interna delar återställs till de specifikationer som gäller en ny motor. Under en fullständig renovering byts kolvarna och kolvringarna, och cylinderloppen rekonditioneras. Nya ram- och vevlagerändar sätts in; om det behövs kan vevaxeln slipas för att kompensera för slitaget i tapparna. Även ventilerna måste gås igenom, eftersom de vid det här laget sällan är i perfekt kondition. Var alltid mycket uppmärksam på oljepumpens skick när du renoverar motorn och byt den om du tvivlar på dess skick. Slutresultatet bör bli en motor som nästan är i nyskick och som kan gå många problemfria mil.

Viktiga kylsystemsdelar, t.ex. slangar, termostat och kylvätskepump, ska också gås igenom i samband med att motor renoveras. Kylaren ska kontrolleras noggrant så att den inte är tilltäppt eller läcker.

Innan du påbörjar renoveringen av motorn bör du läsa igenom hela beskrivningen för att bli bekant med omfattningen och förutsättningarna för arbetet. Kontrollera att det finns reservdelar tillgängliga och att alla nödvändiga specialverktyg och utrustning kan erhållas i förväg. Större delen av arbetet kan utföras med vanliga handverktyg, även om ett antal precisionsmätverktyg krävs för att avgöra om delar måste bytas ut.

En verkstad eller specialist på motorrenovering kommer säkerligen att behövas, speciellt om det krävs omfattande reparationer som omslipning av vevaxlar eller omborrning av cylindrar. Frånsett bearbetning kan dessa företag normalt även utföra kontroll av delar; ger råd om renovering eller byte, och tillhandahåller nya komponenter som exempelvis kolvar, kolvringar och lagerskålar.

Vänta alltid tills motorn är helt demonterad och tills alla delar (speciellt motorblocket/ vevhuset och vevaxeln) har inspekterats, innan du fattar beslut om vilka service- och reparationsåtgärder som måste överlåtas till en verkstad. Skicket på dessa komponenter är avgörande för beslutet att renovera den gamla motorn eller att köpa en färdigrenoverad motor. Köp därför inga delar och utför inte heller något renoveringsarbete på andra delar, förrän dessa delar noggrant har kontrollerats. Generellt sett är tiden den största utgiften vid en renovering, så det lönar sig inte att betala för att sätta in slitna eller undermåliga delar.

Slutligen, den renoverade motorn kommer att få längsta möjliga livslängd med minsta möjliga problem om monteringen utförs omsorgsfullt i en absolut ren miljö.

**4.9 Koppla loss ventilationsslangen från automatväxellådan**

### 3 Motor – demontering – metoder och rekommendationer

Om motorn måste demonteras för översyn eller omfattande reparationsarbeten ska flera förebyggande åtgärder vidtas.

Det är mycket viktigt att man har en lämplig plats att arbeta på. Arbetsplatsen ska ha tillräckligt med arbetsutrymme och en plats att förvara bilen. Om en verkstad eller ett garage inte finns tillgängligt krävs åtminstone en plan och ren arbetsyta.

Om motorrummet och motorn/växellådan rengörs innan motorn demonteras blir det lättare att hålla verktygen rena och välorganiserade.

En motorhiss eller ett linblock kommer också att behövas. Se till att utrustningen är klassificerad för mer än tyngden från motorn och växellådan tillsammans. Säkerheten är av högsta vikt, det är ett riskabelt arbete att lyfta motorn/växellådan ur bilen.

Om det är första gången du demonterar en motor bör du ta hjälp av en medhjälpare. Råd och hjälp från någon med mer erfarenhet kan också vara till nytta. Det finns många moment under borttagningen av motorn från bilen som en person inte kan utföra ensam på ett säkert sätt.

Planera arbetet i förväg. Skaffa alla verktyg och all utrustning som behövs innan arbetet påbörjas. En del av den utrustning som behövs för att demontera och montera motorn/växellådan på ett säkert och förhållandevis enkelt sätt är (tillsammans med

**4.13a Tryck in den röda hylsan och dra loss vakuumslangen (markerad med pil) från pumpen . . .**

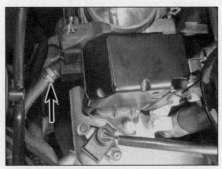

**4.12 Koppla loss vakuumslangen (pil) från baksidan av grenröret**

en motorhiss) följande: En garagedomkraft – anpassad till en högre vikt än motorns – en komplett uppsättning nycklar och hylsor enligt beskrivningen i slutet av handboken, träblock och en mängd trasor och rengöringsmedel för att torka upp spill av olja, kylvätska och bränsle. Se till att vara ute i god tid om motorhissen måste hyras, och utför alla arbeten som går att göra utan den i förväg. Det sparar både pengar och tid.

Planera för att bilen inte kan köras under en längre tid. En verkstad eller motorrenoveringsspecialist behövs för att utföra delar av arbetet som kräver specialutrustning. Verkstäder är ofta fullbokade, så det är lämpligt att fråga hur lång tid som kommer att behövas för att renovera eller reparera de komponenter som ska åtgärdas redan innan motorn demonteras.

Under borttagningen av motorn/växellådan är det bra att anteckna placeringen av alla fästbyglar, buntband, jordpunkter, etc., samt hur kablar, slangar och elektriska anslutningar är fästa och dragna runt motorn och motorrummet. Ett effektivt sätt att göra detta är att ta en rad foton av de olika komponenterna innan de kopplas från eller tas bort. de resulterande fotona kan visa sig vara mycket användbara när motorn/växellådan sätts tillbaka.

Var alltid mycket försiktig vid demontering och montering av motorn/växellådan. Oförsiktighet kan leda till allvarliga skador. Planera i förväg och låt arbetet få ta den tid som behövs, då kan även omfattande arbeten utföras framgångsrikt.

På alla modeller måste motorn tas bort helt med växellådan som en enhet. Det finns inte

**4.13b . . . och tryck ner den röda hylsan och dra bort vakuumslangen från grenröret**

tillräckligt mycket utrymme i motorrummet för att ta bort motorn och lämna kvar växellådan. Motorn/växellådan tas bort genom man att lyfter upp framvagnen och sänker ner hela enheten från motorrummet.

### 4 Motor och växellåda – demontering, isärtagning och montering

**Observera:** *Motorn kan avlägsnas från bilen enbart som en hel enhet tillsammans med växellådan; motorn och växellådan kan sedan separeras för renovering. Motorn/växellådan sänks ner under motorrummet och tas bort. Observera att det är möjligt att demontera växellådan utan att demontera motorn – se kapitel 7A eller 7B.*

### Demontering

**1** Parkera bilen på fast, plant underlag. Klossa bakhjulen och dra åt handbromsen. Det kan vara bra att lossa framhjulsbultarna. Hissa upp framvagnen och ställ den på pallbockar (se *Lyftning och stödpunkter*).

**2** Ta bort båda framhjulen och skruva loss hjulhusfodringen och de båda främre innerskärmarna för att komma åt motorrummet från båda sidor.

**3** Skruva loss de nedre kåporna från motorn och kylaren.

**4** Tappa ur kylvätskan enligt beskrivningen i kapitel 1A eller 1B. Spara kylvätskan i en ren behållare om den kan återanvändas.

⚠️ **Varning: Motorn måste vara kall innan kylvätskan tappas ur.**

**5** När kylvätskan är tömd drar du åt dräneringspluggen nedtill till vänster på kylaren.

**6** Ta vid behov bort motorhuven enligt beskrivningen i kapitel 11. Du kan även koppla loss stödbenen från motorhuven och fästa den i helt öppet läge.

**7** Ta bort kåporna från motorns grenrör och batteriet och ta sedan bort batteriet enligt kapitel 5A.

**8** Skruva loss batterihyllan från sidan av motorrummet och koppla loss jordkablarna mellan växellådan och karossen.

**9** På modeller med automatväxellåda kopplar du loss ventilationsslangen från växellådan **(se bild)**. Plugga igen den öppna anslutningen för att förhindra att smuts tränger in.

**10** På manuella modeller kopplar du loss kablarna från kontakten till bakljuset, ovanpå växelhuset.

**11** Koppla loss gasvajern (om tillämpligt) från gasspjällshuset enligt beskrivningen i kapitel 4A eller 4B.

**12** På bensinmodeller, lossa fästklämman och koppla loss kanisterrensventilens vakuumslang från grenröret **(se bild)**.

**13** Tryck i förekommande fall in den röda hylsan och dra i bromssystemets vakuumslang för att koppla loss den från vakuumpumpen och grenröret **(se bilder)**; Se kapitel 9 för ytterligare information.

**14** Koppla loss bränsletillförseln och returslangen vid snabbanslutningarna enligt beskrivningen i kapitel 4A eller 4B. Förslut båda ändarna av de öppna bränsleledningarna för att minimera läckaget och förhindra att smuts tränger in.

**15** På manuella modeller lossar du fästklämman och kopplar loss anslutningen till kopplingsoljematningen ovanpå växellådan. Sätt tillbaka fästklämman på kontaktdonet när du har kopplat loss den så att den inte kommer bort. Förslut båda ändarna av de öppna kopplingsoljeledningarna för att minimera läckaget och förhindra att smuts tränger in.

**16** Koppla loss växelväljarkabeln (automatiska modeller) eller axeln (manuella modeller) på baksidan av växellådshuset. Se kapitel 7A eller 7B för mer information. På modeller med automatväxel, koppla även bort kabelnätet till växellådans styrsystem från de två flervalskontaktdonen på framsidan av batterihyllan **(se bild)**.

**17** Lossa slangklämman och koppla loss kylsystemets övre slang från termostathuset och expansionskärlsslangen på kanten av topplocket. Koppla även loss värmeslangarna från baksidan av motorn. Se kapitel 3 för ytterligare information.

**18** Koppla loss vakuumslangen från bypassventilen. Koppla sedan loss kontaktdonet från tryck/temperaturgivaren **(se bild)**.

**19** Skruva loss fästklämmorna och fästbulten och ta bort luftintagsröret från gasspjällshuset. Skruva loss fästbulten från luftförbikopplingsröret och ta bort det från bilen **(se bilder)**.

**20** På bensinmodeller, ta bort massluftflödesgivaren och luftintagsslangen från bilen enligt beskrivningen i kapitel 4A, avsnitt 14.

**21** Lossa slangklämman och koppla loss kylarens nedre slang från kylvätskepumpen. Se kapitel 3 för ytterligare information.

**22** Ta bort torkararmarna och vindrutans nedre panel som täcker torkarmotorn enligt beskrivningen i kapitel 12.

**23** Skruva loss de fyra fästmuttrarna och ta bort gummikåpan. Koppla sedan loss kontaktdonet från den elektroniska styrmodulen. Dra bort gummigenomföringen från mellanväggen och lägg kabelhärvan ovanpå motorn. Ta bort kåpan över kabelanslutningen på baksidan av mellanväggen och lossa eventuella fästklämmor/buntband **(se bilder)**.

**24** Släpp efter på drivremmen och ta bort den från remskivorna. Se kapitel 1A eller 1B för mer information.

**25** Koppla loss servostyrningspumpen från motorfästbygeln och fäst den i kylarens övre tvärbalk med remmar/buntband.

**26** Skruva loss luftkonditioneringskompressorns fästbultar och fäst kompressorn, kondensatorkylaren och luftkylaren i kylarens övre tvärbalk med remmar/buntband.

4.16 Koppla loss kablarna till automatväxellådans styrsystem

4.19a Skruva loss luftintagsrörets fästbult (pil) . . .

Observera att motoroljekylaren tas bort samtidigt som motorn.

**27** Koppla loss luftkonditioneringskompressorns kontaktdon och lossa

4.18 Koppla loss vakuumslangen och kontaktdonet (pil)

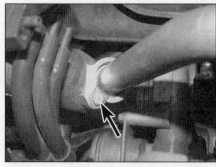

4.19b . . . och förbikopplingsrörets fästbult (pil)

kopplingen på vakuumslangen som är ansluten till övertrycksventilen.

**28** Skruva loss fästmuttern och koppla loss oljekylarens rör från oljefilterkåpan.

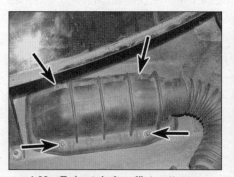

4.23a Ta bort de fyra fästmuttrarna (pilar) . . .

4.23b . . . och lossa multikontaktdonet från styrmodulen

4.23c Dra loss gummikabelgenomföringen från mellanväggspanelen

4.23d Snäpp loss kåpan från kabelblockets kontaktdon på mellanväggen

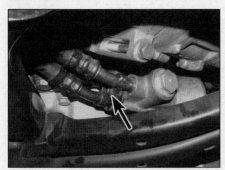

4.28a Skruva loss fästmuttern (pil) . . .

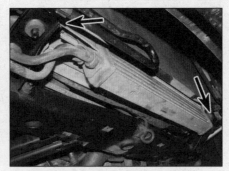

4.28b . . . och fästbultarna (pilar)

4.42 Skruva loss bultarna (här visas en) som fäster momentomvandlaren i svänghjulet

Skruva sedan loss fästbultarna och ta bort motoroljekylaren inklusive kylarrör från bilen (se bilder).

29 På modeller med automatväxellåda kopplar du loss snabbanslutningarna från växellådsoljekylaren. Förslut ändarna av de öppna vätskerören för att minimera läckaget och förhindra att smuts tränger in.

30 Placera en motorhiss över motorrummet. Fäst lyftarmen i lyftöglorna på båda sidor om topplocket. Du kan behöva ansluta en extra lyftögla till växellådan så att motorn/växellådan kan hållas rakt vid demonteringen. Hissa upp hissen tills motorn/växellådan börjar lyftas.

31 Skruva loss de båda drivaxlarna enligt instruktionerna i kapitel 8.

32 Skruva loss den främre kryssrambalken enligt instruktionerna i kapitel 10.

33 Skruva loss och ta bort motorns/växellådans högra och vänstra fästen enligt beskrivningen i kapitel 2A, avsnitt 13.

34 Kontrollera en sista gång att alla komponenter som kan hindra demonteringen av motorn/växellådan är borttagna eller urkopplade. Se till att komponenter som växelväljarstaget, kopplingsvajern och gasvajern är uppfästa så att de inte kan skadas vid demonteringen.

35 Sänk långsamt ner motorn/växellådan från motorrummet och se till att enheten går fri från komponenterna på de omgivande panelerna. Var extra noga med att inte komma åt ABS-enheten eller kylaren. Ta hjälp av en medhjälpare under det här momentet eftersom motorenheten kan behöva gungas eller vridas för att inte komma åt karosspanelerna. Sänk ner enheten på marken och ta bort den från motorrummets undersida.

## Isärtagning från växellådan

36 Om motorn ska tas isär, följ beskrivningen i kapitel 1A eller 1B, tappa av oljan och demontera oljefiltret om det behövs. Rengör och montera avtappningspluggen och dra åt den ordentligt.

37 Stöd motorn/växellådan på lämpliga träblock eller på en arbetsbänk (eller, om inget annat finns till hands, på en rengjord yta på verkstadsgolvet).

38 Ta bort startmotorn enligt beskrivningen i kapitel 5A.

## Modeller med manuell växellåda

39 Skruva loss bulten som håller fast turbo-oljerörets fästbygel i växellådan.

40 Skruva loss och ta bort svänghjulets skyddsplatta från undersidan av växellådans svänghjulskåpa.

41 Se till att både motorn och växellådan har stöd, skruva sedan loss bultarna som fäster svänghjulskåpan vid motorn enligt beskrivningen i kapitel 7A. Anteckna bultarnas respektive placeringar när de tas bort för att underlätta återmonteringen. Dra bort växellådan direkt från motorn. Var noga med att inte låta växellådans tyngd vila på den ingående axeln och kopplingens friktionsplatta.

## Modeller med automatisk växellåda

42 Arbeta genom öppningen som uppstod vid demonteringen av startmotorn och skruva loss bultarna som fäster svänghjulet vid momentomvandlaren (se bild). Vrid motorn med en hylsa på bulten till vevaxelns remskiva för att komma åt alla bultar.

43 Saab-mekaniker använder ett specialverktyg för att hålla momentomvandlaren kvar i växellådan medan växellådan skiljs från motorn. Verktyget är ganska enkelt och består av en platta som hakar i momentomvandlaren genom tändningsinställningshålet i växellådans överdel.

44 Stötta växellådans tyngd, helst med en lyftanordning.

45 Se till att både motorn och växellådan har stöd, skruva sedan loss bultarna som fäster svänghjulskåpan vid motorn. Anteckna bultarnas respektive placeringar när de tas bort för att underlätta återmonteringen. Dra bort växellådan direkt från motorn (se kapitel 7B för mer information). Se till att momentomvandlaren stannar i växellådans svänghjulskåpa, annars kan den falla ut och skadas.

## Återanslutning till växellådan

## Modeller med automatisk växellåda

46 Passa försiktigt in växellådan på motorn. Se till att momentomvandlaren inte tappar kontakten med växellådan. Använd specialverktyget som beskrivits tidigare (se kapitel 7B för inställningar och mer information).

47 Montera bultarna som fäster växellådan vid motorn och dra åt dem till angivet moment.

48 Ta bort specialverktyget. Sätt därefter i bultarna som fäster drivplattan vid momentomvandlaren och dra åt dem till angivet moment. Vrid motorn med hjälp av en hylsnyckel på vevaxelns remskiva.

## Modeller med manuell växellåda

*Varning: Om en ny slavcylinder har monterats till kopplingen eller om hydraulolja har runnit ut från den befintliga slavcylindern måste cylindern flödas och luftas INNAN växellådan monteras. Se kapitel 6 för mer information.*

49 Stryk ett lager fett med hög smältpunkt på spårningen på växellådans ingående axel. Applicera inte för mycket; då kan kopplingens friktionsplatta förorenas med fett.

50 Passa försiktigt in växellådan på motorn. Se till att växellådans vikt inte hänger på den ingående axeln när den är hopkopplad med kopplingsskivan. Montera bultarna som fäster växellådan vid motorn och dra åt dem till angivet moment.

51 I förekommande fall, montera och dra åt bultarna som fäster turbo-oljerörsfästet vid växellådan.

## Alla modeller

52 Montera den nedre skyddsplattan till växellådans svänghjulskåpa och dra åt bultarna.

53 Sätt tillbaka startmotorn enligt beskrivningen i kapitel 5A.

## Montering

54 Sätt tillbaka motorn och växellådan genom att följa borttagningsanvisningarna baklänges. Tänk på följande:

a) Hissa upp motorn och växellådan till rätt läge i motorrummet, montera sedan de högra och vänstra motorfästena enligt beskrivningen i kapitel 2A eller 2B.

b) Montera den främre kryssrambalken enligt beskrivningen i kapitel 10. Sätt tillbaka drivaxlarna enligt beskrivningen i kapitel 8.

c) Dra åt alla muttrar och bultar till angivet moment.

d) Byt alla kopparbrickor på de anslutningar där sådana finns.

e) Om tillämpligt, återanslut gasvajern enligt beskrivningen i kapitel 4A eller 4B.

f) Återanslut tillförselröret till slavcylindern enligt beskrivningen i kapitel 6 och lufta sedan den hydrauliska kopplingen.

g) Kontrollera att alla kablar har återkopplats ordentligt och att alla skruvar och muttrar har dragits åt.

h) Fyll på motor och växellåda med olja/ vätska av rätt grad och kvantitet, se kapitel 1A eller 1B.

i) Fyll på kylsystemet enligt beskrivningen i kapitel 1A eller 1B.

j) Kontrollera och fyll vid behov på servostyrningsoljan enligt beskrivningen i kapitel 1A eller 1B.

## 5   Motoröversyn – isärtagningsordning

**1** Det är mycket enklare att ta isär och arbeta med motorn om den sitter fäst i ett portabelt motorställ. Sådana ställ kan oftast hyras från en verkstad. Innan motorn monteras i stället ska svänghjulet/drivplattan demonteras så att ställets bultar kan dras ända in i motorblocket/ vevhuset.

**2** Om ett ställ inte finns tillgängligt går det att ta isär motorn på en stabil arbetsbänk eller på golvet. Var noga med att inte välta eller tappa motorn om du jobbar utan ställ.

**3** Om en renoverad motor ska införskaffas måste alla hjälpaggregat först demonteras, så att de kan flyttas över till utbytesmotorn (precis som när den befintliga motorn genomgår renovering). Normalt räknas följande komponenter till de yttre komponenterna, men för att vara på den säkra sidan bör du höra dig för där du köpte motorn:

a) Kabelknippet och fästen.

b) Generator och luftkonditioneringskompressorns fäste (efter tillämplighet).

c) Kylvätskepump (om tillämpligt) och inlopps-/utloppshusen.

d) Oljestickans rör.

e) Bränslesystem komponenter.

f) Alla elektriska brytare och givare.

g) Insugs- och avgasgrenrör, och turboaggregatet.

h) Oljefilter och oljekylare/värmeväxlare.

i) Svänghjul/drivplatta.

j) DI-kassett och tändstift – bensinmotorer.

k) Motorfästbyglar.

**4** Om du får tag i en grundmotor (som består av monterade motorblock/vevhus, vevaxel, kolvar och vevstakar), måste även topplocket och oljesumpen demonteras.

**5** Om du planerar en grundlig översyn kan motorn demonteras och de invändiga delarna kan tas bort i följande ordning:

### Bensinmotorer

a) Insugsgrenrör och avgasgrenrör (kapitel 4A).

b) Topplock (kapitel 2A).

c) Kamkedja och balansaxelkedja, kedjedrev och spännare (avsnitt 10 och 11).

d) Svänghjul/drivplatta (kapitel 2A).

e) Balansaxlar (avsnitt 12).

f) Sump (kapitel 2A).

g) Kolv/vevstakar (avsnitt 13).

h) Vevaxel (avsnitt 14).

### Dieselmotorer

a) Insugsgrenrör och avgasgrenrör (se kapitel 4B).

b) Kamrem, spännare, drev och tomgångsöverföring (se kapitel 2B).

c) Kylvätskepump (se kapitel 3).

d) Topplock (se kapitel 2B).

e) Svänghjul/drivplatta (se kapitel 2B).

f) Sump (se kapitel 2B).

g) Oljepump (se kapitel 2B).

h) Kolvar/vevstakar (se avsnitt 13).

i) Vevaxel (se avsnitt 14).

**6** Innan isärtagningen och översynen påbörjas, se till att alla verktyg som krävs finns tillgängliga. Se Verktyg och arbetsutrymmen för ytterligare information.

## 6   Topplock – isärtagning

**Observera:** Nya/renoverade topplock går att köpa från Saab och från specialister på motorrenovering. Kom ihåg att vissa specialverktyg är nödvändiga för isärtagning och kontroller, och att nya komponenter kanske måste beställas i förväg. Det kan därför vara mer praktiskt och ekonomiskt för en hemmamekaniker att köpa ett färdigrenoverat topplock än att ta isär och renovera det ursprungliga topplocket. Ett ventilfjäderkompressionsverktyg krävs till detta moment.

**1** När topplocket tagits bort på det sätt som beskrivs i den relevanta delen av det här kapitlet tar du bort all yttre smuts och avlägsnar följande komponenter i den mån det är tillämpligt och om de inte redan tagits bort:

a) Grenrören (se kapitel 4A eller 4B).

b) Tändstift (bensinmotor – se kapitel 1A).

c) Glödstift (dieselmotorer – se kapitel 5A).

d) Kamaxlar och tillhörande komponenter till ventildrivning (se kapitel 2A eller 2B).

e) Bränsleinsprutare (dieselmotorer – se kapitel 4B).

f) Motorns lyftbyglar.

**2** Ta bort kamaxlarna och de hydrauliska ventillyftarna enligt beskrivningen i kapitel 2A eller 2B.

**3** Försök skaffa plastskydd till de hydrauliska ventillyftarnas lopp, innan ventilerna demonteras. Loppen kan lätt skadas om kompressorn råkar glida av ventiländen medan vissa ventilfjäderkompressorer används.

**4** Placera skyddet i ventillyftarloppet. Använd en ventilfjäderkompressor och tryck ihop ventilfjädern tills knastren kan tas bort. Lossa kompressorn och lyft bort fjäderhållare, fjäder och säte. Dra försiktigt bort ventilskaftstätningen från styrningens ovansida med hjälp av en tång **(se bilder)**.

**6.4a  Använd en kompressor för att trycka ihop ventilfjädrarna så att knastren kan tas ut**

**6.4b  Skruva loss fjäderhållaren . . .**

**6.4c  . . . ventilfjädern . . .**

**6.4d  . . . och sätet**

**6.4e Ventilskaftets placering**

**6.4f Ta bort ventilskaftstätningen**

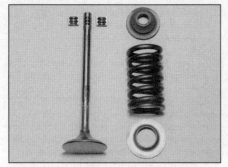

**6.7a Ventilfjäderns komponenter**

**6.7b Placera ventilerna med tillhörande komponenter i varsin märkt plastpåse**

**5** Om fjäderhållaren vägrar lossna så att man kommer åt knastren när ventilfjäderkompressorn är nedskruvad kan man knacka försiktigt på verktygets överdel, direkt ovanför hållaren, med en lätt hammare. Då lossnar hållaren.

**6** Ta bort ventilen från förbrännings-kammaren.

**7** Det är viktigt att alla ventiler lagras tillsammans med respektive knaster, hållare, fjädrar och fjädersäten. Ventilerna bör även förvaras i samma ordning som de är placerade, om de inte är i så dåligt skick att de måste bytas ut. Om ventilerna ska återanvändas, förvara ventilkomponenterna i märkta plastpåsar eller liknande små behållare **(se bilder)**. Observera att cylinder nr 1 är placerad närmast motorns kamkedjeände.

## 7 Topplock och ventiler – rengöring och kontroll

**1** Om topplock och ventilkomponenter rengörs noga och sedan kontrolleras, går det att avgöra hur mycket arbete som måste läggas ner på ventilerna under motoröversynen. **Observera:** *Om motorn har blivit mycket överhettad har topplocket troligen blivit skevt – kontrollera noggrant om så är fallet.*

### Rengöring

**2** Skrapa bort alla spår av gamla packningsrester från topplocket.
**3** Skrapa bort allt sot från förbrännings-

kammare och portar och tvätta sedan topplocket noggrant med fotogen eller ett lämpligt lösningsmedel.
**4** Skrapa bort alla tjocka sotavlagringar som kan ha bildats på ventilerna, och ta sedan bort alla avlagringar från ventilhuvudena och skaften med en motordriven stålborste.

### Kontroll

**Observera:** *Var noga med att utföra hela granskningsproceduren nedan innan beslut fattas om en verkstad behöver anlitas för någon åtgärd. Gör en lista med alla komponenter som behöver åtgärdas.*

### Topplock

**5** Undersök topplocket mycket noga och leta efter sprickor, tecken på kylvätskeläckage och andra skador. Förekommer sprickor måste

topplocket bytas ut.
**6** Använd en stållinjal och ett bladmått för att kontrollera att topplockets yta inte är skev **(se bild)**. Om topplocket är skevt kan det maskinslipas under förutsättning att det inte har slipats ner till under den angivna höjden.
**7** Undersök ventilsätena i förbränningskamrarna. Om de är mycket gropiga, spruckna eller brända måste de bytas ut eller skäras om av en specialist på motorrenoveringar. Om de bara är lätt gropiga kan detta tas bort genom att ventilhuvudena och sätena slipas in med fint slipmedel enligt beskrivningen nedan. Observera att avgasventilerna har ett härdat ytterskikt, det går bra att slipa till dem med slipmassa, men de får inte maskinslipas.
**8** Kontrollera ventilstyrningarna efter slitage genom att montera en ventil i taget och undersöka om de rör sig i sidled. En mycket liten rörelse kan accepteras. Om rörelsen är stor ska ventilen demonteras. Mät ventilskaftets diameter (se nedan), och byt ut ventilen om den är sliten. Om ventilskaftet inte är slitet måste slitaget sitta i ventilstyrningen, i så fall måste styrningen bytas ut. Byten av ventilstyrningar bör överlåtas till en Saab-verkstad eller till specialister på motorrenoveringar eftersom de har tillgång till nödvändiga verktyg.

### Ventiler

**9** Undersök alla ventilhuvuden efter gropar, brännskador, sprickor och slitage. Kontrollera om ventilskaftet blivit spårigt eller slitet. Vrid ventilen och kontrollera om den verkar böjd. Leta efter gropar och onormalt slitage på spetsen av varje ventilskaft. Byt ut alla ventiler som visar tecken på slitage eller skador.
**10** Om en ventil verkar vara i gott skick ska ventilskaftet mätas på flera punkter med en mikrometer **(se bild)**. Stora skillnader mellan de avlästa värdena indikerar att ventilskaftet är slitet. I båda dessa fall måste ventilen/ventilerna bytas ut.
**11** Om ventilerna är i någorlunda gott skick ska de poleras i sina säten för att garantera en smidig och gastät tätning. Om sätet endast är lite gropigt eller om de har skurits om ska det slipas in med slipmassa för att få rätt yta. Grov ventilslipmassa ska inte användas, om inte ett säte är svårt bränt eller har djupa gropar;

**7.6 Kontrollera att topplockets yta inte är skev**

**7.10 Mät ventilskaftets diameter**

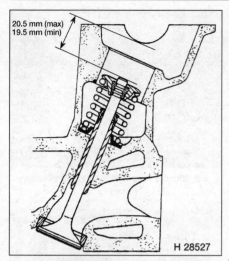

7.16 Kontrollera djupen på ventilskaften under kamaxellagrets yta

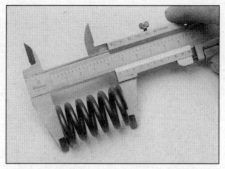

7.18 Kontrollera ventilfjäderns fria längd

7.19 Kontrollera att ventilfjädrarna är raka

Om så är fallet ska topplocket och ventilerna undersökas av en expert som avgör om ventilsätena ska skäras om eller om ventilen eller sätesinsatsen måste bytas ut.

**12** Ventilslipning går till på följande sätt. Placera topplocket upp och ner på en bänk.

**13** Smörj en aning ventilslipmassa (av rätt grovhet) på sätesytan och tryck ett sugslipningsverktyg över ventilhuvudet. Slipa ventilhuvudet med en roterande rörelse ner till sätet. Lyft ventilen ibland för att omfördela slipmassan. Om en lätt fjäder placeras under ventilen går det lättare.

**14** Om grov slipmassa används, arbeta tills ventilhuvudet och fästet får en matt, jämn yta, torka sedan bort den använda slipmassan och upprepa arbetet med fin slipmassa. När en mjuk, obruten ring med ljusgrå matt yta uppstått på både ventilen och sätet är inslipningen färdig. Slipa inte in ventilerna längre än vad som är absolut nödvändigt, då kan sätet sjunka in i topplocket för tidigt.

**15** När samtliga ventiler har blivit inslipade ska alla spår av slipmassa försiktigt tvättas bort med fotogen eller annat lämpligt

lösningsmedel, innan topplocket sätts ihop.

**16** Ventilskaften under kamaxellagret måste sitta på ett visst djup för att de hydrauliska ventillyftarna ska fungera ordentligt. Det kan vara möjligt att få tag i ett kontrollverktyg från en Saab-verkstad, men om det inte går kan kontrollen utföras med hjälp av stållinjaler. Kontrollera att måtten ligger mellan de angivna gränserna på bilden genom att sätta in varje ventil i sin styrning och mäta måttet mellan änden på ventilskaftet och kamaxellagrets yta **(se bild)**.

**17** Om måttet inte ligger inom de angivna gränserna måste antingen ventilskaftets eller ventilsätets höjd åtgärdas. Om avståndet är kortare än det minsta angivna värdet måste längden på ventilskaftet minskas, och om avståndet överstiger det angivna värdet måste ventilsätet fräsas ur. Ta hjälp av en Saab-verkstad eller en specialist på motorrenoveringar.

### Ventilkomponenter

**18** Granska ventilfjädrarna efter tecken på skada eller missfärgning, och mäta deras fria längd **(se bild)**.

**19** Ställ alla fjädrar på en plan yta och kontrollera att de är raka **(se bild)**. Om någon av fjädrarna är kortare än minimimåttet för fri längd, eller om de är skadade, skeva eller har förlorat sin spänning, ska alla fjädrarna bytas ut.

**20** Byt ut ventilskaftens oljetätningar, oavsett deras aktuella kondition.

## 8 Topplock – ihopsättning

**1** Smörj in ventilskaften och montera ventilerna på sina ursprungliga platser **(se bild)**. Om nya ventiler monteras ska de sättas på de platser där de slipats in.

**2** Arbeta på den första ventilen och doppa den nya ventilskaftstätningen i ren motorolja. Placera den försiktigt över ventilen och på styrningen. Var noga med att inte skada tätningen när den förs över ventilskaftet. Använd en lämplig hylsa eller ett metallrör för att trycka fast tätningen ordentligt på styrningen **(se bild)**.

**3** Montera ventilfjädern och fjäderhållaren, placera därefter plastskyddet i det hydrauliska ventillyftarloppet.

**4** Pressa ihop ventilfjädern och placera knastren i ventilskaftets fördjupning. Lossa kompressorn och ta bort skyddet, upprepa sedan arbetet på de återstående ventilerna.

**5** När alla ventiler sitter på plats stöder du topplocket och använder en hammare och en träbit för att knacka på varje ventilskaft för att få dit komponenterna på plats.

**6** Montera kamaxlarna och de hydrauliska ventillyftarna enligt beskrivningen i kapitel 2A eller 2B.

**7** Montera de externa komponenter som togs bort i avsnitt 6.

**8** Topplocket kan nu monteras enligt beskrivningen i kapitel 2A eller 2B.

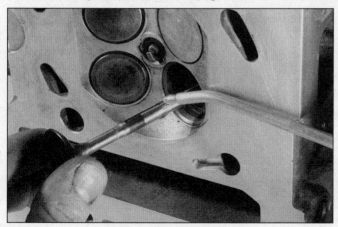

8.1 Placera en ventil i topplocket

8.2 Använd en hylsa för att montera ventilskaftstätningarna

9.1a Skruva loss spännarens fästbult . . .

9.1b . . . och tomgångsöverföringens fästbult

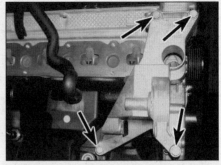

9.2 Skruva loss fästbygelns fästbultar (pilar) . . .

## 9 Kamkedjkåpa (bensinmotorer) – demontering och montering

**Observera:** *Här beskrivs demontering av kamkedjkåpan där topplocket lämnas monterat. Ett annat sätt (där risken för att skada topplockspackningen är mindre) är att ta bort topplocket först enligt beskrivningen i kapitel 2A.*

### Demontering

**1** Skruva loss drivremmens spännare och tomgångsöverföring **(se bilder)**.
**2** Ta bort generatorn enligt beskrivningen i kapitel 5A. Skruva sedan loss fästbultarna och ta bort fästbygeln på baksidan av motorblocket **(se bild)**.
**3** Skruva loss fästbultarna och ta bort

9.6a Ta bort vevaxelns remskivebult . . .

servostyrningspumpens fästbygel och lyftögla från framsidan av topplocket.
**4** Demontera vattenpumpen enligt beskrivningen i kapitel 3.
**5** Låt en medhjälpare hålla i vevaxeln/svänghjulet genom att sticka in en flat mejsel

9.6b . . . och lyft av remskivan från vevaxeln

genom svänghjulskåpan och spärra startkransen för att förhindra att vevaxeln roterar. Lossa bulten till vevaxelns remskiva med hjälp av en lång hylsnyckel. Observera att bulten har dragits åt till ett mycket högt moment.
**6** Skruva ut bulten till vevaxelns remskiva helt, för remskivan till vevaxeländen och ta bort den **(se bilder)**.
**7** Ta bort sumpen enligt beskrivningen i kapitel 2A, avsnitt 7.
**8** Ta bort de två styrstiften (ett i det nedre vänstra hörnet och ett i det övre högra hörnet) i kamkedjkåpan genom att skära en invändig gänga i dem med en 3/8 UNC-gängtapp och dra ut dem med en glidhammare. En bult kan gängas in i styrstiften och sedan fästas i änden på en glidhammare **(se bilder)**.
**9** Skruva bort bultarna som fäster kamkedjkåpan vid motorblocket och topplocket. Notera hur bultarna är monterad; de två övre bultarna på topplocket och de två nedre bultarna i sumpen är inte likadana **(se bilder)**.

9.8a Skär en invändig gänga i styrhylsan med en gängtapp

9.8b En bult i änden på en glidhammare

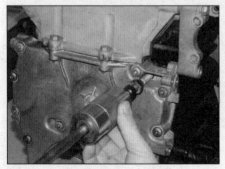

9.8c Använd glidhammaren för att dra loss styrhylsorna från kamkedjkåpan

9.9a Observera att två övre bultar håller fast kamkedjkåpan i topplocket

9.9b Ta loss kamkedjkåpan från motorn

**10** Dra bort kamkedjkåpan tillsammans med oljepumpen från vevaxelns spets. Var noga med att inte skada topplockspackningen. Dra försiktigt av kamkedjkåpan nedåt och utåt från motorblocket.

**11** Rengör noggrant kamkedjkåpans, sumpens, topplockets och motorblockets kontaktytor från tätningsmedel. **Observera:** *Kontrollera topplockspackningens skick; om den är skadad måste du demontera topplocket och byta ut packningen.*

**12** Ta vid behov bort oljepumpen från kamkedjkåpan enligt beskrivningen i kapitel 2A, avsnitt 8.

## Montering

**13** Montera i förekommande fall oljepumpen enligt beskrivningen i kapitel 2A, avsnitt 8.

**14** Applicera en droppe tätningsmedel (Loctite 518 eller liknande), ca 1 mm tjock, på kamkedjkåpans flänsar och sätt försiktigt på kamkedjkåpan på motorblocket **(se bild)**.

**15** Sätt i kamkedjkåpans fästbultar inklusive de två övre topplocksbultarna, men dra inte åt dem än. Sätt tillbaka styrstiften på sin plats **(se bild)** och dra sedan åt topplocksbultarna, även de två övre bultarna, till angivet moment.

**16** Sätt tillbaka sumpen enligt beskrivningen i kapitel 2A, avsnitt 7.

**17** Sätt remskivan på vevaxeln och sätt i remskivans bult. Dra åt bulten till angivet moment medan en medhjälpare håller vevaxeln på plats med en bredbladig skruvmejsel placerad i startkransen.

**18** Montera vattenpumpen enligt beskrivningen i kapitel 3.

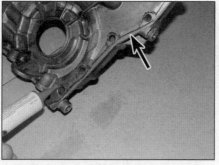

**9.14** Applicera tätningsmedel (pil) på kamkedjkåpans flänsar

**19** Sätt tillbaka fästbyglarna till generatorn och servostyrningspumpen och dra åt fästbultarna.

**20** Montera generatorn enligt beskrivningen i kapitel 5A.

**21** Sätt tillbaka drivremsspännaren och tomgångsöverföringen och dra åt bultarna.

### 10 Kamkedja och drev (bensinmotorer) – demontering, kontroll och återmontering

## Demontering

**1** Ställ vevaxeln i ÖD-läge för cylinder nr 1 (kamkedjedelen av motorn) enligt beskrivningen i kapitel 2A, avsnitt 3.

**2** Demontera kamkedjkåpan enligt beskrivningen i avsnitt 9. Ta även bort

**9.15** Använd glidhammaren för att knacka tillbaka styrhylsorna i kamkedjkåpan

oljepumpens medbringare från vevaxeln **(se bild)**.

**3** Balansaxlarna är inställda på ÖD, men eftersom de roterar dubbelt så snabbt som vevaxeln är de korrekt inställda även när de är inställda på nedre dödpunkt. Kontrollera att tändningsinställningsmärkena på axlarna är i linje med märkena på motorblockets/lagerhusets framsidor. Observera att balansaxeldreven är markerade med "intake" (insug) respektive "exhaust" (avgas), medan de främre lagrens markeringar är likadana. Eftersom lagren är monterade med enkla bultar är intake- och exhaust-markeringarna alltid korrekt placerade ovanpå lagren **(se bilder)**.

**4** Skruva loss balansaxelkedjans övre styrning och ta bort spännaren och sidostyrningen **(se bilder)**.

**5** Skruva loss överföringen från motorblocket, lossa sedan kedjan från balansaxeldreven och

**10.2** Demontera oljepumpens medbringare från vevaxeln

**10.3a** INL-markering på insugsbalansaxelns främre lager

**10.3b** EXH-markering på avgasbalansaxelns främre lager

**10.4a** Skruva loss bultarna (pilar) och ta bort balansaxelkedjans övre styrning

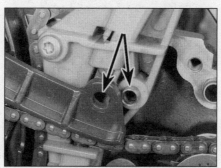

**10.4c** Observera hur den övre styrningen hakar i styrstiftet

**10.4c** Demontera balansaxelns kedjespännare . . .

**10.4d** ... och sidostyrning

**10.5a** Lossa ...

**10.5b** ... och demontera överföringens fästbult (observera markeringarna för linjering mellan överföringen och kedjan) ...

**10.5c** ... ta sedan bort överföringen och balansaxelkedjan

**10.5d** Överföringen består av två delar

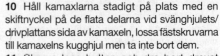

**10.6** Demontera balansaxelns kedjedrev från vevaxelns främre del

vevaxeldrevet. Observera att överföringen består av två delar **(se bilder)**.

**6** Dra balansaxeldrevet från vevaxelns främre del **(se bild)**. Observera att ordet "Saab" är vänt utåt.

**7** Skruva loss fästbultarna och ta bort kedjedreven från balansaxlarnas ändar. Håll fast dreven med ett oljefilterverktyg av kedjetyp eller liknande. Märk dreven så att de placeras korrekt vid återmonteringen.

**8** Ta bort topplockskåpan enligt beskrivningen i kapitel 2A.

**9** Skruva loss och ta bort kamkedjans spännare från topplockets bakre del. Skruva först bort mittbulten och ta bort fjädern, skruva sedan loss spännaren och ta bort den från topplocket **(se bilder)**.

**10** Håll kamaxlarna stadigt på plats med en skiftnyckel på de flata delarna vid svänghjulets/drivplattans sida av kamaxeln, lossa fästskruvarna till kamaxelns kugghjul men ta inte bort dem.

**11** Skruva loss bulten och dra bort drevet från änden på insugskamaxeln **(se bild)**. Håll kamkedjan med en hand och ta bort drevet från kedjan med den andra handen.

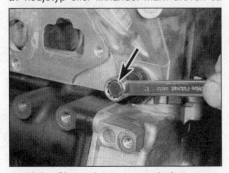

**10.9a** Skruva loss centrumbulten ...

**10.9b** ... och ta bort fjädern ...

**10.9c** Skruva loss spännaren ...

**10.9d** ... och ta bort den från topplocket

**10.9e** Kamkedjespännarens komponenter

**10.11** Demontera drevet från insugskamaxeln

10.13a  Ta bort fästbulten . . .

10.13b  . . . och lossa kedjedrevet från kedjan

10.14a  Skruva loss bultarna . . .

10.14b  . . . och ta bort kamkedjans fasta styrning

10.15a  Ta bort kamkedjans hållare (pil) från motorblocket

10.15b  Ta bort vevaxeldrevet från änden på vevaxeln

**12** Märk dreven så att de placeras rätt vid återmonteringen. Observera att varje drev har en utskjutande del som passar in i den utskurna delen i änden på kamaxeln.
**13** Skruva loss bulten och dra bort kedjedrevet från insugskamaxelns ände, ta sedan loss det från kedjan **(se bilder)**.
**14** Skruva loss bultarna och demontera kamkedjans styrning från motorblocket **(se bilder)**.
**15** Skruva loss kamkedjans hållare från motorblocket, koppla sedan loss kamkedjan och ta bort drevet från änden av vevaxeln **(se bilder)**. Om det behövs, ta bort woodruffkilen från spåret i vevaxeln med hjälp av en skruvmejsel.

## Kontroll

**16** Kamkedjan **(se bild)** och i förekommande fall balansaxelkedjan ska bytas ut om dreven är utslitna eller om kedjan är lös och bullrar när motorn körs. Det är lämpligt att byta kedjor varje gång motorn demonteras för renovering. Stiften på en kraftigt utsliten kedja kan bli spåriga. Undvik framtida problem genom att byta ut kedjan så fort den visar minsta tecken på slitage. Samtidigt bör kedjespännaren och styrningarna undersökas och vid behov bytas ut (se avsnitt 11).
**17** Undersök kuggarna på vevaxelns kedjedrev, kamaxeldreven och balansaxeldreven efter tecken på slitage. Varje kugg formar ett inverterat V Om kuggarna är utslitna får den ena sidan av varje kugg en något konkav (krokig) form under spänning, i jämförelse med den andra sidan av kuggen (det vill säga den ena sidan av det inverterade V-tecknet är konkav i jämförelse med den andra). Om kuggarna verkar vara utslitna måste drevet bytas ut.

## Montering

**18** Placera woodruffkilen i spåret på vevaxeln. Knacka in kilen i spåret och se till att dess plana sida är parallell med vevaxeln.
**19** Fäst kamkedjan i vevaxelns kedjedrev och placera vevaxeldrevet på änden av vevaxeln. Se till att det placeras korrekt över woodruffkilen. Om kamkedjan har ljusa länkar, placera den ensamma ljusa länken i kedjedrevets botten, i linje med skåran i drevet. Montera kedjehållaren och dra åt bultarna **(se bilder)**.
**20** Placera kamkedjan i den fasta styrningen, montera sedan styrningen och dra åt bultarna.
**21** Montera kedjedrevet på änden av avgaskamaxeln, sätt i bulten och dra åt den för hand. Applicera inte låsvätska på bultens gängor.

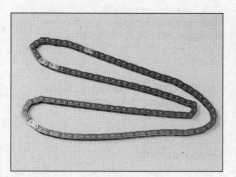

10.16  Kamkedjan demonterad från motorn

10.19a  Om kamkedjan har ljusa länkar måste dessa passas in mot skåran i kedjedrevet (pil)

10.19b  Dra åt kamkedjehållarens fästbultar

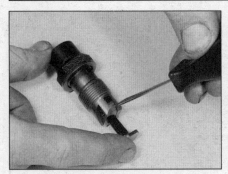

**10.25 Justera kamkedjespännaren**

**10.33 Balansaxelns tändningsinställningsmärken måste vara i linje innan kedjan monteras**

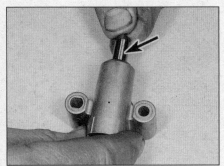

**10.35 Tryck ner kedjespännarens tryckkolv (pil) och håll den på plats med en plastklämma**

**HAYNES TiPS**

*Håll spännarens tryckkolv nedtryckt med en plastklämma innan den monteras. Klipp bort klämman efter monteringen.*

**22** Kontrollera att vevaxeln och kamaxlarna fortfarande är i linje i ÖD-läge.
**23** För kamkedjan upp genom topplocksöppningen och montera den på avgaskamaxelns kedjedrev. Se till att den är spänd mellan de två kedjedreven. Kontrollera att kedjan är korrekt placerad på styrningarna. Om kedjan har en ljus länk, se till att den är i linje med tändningsinställningsmärket.
**24** Fäst insugskedjedrevet i kamkedjan så att den utskurna delen och den utskjutande delen är i linje med varandra, placera sedan drevet på insugskamaxeln och sätt i bulten. Dra åt bulten för hand så länge. Applicera inte låsvätska på bultens gängor. Om kedjan har en ljus länk, se till att den är i linje med tändningsinställningsmärket.
**25** Justera kamkedjespännaren genom att trycka ner spärrhaken med en skruvmejsel,

**11.2 Lossa den svängbara styrningen från sprinten på topplocket**

tryck sedan in tryckkolven hela vägen in i spännaren och lossa spärrhaken **(se bild)**. Kontrollera spännarbrickans skick och byt ut den om det behövs.
**26** För in kedjespännaren i topplocket och dra åt den till angivet moment.
**27** Sätt i fjädern och styrsprinten av plast i spännaren, montera pluggen tillsammans med en ny O-ring och dra åt till angivet moment. **Observera:** *På nya spännare hålls spännfjädern spänd med en sprint. Försök inte ta bort sprinten förrän spännaren har placerats i topplocket. När motorn startas kommer eventuell slakhet att tas upp av det hydrauliska trycket.*
**28** Montera tillfälligt bulten till vevaxelns remskiva och vrid motorn medurs två hela varv. Kontrollera att tändningsinställningsmärkena fortfarande är i linje. Ta bort bulten till remskivan. Om kedjan har ljusa länkar ska dessa inte längre vara i linje med tändningsinställningsmärkena.
**29** Dra åt kamaxeldrevets bult till angivet moment, håll kamaxlarna på plats med en skiftnyckel på de flata punkterna.
**30** Montera ventilkåpan enligt beskrivning i kapitel 2A.
**31** Montera kedjedreven på balansaxlarnas ändar och dra åt fästskruvarna.
**32** Placera balansaxelns kedjedrev på vevaxelns framsida. Observera att ordet "Saab" ska vara vänt utåt.
**33** Montera kedjan på dreven, se till att tändningsinställningsmärkena är korrekt inriktade **(se bild)**.
**34** Montera överföringen på blockets framsida och dra åt fästbulten.

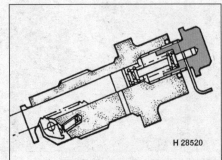

**11.4 Genomskärning av kamkedjespännaren**

**35** Montera sidostyrningen, spännaren och den övre styrningen på balansaxelkedjan **(se bild och Verktygstips)**.
**36** Rotera vevaxeln ett varv och kontrollera att balansaxeldreven fortfarande är korrekt inriktade.
**37** Montera kamkedjkåpan enligt beskrivningen i avsnitt 5.

## 11 Kamkedje styrningen och sträckare – demontering, kontroll och återmontering

### Demontering

**1** Demontera kamkedjan enligt beskrivningen i avsnitt 10. Observera att du även måste demontera de fasta styrningen och balansaxelns kedjestyrningar. Kamkedjan behöver inte tas bort från vevaxelns kedjedrev.
**2** Skruva loss och ta bort den fasta kamkedjestyrningen och lossa tappstyrningen från sprinten på motorblocket **(se bild)**.

### Kontroll

**3** Granska kedjestyrningarna med avseende på skador och slitage, byt ut dem vid behov.
**4** Rengör spännarens tryckkolv och hus och undersök dem med avseende på skador och slitage **(se bild)**. Du kan ta bort tryckkolven genom att trycka ner spärrhaken mot fjädern. Om tryckkolven eller huset uppvisar kraftiga repor ska hela spännaren bytas ut.

### Montering

**5** Placera tappstyrningen på tappen på motorblocket, montera därefter den fasta styrningen och dra åt fästbultarna.
**6** Montera kamkedjan enligt beskrivning i avsnitt 10.

## 12 Balansaxlar (bensinmotorer) – demontering, kontroll och återmontering

### Demontering

**1** Ställ vevaxeln i ÖD-läge för cylinder nr 1 (kamkedjedelen av motorn) enligt beskrivningen i kapitel 2A, avsnitt 3.

**2** Demontera kamremskåpan enligt beskrivningen i avsnitt 9.

**3** Balansaxlarna är inställda på ÖD, men eftersom de roterar dubbelt så snabbt som vevaxeln är de korrekt inställda även när de är inställda på nedre dödpunkt. Kontrollera att tändningsinställningsmärkena på axlarna är i linje med märkena på lagerfästena. Märk kedja och kedjehjul med lite färg för att garantera att de placeras korrekt vid återmonteringen. Observera att balansaxeldreven är markerade med "intake" (insug) respektive "exhaust" (avgas), medan de främre lagrens markeringar är likadana. Eftersom lagren är monterade med enkla bultar är intake- och exhaust-markeringarna alltid korrekt placerade ovanpå lagren. Se avsnitt 10 för mer information.

**4** Skruva loss balansaxelkedjans övre styrning och ta bort spännaren och sidostyrningen 10(**se bilder i avsnitt 10**).

**5** Skruva loss fästbulten och demontera överföringen från blocket.

**6** Ta loss kedjan från balansaxeldreven och vevaxeldrevet.

**7** Skruva loss lagrets fästbultar och dra bort balansaxlarna från motorblocket (**se bilder**). Märk axlarna så att de placeras korrekt vid återmonteringen.

**8** Skruva loss fästbultarna och demontera dreven från balansaxeländarna medan varje axel hålls på plats i ett skruvstäd med mjuka käftar.

## Kontroll

**9** Rengör balansaxlarna och undersök lagertapparna efter slitage och skador. Lagren inuti motorblocket bör också undersökas. Kontakta en Saab-verkstad eller en specialist på motorrenoveringar om de är påtagligt slitna eller skadade.

## Montering

**10** Montera dreven på balansaxeländarna och dra åt fästbultarna.

**11** Smörj in lagertapparna med ren motorolja och montera balansaxlarna i ursprungsläge i motorblocket.

**12** Placera balansaxelns kedjedrev på vevaxelns framsida. Observera att ordet "Saab" ska vara vänt utåt.

**13** Montera kedjan på dreven och montera överföringen på blockets framsida, kontrollera att alla inställningsmarkeringar är korrekt inriktade.

**14** Montera sidostyrningen, spännaren och balansaxelkedjans övre styrning.

**15** Rotera vevaxeln ett varv och kontrollera att balansaxeldreven fortfarande är korrekt inställda.

**16** Montera kamremskåpan enligt beskrivningen i avsnitt 9.

### 13 Kolvar och vevstakar – demontering

**Observera:** *Nya bultar till vevstakens lageröverfall behövs vid återmonteringen.*

**12.7a  Skruva loss lagrets fäst- bultar . . .**

**12.7c  Ta bort insugsbalansaxeln från motorblocket**

**1** Demontera topplocket, sumpen och oljepumpens pickup/filter enligt beskrivningen i del A eller B i detta kapitel.

**2** Om cylinderloppens övre delar har tydliga slitagespår ska de tas bort med skrapa eller skavstål innan kolvarna demonteras eftersom spåren kan skada kolvringarna. Ett sådant spår är ett tecken på överdrivet slitage på cylinderloppet.

**3** Använd en hammare och körnare samt färg eller liknande och markera alla vevstakslagerkåpor med respektive cylindernummer på de flata ytorna. Om motorn har demonterats tidigare, leta efter redan befintliga märkningar.

**4** Vrid vevaxeln för att ställa cylindrarna 1 och 4 i nedre dödpunkten.

**5** Skruva loss muttrarna/bultarna från vevstakslageröverfallet på kolv 1. Ta bort överfallet och ta loss den nedre halvan av lagerskålen. Tejpa ihop lagerskålarna med lageröverfallet om skålarna ska återanvändas (**se bilder**).

**13.5a  Ta bort vevstakslagrets överfall**

**12.7b  . . . och dra bort avgasbalansaxeln från motorblocket**

**12.7d  De två balansaxlarna demonterade från motorn**

*Varning: På vissa motorer har anliggningsytorna mellan vevstaken och lageröverfallen inte maskinbearbetats så att de är plana; vevstakslageröverfallen har "brutits loss" från vevstaken under tillverkningen och lämnats orörda för att garanteras att lageröverfall och vevstake passar ihop perfekt. När denna typ av vevstake har installerats måste man vara mycket noggrann med att säkerställa att anliggningsytorna mellan lageröverfall och vevstake inte har några som helst märken eller skador. Skador på anliggningsytorna påverkar vevstakens styrka negativt och kan leda till funktionsförlust i förtid.*

**6** Tejpa över gängorna på vevstakens pinnbult för att undvika att vevaxelns lagertappar skadas.

**7** Använd ett hammarskaft för att skjuta upp kolven genom loppet och ta bort den från motorblocket. Ta loss lagerskålen och tejpa

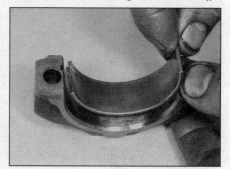

**13.5b  Ta bort lagerskålen från vevstakslagrets överfall**

**14.5 Ramlageröverfallen är numrerade från motorns kamkedjeände**

**14.6a Skruva loss och ta bort ramlageröverfallets bultar . . .**

**14.6b . . . och ta bort ramlageröverfallet**

fast den på vevstaken så den inte kommer bort.
**8** Montera vevlageröverfallet löst på vevstaken och fäst det med bultar eller muttrar, efter tillämplighet, – då blir det lättare att hålla komponenterna i rätt ordning.
**9** Ta bort kolv nr 4 på samma sätt.
**10** Vrid vevaxeln 180° för att ställa cylindrarna 2 och 3 i nedre dödpunkten och demontera dem på samma sätt.

## 14 Vevaxel – demontering

*Observera: Nya ramlageröverfallets fästbultar krävs vid återmonteringen.*
**1** Ta bort kamkedjan och drevet (bensinmotorer), sumpen och oljepumpens

oljeupptagare/sil/transportrör, samt svänghjulet/drivplattan.
**2** Ta bort kolvarna och vevstakarna enligt beskrivningen i avsnitt 13. **Observera:** *Om inget arbete ska utföras på kolvarna eller vevstakarna är det ingen idé att ta bort topplocket eller trycka ut kolvarna ur cylinderloppen. Kolvarna ska bara tryckas upp så långt i loppen att de är ur vägen för vevaxeltapparna.*
**3** Kontrollera vevaxelns axialspel enligt beskrivningen i avsnitt 17, fortsätt därefter på följande sätt.
**4** Skruva loss och ta bort vevaxelns oljetätningshus från änden av motorblocket. Observera hur styrstiften är placerade. Om styrstiften sitter löst, ta bort dem och förvara dem tillsammans med topplocket **(se bild)**. Ta bort packningen.
**5** Cylindernumren ska vara ingjutna på ramlageröverfallens underdelar **(se bild)**. Om de inte är det, numrera överfallet och vevhuset

med en körnare på samma sätt som på vevstakarna och överfallen ovan.
**6** Arbeta diagonalt och lossa ramlageröverfallets tio fästbultar ett halvt varv i taget jämnt och stegvis. Ta bort alla bultar och ta ut kåporna tillsammans med lagerskålarna **(se bilder)**. Knacka loss lageröverfallen med en trä- eller kopparklubba om de sitter fast.
**7** Ta bort lagerskålarna från överfallen, men förvara dem tillsammans och märk dem för att garantera korrekt placering vid återmonteringen **(se bild)**.
**8** Lyft försiktigt ut vevaxeln. Var noga med att inte förflytta de övre lagerskålarna **(se bild)**.
**9** Ta bort de övre lagerskålarna från vevhuset och märk dem för att underlätta återmonteringen. Ta även bort tryckbrickorna på sidorna om ramlagret och förvara dem tillsammans med överfallet **(se bilder)**.
**10** När vevaxeln är demonterad kan vevaxellägesgivarens magnetiska motstånd (om tillämpligt) demonteras genom att skruvarna tas bort och motståndet dras bort över vevaxelns ände **(se bild)**. Observera att skruvarna är placerade så att det bara går att montera det magnetiska motståndet på ett sätt.

## 15 Motorblock/vevhus – rengöring och kontroll

### Rengöring

**1** Ta bort alla yttre komponenter och elektriska brytare/givare från motorblocket. Vid en

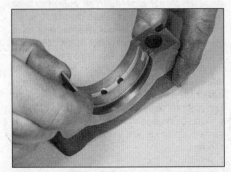

**14.7 Ta bort ramlagerskålen från överfallet**

**14.8 Lyft bort vevaxeln från vevhuset**

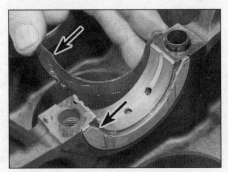

**14.9a Ta bort tryckbrickorna (pilar) . . .**

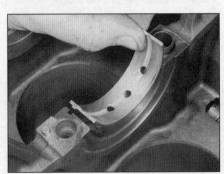

**14.9b . . . och ramlagerskålarna**

**14.10 Placering av skruven som fäster vevaxellägesgivarens magnetiska motstånd**

**15.1 Ta bort oljemunstycket från vevhuset**

**15.7 Rengör topplocksbultens hål i motorblocket med hjälp av en gängtapp**

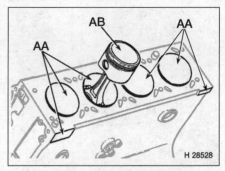

**15.12a Placering av kolvens och cylinderloppets indelningskoder**

grundlig rengöring bör hylspluggarna tas bort på följande sätt. Borra ett litet hål i vardera pluggen och skruva i en plåtskruv. Dra ut pluggen genom att dra i skruven med en tång eller använd draghammare. Skruva även loss de fyra oljemunstyckena (om sådana finns) från den nedre delen av vevhuset **(se bild)**.

**2** Skrapa bort alla rester av tätningen från motorblocket/vevhuset, var försiktigt så att packnings-/tätningsytorna inte skadas.

**3** Avlägsna alla oljekanalpluggar (om sådana finns). Pluggarna sitter ofta mycket hårt och kan behöva borras ut så att hålen måste gängas om. Använd nya pluggar när motorn monteras ihop.

**4** Om motorblocket/vevhuset är mycket smutsigt bör det rengöras med ångtvätt.

**5** Rengör alla oljehål och oljeledningar, spola de inre utrymmena med varmt vatten tills vattnet som kommer ut är rent. Torka noga och lägg på en tunn oljefilm på alla fogytor för att förhindra rost. Smörj även cylinderloppen. Använd tryckluft om det finns tillgängligt, för att skynda på torkningen och blås ur alla oljehål och ledningar.

> ⚠ **Varning: Bär skyddsglasögon vid arbete med tryckluft.**

**6** Om motorblocket inte är så smutsigt går det bra att rengöra det med hett såpvatten och en hård borste. Var noggrann vid rengöringen. Oavsett vilken rengöringsmetod som används så är det viktigt att alla hål och ledningar rengörs mycket noggrant och att alla komponenter torkas ordentligt. När motorblocket är rengjort ska cylinderloppen skyddas från rost på det sätt som beskrivs ovan.

**7** Alla gängade hål måste vara rena för att ge korrekt åtdragningsmoment vid ihopsättningen. Rengör gängorna med en gängtapp i korrekt storlek införd i hålen, ett efter ett, för att avlägsna rost, korrosion, gänglås och slam. Det återställer även eventuella skadade gängor **(se bild)**. Använd om möjligt tryckluft för att rengöra hålen från det avfall som uppstår vid detta arbete.

**8** Applicera lämpligt tätningsmedel till de nya oljeledningspluggarna, och sätt i dem i hålen i motorblocket. Dra åt ordentligt. Applicera ett lämpligt tätningsmedel på de

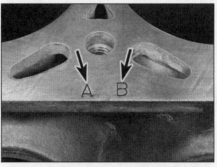

**15.12b Cylinderloppets indelningskod på framsidan av motorblocket**

**15.12c Kolvens indelningskod på kolvkronan**

nya hylspluggarna och slå dem på plats med en hylsnyckel. Montera i förekommande fall oljemunstyckena på vevhusets botten och dra åt dem.

**9** Täck motorn med en stor plastsäck om den inte ska monteras ihop på en gång, för att hålla den ren och förebygga rost; skydda alla fogytor och cylinderloppen för att förhindra rost (enligt beskrivningen ovan)

## Kontroll

**10** Undersök motorblocket med avseende på sprickor och korrosion. Leta efter skadade gängor i hålen. Om det har förekommit internt vattenläckage kan det vara värt besväret att låta en renoveringsspecialist kontrollera motorblocket/vevhuset med specialutrustning. Om du ser några skador ska de om

möjligt repareras. Annars behövs ett nytt motorblock.

**11** Kontrollera att cylinderloppen inte är slitna eller repiga. Kontrollera om det finns slitspår ovanpå cylindern. Det är i så fall ett tecken på att loppet är överdrivet slitet.

**12** På bensinmotorer, passas cylinderloppen och kolvarna ihop och klassificeras enligt fyra koder – AB, B, 1 (0,5 mm överstorlek) och 2 (1,0 mm överstorlek). Koden är stämplad på kolvkronorna och motorblockets framsida **(se bilder)**. **Observera:** *I skrivande stund saknas siffror för dieselmotorn. Rådfråga till tillverkaren eller en specialist på motorrenoveringar.*

**13** Om det föreligger några tvivel om motorblockets skick, låt en motorrenoveringsfirma kontrollera och mäta motorblocket och loppen. Om loppen är slitna eller skadade, kan de utföra omborrning (om möjligt), och tillhandahålla rätt kolvar av överstorlek osv.

## 16 Kolvar och vevstakar – kgn kontroll

**1** Innan kontrollen kan börja ska kolvarna/vevstakarna rengöras, och originalkolvringarna demonteras från kolvarna **(se bild)**. **Observera:** *använd alltid nya kolvringar när motorn monteras ihop.*

**2** Bänd försiktigt ut de gamla ringarna och dra upp dem över kolvarna. Använd två eller

**16.1 Kolvarnas/vevstakens komponenter**

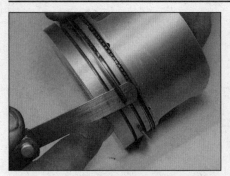

**16.2a Ta bort kolvens kompressionsring med hjälp av ett bladmått**

**16.2b Ta bort oljekontrollringen**

**16.13a Bänd ut kolvbultens låsring . . .**

**16.13b . . . och dra sedan ut kolvtappen och ta bort kolven från vevstaken**

tre gamla bladmått för att hindra att ringarna fastnar i tomma spår (se bilder). Var noga med att inte repa kolven med ringkanterna. Ringarna är sköra och går sönder om de töjs för mycket. De är också mycket vassa – skydda händer och fingrar. Observera att den tredje ringen har en förlängare. Ta alltid bort ringarna från kolvens överdel. Förvara varje ringuppsättning med tillhörande kolv, om de gamla ringarna ska återanvändas.

**3** Skrapa bort allt sot från kolvens ovansida. En handhållen stålborste (eller finkornig smärgelduk) kan användas när de flesta avlagringar skrapats bort.

**4** Ta bort sotet från ringspåren i kolven med hjälp av en gammal ring. Bryt ringen i två delar (var försiktig så du inte skär dig – kolvringar är vassa). Var noga med att bara ta bort sotavlagringarna – ta inte bort någon metall och gör inga hack eller repor i sidorna på ringspåren.

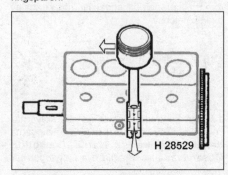

**16.17 Förhållande mellan kolv och vevstake**

**5** När avlagringarna har tagits bort, rengör kolven/vevstaken med fotogen eller annat lämpligt lösningsmedel, och torka ordentligt. Kontrollera att oljereturhålen i ringspåren är rena.

**6** Om kolvarna och cylinderloppen inte är skadade eller påtagligt slitna, och om motorblocket inte behöver borras om, kan originalkolvarna monteras tillbaka. Normalt kolvslitage visar sig som jämnt vertikalt slitage på kolvens stötytor, och som att den översta ringen sitter något löst i sitt spår.

**7** Gör en noggrann granskning av varje kolv beträffande sprickor kring manteln, runt kolvtappens hål och på ytorna mellan ringspåren.

**8** Leta efter repor och skav på kolvmanteln och i hålen i kolvkronan, och efter brända områden runt kolvkronans kant. Om manteln är repad eller nött kan det bero på att motorn har överhettats och/eller på onormal förbränning som orsakat för höga arbetstemperaturer. I dessa fall bör kylnings- och smörjningssystemen kontrolleras noggrant. Brännmärken på kolvsidorna visar att genomblåsning har ägt rum. Ett hål i kolvkronan eller brända områden i kolvkronans kant är tecken på att onormal förbränning (förtändning, tändningsknack eller detonation) har förekommit. Vid något av ovanstående problem måste orsakerna undersökas och åtgärdas, annars kommer skadan att uppstå igen. Orsakerna kan vara felaktig tändningsinställning och/eller felaktig bränsle-/luftblandning.

**9** Korrosion på kolven i form av punktkorrosion är tecken på att kylvätska har läckt in i

förbränningskammaren och/eller vevhuset. Även här måste den bakomliggande orsaken åtgärdas, annars kan problemet bestå i den ombyggda motorn.

**10** Vid behov kan kolvar köpas från en Saab-verkstad.

**11** Undersök varje vevstake noggrant efter tecken på skador, som t.ex. sprickor runt vevlager och lilländslager. Kontrollera att vevstaken inte är böjd eller skev. Skador på vevstaken inträffar mycket sällan, om inte motorn har skurit ihop eller överhettats allvarligt. En noggrann undersökning av vevstaken kan endast utföras av en Saab-verkstad eller en motorreparatör med tillgång till nödvändig utrustning.

**12** Kolvbultarna är av flottörtyp, och hålls på plats med två låsringar. Kolvar och vevstakar kan separeras och monteras på följande sätt.

**13** Använd en liten, flatbladig skruvmejsel, bänd bort låsringarna och tryck ut kolvbulten (se bilder). Det ska räcka med handkraft för att få ut kolvbulten. Märk kolven, kolvbulten och vevstaken för att garantera korrekt placering vid återmonteringen.

**14** Undersök kolvbulten och vevstakens lilländslager efter tecken på slitage och skador. Slitage kan åtgärdas genom att kolvbulten och bussningen byts ut. Bussningsbyte måste dock utföras av en specialist – det krävs tryck för att göra det, och den nya bussningen måste inpassas ordentligt.

**15** Vevstakarna själva ska inte behöva bytas ut om inte motorn skurit ihop eller om något annat större mekaniskt fel har uppstått. Undersök vevstakarnas inställning. Om vevstakarna inte är raka ska de överlåtas till en specialist på motorrenoveringar för en mer detaljerad kontroll.

**16** Undersök alla komponenter och skaffa alla nya delar som behövs från en Saab-verkstad. Nya kolvar levereras komplett med kolvbultar och låsringar. Låsringar kan även köpas separat.

**17** Placera kolven så att hacket på kanten av kronan är riktat mot motorns kamände, och numren på vevstaken och vevstakslageröverfallet är riktade mot sidan på motorblocket. När du håller kolven i din hand med hacket riktat åt vänster ska numret på vevstaken vara riktat emot dig (se bild). Smörj lite ren motorolja på kolvbulten. Tryck in den i kolven, genom vevstakens lillände. Kontrollera att kolven svänger fritt på vevstaken, fäst sedan kolvbulten i sitt läge med låsringarna. Se till att alla låsringar placeras i rätt kolvspår.

**18** Mät kolvarnas diameter och kontrollera att de ligger inom gränsen för motsvarande loppdiametrar. Om avståndet mellan kolven och loppet är för stort måste motorblocket borras om och nya kolvar och ringar monteras.

**19** Undersök fogytorna på vevstaksöverfallen och vevstakarna för att se om de har filats av i ett försök att jämna ut lagerslitage. Detta är inte sannolikt, men om så skulle vara fallet måste de defekta vevstakarna och överfallen bytas ut.

**17.2 Vevaxelns axialspel kontrolleras med mätklocka**

**17.3 Vevaxelns axialspel mäts med hjälp av ett bladmått**

**17.10 Mät diametern på axeltappen till vevaxelns vevstakslager**

## 17 Vevaxel – kontroll
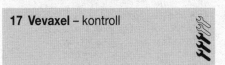

### Kontrollera vevaxelns axialspel

**1** Om vevaxelns axialspel ska kontrolleras, måste vevaxeln fortfarande vara monterad i motorblocket, men den ska kunna röra sig fritt (se avsnitt 14).
**2** Kontrollera axialspelet med hjälp av en mätklocka med kontakt med vevaxelns ände. Tryck vevaxeln helt åt ena hållet och nollställ mätklockan. Tryck vevaxeln helt åt andra hållet och kontrollera axialspelet **(se bild)**. Resultatet kan jämföras med det angivna värdet och ger en fingervisning om ifall tryckbrickorna måste bytas.
**3** Om en mätklocka inte finns tillgänglig kan bladmått användas. Tryck först vevaxeln hela vägen mot motorns svänghjulsände, använd sedan bladmåttet för att mäta spelet mellan vevstakstapp nr 3 och ramlagrets mittersta tryckbricka **(se bild)**.

### Kontroll

**4** Rengör vevaxeln med fotogen eller lämpligt lösningsmedel och torka den, helst med tryckluft om det är möjligt. Var noga med att rengöra oljehålen med piprensare eller någon liknande sond för att se till att de inte är igentäppta.

 **Varning: Bär skyddsglasögon vid arbete med tryckluft.**

**5** Kontrollera ramlagrets och vevstakslagrets axeltappar efter ojämnt slitage, repor, punktkorrosion och sprickbildning.
**6** Slitage i vevstakslagren åtföljs av märkbara metalliska knackningar när motorn är igång (de märks särskilt tydligt när motorns varvtal ökar från lågt varvtal), samt en viss minskning av oljetrycket.
**7** Slitage på ramlagret följs av tydliga motorskakningar och mullrande ljud – som ökar stegvis med hastigheten – och av minskat oljetryck.
**8** Vid tecken på slitage bör du ta med vevaxeln till en specialist på motorrenoveringar som kan kontrollera lagertapparna. Förekommer ojämnheter (tillsammans med tydligt

lagerslitage) är det ett tecken på att vevaxeln måste slipas om (om det är möjligt) eller bytas ut.
**9** Om vevaxeln har borrats om, kontrollera om det finns borrskägg runt vevaxelns oljehål (hålen är oftast fasade, så borrskägg bör inte vara något problem om inte omborrningen skötts slarvigt). Ta bort eventuella borrskägg med en fin fil eller skrapa och rengör oljehålen noga enligt beskrivningen ovan.
**10** Använd en mikrometer och mät diametern på ramlagrets och vevstakslagrets axeltappar, och jämför resultatet med värdena i Specifikationerna **(se bild)**. Genom att mäta diametern på flera ställen runt varje axeltapp kan man avgöra om axeltappen är rund eller inte. Utför mätningen i båda ändarna av axeltappen, nära vevarmarna, för att avgöra om axeltappen är konisk. Jämför mätvärdena med värdena i Specifikationer.
**11** Kontrollera oljetätningarnas fogytor i varje ände av vevaxeln efter slitage och skador. Om oljetätningen har slitit ner ett djupt spår på ytan av vevaxeln rådfrågar du en motorrenoveringsspecialist. Reparation kan vara möjlig men annars krävs det en ny vevaxel.

## 18 Ram- och vevlager – kontroll

**1** Även om ramlagren och vevstakslagren byts ut under motorrenoveringen bör de gamla lagren behållas för närmare undersökningar eftersom de kan ge värdefull information

**18.1 STD-markering på stödplattan till en vevstakslagerskål**

om motorns skick. På bensinmodeller delas lagerskålarna in efter tjocklek, graden på varje skål anges med en färgkod på skålen – skålarna kan även ha märken på stödplattornas **(se bild)**.
• De tunnaste skålarna är röda – 0,005 mm tunnare än de gula.
• Standardskålarna är gula (den enda storleken som finns i reservdelslagret).
• De första skålarna med understorlek är blå – 0,005 mm tjockare än de gula.
**Observera:** *I skrivande stund saknas siffror för dieselmotorn. Rådfråga tillverkaren eller en specialist på motorrenoveringar för mer information.*
**2** Lagerhaveri kan uppstå på grund av otillräcklig smörjning, förekomst av smuts eller andra främmande partiklar, överbelastning av motorn eller korrosion **(se bild)**. Oavsett vilken orsaken är måste den åtgärdas (om det går) innan motorn sätts ihop, för att förhindra att lagerhaveriet inträffar igen.
**3** När lagerskålarna ska kontrolleras, ta bort dem från motorblocket/vevhuset, ramlageröverfallen, vevstakarna och

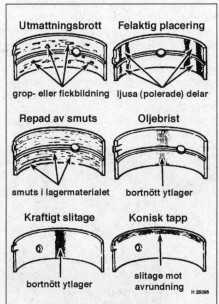

| Utmattningsbrott | Felaktig placering |
|---|---|
| grop- eller fickbildning | ljusa (polerade) delar |
| Repad av smuts | Oljebrist |
| smuts i lagermaterialet | bortnött ytlager |
| Kraftigt slitage | Konisk tapp |
| bortnött ytlager | slitage mot avrundning |

H 28395

**18.2 Typiska lagerbrott**

vevstakslageröverfallen. Lägg ut dem på en ren yta i samma positioner som de har i motorn. Därigenom kan man se vilken vevaxeltapp som orsakat lagerproblemen. Vidrör inte någon skåls inre lageryta med fingrarna vid kontrollen eftersom den ömtåliga ytan kan repas.

4 Smuts och andra partiklar kan komma in i motorn på flera olika sätt. Smuts kan t.ex. finnas kvar i motorn från ihopsättningen, eller komma in genom filter eller vevhusventilationssystemet. Det kan hamna i oljan, och därmed tränga in i lagren. Metallspån från slipning och normalt slitage förekommer ofta. Slipmedel finns ibland kvar i motorn efter en renovering, speciellt om delarna inte rengjorts noga på rätt sätt. Oavsett var de kommer ifrån hamnar dessa främmande föremål ofta som inbäddningar i lagermaterialet och är där lätta att känna igen. Större partiklar bäddas inte in i lagret och orsakar repor på lager och axeltappar. Bästa sättet att förebygga lagerhaverier är att rengöra alla delar noga och hålla allt perfekt rent under ihopsättningen av motorn. Täta och regelbundna oljebyten är också att rekommendera.

5 Oljebrist har ett antal relaterade orsaker. Överhettning (som tunnar ut oljan), överbelastning (som tränger undan olja från lagerytan) och oljeläckage (på grund av för stora lagerspel, sliten oljepump eller höga motorvarv) kan orsaka problemet. Igentäppta oljepassager, som oftast resulterar ur felinställda oljehål i en lagerskål, leder också till oljebrist, med uttorkade och förstörda lager som följd. Om ett lagerhaveri beror på oljebrist, slits eller pressas lagermaterialet bort från lagrets stålstödplatta. Temperaturen kan stiga så mycket att stålplattan blir blå av överhettning.

6 Körsättet kan påverka lagrens livslängd betydligt. Körning med gasen i botten vid låga varvtal belastar lagren mycket hårt så att oljelagret riskerar att klämmas ut. Dessa belastningar kan få lagren att vika sig, vilket leder till fina sprickor i lagerytorna (utmattningsfel). Till sist kommer lagermaterialet att gå i bitar och slitas bort från stålplattan.

7 Kortdistanskörning leder till korrosion i lagren på grund av att den värme som

bildas i motorn inte hinner bli tillräckligt hög för att få bort det kondenserade vattnet och de korrosionsframkallande ångorna. Dessa produkter samlas istället i motoroljan och bildar syra och slam. När oljan sedan leds till motorlagren angriper syran lagermaterialet.

8 Felaktig lagerinställning vid ihopmonteringen av motorn kommer också att leda till lagerhaveri. Tättsittande lager lämnar för lite lagerspel och resulterar i oljebrist. Smuts eller främmande partiklar som fastnat bakom en lagerskål kan resultera i högre punkter på lagret, som i sin tur leder till haveri.

9 Rör inte vid lagerskålarnas lageryta med fingrarna vid monteringen. det finns risk att du repar den känsliga ytan, eller lämnar smutspartiklar på den.

10 Som nämndes i början av detta avsnitt ska lagerskålarna bytas som rutinåtgärd vid motorrenovering. Att inte göra det är detsamma som dålig ekonomi.

## 19 Motorrenovering – ihopsättnings ordning

1 Innan återmonteringen påbörjas, se till att alla nya delar och nödvändiga verktyg finns tillgängliga. Läs igenom hela monteringsordningen för att bli bekant med de arbeten som ska utföras, och för att kontrollera att alla nödvändiga delar och verktyg för återmontering av motorn finns till hands. Förutom alla vanliga verktyg och delar kommer även fästmassa för gängor att behövas. En lämplig sorts tätningsmedel krävs också till de fogytor som inte har några packningar.

2 På det här stadiet ska alla motorns komponenter vara helt rena och torra och alla fel reparerade. Komponenterna ska läggas ut (eller finnas i individuella behållare) på en fullständigt ren arbetsyta.

3 För att spara tid och undvika problem rekommenderas att ihopsättningen av motorn sker i följande ordningsföljd:

### Bensinmotorer

a) Kolvringar (se avsnitt 20).
b) Vevaxel (avsnitt 21).
c) Kolvar/vevstakar (avsnitt 22).
d) Sump (kapitel 2A).

e) Balansaxlar (avsnitt 12).
f) Svänghjul/drivplatta (kapitel 2A).
g) Kamkedja och balansaxelkedja, kedjedrev och spännare (avsnitt 10 och 11).
h) Topplock (kapitel 2A).
I) Insugsgrenrör och avgasgrenrör (kapitel 4A).
j) Motorns externa komponenter.

### Dieselmotorer

a) Kolvringar (se avsnitt 20).
b) Vevaxel (se avsnitt 21).
c) Kolvar/vevstakar (se avsnitt 22).
d) Topplock (se kapitel 2B).
e) Oljepump (se kapitel 2B).
f) Sump (se kapitel 2B).
g) Svänghjul/drivplatta (se kapitel 2B).
h) Kylvätskepump (se kapitel 3).
i) Kamrem, spännare, drev och tomgångsöverföring (se kapitel 2B).
j) Insugsgrenrör och avgasgrenrör (se kapitel 4B).

## 20 Kolvringar – återmontering

1 Innan nya kolvringar monteras måste ringarnas ändavstånd kontrolleras enligt följande.

2 Lägg ut kolv-/vevstaksenheterna och de nya kolvringsuppsättningarna så att ringuppsättningarna paras i hop med samma kolv och cylinder vid mätningen av ändgapen samt under efterföljande ihopsättning av motorn.

3 Montera den övre ringen i den första cylindern och tryck ner den i loppet med överdelen av kolven (se bild). Då hålls ringen garanterat vinkelrätt mot cylinderns väggar. Placera ringen nära cylinderloppets botten, vid den nedre gränsen för ringrörelsen. Observera att den övre ringen skiljer sig från den andra ringen.

4 Mät ändgapet med bladmått och jämför de uppmätta värdena med siffrorna i Specifikationer (se bild).

5 Om öppningen är för liten (inte troligt om äkta Saab-delar används), måste det förstoras, annars kommer ringändarna i kontakt med varandra medan motorn körs och omfattande skador uppstår. Helst ska nya kolvringar med korrekt ändgap monteras. Som en sista utväg kan ändgapet förstoras genom att ringändarna filas ner försiktigt med en fin fil. Fäst filen i ett skruvstäd med mjuka käftar, dra ringen över filen med ändarna i kontakt med filytan och rör ringen långsamt för att slipa ner materialet i ändarna. Var försiktig, kolvringar är vassa och går lätt sönder.

6 På nya ringar är det föga troligt att ändgapet är för stort. Om öppningen är för stor, kontrollera att du använder rätt ringar till just din motor.

7 Upprepa kontrollen på de återstående ringarna i den första cylindern, och sedan på ringarna i de återstående cylindrarna.

20.3 Tryck ner kolvringen i loppet med överdelen av en kolv

20.4 Mät kolvringens ändgap

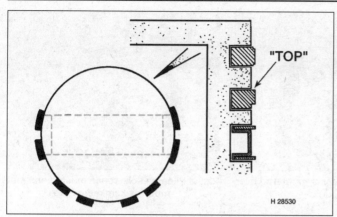

20.9 Genomskärning av kolvring och gapens placering

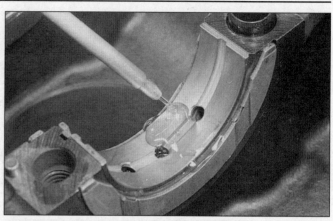

21.3 Smörj ramlagerskålarna

Kom ihåg att hålla ihop de ringar, kolvar och cylindrar som hör ihop.

**8** När ringarnas ändgap har kontrollerats och, om det var nödvändigt, justerats kan ringarna monteras på kolvarna.

**9** Montera ringarna med samma teknik som användes vid demonteringen. Montera den nedersta ringen (oljekontrollringen) först, och fortsätt uppåt. När oljekontrollringen monteras, stick först in breddhållaren, montera sedan de nedre och övre ringarna med ändgapen på den kolvsida som inte utsätts för tryck, med ungefär 60° emellan. Se till att den andra kompressionsringen monteras åt rätt håll med ordet TOP överst. Placera öppningarna på den översta och den andra kompressionsringen på motsatta sidor om kolven, ovanför kolvbultens ändar **(se bild)**. **Observera:** *Följ*

*alltid instruktionerna som medföljer de nya uppsättningarna med kolvringar – olika tillverkare kan ange olika tillvägagångssätt. Blanda inte ihop den övre och den andra kompressionsringen. De har olika tvärsnittsprofiler.*

## 21 Vevaxel – återmontering

**Observera:** *Vi rekommenderar att nya lagerskålar för huvudlagren monteras oavsett i vilket skick de ursprungliga är.*

**1** Montera vevaxellägesgivarens magnetiska motstånd (om tillämpligt) om du har tagit bort det och dra åt skruvarna enligt beskrivningen i avsnitt 14.

**2** Smörj in de övre tryckbrickorna med lite fett och stick in dem på var sida om den mittre ramlagerplatsen. Se till att smörjkanalens spår på alla tryckbrickor är vända utåt (bort från blocket).

**3** Sätt fast lagerskålarna på sina platser och se till att skålarnas flikar hakar i hacket i motorblocket eller ramlageröverfallets säte. Var noga med att inte vidröra skålarnas lagerytor med fingrarna. Om nya lagerskålar används ska alla spår av skyddsfett först tvättas bort med fotogen. Torka skålarna och vevstakarna med en luddfri trasa. Smörj lagerskålarna i motorblocket/vevhuset med rikligt med ren motorolja **(se bild)**.

**4** Sänk ner vevaxeln på sin plats så att cylinderns vevstakstappar 2 och 3 är i övre dödpunkt. I det här läget är vevstakstapparna 1 och 4 i nedre dödpunkten och kolv nr 1 redo att monteras. Kontrollera vevaxelns axialspel enligt beskrivningen i avsnitt 17.

**5** Smörj de nedre lagerskålarna i ramlageröverfallen med ren motorolja. Se till att styrtapparna på skålarna hakar i spåren i överfallen.

**6** Montera ramlageröverfallen på sina rätta platser och se till att de sitter åt rätt håll (spåren i motorblocket och överfallen för lagerskålarnas styrtappar måste vara på samma sida). Montera bultarna löst.

**7** Dra stegvis åt ramlageröverfallets bultar till angivet moment.

**8** Kontrollera att vevaxeln kan rotera fritt.

**9** Montera kolvarna/vevstakarna på vevaxeln enligt beskrivningen i avsnitt 22.

**10** Byt oljetätning i vevaxelns oljetätningshus innan det monteras, se beskrivningen i kapitel 2A eller 2B. Driv in den i huset med hjälp av en träkloss och en hammare, eller använd en träkloss i ett skruvstäd **(se bilder)**.

**11** Applicera ett lämpligt tätningsmedel på oljetätningshusets kontaktytor, smörj sedan lite olja på oljetätningens läppar och montera styrstiften om det behövs. Sätt på huset på motorblocket. Gör en styrning av en plastburk eller använd tejp för att skydda oljetätningen från skador när den placeras på vevaxeln. Ta bort styrningen eller tejpen när huset är i läge, montera bultarna och dra åt dem ordentligt **(se bilder)**.

21.10a Driv in vevaxelns oljetätning i huset

21.10b Montera vevaxelns oljetätning med hjälp av en träkloss i ett skruvstäd

21.11a Tejp över änden på vevaxeln skyddar oljetätningen vid monteringen

21.11b Lägg på tätningsmedel på oljetätningshuset

**21.11c Montera oljetätningshuset (motorns fästplatta)**

**22.5 Kolvringskompressor monterad över kolvringarna**

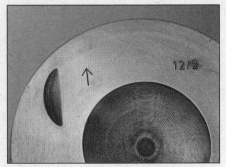

**22.6a Pilen på kolvkronan måste peka mot motorns kamkedjeände**

**22.6b Använd ett hammarskaft för att knacka ner kolven i cylinderloppet**

**22.8 Dra åt vevstakslageröverfallets muttrar**

8 Montera vevstakslageröverfallet, ta hjälp av märkena som gjordes vid demonteringen för att garantera att de monteras åt rätt håll. Dra åt överfallets muttrar/bultar till angivet moment **(se bild)**.
9 Vrid runt vevaxeln. Kontrollera att den snurrar fritt. lite stelhet är normalt med nya delar, men den ska inte kärva eller ta i.
10 Montera de återstående kolvarna/vevstakarna på vevstakstapparna på samma sätt.
11 Sätt tillbaka oljeupptagningen/renaren, sumpen och topplocket enligt beskrivningen i kapitel 2A eller 2B.

12 Montera svänghjulet/drivplattan, oljeupptagaren/silen/transportröret och sumpen enligt beskrivningen i kapitel 2A eller 2B.
13 Om topplocket har demonterats ska det monteras enligt beskrivningen i kapitel 2A eller 2B.
14 Montera tillbaka kamkedjan och drevet (bensinmotorer).

## 22 Kolvar/vevstakar – montering och kontroll av vevstakslagrets spelrum

**Observera:** *Vi rekommenderar att nya lagerskålar för huvudlagren monteras oavsett i vilket skick de ursprungliga är.*

### Spelrumskontroll

1 Ett sätt att kontrollera spelrummet är att montera tillbaka vevstakslageröverfallet på vevstaken innan kolvarna monteras i motorblocket, se till att de sitter åt rätt håll med lagerskålarna i läge. Se till att överfallets fästmuttrar är ordentligt åtdragna, använd en inre mikrometer eller ett skjutmått för att mäta den inre diametern på alla sammansatta lagerskålar. Om diametern på varje motsvarande vevaxeltapp mäts och sedan subtraheras från lagrets invändiga diameter blir resultatet vevlagerspelet.
2 Ett annat, bättre sätt är att ta med delarna

till din lokala motorrenoverare som kan utföra en noggrannare kontroll.

### Montering

3 Smörj in cylinderloppen, kolvarna, kolvringarna och lagerskålarna med ren motorolja och lägg ut varje kolv/vevstake på respektive plats på en ren och dammfri yta.
4 Tryck in lagerskålarna på sina platser och se till att skålarnas flikar hakar i hacken på vevstaken och överfallet. Var noga med att inte vidröra skålarnas lagerytor med fingrarna. Om du använder de ursprungliga lagerskålarna för kontrollen, se till att de monteras på sina respektive ursprungliga platser.
5 Börja med del nr 1. Placera vevstakstapp nr 1 längst ner i sitt kolvslag. Se till att kolvringarna fortfarande är utplacerade enligt beskrivning i avsnitt 20, tryck därefter in dem i sina lägen med en kolvringskompressor **(se bild)**.
6 Sätt i kolv-/vevstaksenheten i ovansidan på cylinder 1; se till så att inte cylinderloppen repas. Se till att hacket eller pilen på kolvkronan pekar mot kamkedjesidan av motorn. Använd en träkloss eller ett hammarskaft på kolvkronan och knacka ner kolvenheten i cylinderloppet tills kolvkronan är i jämnhöjd med cylinderns överkant **(se bilder)**.
7 När vevstakstapp nr 1 befinner sig längst ner i sitt slag, för vevstaken över den medan du fortsätter att knacka på kolvtoppen med hammarskaftet.

## 23 Motor – första start efter renovering

1 Med motorn återmonterad i bilen, kontrollera motorolje- och kylvätskenivån igen. Kontrollera en sista gång att allt har återanslutits och att det inte ligger några verktyg eller trasor kvar i motorrummet.
2 Starta motorn, och var beredd på att detta kan ta lite längre tid än vanligt. Kontrollera att varningslampan för oljetryck slocknar.
3 Låt motorn gå på tomgång och undersök om det förekommer läckage av bränsle, vatten eller olja. Bli inte orolig om det luktar konstigt eller ryker från delar som blir varma och bränner bort oljeavlagringar.
4 Om allt antas fungera som det ska, kör motorn tills den når normal arbetstemperatur och slå sedan av motorn.
5 Kontrollera oljan och kylvätskan igen efter några minuter enligt beskrivningen i Veckokontroller och fyll på om det behövs.
6 Du måste inte dra åt topplocksbultarna igen när motorn har startats efter ihopsättningen.
7 Om nya kolvar, kolvringar eller vevaxellager monterats ska motorn behandlas som en ny och köras in de första 900 kilometerna. Kör inte på fullgas, och låt inte motorn arbeta hårt på låga varvtal på någon växel. Vi rekommenderar att oljan och oljefiltret byts efter denna period.

# Kapitel 3
# Kyl-, värme- och ventilationssystem

## Innehåll

## Svårighetsgrad

| Enkelt, passar novisen med lite erfarenhet |  | Ganska enkelt, passar nybörjaren med viss erfarenhet | | Ganska svårt, passar kompetent hemmamekaniker | | Svårt, passar hemmamekaniker med erfarenhet |  | Mycket svårt, för professionell mekaniker |  |

## Specifikationer

### Allmänt
Expansionskärlets öppningstryck . . . . . . . . . . . . . . . . . . . . . . . . . . . . 1,4 till 1,5 bar

### Termostat
Öppningstemperatur . . . . . . . . . . . . . . . . . . . . . . . . . . . . . . . . . . . . . 89°C ± 2°C

### Elektrisk kylfläkt
Tillslagstemperatur:
    Steg 1 . . . . . . . . . . . . . . . . . . . . . . . . . . . . . . . . . . . . . . . . . . . . 100° ± 2°C
    Steg 2 . . . . . . . . . . . . . . . . . . . . . . . . . . . . . . . . . . . . . . . . . . . . 113° ± 2°C
Frånslagstemperatur:
    Steg 1 . . . . . . . . . . . . . . . . . . . . . . . . . . . . . . . . . . . . . . . . . . . . 96° ± 1°C
    Steg 2 . . . . . . . . . . . . . . . . . . . . . . . . . . . . . . . . . . . . . . . . . . . . 109° ± 1°C

### Temperaturgivare för kylvätska

| | Resistans (kOhm) | Spänning |
| --- | --- | --- |
| Vid -30 °C | 20 till 30 | ca. 4,8 |
| Vid -10 °C | 7,0 till 11,4 | ca. 4,5 |
| Vid 20 °C | 2,1 till 2,9 | ca. 3,6 |
| Vid 40 °C | 1,0 till 1,3 | ca. 2,7 |
| Vid 60 °C | 0,565 till 0,670 | ca. 1,9 |
| Vid 80 °C | 0,295 till 0,365 | ca. 1,2 |
| Vid 90 °C | 0,24 till 0,26 | ca. 1,0 |
| Vid 110 °C | 0,14 till 0,16 | ca. 0,65 |

## Åtdragningsmoment

| | Nm |
|---|---|
| Elektrisk kylfläkt | 8 |
| Kylvätsketemperaturgivare: | |
| Bensinmotorer | 13 |
| Dieselmotorer | 22 |
| Luftkonditionering: | |
| Fästbultar mellan slang och kompressor | 20 |
| Kompressorfäste: | |
| M8-bultar | 24 |
| M10-bultar | 40 |
| Kylmedierörets anslutning | 18 |
| Kylmedierörets anslutning på mellanväggen | 15 |
| Stelt värmerör: | |
| Till cylinderblock | 10 |
| Till turboaggregat | 25 |
| Till vattenpump | 20 |
| Termostathus: | |
| Bensinmotorer | 22 |
| Dieselmotorer | 25 |
| Vattenpump: | |
| Bensinmotorer | 22 |
| Dieselmotorer | 25 |

## 1 Allmän information och föreskrifter

Kylsystemet är ett trycksystem och består av en vattenpump som drivs av drivremmen (bensinmotorer) eller kamremmen (dieselmotorer), en kylare med vattengenomströmning i horisontalled, elektrisk kylfläkt, en termostat, värmepaket och alla tillhörande slangar. Expansionskärlet är placerat till vänster i motorrummet. Vattenpumpen är fastskruvad i motorblocket.

Systemet fungerar så här: Kall kylvätska i botten på kylaren passerar genom bottenslangen till vattenpumpen, därifrån pumpas kylvätskan runt i motorblocket och motorns huvudutrymmen. När cylinderloppen, förbränningsytorna och ventilsätena kylts når kylvätskan undersidan av termostaten, som är stängd. Kylvätskan passerar genom värmeenheten och tillbaka till vattenpumpen. På bensinmodeller leds en liten del av kylvätskan från topplocket genom gasspjällshuset. En ytterligare mängd kylvätska leds sedan genom turboaggregatet.

När motorn är kall cirkulerar kylvätskan endast genom motorblocket, topplocket, gasspjällshuset, värmeenheten och turboaggregatet. När kylvätskan uppnår en angiven temperatur öppnas termostaten och kylarvätskan passerar genom den övre slangen till kylaren. Under sin väg genom kylaren kyls vätskan av den luft som strömmar in när bilen är i rörelse, om det behövs används även den elektriska fläkten för att kyla vätskan. När kylvätskan nått botten av kylaren är den nedkyld, och processen börjar om.

När motorn har normal arbetstemperatur expanderar kylvätskan, och lite av vätskan förpassas till expansionskärlet. Kylvätskan samlas i kärlet och återvänder till kylaren när systemet kallnar.

En tvåstegs elektrisk kylfläkt sitter baktill på kylaren och styrs av en termostat. När kylvätskan når en angiven temperatur slås fläkten igång. I modeller med luftkonditionering finns två tvåstegsfläktar.

⚠️ **Varning: Försök inte ta bort expansionskärlets påfyllningslock eller på annat sätt göra ingrepp i kylsystemet medan motorn är varm. Risken för allvarliga brännskador är mycket stor. Om expansionskärlets påfyllningslock måste tas bort innan motorn och kylaren har svalnat helt (även om detta inte rekommenderas), måste övertrycket i kylsystemet först släppas ut. Täck locket med ett tjockt lager tyg för att undvika brännskador, skruva sedan långsamt bort locket tills ett pysande ljud hörs. När pysandet har upphört, vilket tyder på att trycket minskat, fortsätt att långsamt skruva loss locket tills det kan tas loss helt. Hörs ytterligare pysljud, vänta tills det försvinner innan locket tas av helt. Stå alltid så långt ifrån öppningen som möjligt, och skydda händerna.**

**Låt inte frostskyddsmedel komma i kontakt med huden eller lackerade ytor på bilen. Spola omedelbart bort eventuellt spill med stora mängder vatten. Lämna aldrig frostskyddsmedel stående i en öppen behållare eller i en pöl på marken eller garagegolvet. Barn och husdjur kan attraheras av den söta doften och frostskyddsmedel kan vara livsfarligt att förtära.**

**Om motorn är varm kan den elektriska fläkten starta även om motorn inte är i gång. Var noga med att hålla undan händer,** hår och löst sittande kläder från fläkten vid arbete i motorrummet.

*Se även föreskrifter för arbete på modeller med luftkonditionering i avsnitt 10.*

## 2 Kylsystemets slangar – urkoppling och byte

1 Antalet slangar, hur de är dragna och i vilket mönster varierar från modell till modell, men grundmetoden är densamma. Kontrollera att de nya slangarna finns tillgängliga, tillsammans med eventuella slangklämmor, innan arbetet inleds. Det är klokt att byta ut slangklämmorna samtidigt med slangarna.
2 Tappa ur kylsystemet, enligt beskrivningen i kapitel 1A eller 1B, spara kylvätskan om den går att återanvända. Spruta lite smörjolja på slangklämmorna om de visar tecken på rost.
3 Lossa och ta bort slangklämmorna från respektive hus.
4 Lossa samtliga ledningar, vajrar eller andra slangar som är anslutna till den slang som skall demonteras. Anteckna gärna deras placering för att underlätta återmonteringen. Det är relativt enkelt att ta bort slangarna när de är nya, på en äldre bil kan de däremot ha fastnat vid utloppen.
5 Försök lossa slangar som sitter hårt genom att rotera dem innan de dras bort. Var noga med att inte skada rörändar eller slangar. Observera att in- och utloppsanslutningarna på kylaren är ömtåliga. Ta inte i för hårt för att dra loss slangarna.
6 Smörj in rörändarna med diskmedel eller lämpligt gummismörjmedel innan den nya slangen installeras. Använd inte olja eller smörjfett, det kan angripa gummit.
7 Montera slangklämmorna över slangändarna och sedan slangen på rörändan. Tryck slangen

i rätt läge. När slangarna sitter på sina platser, montera och dra åt slangklämmorna.
**8** Fylla på kylsystemet enligt beskrivningen i kapitel 1A eller 1B. Kör motorn och kontrollera att inget bränsleläckage förekommer.
**9** Fyll på kylvätska om det behövs (se *Veckokontroller*).

## 3 Kylare – demontering, kontroll och montering

**Observera:** *Om orsaken till att kylaren demonteras är läckage, tänk på att mindre läckor ofta kan tätas med kylartätningsmedel med kylaren monterad.*

### Demontering

**1** Dränera kylsystemet enligt beskrivningen i kapitel 1A eller 1B. Då behöver du ta bort stänkskyddet från kylarens undersida. Om kylvätskan är förhållandevis ny eller i gott skick kan du tömma ut den i en ren behållare och återanvända den.
**2** Demontera den främre stötfångaren enligt beskrivningen i kapitel 11.
**3** Lossa klämman och den övre slangen från kylaren **(se bild)**.
**4** Ta bort kylfläkten enligt beskrivningen i avsnitt 5.
**5** I modeller med automatisk växellåda är oljekylaren inbyggd i kylaren. Placera lämpliga behållare under kylaren och växellådan. Lossa sedan rören mellan oljekylaren och växellådan och låt hydraulvätskan rinna ut **(se bild)**. Tejpa över eller plugga igen rörens ändar. Kassera tätningarna eftersom nya kommer att behövas vid återmontering.
**6** Lossa fästklämman och lossa kylvätskebehållarens slang från kylaren **(se bild)**.
**7** Koppla loss kablaget från luftkonditioneringskompressorn.
**8** Lossa klämman och koppla loss den nedre slangen från kylarens nedre högra sida. Om det inte går att komma åt kylarklämman kopplar du loss slangen från kylvätskepumpen till höger om motorn **(se bild)**.
**9** Fäst luftkonditioneringskondensatorn, servostyrningsoljekylare och laddluftkylaren (beroende på modell) vid den främre tvärbalken.
**10** Skruva loss de två fästbultar och ta bort oljekylaren underifrån kylaren **(se bild)**. Flytta oljekylare åt sidan med rören fortfarande anslutna, och se till så att de inte skadas.
**11** Skruva loss fästmuttrarna/bultarna och ta bort de två fästena från kylaren **(se bild)**. Kontrollera det nedre fästets gummibitar när fästena tas bort.
**12** Med servostyrningsoljekylaren och laddluftkylaren (beroende på modell) säkrade, drar du tillsammans med kondensorn ut kylaren i riktning nedåt och utåt från under den främre delen av bilen. Se upp så att du inte skadar några kylfenor.

**3.3 Lossa övre slangens fästklämma**

**3.6 Lossa slangens fästklämma**

### Kontroll

**13** Om kylaren har demonterats på grund av misstänkt stopp, ska den backspolas enligt beskrivningen i kapitel 1A eller 1B. Ta bort smuts och partiklar från kylarens flänsar med tryckluft eller en mjuk borste.
**14** Om det behövs, kan en kylarspecialist utföra ett flödestest på kylaren för att ta reda på om den är blockerad. En läckande kylare måste lämnas till en specialist för permanent lagning. Försök inte svetsa eller löda en läckande kylare. Demontera kylfläktens termostatbrytare innan kylaren lämnas in för reparation eller byte.
**15** Kontrollera om kylarens övre och nedre fästgummin är i gott skick, och byt ut dem om det behövs.

### Montering

**16** Anslut den nedre slangen innan du monterar tillbaka kylaren, och se till att

**3.10 Motoroljekylare**

**3.5 Anslutningsledningen för automatväxellådans oljekylare**

**3.8 Lossa nedre slangens fästklämma**

fästklämman är åtkomlig när kylaren satts på plats.
**17** Montera tillbaka kylaren på plats och passa in de nedre fästbyglarna på den främre tvärbalken. Kontrollera att fästets gummibitar sitter korrekt på de nedre stiften på kylaren och laddluftkylaren.
**18** Montera tillbaka oljekylaren på kylarens undersida.
**19** Med de nedre fästbyglarna på plats, lösgör de säkrade fästena som håller fast luftkonditioneringskondensatorn, servostyrningsoljekylare och laddluftkylaren (beroende på modell) vid den främre tvärbalken.
**20** Montera tillbaka den nedre slangen på den nedre, högra sidan av kylaren eller kylvätskepumpen, beroende på varifrån den togs bort.
**21** Anslut kablaget till luftkonditioneringskompressorn.

**3.11 Kylarens nedre fästbygel – en sida visas**

**4.3 Jordkabel som är fastskruvad i termostathuset**

22 Återanslut kylvätskebehållarens slang till kylarens överdel och dra åt klämman.
23 På automatväxlade modeller, anslut oljekylarrören (tillsammans med nya tätningsbrickor) och dra åt banjobultarna.
24 Montera tillbaka kylfläkten enligt beskrivningen i kapitel 5.
25 Återanslut den övre slangen till kylarens överdel och dra åt klämman.
26 Montera tillbaka den främre stötfångaren enligt beskrivningen i kapitel 11.
27 Fylla på och lufta kylsystemet enligt beskrivningen i kapitel 1A eller 1B. Kontrollera automatväxeloljenivån och fyll vid behov på med olja enligt beskrivningen i kapitel 1A eller 1B.
28 Kontrollera slutligen att kylsystemet inte läcker.

### 4 Termostat – demontering, kontroll och montering

#### Demontering

1 Dränera kylsystemet enligt beskrivningen i kapitel 1A eller 1B. Då behöver du ta bort stänkskyddet från kylarens undersida. Om kylvätskan är förhållandevis ny eller i gott skick kan du tömma ut den i en ren behållare och återanvända den.

#### Bensinmodeller

2 På vänstra änden av topplocket lossar du klämman och tar loss den översta slangen från termostathuset. Flytta slangen åt sidan.

**4.7 Ta bort laddluftröret**

**4.5 Bultar till termostathuset**

3 Skruva loss bulten som håller fast jordkabeln på termostathuset och flytta kabeln åt sidan **(se bild)**.
4 Skruva loss slangstödfästet från termostathuset.
5 Skruva loss de övre och nedre fästbultarna och dra loss termostathuset och termostaten från topplocket **(se bild)**. Ta vara på tätningen.

#### Dieselmodeller

6 Termostaten sitter på den vänstra änden av topplocket och är inbyggd i huset.
7 Lossa fästklämmorna, och ta bort laddluftröret från topplockets vänstra ände **(se bild)**.
8 Lossa fästklämman och lossa slangarna från termostathuset **(se bild)**.
9 Lossa kylvätsketemperaturgivarens anslutningskontakt .
10 Skruva loss de två fästbultar och ta bort termostathuset.

#### Kontroll

*Observera: Byt ut termostaten om det föreligger minsta tvivel om dess funktion. Termostater är inte dyra. Kontrollen innefattar upphettning i eller ovanför en öppen kastrull med kokande vatten, vilket innebär risk för brännskador. En termostat som har använts i mer än fem år kan redan ha sett sina bästa dagar.*

11 En grov kontroll av termostaten kan utföras genom att man binder ett snöre i den och sänker ner den i en kastrull med vatten. Koka upp vattnet och kontroller att termostaten öppnas. Om inte, måste termostaten bytas ut.
12 Använd en termometer, om sådan finns tillgänglig, för att fastställa termostatens

**4.8 Lossa de tre slangfästklämmorna**

exakta öppningstemperatur. Jämför siffrorna med angivna värden i specifikationerna. Öppningstemperaturen finns normalt angiven på termostaten.
13 En termostat som inte stängs när vattnet svalnar måste också bytas.

#### Montering

14 Rengör termostathusets och topplockets ytor.
15 Placera termostaten och tätningsringen i topplocket. Se till att luftmunstycket är längst upp. Hålet används för att släppa lufta ur systemet.
16 Montera termostathuset och dra åt bultarna till angivet moment.
17 Återstoden av återmonteringen görs omvänt mot borttagningsproceduren. Fyll på och lufta kylsystemet enligt beskrivningen i kapitel 1A eller 1B när du är klar.

### 5 Elektrisk kylfläkt – kontroll, demontering och montering

#### Kontroll

1 Kylfläktens strömförsörjning styrs av DICE-styrmodulen (se kapitel 12, avsnitt 23). Modulen tar emot information från temperaturgivaren för kylvätska, luftkonditioneringtrycket, fordonshastigheten och yttertemperaturen. Modeller med luftkonditionering är försedda med två kylfläktar, som styrs av DICE-modulen.
2 Om fläkten inte verkar fungera, kontrollera först att anslutningskontakten i närheten av kylfläkten är intakt. Observera att Saab-mekaniker använder ett elektroniskt testverktyg för att kontrollera styrmodulen efter felkoder. Om det behövs bör en diagnoskontroll utföras på en Saab-verkstad för att lokalisera felet.
3 Om kablaget är i gott skick kontrollerar du med en voltmeter att motorn matas med 12 volt när motortemperaturen anger det. Motorn kan undersökas genom att den kopplas bort från kabelnätet och ansluts direkt till en källa på 12 volt.

#### Demontering

4 Ta bort bypassröret och ventilen från topplockets vänstra sida. **(se bild)** Observera att det sitter en O-ring på turboinsugsröret.

**5.4 Ta bort bypassventilen**

**5.5  Koppla loss kontaktdonet.**

**5.6  Lossa expansionskärlets slang**

**5.10  Skruva loss kåpans fästbult – en sida visas**

**5.11  Ta bort enheten från motorrummet**

**5.12a  Skruva loss skruvarna och ta bort fläktbladen**

**5.12b  Lossa plastkåpan . . .**

**5.12c  . . . skruva sedan loss skruvarna och ta bort fläktmotorn**

## Montering

**13** Montering utförs i omvänd ordningsföljd, men dra åt fästbultarna till angivet moment. Avsluta med att fylla på och lufta kylsystemet enligt beskrivningen i kapitel 1A eller 1B.

## 6  Temperaturgivare för kylvätska – kontroll, demontering och montering

### Kontroll

**1** Temperaturgivare för motorkylvätska sitter på termostathuset längst till vänster på topplocket. Givarens resistans varierar beroende på kylvätskans temperatur.
**2** Testa givaren genom att koppla bort kablarna vid pluggen, koppla sedan en ohmmätare till givaren **(se bilder)**.
**3** Mät kylvätskans temperatur, jämför sedan resistansen med uppgifterna i specifikationerna. Om värdena inte stämmer överens måste givaren bytas ut.

### Demontering

**4** Dränera kylsystemet enligt beskrivningen i kapitel 1A eller 1B. För att lättare komma åt, ta bort slang(arna) från termostathuset.
**5** Alternativt kan du montera den nya givaren omedelbart när du tagit bort den gamla, eller också kan du sätta i en passande plugg i öppningen när du tagit bort givaren. Om man väljer det senare alternativet måste man först se till att kylsystemet har svalnat.

**5** Koppla loss kablarna till kylfläkten/kylfläktarna från kylarens topp **(se bild)**.
**6** Töm kylsystemet enligt beskrivningen i kapitel 1A eller 1B. Observera att man endast behöver tappa ur tills nivån i kylsystemet är lägre än den övre slangens utlopp.
**7** Lossa klämman och koppla loss den övre slangen från kylarens övre vänstra sida.
**8** Lossa klämmorna som håller fast expansionskärlets ventilationsslang mot fläktkåpans överdel **(se bild)**.
**9** På modeller med automatisk växellåda, lossa kylarens rör och kablage (om tillämpligt) från fläktkåpans nederkant.
**10** Skruva loss bultarna som fäster den elektriska kylfläkten på kylarens sidotankar; det finns en enkel bult på var sida om enheten **(se bild)**.
**11** Lyft kylfläkten något och lossa den från de nedre monteringshakarna. Flytta

sedan enheten åt sidan och dra ut den ur motorrummet **(se bild)**.
**12** För att ta bort motorn och fläktbladen lossar du plastkåpan och kablaget. Lossa sedan fästskruvarna **(se bilder)**.

**6.2a  Lossa kablaget från givaren (bensinmotor)**

**6.2b  Lossa kablaget från givaren (dieselmotor)**

Lossna sedan försiktigt påfyllningslocket till expansionskärlet för att utjämna trycket i kylsystemet, och dra sedan åt locket.
6 Med kablarna bortkopplade, skruva loss givaren och ta bort den från termostathuset. Ta bort tätningsbrickan i förekommande fall.

## Montering

7 Stryk lite kopparfett på gängorna. Sätt sedan i givaren och i förekommande fall en ny tätningsbricka. Dra därefter åt givaren till angivet moment.
8 Återanslut kablarna.
9 Fylla på kylsystemet enligt beskrivningen i kapitel 1A eller 1B. Om systemet inte tömts helt fyller du på det (Veckokontroller).

## 7 Vattenpump – demontering och montering

## Bensinmodeller

### Demontering

1 Dränera kylsystemet enligt beskrivningen i kapitel 1A. Då behöver du ta bort stänkskyddet från kylarens undersida. Om kylvätskan är förhållandevis ny eller i gott skick kan du tömma ut den i en ren behållare och återanvända den.
2 Ta bort kablaget från massluftflödesgivaren framme till höger i motorrummet. Lossa sedan klämmorna och ta bort luftslangen tillsammans med luftflödesgivaren.
3 Demontera drivremmen enligt beskrivningen i kapitel 1A.

4 Koppla loss vevhusventilationsslangen och ta bort den från turboaggregatets insugning och ventilkåpan.
5 Koppla loss kablaget från turboaggregatets laddtrycksventil.
6 Skruva loss motorlyftöglan från topplocket.
7 Koppla loss slangarna från turboaggregatets övertrycksventil.
8 Koppla loss turboaggregatets bypassrör och ventil. Observera att det sitter en O-ring vid skarven till turboinsugsröret.
9 Skruva loss muttern och ta bort värmeskölden från avgasgrenröret.
10 Lossa snabbkopplingen vid vevhusventilationsslangen.
11 Ta bort turboaggregatets insugsrör och täck öppningen med tejp eller en plastpåse, så att damm och smuts inte kommer in.
12 Ta bort servostyrningspumpen enligt beskrivningen i kapitel 10. Lossa dock inga vätskeslangar.
13 Lossa klämman och ta loss insugsslangen från vattenpumpen.
14 Lossa de två bultarna från motorblockets vänstra sida. Ta sedan bort den stela värmereturledningen från vattenpumpen. Ta vara på O-ringen i vattenpumpen. Lossa också bulten och ta bort hållaren till den stela värmereturledningen från turboaggregatet.
15 Lossa kylvätskepumpens tre monteringsskruvar och lossa försiktigt pumpen från fästbygeln och anslutningsadaptern på motorblocket (se bild).
16 Ta bort adaptern från motorblocket och kontrollera skicket på O-ringtätningarna.

Vi rekommenderar att du byter tätningarna. Observera att adaptern på senare modeller är försedd med två inpassningsflikar med olika bred, som sitter i vattenpumpen. Adaptern går bara att montera på ett sätt, vilket gör att den interna kanalen alltid är vänd åt rätt håll (se bilder).
17 Vattenpumpen kan tas bort som en enhet eller också kan skovelhjulet/remskivan tas bort separat. Markera de två delarnas placering i förhållande till varandra innan de skiljs åt. Skruva loss bultarna och sära halvorna (se bilder).

## Montering

18 När halvorna är skilda åt, rengör fogytorna och sätt ihop halvorna igen med en ny packning. Montera bultarna och dra åt ordentligt.
19 Montera tillbaka adaptern på motorblocket tillsammans med nya O-ringar. Smörj lite vaselin på O-ringarna för att underlätta monteringen på motorblocket. Kontrollera adapterns läge på senare modeller.
20 Placera pumpen på adaptern, sätt sedan i bultarna och dra åt dem till angivet moment.
21 Sätt tillbaka de stela värmereturledningarna med en ny O-ring. Sätt även tillbaka rörhållaren. Dra åt fästbultarna till angivet moment.
22 Återanslut insugsslangen till vattenpumpen och dra åt klämman.
23 Montera servostyrningspumpen enligt beskrivningen i kapitel 10.
24 Sätt tillbaka turboaggregatets intagsrör.
25 Återanslut snabbkopplingen till vevhusventilationsslangen.

7.15 Vattenpumpen borttagen från motorn

7.16a Bred inpassningsflik på adaptern, som sticks in i den breda utskärningen på vattenpumpen

7.16b Adaptern skjuts in i utskärningar i vattenpumpens hölje

7.16c Ta loss O-ringstätningarna från adaptern

7.17a Skruva loss bultarna ...

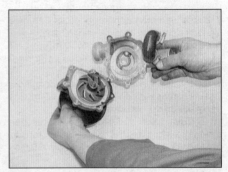
7.17b ... och skilj vattenpumpens halvor åt

**7.37 Vattenpumpens fästbultar**

**26** Montera värmeskölden på avgasgrenröret.
**27** Återmontera turboaggregatets bypassrör och ventil. Använd en ny O-ring vid skarven till turboinsugsröret.
**28** Återanslut slangarna till turboaggregatets övertrycksventil.
**29** Återmontera motorlyftöglan på topplocket och dra åt bulten.
**30** Återanslut kablaget till turboaggregatets laddtrycksventil.
**31** Återanslut vevhusventilationsslangen till turboaggregatets inloppsrör och ventilkåpan.
**32** Montera tillbaka multiremmen enligt beskrivningen i kapitel 1A.
**33** Montera tillbaka luftslangen och luftflödesgivaren samt kablaget.
**34** Sätt tillbaka stänkskyddet under kylaren.
**35** Fyll på och avlufta kylsystemet enligt beskrivningen i kapitel 1A.

### Dieselmodeller

#### Demontering

**36** På dieselmotorer drivs vattenpumpen av kamremmen. Ta bort kamremmen enligt beskrivningen i kapitel 2B.
**37** Skruva loss skruvarna och ta bort vattenpumpen från motorn **(se bild)**.

#### Montering

**38** Återmontering sker i omvänd ordningsföljd. Tänk på följande:
 a) *Rengör pumpens och blockets kontaktytor.*
 b) *Montera nya O-ringar (om tillämpligt), och stryk vid behov lite vaselin på dem, så blir det lättare att montera dem.*
 c) *Applicera lite gänglåsningsmedel på vattenpumpens fästbultar.*
 d) *Dra åt alla muttrar och bultar till eventuellt angivet åtdragningsmoment.*
 e) *Fyll på och avlufta kylsystemet enligt beskrivningen i kapitel 1B.*

---

### 8 Klimatkontrollsystem – allmän information

**1** Det finns två olika klimatanläggningssystem – det manuella systemet (MCC) och det automatiska systemet (ACC) som håller

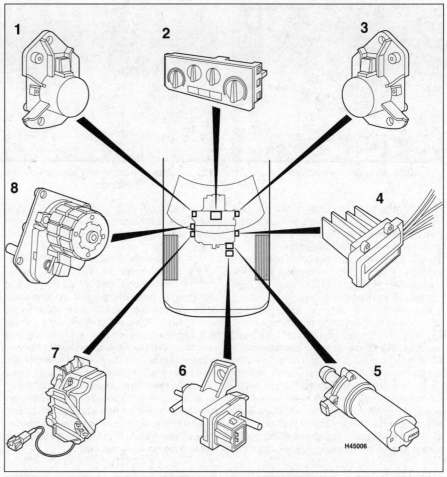

**8.1 Standardsystem för värme/ventilation**

1  *Stegmotor för luftblandning, höger*
2  *Styrenhet*
3  *Stegmotor för luftblandning, vänster*
4  *Styrenhet för ventilationsfläkt*
5  *Cirkulationspump (endast vissa versioner)*
6  *Avstängningsventil för värmeväxlare*
7  *Motor för återcirkulering av luft*
8  *Stegmotor för luftfördelare*

temperaturen i kupén på en inställd nivå oavsett utetemperatur **(se bild)**. Den enkla värme-/ventilationsenheten är lika för alla versioner och består av lufttrummor från den centralt placerade värmaren till en central ventil och två sidoventiler, samt en anslutning från botten av värmaren, genom mittkonsolen till de bakre fotbrunnarna.
**2** Värme- och ventilationskontrollerna sitter i mitten av instrumentbrädan. Elstyrda klaffventiler i luftfördelarhuset leder luften till de olika trummorna och ventilerna.
**3** Kalluft kommer in i systemet genom grillen under vindrutan. Om det behövs förstärks luftflödet av kompressorn och flödar sedan genom de olika lufttrummorna i enlighet med kontrollernas inställningar. Gammal luft pressas ut genom trummor placerade baktill i bilen. Om varm luft krävs, leds den kalla luften över värmepaketet, som värms upp av motorns kylvätska.
**4** På alla modeller kan man stänga av tillförseln av luft utifrån med ett återcirkuleringsreglage och i stället låta luften i bilen återcirkulera.

Den här möjligheten är bra för att förhindra otrevlig lukt att tränga in i bilen utifrån, men den bör endast användas under kortare perioder eftersom den återcirkulerade luften i bilen snart blir dålig.
**5** En solcell ovanpå instrumentbrädan känner av ökad solstrålning och ökar farten på kompressormotorn. Det är nödvändigt för att luftgenomströmningen i bilen ska öka.

### Luftkonditionering

**6** Luftkonditioneringen kan sänka temperaturen inuti bilen och avfuktar luften så att imma försvinner snabbare och komforten ökar.
**7** Den kylande delen av systemet fungerar på samma sätt som ett vanligt kylskåp. Köldmedia i gasform sugs in i en remdriven kompressor och passerar en kondenserare som är monterad framför kylaren. Vätskan passerar genom en mottagare och en expansionsventil till en förångare där den omvandlas från vätska

9.3a Skruva loss muttrarna . . .

9.3b . . . och ta bort ramen som sitter runt fläktmotorn

9.3c Ta bort tätningsremsan från spåret

under högt tryck till gas under lågt tryck. Den här omvandlingen leder till ett temperaturfall som kyler förångaren. Kylgasen återvänder till kompressorn och cykeln börjar om.

**8** Luft som matas genom förångaren skickas vidare till luftfördelarenheten. Luftkonditioneringssystemet slås på med reglaget på värmepanelen.

**9** Kompressorns arbete styrs av en elektromagnetisk koppling på drivremskivan. Eventuella problem med systemet ska överlåtas till en Saab-verkstad eller specialist.

**10** Serviceöppningarna till luftkonditioneringens kylkrets sitter framför servostyrningsbehållaren på höger sida i motorrummet, på innerskärmens panel och i det främre vänstra hörnet på den främre tvärpanelen **(se bilder 10.5a och 10.5b)**.

**11** Det är viktigt att vidta försiktighetsåtgärder när man arbetar med luftkonditioneringssystemet

(se avsnitt 10). Om systemet av någon anledning måste tömmas, låt en Saab-handlare eller lämpligt utrustad specialist göra detta.

⚠️ *Varning: Kylkretsen innehåller ett flytande kylmedel under tryck och det är därför farligt att koppla bort någon del av systemet utan specialistkunskap och nödvändig utrustning. Kylmedlet kan vara farligt och får hanteras endast av kvalificerade personer. Om det stänker på huden kan det orsaka köldskador. Det är inte giftigt i sig, men utvecklar en giftig gas om den kommer i kontakt med en oskyddad låga (inklusive en tänd cigarrett). Okontrollerat utsläpp av kylmediet är farligt och skadligt för miljön. Använd inte luftkonditioneringssystemet om det innehåller för lite kylmedel eftersom det kan skada kompressorn.*

## 9 Klimatanläggning komponenter – demontering och montering

### Värmefläktens motor

**1** Ställ in återcirkuleringskontrollen på OFF.
**2** Ta bort torkarmotorn och länkaget enligt beskrivningen i kapitel 12.
**3** Lossa muttrarna och snäpp loss ramen från fläktmotorns omkrets. Om det behövs tar du bort tätningsremsan från spåret **(se bilder)**.
**4** Skruva loss och ta bort torkararmshållaren **(se bild)**.
**5** Lossa kabelhärvan från fläktmotorkåpan **(se bild)**.
**6** Lossa skruvarna och ta bort fläktmotorkåpan genom att lyfta den åt ena sidan, samtidigt som du lossar kablaget **(se bilder)**.

9.4 Ta bort fästbygeln till torkararmen . . .

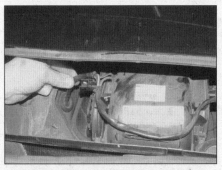

9.5 . . . och ta bort kabelhärvan från fläktmotorkåpan . . .

9.6a . . . skruva loss de övre skruvarna . . .

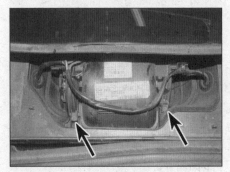

9.6b . . . och de nedre skruvarna . . .

9.6c . . . och ta bort fläktmotorns kåpa . . .

9.6d . . . samtidigt som du tar bort kablaget

**9.8 Dra panelen bakåt med en tandad rem när du tar bort värmeenhetens fläktmotor**

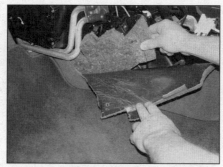

**9.12 Ta bort konsoldekoren och packningsmaterialet**

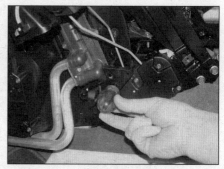

**9.13a Lossa skruvarna . . .**

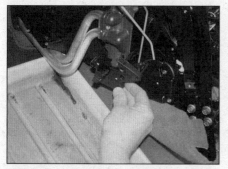

**9.13b . . . och ta bort plastfästbygeln från värmeenhetens sida**

**9.14a Skruva loss skruven i mitten . . .**

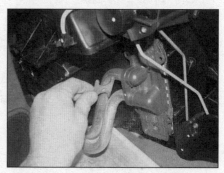

**9.14b . . . ta bort klämplåten . . .**

**7** Lyft ut fläktmotorn så mycket att du kan lossa kablaget. Klipp av buntbandet och lossa kablaget.

**8** Dra bort fläktmotorn från mellanväggen. I modeller med högerstyrning kanske det inte finns tillräckligt med plats mellan vindrutan och motorrummets bakre panel. I så fall behöver du tillfälligt dra panelen bakåt med en tandad rem som du sätter mellan panelen och den främre tvärbalken **(se bild)**.

**9** Monteringen utförs i omvänd ordning mot demonteringen. Se till att kablaget är fritt från fläkten innan du sätter tillbaka kåpan.

## Värmeväxlare

**10** Dränera kylsystemet enligt beskrivningen i kapitel 1A eller 1B. Då behöver du ta bort stänkskyddet från kylarens undersida. Om kylvätskan är förhållandevis ny eller i gott skick kan du tömma ut den i en ren behållare och återanvända den.

**11** Leta upp de två värmeslangarna baktill i motorrummet och ta bort dem från rören. Placera en behållare under rören för uppsamling av utspilld kylvätska. Du får bort det mesta av kylvätskan om du blåser genom ett av rören. Då rinner kylvätskan ut genom det andra röret.

**12** Ta bort handskfacket och mittkonsolens dekor och packmaterial enligt beskrivningen i kapitel 11 **(se bild)**.

**13** I högerstyrda modeller lossar du skruvarna och tar bort plastfästbygeln från värmeenhetens sida **(se bilder)**. I vänsterstyrda modeller tar du bort luftmunstycket från luftkanalen till höger på värmeenheten, men låt tätningen sitta kvar.

**14** Lossa centrumskruven och ta bort klämplattan. Dra sedan loss de två rören från värmepaketet. Ta vara på O-ringstätningarna och kontrollera deras skick. Byt ut dem om det behövs **(se bilder)**.

**15** Lossa de fyra skruvarna och skjut försiktigt värmepaketet från huset **(se bild)**.

**16** Monteringen görs omvänt från proceduren. Byt ut O-ringarna och fyll därefter på kylsystemet enligt beskrivningen i kapitel 1A eller 1B.

## Värmeenhet

**17** På modeller med luftkonditionering måste kylmediet tappas ut av en utbildad mekaniker.

⚠️ *Varning: Försök inte utföra det här arbetet på egen hand, det kan vara farligt.*

**18** Dränera kylsystemet enligt beskrivningen i kapitel 1A eller 1B. Då behöver du ta bort

stänkskyddet från kylarens undersida. Om kylvätskan är förhållandevis ny eller i gott skick kan du tömma ut den i en ren behållare och återanvända den.

**19** Leta upp de två värmeslangarna baktill i motorrummet och ta bort dem från rören. Placera en behållare under rören för uppsamling av utspilld kylvätska. Du får bort det mesta av kylvätskan om du blåser genom ett av rören. Då rinner kylvätskan ut genom det andra röret.

**20** Demontera mittkonsolen och framsätena enligt beskrivningen i kapitel 11.

**21** Vik undan mattan och ta bort luftkanalerna under framsätena.

**22** Ta bort instrumentbrädan enligt beskrivningen i kapitel 11.

**23** Skruva loss muttrarna och ta bort värmeenhetens jordkablar från instrumentbrädans monteringsbalk. Lossa

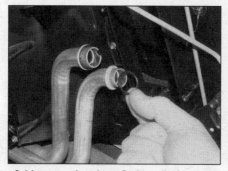

**9.14c . . . och ta bort O-ringstätningarna**

**9.15 Ta bort värmepaketet från värmeenheten**

**9.23 Muttrar som håller fast kabelnätet i tvärbalken**

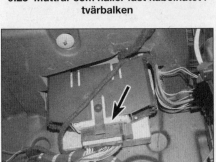

**9.30a Koppla loss kablaget från automatväxellådans styrenhet, som sitter bredvid monteringslådan med den elektroniska Trionic-styrmodulen**

**9.29 Sidofästbultar till instrumentbrädans monteringsbalk**

**9.30b Koppla loss kablaget från värmeenhetens sida**

**37** Lägg tygtrasor på golvet i kupén så att eventuellt kylvätskespill sugs upp. Lyft sedan värmeenhetens bakre ände och dra tillbaka den förbi växelväljarhuset. Ta bort den genom någon av framdörrarna.
**38** Montering utförs i omvänd ordningsföljd, men avsluta med att fylla på kylsystemet enligt beskrivningen i kapitel 1A eller 1B. Låt en kvalificerad kyltekniker fylla på luftkonditioneringssystemet.

## Klimatkontrollenhet

**Observera:** *Om en ny styrmodul ska monteras är det nödvändigt att ha tillgång till TECH2 diagnosutrustningen från Saab för att kunna spara olika värden från styrmodulen som måste överföras till den nya enheten. Om det behövs, bör arbetet överlåtas till en Saab-återförsäljare eller lämpligt utrustad specialist.*
**39** Ta bort ljudanläggningen enligt beskrivningen i kapitel 12.
**40** Sätt in handen i radioöppningen och tryck ut klimatkontrollenheten **(se bild)**. Den hålls på plats genom fästklämmor upptill och nedtill på enheten samt på vardera sidan.
**41** Lossa kontaktdonen, medan enheten tas bort från instrumentbrädan **(se bild)**.
**42** På moduler med manuell klimatkontroll (MCC) tar du om det behövs bort vridreglagen genom att försiktigt dra loss dem från sina spindlar. Lamphållarna kan också vridas loss från enhetens baksida.
**43** Monteringen utförs i omvänd ordningsföljd mot demonteringen, och tänk på följande:
 a) *På automatiska klimatanläggningssystem (ACC) måste systemet kalibreras. Detta gör man genom att trycka på AUTO-knappen och OFF-knappen samtidigt.*

## Solsensor

**44** Skjut solsensorkåpan (överst i mitten på instrumentbrädan) framåt så att den lossnar från instrumentbrädan **(se bild)**.
**45** Koppla loss kablaget och ta bort stöldskyddsdioden **(se bild)**.
**46** Lägg kåpan på en arbetsbänk. Tryck ner och vrid solsensorn moturs så att den lossnar från kåpan **(se bild)**.
**47** Monteringen utförs i omvänd ordningsföljd, men kalibrera ACC-systemet genom att samtidigt trycka på knapparna AUTO och OFF när monteringen är klar.

också muttrarna och ta bort klämman till kabelhärvan från tvärbalken **(se bild)**. Klipp av buntbanden som håller fast kabelhärvan om det behövs.
**24** Skruva loss muttrarna och ta bort skyddsröret.
**25** Skruva loss muttrarna och ta bort knäskyddet på förarsidan.
**26** Skruva loss relähållaren och lägg den åt sidan.
**27** Ta bort rattstången enligt beskrivningen i kapitel 10.
**28** Skruva loss och ta bort pedalfästbygeln, de två stödstagen till instrumentbrädans tvärbalk och centrumfästet från tvärbalken.
**29** Skruva loss instrumentbrädans monteringstvärbalk och dra ut den genom en av framdörrsöppningarna **(se bild)**.
**30** På modeller med automatväxellåda

tar du bort automatväxelstyrningsmodulen från fästlådan. Koppla ur det övre kablaget och därefter värmeenhetens kablage. Lägg modulen åt ena sidan **(se bilder)**.
**31** I motorrummet tar du bort luftröret mellan laddluftkylaren och gasspjällshuset.
**32** Ta bort ventilhållaren för turboaggregatets bypassventil från mellanväggen enligt följande. Ta bort kåpan, koppla loss kablaget och skruva loss hållaren.
**33** Antingen tar du bort värmepaketet enligt tidigare beskrivning, eller också kopplar du loss de två rören från värmepaketet men låter det sitta kvar i värmeenheten.
**34** Skruva loss expansionsventilen.
**35** Koppla loss dräneringsslangarna från värmeenheten.
**36** I motorrummet lossar du värmeenhetens tre monteringsskruvar från mellanväggen.

**9.40 Ta bort klimatstyrenheten ...**

**9.41 ... och koppla loss kablaget**

**9.44 Skjut solsensorns kåpa framåt och lyft bort den från instrumentbrädan**

## Innertemperaturgivare

**48** Ta försiktigt loss linsen i takkonsolen med en skruvmejsel.
**49** Skruva loss skruven och ta bort givaren från klämmorna.
**50** Koppla loss kablarna.
**51** Monteringen utförs i omvänd ordningsföljd, men kalibrera ACC-systemet genom att samtidigt trycka på knapparna AUTO och OFF när monteringen är klar.

## Blandluftgivare

### Förarsidan

**52** Ta bort klädselpanelen nedtill på instrumentbrädan, skruva loss skruvarna och ta bort datalänkkontakten. Dra ur kablaget till golvbelysningen.
**53** Dra ut givaren från luftkanalen som leder till panelens nedre del.
**54** Ta bort audioenheten och kontrollpanelen enligt beskrivningen i kapitel 12 och det här avsnittet.
**55** Koppla loss den övre svarta kontakten. Anteckna givarstiftens positioner och ta bort dem från kontakten. **Observera:** *Du kanske behöver klippa av ledningarna och sätta dit nya vid återmonteringen.*
**56** Monteringen utförs i omvänd ordningsföljd, men kalibrera ACC-systemet genom att samtidigt trycka på knapparna AUTO och OFF när monteringen är klar.

### Passagerarsidan

**57** Ta bort handskfacket och mittkonsolens sidopanel enligt beskrivningen i kapitel 11.
**58** Dra ut givaren från luftkanalen som leder till panelens nedre del.
**59** Ta bort audioenheten och kontrollpanelen enligt beskrivningen i kapitel 12 och det här avsnittet.
**60** Koppla loss den nedre grå kontakten. Anteckna givarstiftens positioner och ta bort dem från kontakten. **Observera:** *Du kanske behöver klippa av ledningarna och sätta dit nya vid återmonteringen.*
**61** Monteringen utförs i omvänd ordningsföljd, men kalibrera ACC-systemet genom att samtidigt trycka på knapparna AUTO och OFF när monteringen är klar.

## Luftfördelarens stegmotor

**62** Ta bort handskfacket och mittkonsolens sidopanel enligt beskrivningen i kapitel 11.
**63** Skruva loss skruvarna och ta bort stegmotorn.
**64** Koppla loss kablarna.
**65** Monteringen utförs i omvänd ordningsföljd, men kalibrera ACC-systemet genom att samtidigt trycka på knapparna AUTO och OFF när monteringen är klar.

## Luftblandarens stegmotor

### Förarsidan

**66** Ställ in luftblandarreglaget på MAX HEAT eller MAX COLD innan du börjar.
**67** Ta bort klädselpanelen nedtill på instrumentbrädan, skruva loss skruvarna och

**9.45  Koppla loss ljusdioden och givar- kablaget**

ta bort datalänkkontakten. Dra ur kablaget till golvbelysningen.
**68** Koppla loss kablaget.
**69** Skruva loss skruvarna och ta bort luftblandarens stegmotor.
**70** Monteringen utförs omvänt mot demonteringen, men när du monterar stegmotorn ska du hålla i klaffen vid luftkanalen i golvet så att den inte lossnar ur fästet. Kalibrera ACC-systemet genom att samtidigt trycka på knapparna AUTO och OFF när monteringen är klar.

### Passagerarsidan

**71** Ställ in luftblandarreglaget på MAX HEAT eller MAX COLD innan du börjar.
**72** Ta bort handskfacket och mittkonsolens sidopanel enligt beskrivningen i kapitel 11.
**73** Koppla loss kablarna.
**74** Skruva loss skruvarna och ta bort luftblandarens stegmotor.
**75** Monteringen utförs i omvänd ordningsföljd, men kalibrera ACC-systemet genom att samtidigt trycka på knapparna AUTO och OFF när monteringen är klar.

## Värmefläktmotorns styrenhet

**Observera:** *Följande delavsnitt beskriver hur du tar bort styrenheten i vänsterstyrda modeller. Proceduren är densamma för högerstyrda modeller.*
**76** Styrenheten är placerad på värmeenhetens högra sida. Ta först klädselpanelen under instrumentpanelen på förarsidan. Lossa därefter skruvarna och ta bort diagnostik/ datalänkkontakten och koppla loss kablaget till golvbelysningen.
**77** Ta bort gaspedalsenheten (se kapitel 4A).
**78** Ta bort handskfacket enligt beskrivningen i kapitel 11.
**79** Koppla loss de två främre anslutningspluggarna ovanför pollenfiltret. Lossa pluggarna från plattan och klipp av buntbandet.
**80** Slå tillfälligt på tändningen, ställ in återcirkuleringsklaffen på OFF och slå sedan av tändningen igen.
**81** Ta bort torkararmarna till vindrutan (se kapitel 12) och ta bort gummitätningarna från spindlarna.
**82** Dra loss tätningslisten baktill i motorrummet, skruva loss skruvarna och

**9.46  Ta loss solsensorn från kåpan genom att trycka ner och vrida den**

ta bort ventilkåpan genom att lyfta den i framkanten och dra loss den från de bakre fästklämmorna.
**83** Ta bort torkarmotorn och länkaget enligt beskrivningen i kapitel 12.
**84** Lossa muttrarna och snäpp loss ramen från fläktmotorns omkrets.
**85** Skruva loss torkararmens fästbygel.
**86** Lossa kabelhärvan från fläktmotorkåpan.
**87** Skruva loss och ta bort fläktmotorkåpan genom att lyfta den åt sidan.
**88** Lyft ut fläktmotorn så mycket att du kan lossa kablaget. Klipp av buntbandet och lossa kablaget.
**89** Anteckna kabelhärvans plats på fläktmotorstyrenheten. Dra den sedan uppåt tillsammans med gummitätningen och klipp av buntbandet.
**90** Skruva loss och ta bort styrenheten.
**91** Monteringen utförs i omvänd ordningsföljd mot demonteringen.

## 10 Luftkonditioneringssystem
– allmän information och rekommendationer

**1** Luftkonditionering finns som tillval på alla modeller. Luftkonditioneringen kan sänka temperaturen inuti bilen och avfuktar luften så att imma försvinner snabbare och komforten ökar.
**2** Kyldelen av systemet fungerar på samma sätt som i ett vanligt kylskåp. Köldmedia i gasform sugs in i en remdriven kompressor och passerar en kondenserare som är monterad framför kylaren. Vätskan passerar genom en mottagare och en expansionsventil till en förångare där den omvandlas från vätska under högt tryck till gas under lågt tryck. Den här omvandlingen leder till ett temperaturfall som kyler förångaren. Kylgasen återvänder till kompressorn och cykeln börjar om.
**3** Luft som matas genom förångaren skickas vidare till luftfördelarenheten. Luftkonditioneringssystemet slås på med reglaget på värmepanelen.
**4** Kompressorns arbete styrs av en elektromagnetisk koppling på drivremskivan. Eventuella problem med systemet ska överlåtas till en Saab-verkstad.

10.5a Öppning för lågtrycksservice . . .

10.5b . . . och en högtrycksserviceport

**5** Serviceöppningarna till luftkonditioneringens kylkrets sitter framför servostyrningsbehållaren på höger sida i motorrummet, på innerskärmens panel och i det främre vänstra hörnet på den främre tvärpanelen (se bilder).
**6** Det är viktigt att vidta försiktighetsåtgärder när man arbetar med luftkonditioneringssystemet. Om systemet av någon anledning måste kopplas loss ska detta överlåtas till en Saab-verkstad eller till en kylsystemsmekaniker.

⚠️ **Varning: Kylkretsen innehåller ett flytande kylmedel under tryck och det är därför farligt att koppla bort någon del av systemet utan specialistkunskap och nödvändig utrustning. Kylmedlet kan vara farligt och får hanteras endast av kvalificerade personer. Om det stänker på huden kan det** *orsaka köldskador. Det är inte giftigt i sig, men utvecklar en giftig gas om den kommer i kontakt med en oskyddad låga (inklusive en tänd cigarrett). Okontrollerat utsläpp av kylmediet är farligt och skadligt för miljön. Använd inte luftkonditioneringssystemet om det innehåller för lite kylmedel eftersom det kan skada kompressorn.*

## 11 Luftkonditioneringssystemets komponenter – demontering och montering 🔧🔧🔧

*Varning: Försök inte öppna kylkretsen. Se föreskrifterna i avsnitt 10.*
**1** Följande åtgärder kan enbart utföras efter avtappning av kylmedlet. Detta kan bara

utföras av en Saab-verkstad eller en specialist med rätt utrustning.
**2** Om det behövs för att komma åt andra motorkomponenter kan kompressorn skruvas loss och flyttas åt sidan, **utan** att dess böjliga slangar lossas efter att drivremmen tagits bort (se kapitel 1A eller 1B).

### *Kondensor*

#### Demontering

**3** Låt en specialist med rätt utrustning tömma ut luftkonditioneringens kylmedium.
**4** Lyft upp framvagnen och stöd den ordentligt på pallbockar (se *Lyftning och stödpunkter*).
**5** Demontera den främre stötfångaren enligt beskrivningen i kapitel 11.
**6** Lossa fästklämman och lossa luftinsugsslangen från luftfilterhuset. Skruva sedan loss fästbulten och ta bort luftinsugsslangen från kondensatorn (se bilder).
**7** Skruva loss servooljekylarens fästbultar och lägg den åt sidan. Var försiktig så att du inte skadar röret (se bilder).
**8** Koppla loss kontaktdonet från brytaren på kondensatorns högra sida (se bild).
**9** Skruva loss bultarna och lossa kylmedierören från mottagaren/torkaren (se bild). Täpp igen öppningen för att hindra smuts från att tränga in.
**10** Skruva loss bultarna som håller fast kondensatorn på laddluftkylaren, och lossa sedan det nedre fästets fästmuttrar och ta bort the kondensatorn underifrån bilen (se bilder).

#### Montering

**11** Montering sker i omvänd ordningsföljd, men observera följande:
a) *Byt O-ringstätningarna på rörets anslutning.*
b) *Dra åt alla hållare till angivet moment (där sådant angetts).*
c) *Låt en lämpligt utrustad specialist fylla på kylvätskekretsen.*

### *Kompressor*

#### Demontering

**12** Låt en specialist med rätt utrustning tömma ut luftkonditioneringens kylmedium.

11.6a Lossa fästklämman . . .

11.6b . . . och skruva loss fästbulten

11.7a Skruva loss den högra fästbulten. . .

11.7b . . . och vänstra bulten från servooljekylarens rör

11.8 Lossa kontaktdonet från kontakten.

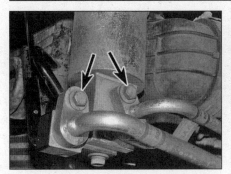

**11.9  Skruva loss kylmedelsrörets fästbultar**

**11.10a  Kondensatorns fästbult – en sida visas**

**11.10b  Kondensorns nedre gummifäste – en sida visas**

**13** Lyft upp framvagnen och stöd den ordentligt på pallbockar (se *Lyftning och stödpunkter*). Skruva loss fästanordningarna och ta bort den undre skyddskåpan under kylaren, och den under motorn.
**14** Demontera drivremmen enligt beskrivningen i kapitel 1A eller 1B.
**15** Om tillämpligt, skruva loss skruvarna/klämmorna och ta bort laddluftröret från sumpen.
**16** Koppla loss kontaktdonet från kompressorn.
**17** Skruva loss hållaren och ta loss kylmedierören från kompressorn **(se bild)**. Täpp igen öppningen för att hindra smuts från att tränga in.
**18** Skruva loss fästbultar och ta bort kompressorn **(se bild)**.
**19** Om det behövs, skruva loss muttern och

**11.17  Kylmedelsrörets fästbultar till kompressor**

**11.18  Kompressorns fästbultar**

dra bort drivremskivan och kopplingen från kompressorn **(se bilder)**. Vid återmontering av remskiva/kåpa, mät spelet mellan kåpan och

remskivan – korrekt specifikation är 0,5 ± 0,15 mm. Justera vid behov spelet genom att lägga till eller ta bort mellanlägg bakom kåpan.

**11.19a  Egentillverkat redskap används för att hålla kåpan när muttern lossas (se pil)**

**11.19b  Ta bort kåpan . . .**

**11.19c  . . . och ta hand om mellanläggen bakom delen**

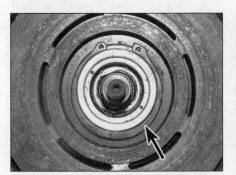

**11.19d  Ta bort låsringen och dra bort friktionsskivan/remskivan och lagret**

**11.19e  Lagret sitter med veck i remskivan**

**11.19f  Ta bort låsringen och dra bort den elektromagnetiska kopplingen**

## Montering

**20** Monteringen utförs i omvänd ordningsföljd mot demonteringen, och tänk på följande:
  a) *Byt kylmedierörets tätningar.*
  b) *Dra åt alla hållare till angivet moment (där sådant angetts).*
  c) *Låt en lämpligt utrustad specialist fylla på kylvätskekretsen.*

### *Mottagare/torkare*

### Demontering

**21** Låt en specialist med rätt utrustning tömma ut luftkonditioneringens kylmedium.
**22** Mottagaren/torkaren är placerat på vänstra sidan av kondensatorn.
**23** Demontera den främre stötfångaren enligt beskrivningen i kapitel 11.

**24** Skruva loss bultarna och lossa kylmedierören från mottagaren/torkaren **(se bild 11.9)**. Täpp igen öppningen för att hindra smuts från att tränga in.
**25** Skruva loss fästets bultar och ta bort mottageren/torkaren **(se bild)**.

### Montering

**26** Monteringen utförs i omvänd ordningsföljd mot demonteringen, och tänk på följande:
  a) *Byt O-ringstätningarna på kylmedierörets anslutning.*
  b) *Dra åt alla hållare till angivet moment (där sådant angetts).*
  c) *Låt en lämpligt utrustad specialist fylla på kylvätskekretsen.*

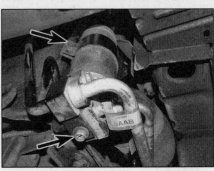

**11.25 Mottagare/torkar fästbultar**

# Kapitel 4 Del A:
# Bränsle- och avgassystem – bensinmotorer

## Innehåll

## Svårighetsgrad

| **Enkelt,** passar novisen med lite erfarenhet  | **Ganska enkelt,** passar nybörjaren med viss erfarenhet  | **Ganska svårt,** passar kompetent hemmamekaniker  | **Svårt,** passar hemmamekaniker med erfarenhet  | **Mycket svårt,** för professionell mekaniker 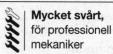 |
|---|---|---|---|---|

## Specifications

### Systemtyp
Alla modeller. . . . . . . . . . . . . . . . . . . . . . . . . . . . . . . . . . . . . . . . .   Saab Trionic SFi motorstyrningssystem

### Givare för insugsluftens absoluta tryck (MAP)
Tryck:                                                              **Spänning (cirka)**
  –0,75 bar. . . . . . . . . . . . . . . . . . . . . . . . . . . . . . . . . . . . . . . . .   0,9
  –0,50 bar. . . . . . . . . . . . . . . . . . . . . . . . . . . . . . . . . . . . . . . . .   1,3
  0 bar  . . . . . . . . . . . . . . . . . . . . . . . . . . . . . . . . . . . . . . . . . . .   2,1
  0,25 bar . . . . . . . . . . . . . . . . . . . . . . . . . . . . . . . . . . . . . . . . .   2,5
  0,50 bar . . . . . . . . . . . . . . . . . . . . . . . . . . . . . . . . . . . . . . . . .   2,9
  0,75 bar . . . . . . . . . . . . . . . . . . . . . . . . . . . . . . . . . . . . . . . . .   3,3
Givare för absolut tryck i insugsgrenröret (MAP) – matningsspänning .   5 volt

### Lufttemperaturgivare (IAC) för insugsluft
Temperatur (°C):                                                   **Spänning (cirka)**
  -30  . . . . . . . . . . . . . . . . . . . . . . . . . . . . . . . . . . . . . . . . . . . .   4,5
  -10  . . . . . . . . . . . . . . . . . . . . . . . . . . . . . . . . . . . . . . . . . . . .   3,9
  20  . . . . . . . . . . . . . . . . . . . . . . . . . . . . . . . . . . . . . . . . . . . . .   2,4
  40  . . . . . . . . . . . . . . . . . . . . . . . . . . . . . . . . . . . . . . . . . . . . .   1,5
  60  . . . . . . . . . . . . . . . . . . . . . . . . . . . . . . . . . . . . . . . . . . . . .   0,9
  80  . . . . . . . . . . . . . . . . . . . . . . . . . . . . . . . . . . . . . . . . . . . . .   0,54
  90 . . . . . . . . . . . . . . . . . . . . . . . . . . . . . . . . . . . . . . . . . . . . .   0,41
Givare för insugslufttemperatur (IAC) – matningsspänning . . . . . . . . .   5 volt

### Gasspjällshus
Gasspjällsmotor – stift 10 och 5 vid 20 °C . . . . . . . . . . . . . . . . . . .   1,13 ± 0,5 ohm
Lägesgivare 1 för gasspjäll:
  Stängd – stift 6 och 9 . . . . . . . . . . . . . . . . . . . . . . . . . . . . . . . .   0,065 till 1,090 volt
  Helt öppen – stift 6 och 9 . . . . . . . . . . . . . . . . . . . . . . . . . . . . . .   3,930 till 4,775 volt
Lägesgivare 2 för gasspjäll:
  Stängd – stift 8 och 9 . . . . . . . . . . . . . . . . . . . . . . . . . . . . . . . .   3,910 till 4,935 volt
  Helt öppen – stift 8 och 9 . . . . . . . . . . . . . . . . . . . . . . . . . . . . . .   0,025 till 1,070 volt

## Pedalomkopplare

Pedallägesgivare 1:
Uppsläppt – stift 1 och 9 .................................. 3,990 till 4,645 volt
Helt nedtryckt – stift 1 och 9 ........................... 0,400 till 1,055 volt
Pedallägesgivare 2:
Uppsläppt – stift 3 och 9 .................................. 0,355 till 1,010 volt
Helt nedtryckt – stift 3 och 9 ........................... 3,945 till 4,600 volt

## Vevaxelns lägesgivare:

Resistans (stift 1 och 2) vid 20 °C ........................... 860 ± 90 ohm

## Bränsletrycksregulator

Tryck ............................................... 3,0 ± 0,1 bar

## Bränsleinsprutare

Typ ................................................. Bosch EV6 E
Version ............................................. Munstycke med 4 hål
Munstycksfärgkod ................................... brun
Resistans vid 20 °C ................................. 15,95 ± 0,8 ohm
Flödeskapacitet (vid bränsletryck 3 bar) .......... 176 ± 7 ml/30 sekunder
Maximal flödesskillnad mellan bränsleinsprutningsventiler .......... 20 ml

## Tomgångsventil:

Resistans vid 20 °C ................................. 8,0 ± 1 ohm
Bränslefilterkapacitet ............................... 0,6 liter

## Bränslepump

Typ ................................................. Elektrisk, nedsänkt i bensintanken
Kapacitet vid 3,0 bar ............................... 700 ml/30 sek (minimum)
Resistans (ohm):
Bränslenivågivare, fylld............................ 425 ± 6,5
Bränslenivågivare, tom............................. 50 ± 1,5

## Turboaggregat

Typ:
2,0t-motor........................................... Garrett GT17
Tryck........................................... 0,40 ± 0,03 bar
2,3t-motor........................................... Garrett GT17
Tryck........................................... 0,40 ± 0,03 bar
2.3HOT Aero motor ................................ Mitsubishi TD04HL-15T-5
Tryck........................................... 0,45 ± 0,03 bar
Förtryck för övertrycksventil (alla typer)............. 2,0 mm
Turboskaftspel (axiellt) ............................. 0,036 till 0,091 mm

## Bränslesystem

Systemtryck.......................................... 3,0 bar
Residualtryck (efter 20 minuter) .................... 2,3 bar (min)

## Rekommenderat bränsle

2,0t- och 2,3t-motorer ............................... 95 RON blyfri
2.3HOT Aero motor .................................. 98 RON blyfri

## Tomgångsvarvtal

Alla modeller ....................................... Styrs av styrmodulen (ej justerbar)

## Avgasernas CO-halt

Alla modeller ....................................... Styrs av styrmodulen (ej justerbar)

## Åtdragningsmoment

|  | Nm |
|---|---|
| Avgasgrenrör till topplock .......................... | 25 |
| Avgasgrenrör till turboaggregat ..................... | 24 |
| Avgassystemets fogmuttrar och bultar ............... | 22 |
| Banjofästen för bränslefilter......................... | 21 |
| Bränslepumpens fästring ............................ | 75 |
| Gasspjällshus till insugsgrenrör ..................... | 8 |
| Insugsgrenrör ...................................... | 24 |
| Lambdasonde ...................................... | 55 |
| Muttrar, avgasgrenrör till turboaggregat.............. | 24 |
| Temperaturgivare för kylarvätska .................... | 13 |
| Turboaggregat till avgasgrenrör ..................... | 24 |
| Värmesköld för avgassystem......................... | 20 |

**2.5 Lossa fästklämmorna (pilar) och koppla loss insugsröret**

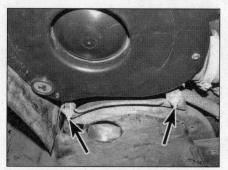

**2.6 Ta bort de nedre fästmuttrarna (pilar) och dra ut luftrenarhuset**

**2.7 Skruva loss fästbulten (pil) från luftintagsröret**

## 1 Allmän information och föreskrifter

Bränsletillförselsystemet består av en bensintank som sitter under bilens bakdel (med en nedsänkt elektrisk bränslepump), ett bränslefilter samt bränsletillförsel- och returledningar. Bränslepumpen tillför bränsle till bränslefördelarskenan som fungerar som en behållare för de fyra bränsleinsprutarna som sprutar in bränsle i insugssystemet. Bränslefiltret sitter ihop med matarledningen från pumpen till bränslefördelarskenan och sörjer för att bränslet som transporteras till bränsleinsprutarna är rent. Filtret är monterat mitt emot bränsletanken.

Motorstyrningssystemet är av typen Saab Trionic; se den aktuella delen i avsnittet för information om systemet.

Ett farthållarsystem finns som standard på de flesta senare Saab-modeller och finns som tillval på tidigare modeller.

Turboaggregatet är vattenkylt. Laddtrycket styrs av Saab Trionic-systemet.

### Föreskrifter

• Många av åtgärderna i det här kapitlet kräver att bränsleledningar kopplas bort, vilket kan leda till bränslespill. Se avsnitt 8 innan du börjar arbeta med bränslesystemet.

• Observera de varningar som finns i "Säkerhetens främst!" i början av denna handbok, och följ dem till punkt och pricka.

Bensin är en ytterst brandfarlig vätska och säkerhetsföreskrifterna för hantering kan inte nog betonas.

## 2 Luftrenare – demontering och montering

### Demontering

**1** Ta bort den främre grillen enligt beskrivningen i kapitel 11.

**2** Ta höger bort strålkastarenhet enligt beskrivningen i kapitel 12.

**3** Öppna fästklämman och ta bort insugsröret från luftrenarens topp **(se bild 2.5)**.

**4** Dra åt handbromsen och lyft med hjälp av en domkraft upp framvagnen på pallbockar (se *Lyftning och stödpunkter*). Ta bort höger framhjul. Skruva loss fästskruvarna och ta bort hjulhusfodret.

**5** Öppna fästklämman **under** bilen och ta loss insugsröret nedtill på luftrenaren **(se bild)**.

**6** Skruva loss de nedre fästmuttrarna **(se bild)**, och sänk ner luftrenaren underifrån innerskärmen. **Observera:** *Du kanske behöver lossa ett par fästskruvar från den främre stötfångarens högra sida för att kunna ta bort luftrenaren.*

**7** Om det behövs tar du bort fästskruven/fästskruvarna och fästklämman till luftinsugsröret **(se bild)**. Dra sedan tillbaka luftinsugsröret från andra sidan av kylarens framsida.

 **Varning: Kör inte motorn medan luftrenarhuset och/eller lufttrummorna är demonterade – trycket vid turboaggregatets insug kan öka mycket snabbt om motorn får gå snabbare än tomgångsvarvtal.**

### Montering

**8** Montera i omvänd ordningsföljd mot demonteringen. **Observera:** *Se till att stiftet överst på luftrenaren sitter i hålet i den inre skärmen.*

## 3 Gasvajer – demontering och montering

### Demontering

**1** Från fordonets insida lossar du fästskruvarna och drar ut instrumentbrädans nedre panel från förarens fotbrunn enligt beskrivningen i kapitel 11.

**2** Håll i gaspedalen och skjut bussningen bakåt. Lossa kabeln från gaspedalens topp **(se bild)**.

**3** Arbeta under motorhuven och ta bort locket för oljepåfyllning/mätsticka. Lossa sedan och ta bort locket från motorns överdel. Skruva loss fästbultarna och ta bort kåpan från spjällänksystemet **(se bilder)**.

**4** Fäst ett snöre eller dylikt i gasvajerns ände inuti fordonet, ta tag i snöret och dra vajern till motorrummet. Ta bort snöret och låt det sitta kvar i mellanväggen. Du kommer att använda

**3.2 Koppla loss den inre kabeln (pil) från gaspedalens överdel**

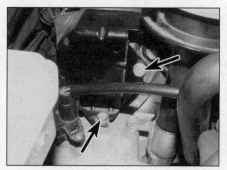

**3.3a Skruva loss de två bultarna (pilar) . . .**

**3.3b . . . och ta bort gasspjällslänksystemets kåpa**

det vid återmonteringen.
5 Vrid gasspjällshuset och lossa den inre kabeln.
6 Dra åt låsklämman (observera dess plats i spåren på hylsan) och lossa den yttre gasvajern från fästbygeln på gasspjällshuset (se bild).

## Montering

7 Stryk lite vaselin på gummibussningen (muffen) i mellanväggen, knyt fast snöret i gasvajern och dra tillbaka den genom mellanväggen.
8 Ta loss snöret och anslut vajern och bussningen till gaspedalen i bilen.
9 Montera den yttre gasvajern i fästbygeln på gasspjällshuset och säkra den med låsklämman i samma position som innan du tog bort den.
10 Återanslut den inre vajern till gasspjällshuset. Om innervajern är för slak flyttar du låsklämman längs spåren i den yttre kabelhylsan.
11 Sätt tillbaka den nedre panelen på instrumentbrädan i omvänd ordning mot demonteringen; se kapitel 11.
12 Montera tillbaka motorns övre kåpa och gasspjällets kåpa; monteringen utförs i omvänd ordningsföljd mot demonteringen.

## 4 Gaspedal – demontering och montering

### Demontering

1 Från fordonets insida lossar du fästskruvarna och drar ut instrumentbrädans nedre panel från förarens fotbrunn enligt beskrivningen i kapitel.
2 Håll i gaspedalen och skjut bussningen bakåt. Lossa kabeln från gaspedalens topp. På modeller utan gasvajer, lossa kontaktdonet från pedalpositionsgivaren.
3 Skruva loss bultarna från pedalbygeln och ta bort pedalen (se bilder).

### Montering

4 Montera i omvänd ordningsföljd mot demonteringen och dra åt fästbultarna ordentligt. Montera tillbaka och justera gasvajern enligt beskrivningen i avsnitt 3, punkt 10 om det behövs.

4.3a Skruva loss de två fästbultarna (pilar) . . .

3.6 Ta bort den yttre kabelklämman (pil) som fäster gasvajern i fästbygeln

## 5 Farthållare – beskrivning och komponentbyte

### Beskrivning

1 Med farthållaren kan föraren välja en hastighet och sedan släppa gaspedalen utan att tappa fart. Farthållaren justerar gasspjället automatiskt för att upprätthålla en konstant hastighet. Systemet avaktiveras när kopplingen eller bromspedalen trycks ner, när neutralläget väljs (modeller med automatväxel) eller när farthållaren stängs av med hjälp av reglaget. Systemet har en minnesfunktion som gör det möjligt att återuppta en förvald hastighet om farthållaren tillfälligt sätts ur funktion med kopplingen eller bromspedalen.
2 När farthållaren är aktiv kan den förvalda hastigheten ökas eller minskas i små etapper med hjälp av farthållarens flerfunktionskontroll.
3 Om ett fel uppstår i farthållaren ska först alla kablar kontrolleras så att de sitter ordentligt. Ytterligare undersökningar bör överlåtas till en Saab-verkstad som har den nödvändiga diagnosutrustningen för att hitta felet snabbt.
4 Huvudkomponenterna i systemet är de följande:
a) Elektronisk styrmodul (ECM): Modulen känner av bilens hastighet via signaler från hastighetsmätaren på instrumentpanelen. Systemet fungerar inte i lägre hastigheter än 40 km/h. När farthållaren aktiveras

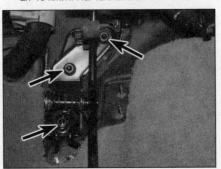
4.3b . . . och ta bort pedalens tre fästmuttrar (pilar)

på turbomodeller går en signal till motorstyrningssystemets styrenhet för att garantera mjukare kontroll av hastigheten. Styrenheten avgör vilken hastighet bilen ska ha med hjälp av en signal från de låsningsfria bromsarnas (ABS) styrenhet.
b) Kontakter: flerfunktionskontrollen för farthållaren sitter ihop med rattstångens vänstra kontaktspak. Kontakter som är monterade bakom instrumentbrädan och som styrs av bromspedalen och kopplingen avaktiverar systemet när någon av pedalerna trycks ner. Av säkerhetsskäl är bromspedalens farthållarkontakt jordad genom bromsljusens glödlampor, via bromsljuskontakten – om kretsen är defekt fungerar inte farthållaren.
c) Körriktningsvisare: körriktningsvisaren på instrumentpanelen lyser när farthållaren är aktiverad.

## Byte

### Elektronisk styrmodul (ECM)

5 Farthållaren använder samma elektroniska styrmodul som motorstyrningssystemet. Information om demontering och montering finns i avsnitt 14 i det här kapitlet.

### Flerfunktionsbrytare

6 Information om demontering och montering finns i kapitel 12, avsnitt 4.

### Bromsljusbrytare

7 Se informationen i kapitel 9.

### Pedalbrytare

8 Från fordonets insida lossar du fästskruvarna och drar ut instrumentbrädans nedre panel från förarens fotbrunn enligt beskrivningen i kapitel 11.
9 Sträck dig bakom instrumentbrädan och koppla loss kablarna från relevant kontakt.
10 Bänd försiktigt bort kontakten från monteringskonsolen.
11 Montera tillbaka kontakten genom att försiktigt bända ut kontaktens tryckkolv, tryck sedan ner broms-/kopplingspedalen (den som är relevant). Montera kontakten i monteringskonsolen och släpp pedalen långsamt tills den kommer i kontakt med kontaktens tryckkolv. Återanslut kablarna ordentligt.

## 6 Blyfri bensin allmän information och användning

Observera: Informationen i det här kapitlet gäller i skrivande stund, och endast för bränsle som för närvarande säljs i Sverige. Om det finns behov av mer aktuell information, kontakta en Saab-verkstad. Vid resor i andra länder, kontakta en bilorganisation (eller liknande) för råd om tillgänglig bensin och dess lämplighet för din bil.
1 Bränsle som rekommenderas av tillverkaren

finns angivet i avsnittet Specifikationer i början av detta kapitel.

**2** RON och MON är olika teststandard. RON står för Research Octane Number (skrivs även RM), och MON står för Motor Octane Number (skrivs även MM).

**3** Alla Saab 9-5-modeller som omnämns i den här handboken är avsedda att drivas med blyfri bensin med minst 91 oktan; 95 och 98 oktan blyfri bensin rekommenderas. Alla modeller är utrustade med katalysator och får **endast** köras på blyfri bensin. Blyad bensin får på inga villkor användas eftersom det förstör katalysatorn.

## 7  Motorstyrningssystem – allmän information

Motorstyrningssystemet Saab Trionic styr tre funktioner i motorn från en enda elektronisk styrenhet (ECM). De tre funktionerna består av bränsleinsprutningssystemet, tändsystemet och turboaggregatets styrsystem för laddning. Information om de olika komponenterna i tändsystemet finns i kapitel 5B.

Systemet styrs av en mikroprocessor som anpassar sig efter förutsättningarna och alltid förser bränslesystemet med rätt mängd bränsle för fullständig förbränning. Data från olika givare behandlas i motorstyrningssystemet för att avgöra hur länge bränsleinsprutarna ska vara öppna för att exakt rätt mängd bränsle ska sprutas in i insugsröret.

Systemet är av sekvenstyp, vilket innebär att bränsle sprutas in i enlighet med motorns tändningsföljd. Konventionella bränsleinsprutningssystem av sekvenstyp kräver en kamaxelgivare som arbetar tillsammans med vevaxelns lägesgivare för att avgöra vilken cylinder i ÖD-läge som är i kompressionsslag och vilken som är i sitt avgasslag. Trionic-systemet har ingen kamaxelgivare; Det tar reda på varje cylinders kolvslag genom att en svag likströmsspänning läggs över varje tändstift. När en cylinder är i sitt förbränningsslag och närmar sig ÖD orsakar spänningen en joniseringsström mellan tändstiftets poler och visar på så sätt vilken cylinder som står på tur för bränsleinsprutning och tändning. Sekvensstyrning av tändningsinställningen för att styra förbränningslaget fungerar på samma sätt (se kapitel 5B).

När tändningen slås på manuellt och bränslepumpen är igång används alla insprutningsventilerna samtidigt en kort stund. Det minskar kallstarttiden.

Huvudkomponenterna i systemet är följande:

a) *ECM: den elektroniska styrmodulen styr bränsleinsprutningssystemet, tändningen, farthållaren och turboaggregatet.*

b) *Vevaxelns lägesgivare: vevaxelns lägesgivare anger ett mätvärde till styrenheten för att beräkna vevaxelns läge*

*i förhållande till ÖD. Givaren startas av en skiva med magnetiskt motstånd som roterar inuti vevhuset.*

c) *Givare för absolut tryck i insugsgrenröret (MAP): givaren för absolut grenrörstryck strömför den elektroniska styrenheten i proportion till trycket i insugsgrenröret.*

d) *Givare för insugs- och laddluftens tryck/temperatur: Givaren för lufttryck/temperatur består av en enhet som informerar styrmodulen om trycket och temperaturen på luften i slangen mellan laddluftkylaren och gasspjällshuset.*

e) *Motorns temperaturgivare för kylvätska: motorns temperaturgivare för kylvätska informerar den elektroniska styrenheten om motorns temperatur.*

f) *Massluftflödesgivare: sitter bakom den högra strålkastaren. Motorns belastning mäts med en luftflödesmätare av glödtrådstyp snarare än genom att mäta undertrycket i insugsröret. Mätaren innehåller en uppvärmd glödtråd som är monterad i flödet från luftintaget. Temperaturminskningen som orsakas i glödtråden på grund av luftflödet ändrar den elektriska resistansen, som sedan omvandlas till en variabel signal för avgiven effekt. Genom att mäta flödet av luftmassan snarare än luftvolymen kan man kompensera för skillnader i lufttryck, beroende på höjd över havet. Observera att den här typen av mätning utesluter behovet av att mäta insugsluftens temperatur.*

g) *Gasspjällets lägesgivare: gasspjällets lägesgivare informerar den elektroniska styrenheten om gasspjällsventilens läge.*

h) *Laddtrycksventil: laddtrycksventilen (kallas även magnetventilen) sitter på en fästbygel framför topplocket. Den styr turboaggregatet. Under vissa förutsättningar (när växel nr 1 är ilagd) minskar laddtrycket.*

i) *Bypassventil för laddtryck: bypassventilen sitter på fästbygeln för motorns kabelhärva på mellanväggen baktill i motorrummet. Den är en säkerhetsanordning som förhindrar att turboaggregatet skadas. Under vissa omständigheter när trycket ökar öppnas ventilen av undertrycket i insugsröret.*

j) *Bränsletrycksregulator: är ansluten i slutet av bränslefördelarskenan på insugsröret och upprätthåller ett bränsletryck på ca 3,0 bar.*

k) *Bränslepump: bränslepumpen sitter i bensintanken. Pumphuset innehåller en separat matarpump som förser huvudpumpen med bubbelfritt bränsle under tryck.*

l) *Insprutningsventiler: varje bränsleinsprutare består av en solenoidstyrd nålventil som öppnas på kommando av den elektroniska styrenheten. Bränsle från bränslefördelarskenan transporteras då genom bränsleinsprutarens munstycke till insugsröret.*

m) *Lambdasonde: lambdasonden förser styrmodulen med information om syreinnehållet i avgaserna (se kapitel 4C).*

n) *EVAP kanisterrensventil: kanisterrensventilen öppnas när motorn startas för att tömma ut bränsle som samlats i kanistern. Systemet arbetar i korta perioder för att göra det möjligt för lambdasonden att kompensera för det extra bränslet (se kapitel 4C).*

o) *Tändningsenhet och tändstift: tändningsenheten (eller DI-kassetten) innehåller fyra tändspolar som är direkt anslutna till tändstiften (se kapitel 5B).*

p) *Limp-home solenoid: limp-home solenoiden sitter baktill på gasspjällshuset. Om ett säkerhetsrelaterat fel uppstår i gasspjällsstyrningen går den över i "limp-home" läge. Lampan Check Engine tänds genast, och diagnosfelkoden måste kvitteras med diagnosverktyget.*

### Varningslampan "Check Engine"

Om varningslampan 'Check Engine' tänds bör du snarast lämna bilen till en Saab-verkstad. Då kan en fullständig test av motorstyrningssystemet utföras med hjälp av speciell elektronisk testutrustning för Saab.

## 8  Bränsletillförsel – rekommendationer och tryckutjämning

**Observera:** *Läs avsnittet Rekommendationer i slutet av avsnitt 1 innan du fortsätter.*

⚠ **Varning: Bränslet kan befinna sig under tryck ett tag efter det att tändningen har stängs av och måste tryckutjämnas innan någon av ovanstående komponenter åtgärdas.**

**1** Det bränslesystem som avses i det här avsnittet definieras som en bränslepump fäst på tanken, ett bränslefilter, bränsleinsprutare, bränslefördelarskena och en tryckregulator, samt de metallrör och slangar som är kopplade mellan dessa komponenter. Alla komponenter innehåller bränsle som är under tryck när motorn är igång och/eller när tändningen är påslagen.

⚠ **Varning: Följande moment kommer endast att minska trycket i bränslesystemet – kom ihåg att det fortfarande kommer att finnas bränsle i systemkomponenterna, och vidta lämpliga säkerhetsåtgärder innan du kopplar bort någon av dem.**

**2** Öppna säkringsdosans lock på höger sida av instrumentbrädan (se *veckokontroller*) och ta bort bränslepumpens säkring (bör vara säkring nummer 15 – kontrollera den exakta placeringen för din modell i kapitel 12 ).

**3** Vrid tändningsnyckeln och dra igång motorn. Om den startar låter du den gå tills den stannar av sig själv, det bör inte ta mer

9.2a Lyft upp mattan under baksätet . . .

9.2b . . . och bänd ut bränslepumpkåpan

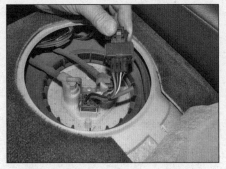

9.3 Koppla loss anslutningskontakten

9.4 Skruva loss fästskruven för att ta bort bränslerören från pumpen

än några sekunder. Försök starta den två gånger till för att garantera att allt övertryck har försvunnit.

**4** Koppla loss batteriets minuspol, montera sedan bränslepumpens säkring.

**5** Ställ en lämplig behållare under anslutningen som ska lossas. Var beredd med en stor trasa för att torka upp bränsle som hamnar utanför behållaren.

**6** Lossa anslutningen eller muttern – långsamt för att undvika en plötslig tryckförändring. Linda trasan runt anslutningen för att hejda utsprutande bränsle. När trycket väl har lättats kan bränsleledningen lossas.

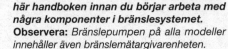

## 9 Bränslepump – demontering och montering

**Varning: Läs rekommendationerna i avsnitt 8 och informationen i avsnitten 'Säkerheten främst' i den här handboken innan du börjar arbeta med några komponenter i bränslesystemet.**
*Observera: Bränslepumpen på alla modeller innehåller även bränslemätargivarenheten.*

### Demontering

**1** Utjämna trycket i bränslesystemet enligt beskrivningen i kapitel 8. Koppla sedan loss batteriets minuskabel och fäst den på säkert avstånd från polen.

**2** Lyft upp baksätet enligt beskrivningen i kapitel 11. Vik undan mattan och lossa

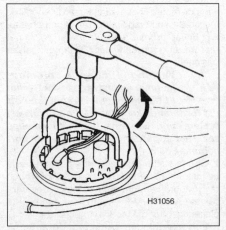

9.5 Skruva loss och ta bort låsringen från bränslepumpens ovansida

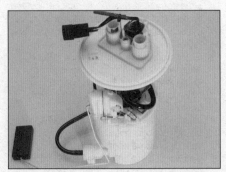

9.6 Bränslepumpen demonterad från bensintanken

bränslepumpskåpan från golvpanelen **(se bilder)**.

**3** Koppla loss den övre anslutningskontakten. TA INTE BORT kontakten mitt ovanpå bränslepumpgivaren **(se bild)**.

**4** Ta bort de två bränsleledningarna/ backventilerna från bränslepumpen/ givarenheten. Lossa fästskruven med en skruvmejsel **(se bild)**. Placera en trasa runt anslutningen för att samla upp eventuellt bränslespill. Observera bränsleledningarnas montering. Matningsledningen är vit, och returledningen är svart (den är också utmärkt på ovansidan av bränslepumpen/ givarenheten).

**5** Enheten är fäst med en fastskruvad ring. Saab-mekaniker använder ett specialverktyg för att skruva bort ringen, men en kraftig rörtång som sticks in mellan tänderna på ringens inre kant ger samma resultat. Skruva loss och ta bort ringen **(se bild)**. Observera placeringspilarna på pumpen och tanken.

**6** Lyft försiktigt bort pumpflänsen från bränsletanken. Låt bränsleöverskottet rinna ner i tanken. Vrid sedan pumpen medurs ungefär ett kvarts varv och dra loss den från bränsletanken **(se bild)**. Ha en stor trasa till hands, så att du kan torka upp eventuellt bränslespill. Ta loss O-ringstätningen från tanköppningen.

### Montering

**7** Montera en ny O-ringstätning i bränsletankens öppning, tryck ner den ordentligt i spåret.

**8** Sänk ner bränslepumpen i bränsletanken och vrid den så att inställningsmärkena på bränslepumpen och tanken är i linje med varandra **(se bild)**.

**9** Skruva på den stora låsringen av plast och dra åt den på samma sätt som vid demonteringen. Stryk syrafritt vaselin på skruvgängorna.

**10** Återmontera bränsleledningarna på

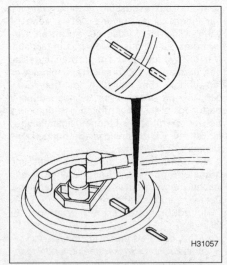

9.8 Kontrollera att markeringarna på bränslepumpen och tanken är i linje med varandra när bränslepumpen monteras

bränslepumpen/givarenheten på rätt sätt (se punkt 4). Monteringen utförs i omvänd ordningsföljd mot demonteringen.
**11** Sätt tillbaka baksätet och återanslut sedan batteriets minusledare.

## 10 Bränslepumprelä – demontering och montering

### Demontering

**1** Bränslepumpreläet är placerat på reläbrädan bakom instrumentbrädan (se kapitel 12 för mer information).
**2** Ta bort batterikåpan och koppla sedan loss batteriets minusledare. För ledaren bort från batteripolen.
**3** Lossa fästena och koppla loss den nedre kåpan från förarsidan av instrumentbrädan.
**4** Ta bort fästskruven och ta ner säkringsbrädan från instrumentbrädan.
**5** Bränslepumpreläet är märkt med ett G och sitter i första spalten från vänster, tredje raden uppifrån **(se bild)**.
**6** Ta tag i reläet och dra det rakt ut från reläbrädan.

### Montering

**7** Montering sker i omvänd ordningsföljd. Se till att reläet trycks hela vägen in i sitt fäste.

## 11 Bränslemätargivare – demontering och montering

I alla modeller är bränslemätargivaren inbyggd i bränslepumpen och kan inte köpas separat. I avsnitt 9 finns information om hur du demonterar och återmonterar bränslepumpen.

## 12 Bränsletank – demontering, reparation och montering

 **Varning: Läs rekommendationerna i avsnitt 8 och informationen i avsnitten 'Säkerheten främst' i den**

**10.5 Bränslepumprelä (pil)**

här handboken innan du börjar arbeta med några komponenter i bränslesystemet.
**1** Innan bensintanken tas bort bör den tömmas på bränsle. Eftersom bensintanken inte har någon avtappningsplugg bör bilen ha körts tills tanken är så gott som tom vid demonteringen.

### Demontering

**2** Utjämna trycket i bränslesystemet enligt beskrivningen i kapitel 8. Koppla sedan loss batteriets minuskabel och fäst den på säkert avstånd från polen.
**3** Lägg i ettans växel (manuell växellåda) eller Park(automatväxel) och klossa framhjulen ordentligt. Hissa upp bakvagnen och stöd den på pallbockar (se *Lyftning och stödpunkter*).
**4** Genomför punkt 2 till 4 enligt beskrivningen i avsnitt 9 (bränslepumpdemontering) och ta bort bränsleledningarna och anslutningskablarna från bränslepumpen.
**5** Ta bort avgassystemets bakre del enligt beskrivningen i avsnitt 20.
**6** Lossa låsklämman och koppla loss rensröret.
**7** Skruva loss fästbulten och ta loss påfyllningsslangen från tanken **(se bild)**.
**8** Lossa de två handbromsvajrarna från bakbromsarna enligt beskrivningen i kapitel 9.
**9** Placera en garagedomkraft med träkloss över domkraftshuvudet mitt under bränsletanken. Höj domkraften så mycket att den precis börjar lyfta bränsletanken.
**10** Skruva stegvis bort bultarna som fäster bränsletankens stödband vid monteringskonsolerna **(se bilder)**. Haka

loss ändarna av de lossade stödbanden från respektive fäste.
**11** Koppla loss de återstående ventilationsslangar eller kablar som kan förhindra demonteringen av tanken.
**12** Ta hjälp av en annan person för att sänka ner bensintanken på marken och ta bort den.

### Reparation

**13** Om tanken är förorenad med avlagringar eller vatten ska bränslepumpen demonteras och tanken sköljas ur med ren bensin. I somliga fall kan det vara möjligt att reparera små läckor eller mindre skador. Kontakta en specialist innan några försök görs att reparera bensintanken.

### Montering

**14** Monteringen utförs i omvänd ordningsföljd mot demonteringen, och tänk på följande:
a) Undersök O-ringarna vid bränsletillförsel- och returslangarnas snabbutlösningsanslutningar ovanpå bränslepumpen.
b) Se till att alla bränsleledningar och ventilationsslangar är korrekt dragna och att de inte är veckade eller vridna.
c) Dra åt bensintankens stödband ordentligt.

## 13 Motorstyrningssystem – allmän information

**1** Motorns tomgångsvarvtal och bränsle-luftblandning (och därmed även avgaserna CO-halt) övervakas och justeras automatiskt av ECM-styrmodulen. Det är möjligt att *kontrollera* tomgångsvarvtalet och bränsleblandningen på alla modeller med hjälp av en varvräknare och en avgasanalyserare, men på grund av direktinsprutningssystemet kan det vara svårt att koppla en vanlig varvräknare till motorn. Alla modeller är dessutom utrustade med katalysatorer och det kan vara svårt att mäta hur stor halt av koloxid (CO), kolväten (HC) och kväveoxider (NOx) som produceras utan tillgång till professionell testutrustning, om systemet fungerar normalt. Man kan dock avgöra om något är fel med bränsle- eller tändsystemet om man använder

**12.7 Skruva loss påfyllningsrörets fästbult (pil)**

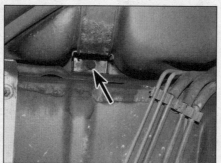

**12.10a Lossa stegvis den ena stödbygeln (pil) . . .**

**12.10b . . . och sedan den andra stödbygeln (pil) för att lossa bränsletanken**

**13.3  Diagnosuttag (pil) under instrumentbrädan på förarsidan**

**14.3  Skruva loss de fyra fästmuttrarna (pilar)**

**14.4  Koppla loss multikontaktdonet från styrmodulen**

en avgasanalyserare (finns att köpa) och uppmäter höga nivåer av en eller flera av de förorenande gaser som nämndes ovan.

**2** Om ett misstänkt fel uppstår i motorstyrningssystemet ska alla kontaktdon kontrolleras så att de sitter som de ska och inte visar tecken på korrosion. Se till att felet inte beror på bristande underhåll – det vill säga att luftrenarfiltret är rent, att bränslefiltret har bytts ut tillräckligt ofta och att tändstiften med tillhörande komponenter är i gott skick. Kontrollera också att motorns ventilationsslang ligger fritt och att den är oskadad. Kontrollera slutligen att cylindrarnas kompressionstryck är korrekt, se kapitel 1A, 2A och 5B för ytterligare information.

**3** Om orsaken till felet fortfarande är okänd efter dessa kontroller ska bilen lämnas in till en Saab-verkstad för undersökning. Det finns ett diagnosuttag i motorstyrningssystemets kabelnät där ett elektroniskt diagnosverktyg speciellt för Saab kan pluggas in. Verktyget kommer att identifiera de fel som registrerats av motorstyrningssystemets elektroniska styrenhet genom att tolka de felkoder som finns lagrade i styrenhetens minne. Verktyget gör det även möjligt att undersöka systemets givare och manövreringsorgan utan att koppla loss dem eller ta bort dem från bilen. Det minskar behovet av enskilda tester av alla systemets komponenter, med vanlig

testutrustning. Diagnosuttaget sitter under instrumentbrädan, på förarsidan **(se bild)**.
**4** Om varningslampan 'Check Engine' tänds bör du snarast lämna bilen till en Saab-verkstad. Då kan en fullständig test av motorstyrningssystemet utföras med hjälp av speciell elektronisk testutrustning för Saab.

## 14  Motorstyrningssystemets komponenter – demontering och montering

⚠️ *Varning: Läs rekommendationerna i avsnitt 8 och informationen i avsnitten 'Säkerheten främst' i den här handboken innan du börjar arbeta med några komponenter i bränslesystemet.*

### Elektronisk styrmodul (ECM)
#### Demontering
**1** Se till att tändningen är avstängd. Lossa batteriets minusledare och placera den på avstånd från batteriet.
**2** Ta bort vindrutetorkarna och vindrutans nedre ventilpanel enligt beskrivningen i kapitel 12.
**3** Lossa fästmuttrarna från styrmodulkåpan inuti ventilpanelen **(se bild)**.
**4** Lyft kåpan försiktigt, lossa låsspaken och

koppla loss kontakten från styrmodulen **(se bild)**.
**5** Lossa de två fästmuttrarna (använd gärna en magnetisk hylsnyckel) och dra styrmodulen rakt uppåt och ut ur bilen **(se bild)**.

#### Montering
**6** Monteringen sker i omvänd ordningsföljd mot demonteringen. Se till att kabelnätets flervägskontakt sitter fast med låsarmen. Observera att om en ny styrmodul har monterats så kommer den undan för undan att 'lära sig' motorns egenskaper medan bilen körs. Körbarhet, prestanda och bränsleekonomi kan försämras något under den här perioden.

### Givare för insugs- och laddluftens tryck/temperatur
#### Demontering
**7** Tryck/temperaturgivaren sitter i huvudluftintaget till gasspjällshuset.
**8** Koppla loss kontaktdonet från givaren, skruva loss sensorn från luftintaget och ta vara på tätningsbrickan **(se bild)**.

#### Montering
**9** Monteringen utförs i omvänd ordning mot demonteringen, men kontrollera och byt tätningsbrickan om det behövs.

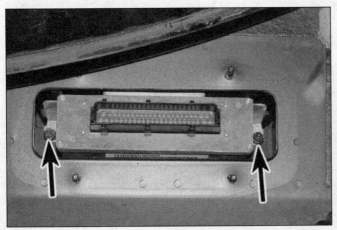

**14.5  Skruva loss de två fästmuttrarna (pilar) och dra ut ECM**

**14.8  Koppla loss anslutningskontakten och skruva loss de två fästskruvarna (pilar)**

14.10 Ta bort motorns övre plastkåpa

14.11a Lossa kontaktdonet. . .

14.11b . . . och skruva sedan loss de två fästskruvarna (pilar)

14.13 Lossa de två fästklämmorna (pilar)

14.14a Lossa slangklämman och dra ut luftflödesgivaren . . .

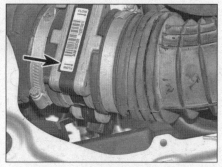

14.14b . . . observera pilens riktning

## Absoluttryckgivare till grenröret

### Demontering

**10** Lossa motorns toppkåpa ovanför insugsröret (se bild).
**11** Koppla loss anslutningskontakten. Ta sedan bort fästskruvarna och dra ut givaren ur insugsröret (se bilder).

### Montering

**12** Monteringen utförs i omvänd ordning mot demonteringen, men kontrollera och byt tätningsbrickan om det behövs.

## Luftflödesgivare

### Demontering

**13** Massluftflödesgivaren sitter framme till höger i motorrummet bakom den högra strålkastaren.

Öppna de två fästklämmorna och dra ut insugsslangen av gummi ur bilen (se bild).
**14** Öppna slangklämman på insugsslangen och dra ut luftflödesgivaren. Observera riktningen på pilen på givaren; detta är till för att luftströmmen ska riktas in på rätt sätt (se bilder).
**15** Koppla loss kontaktdonet från givarens botten när du tar bort den (se bild).

### Montering

**16** Monteringen utförs omvänt mot demonteringen. Kontrollera att pilarna på givaren pekar i luftflödets riktning och att kontaktdonet sitter säkert.

## Temperaturgivare för kylvätska:

### Demontering

**17** Givaren är fastgängad i motorblockets vänstra sida. Se till att motorn är helt kall, släpp

sedan ut trycket ur kylsystemet genom att ta bort och sedan sätta tillbaka expansionskärlets påfyllningslock (se Veckokontroller).
**18** För att komma åt lättare kanske du behöver öppna slangklämmorna och ta bort luftintagsenheten från gasspjällshusets topp.
**19** Koppla loss kontaktdonet från givaren (se bild).
**20** Skruva loss givaren från kylvätskehuset till vänster på topplocket. En del kylvätska kan rinna ut (se bild).

### Montering

**21** Rengör gängorna, sätt därefter in givaren i insugsröret och dra åt ordentligt. Använd en ny tätningsbricka om det behövs.
**22** Se till att kontaktdonet monteras ordentligt.
**23** Fyll på kylsystemet enligt beskrivningen i Veckokontroller.

14.15 Koppla loss kontaktdonet när du drar ut givaren

14.19 Koppla loss kontaktdonet (pil) . . .

14.20 . . . och ta sedan bort givaren (pil) från kylvätskehuset

14.24 Vevaxelgivaren sitter bakom en sköld på motorblockets främre del

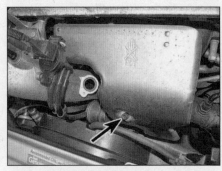

14.25a Skruva loss fästmuttern (pil) och ta bort värmeskölden

14.25b Skruva loss fästskruven och ta bort givarens skärm

14.26 Dra ut givaren och ta vara på O-ringen

14.27a Anslutningskontaktens plats (pil)

14.27b Dra ut låsklämman (pil) för att koppla loss anslutningskontakten

## Vevaxelns lägesgivare:

### Demontering

24 Vevaxelns lägesgivare sitter på motorblockets framsida i änden av kraftöverföringen (se bild).

14.30 Skruva loss fästbultarna (pilar) och ta bort kåpan

25 Lossa fästmuttern och ta loss värmeskölden från avgasgrenröret. Lossa därefter fästbulten och ta bort skölden/skyddet från givaren (se bilder).

⚠️ Varning: Avgassystemet och turboaggregatet kan vara mycket varma.

26 Dra bort givaren från dess plats till vänster på motorblockets framsida (se bild). Observera hur O-ringen sitter monterad och ta loss den. Rengör sätet i motorblocket.

27 Observera kabeldragningen runt topplockets vänstra ände och ta bort kablaget vid kontaktdonet (se bilder). Lossa kablaget i hela dess längd från eventuella fästklamrar.

### Montering

28 Monteringen utförs i omvänd ordningsföljd mot demonteringen, men se till att O-ringen placeras ordentligt i sätet. Dra åt givarens fästskruv ordentligt. Se till att kablarna hålls fast med klamrarna/kabelklämmorna på sina

ursprungliga platser och att flervägskontakten återansluts ordentligt.

## Gasspjällshus

### Demontering

29 Se till att tändningslåset står i avstängt läge (OFF). Se till att motorn är helt kall; Släpp ut trycket ur kylsystemet genom att ta bort och sedan sätta tillbaka expansionskärlets påfyllningslock (se *Veckokontroller*).

30 Lossa motorns toppkåpa från gasspjällshuset topp. Lossa därefter fästbultarna och ta bort kåpan från gasspjällslänkaget (se bild).

31 Ta bort den nedre vakuumslangen från gasspjällshuset (se bild).

32 Kläm fast de två kylvätskeslangarna som är anslutna till gasspjällshuset. Lossa därefter fästklämmorna och ta bort slangarna (se bilder).

14.31 Koppla loss vakuumslangen (markerad med pil)

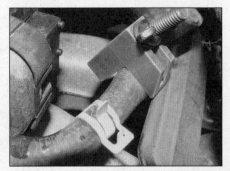

14.32a Kläm fast kylvätskeslangarna . . .

14.32b . . . och lossa fästklämmorna (pilar). Ta därefter bort kylvätskeslangarna

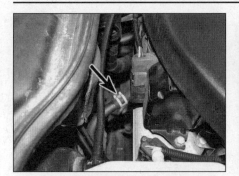

**14.33  Koppla loss slangen (pil) från baksidan av gasspjällshuset**

**14.34a  Skruva loss fästbulten (pil) . . .**

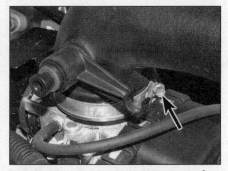

**14.34b  . . . och lossa fästklämman på luftinsugsröret**

**14.35  Koppla loss anslutningskontakten från limp-home solenoiden**

**14.36  Dra ut låsklämman (pil) för att koppla loss anslutningskontakten från gasspjällshuset**

**14.37  Skruva loss gasspjällshusets tre fästbultar (pilar)**

**33** Ta bort bypassluftslangen som sitter nedtill på gasspjällshusets framsida. Öppna fästklämman och ta bort slangen från gasspjällshusets baksida under limp-home solenoiden **(se bild)**.
**34** Lossa fästbulten till turboaggregatets matningsrör från topplockets framsida. Öppna fästklämman och lyft försiktigt bort matningsröret från gasspjällshusets topp **(se bilder)**.
**35** Lossa den inre gasvajern från gasspjällslänkaget. Ta sedan bort gummikåpan och koppla loss kontaktdonet från limp-home solenoiden på gasspjällshusets baksida **(se bild)**.
**36** Koppla loss 10-stiftskontakten från gasspjällshusets sida **(se bild)**.
**37** Skruva loss det trä fästbultarna och ta bort gasspjällshuset från insugsröret **(se bild)**.

## Montering

**38** Monteringen sker i omvänd ordningsföljd mot demonteringen. Byt ut tätningen om det behövs, och kontrollera att alla anslutningar sitter säkert.

### *Bränslefördelarskena, bränsleinsprutare och tryckregulator*

#### Demontering

**39** Tryckutjämna bränslesystemet enligt beskrivningen i avsnitt 8. Se till att tändningslåset står i avstängt läge (OFF).
**40** Lossa motorns toppkåpa från gasspjällshusets topp.
**41** Lossa fästklämman och koppla loss vevhusets ventilationsslang från topplockskåpan **(se bild)**.

**42** Skruva loss mätstickan/påfyllningsslangen från baksidan av topplocket och ta bort den**(se bilder)**. Sätt en propp i röret så att smuts inte kommer in i motorn.
**43** Se avsnitt 3 och koppla loss gasvajern

från gasspjällshuset. Koppla loss bränsleledningarnas snabbkopplingar från bränslefördelarskena. Sätt pluggar i bränsleledningarna så att smuts inte kommer in **(se bild)**.

**14.41  Koppla loss ventilationsslangen från ventilkåpan**

**14.42a  Skruva loss fästbulten (pil) . . .**

**14.42b  . . . och dra ut oljepåfyllningsröret**

**14.43  Öppna bränsleledningens fästklämmor med en plasthylsa**

**14.45a Skruva loss de två nedre fästbultarna (pilar) . . .**

**14.45b . . . och den övre fästbulten (pil) från kabelhärvans styrning**

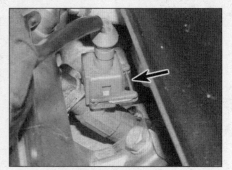

**14.46a Tryck in fästklämman (pil) . . .**

**14.46b . . . och koppla loss kontaktdonet från insprutningsventilen**

**44** Lossa fästbulten till turboaggregatets matningsrör från topplockets framsida. Öppna fästklämman och lyft försiktigt bort matningsröret från gasspjällshusets topp **(se bilderna 14.34a och 14.34b)**.

**14.47 Bränslefördelarskenans fästbultar (pilar)**

**45** Öppna och ta loss bultarna som håller fast kabelstyrningsbygeln i topplockets/ insugsrörets vänstra ände **(se bilder)**. För att komma åt bättre kan du lossa buntbanden och ta bort kabelhärvan från

kabelnätet och sedan flytta kabelstyrningen åt sidan.
**46** Öppna låsklämmorna och koppla loss kablaget från alla fyra bränsleinsprutare **(se bilder)**, ta loss eventuella buntband och flytta kabelhärvan åt sidan.
**47** Ta bort de två bultarna som fäster bränslefördelarskenan i topplocket **(se bild)**. Lägg en trasa under bränslefördelarskenan för att suga upp den bensin som läcker ut när bränslefördelarskenan tas bort.
**48** Koppla loss vakuumslangen från bränsletrycksregulatorn och lyft sedan bränslefördelarskenan från insugsröret tillsammans med bränsleinsprutarna **(se bilder)**. Ta loss O-ringstätningarna och kassera dem; du måste sätta dit nya vid monteringen. Täpp till hålen i topplocket så att smuts inte kommer in i motorn.
**49** Om det behövs, lossa metallklämman och ta bort bränsletrycksregulatorn från bränslefördelarskenans vänstra ände **(se bild)**.
**50** Ta loss insprutarna från bränslefördelarskena genom att öppna fästklämmorna och dra loss dem från skenan. Ta loss O-ringstätningarna och kassera dem; nya måste användas vid återmonteringen **(se bilder)**.

## Montering

**51** Monteringen utförs i omvänd ordningsföljd mot demonteringen. Fäst insprutarna i bränslefördelarskenan (använd nya O-ringar) och tryck sedan in bränslefördelarskenan tillsammans med insprutarna i insugsröret. Smörj lite vaselin på O-ringstätningarna innan

**14.48a Koppla loss vakuumslangen från regulatorn . . .**

**14.48b . . . dra sedan ut bränslefördelarskenan från insugsröret**

**14.49 Skruva loss fästskruven (pil) för att lossa regulatorn från bränslefördelarskenan**

**14.50a Bänd ut fästklämmorna . . .**

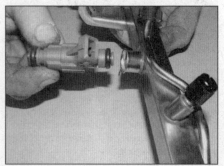

**14.50b . . . och dra ut insprutningsventilerna från bränslefördelarskenan**

14.52 Laddtrycksventil

14.53 Dra tillbaka gummikåpan och lossa
kontaktdonet

14.54 Observera markeringarna för
slangar på ventilen

de monteras i insugsröret, så blir det lättare att
få in bränsleinsprutarna. Se till att alla kontakter
sitter säkert. Kontrollera att O-ringstätningarna
monteras ordentligt när turboinsugsröret
monteras på gasspjällshuset.

## Laddtrycksventil

### Demontering

**52** Ventilen sitter till höger på motorn och är
monterad på en bygel på luftinsugsröret **(se
bild)**.
**53** Se till att tändningen är avstängd. Koppla
sedan loss kontaktdonet från ventilen **(se
bild)**.
**54** Märk slangarna som leder till ventilen för
att hålla reda på deras korrekta placeringar,
lossa sedan klämmorna och ta loss slangarna
från ventilportarna **(se bild)**.
**55** Skjut loss styrningsventilen från de två
styrstiften och ta bort den från motorrummet.

### Montering

**56** Monteringen utförs i omvänd ordningsföljd
mot demonteringen. Det är av största
vikt att slangarna ansluts till rätt portar på
laddtrycksventilen.

## Bypassventil för laddtryck

### Demontering

**57** Lossa panelen på motorns toppkåpa från
gasspjällshuset. Ta sedan loss kåpan från
motorns kabelhärva på mellanväggen **(se
bild)**.
**58** Skruva loss de två fästmuttrarna
från fästbygeln **(se bild)**. Lyft sedan
ventilens fästplatta och haka loss den från
mellanväggen.
**59** Koppla loss multikontakten från
bypassventilen när du tar bort enheten **(se
bild)**.
**60** Märk vakuumslangarna som leder till

ventilen för att hålla reda på deras korrekta
placeringar, ta sedan loss slangarna från
ventilhuset.
**61** Borra bort de två nitarna och ta bort
styrventilen **(se bild)**.

### Montering

**62** Monteringen utförs i omvänd ordningsföljd
mot demonteringen. Fäst styrventilen i
fästplattan med nya popnitar.

## Limp-home solenoid

### Demontering

**63** Lossa motorns toppkåpa ovanför
insugsröret **(se bild 14.10)**.
**64** Dra tillbaka gummiskyddet och koppla
loss anslutningskontakten från limp-home
solenoiden. Ta bort fästskruvarna och dra bort
givaren från gasspjällshuset **(se bilder)**.

14.57 Lossa kåpan från motorns kabelnät

14.58 Skruva loss de två fästmuttrarna
(pilar)

14.59 Koppla loss kontaktdonet från
ventilen

14.61 Borra ut de två nitarna (pilar)

14.64a Koppla loss anslutningskontakten
från limp-home solenoiden (pil) . . .

14.64b . . . och skruva sedan loss de två
fästskruvarna (pilar)

## Montering

**65** Monteringen utförs i omvänd ordning mot demonteringen, men kontrollera och byt tätningsbrickan om det behövs.

### Lambdasonde

**66** Se informationen i kapitel 4C.

## 15 Turboaggregat – beskrivning och rekommendationer

**1** Turboaggregatet ökar motorns verkningsgrad och prestanda genom att höja trycket i insugsröret över atmosfäriskt tryck. I stället för att insugsluften sugs in i förbränningskammaren tvingas den dit under tryck. Det leder till en större ökning av laddningstrycket under förbränning och förbättrad bränsleförbränning, så att motorns termiska verkningsgrad ökar. Vid dessa förhållanden tillsätts extra bränsle från bränsleinsprutningssystemet, i proportion till det ökade luftflödet.
**2** Turboaggregatet drivs av avgaserna. Gasen flödar genom ett specialutformat hus (turbinhuset) där den får turbinhjulet att snurra. Turbinhjulet sitter på en axel och i änden av axeln sitter ett till vingförsett hjul, kompressorhjulet. Kompressorhjulet roterar i ett eget hus och komprimerar den ingående luften innan den går vidare till insugsröret.
**3** Mellan turboaggregatet och insugsröret passerar den komprimerade luften genom en laddluftkylare. I laddluftkylaren, som sitter

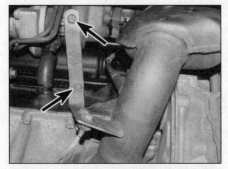

**16.3 Skruva loss de två fästbultarna (pilar) från grenrörets stödbygel**

framför kylaren, kyls varm luft ner med kall luft från den främre grillen och de elektriska kylfläktarna. Insugsluftens temperatur stiger vid komprimeringen i turboaggregatet – laddluftkylaren kyler ner luften igen innan den når motorn. Eftersom kall luft har högre densitet än varm luft går det då att tvinga in en större luftmassa (med samma volym) i förbränningskamrarna, vilket resulterar i ytterligare ökning av motorns termiska verkningsgrad.
**4** Laddtrycket (trycket i insugsröret) begränsas av en övertrycksventil, som leder bort utblåsningen från turbinhjulet som reaktion på ett tryckkänsligt manövreringsorgan. Övertrycksventilen styrs av motorstyrningssystemets styrenhet, via en elektronisk laddtrycksventil. Styrenheten öppnar och stänger (modulerar) laddtrycksventilen flera gånger i sekunden, med resultatet att övertrycksventilen utsätts för grenrörets vakuum i en serie snabba pulser – pulsernas täthet beror i huvudsak på motorns varvtal och belastning. Styrenheten visar laddtrycket via insugsrörets tryckgivare, och använder laddtrycksventilen för att upprätthålla optimalt tryck under alla motorvarvtal. Om styrenheten upptäcker att förtändning (spikning eller tändningsknackning) sker, minskas laddtrycket så att motorn inte skadas. Se kapitel 5B för ytterligare information.
**5** En förbikopplingsventil i luftflödet mellan de låga och höga trycktillförselsidorna på turboaggregatets kompressor gör det möjligt att avyttra överflödigt laddtryck i insugstrumman när gasspjället är stängt vid höga motorvarvtal (det vill säga under motorbromsning eller inbromsning). Det förbättrar körbarheten genom att förhindra att kompressorn överstegras (och minskar därför turbofördröjningen), och genom att eliminera den överbelastning som annars skulle uppstå när gasspjället öppnas.
**6** Turboaxeln trycksmörjs av ett oljematningsrör från huvudoljeledningarna. Axeln 'flyter' på en dyna av olja och har inga rörliga lager. Ett avtappningsrör för tillbaka oljan till sumpen. Turbinhuset är vattenkylt med ett system av kylvätsketillförsel- och returslangar.
**7** Turboaggregatet arbetar vid extremt höga hastigheter och temperaturer.

Vissa säkerhetsåtgärder måste vidtas under reparationsarbetet för att undvika personskador och skador på turboaggregatet.
• Kör aldrig turbon med någon del exponerad eller med någon av slangarna demonterade. Om ett föremål skulle falla ner på de roterande vingarna kan det orsaka omfattande materiella skador och (om det skjuts ut) personskador.
• Rusa inte motorn omedelbart efter start, särskilt inte om den är kall. Låt oljan cirkulera i några sekunder.
• Låt alltid motorn gå ner på tomgång innan den stängs av – varva inte upp motorn och vrid av tändningen, eftersom aggregatet då inte får någon smörjning.
• Låt motorn gå på tomgång under några minuter efter körning med hög belastning. Då svalnar slangarna till turbinhuset innan kylvätskan slutar cirkulera.
• Följ de rekommenderade intervallen för olje- och filterbyte och använd en välkänd olja av angiven kvalitet. Oregelbundna oljebyten eller användning begagnad olja eller olja av dålig kvalitet, kan orsaka sotavlagringar på turboaxeln med driftstopp som följd.

## 16 Turboaggregat – demontering och montering

*Observera 1: Avgassystemet och turboaggregatet kan fortfarande vara mycket varma. Vänta tills fordonet har svalnat innan du börjar arbeta med motorn.*
*Observera 2: Saab rekommenderar att du byter olja och filter (enligt beskrivningen i kapitel 1) när du demonterar turboaggregatet.*

### Demontering

**1** Dra åt handbromsen och lyft med hjälp av en domkraft upp framvagnen på pallbockar (se *Lyftning och stödpunkter*).
**2** Ta bort skölden under kylaren, tappa sedan av kylsystemet enligt beskrivningen i kapitel 1A.
**3** Skruva loss fästbultarna och ta bort turboaggregatsfästbygeln **(se bild)**.
**4** Lossa anslutningarna och koppla loss oljetillförsel- och returrören från turboaggregatet **(se bilder)**. Täpp igen de öppna portarna för att hindra smuts från att tränga in.

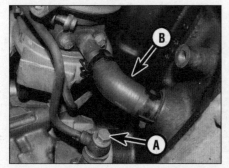

**16.4a Koppla loss oljetillförselröret (A) och oljereturröret (B)**

**16.4b I en del modeller är returröret (pil) gjort av korrugerad metall**

**16.6a Skruva loss fästbulten (pil) . . .**

16.6b ... och lossa fästklämman (pil)

16.7  Ta bort gummiskyddet (pil) och koppla loss kontaktdonet

16.8a  Ta bort intagsröret. . .

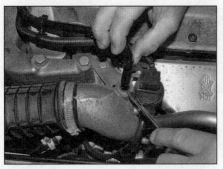

16.8b ... och lossa ventilationsröret

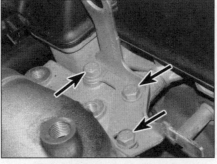

16.10  Skruva loss de tre fästbultarna (pilar)

16.11  Koppla loss kopplingen från EVAP-slangen

5 Från motorns topp lossar du fästmuttern och tar bort värmeskölden från avgasgrenröret.
6 Ta bort fästbultarna/klämmorna och ta sedan bort bypasslangen för luft (se bilder). Observera att det sitter en O-ringstätning i anslutningen till insugsröret.
7 Koppla loss kontaktdonen från laddluftventilen (se bild).
8 Öppna fästklämman på slangen till insugsröret/turboaggregatet och ta loss ventilröret (banjobult eller snabbkoppling) från insugsröret (se bilder).
9 Lossa fästbulten, ventilröret och kabelhärvan från ventilkåpans högra ände och flytta dem åt sidan.
10 Lossa fästbulten/bultarna och ta bort lyftöglan från topplockets framsida (se bild).
11 Koppla loss snabbkopplingen från EVAP-slangen (se bild).
12 Skruva loss fästbulten och dra bort V-klämman för insugsröret från turbon. Dra sedan ut insugsröret (se bilder). Koppla loss vakuumslangen när du tar bort insugsröret.
13 Öppna fästklämman till slangen (sitter under bilen) från laddluftkylaren till turbon och ta bort den (se bild). Försegla de öppna portarna så att smuts inte kommer in i turboaggregatet.
14 Skruva loss och ta bort det främre avgasröret från turbon. Sänk försiktigt ner röret på en pallbock eller motsvarande (se avsnitt 20 i detta kapitel).

⚠️ **Varning: Avgassystemets böjliga del bör inte böjas mer än 5° eftersom det kan skadas, vilket leder till avgasläckor och oljud.**

15 Lossa anslutningarna och ta bort tillförselröret för kylvätska från kylvätskepumpen och turbohuset (se bilder).

Ta vara på tätningsbrickorna av koppar. Täpp igen de öppna portarna för att hindra smuts från att tränga in.

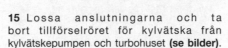

16.12a  Lösgör fästklämbulten (pil)

16.13  Lösgör fästklämman (pil) från slangen

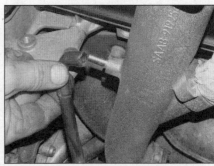

16.12b  Koppla loss vakuumröret när du tar bort insugsröret

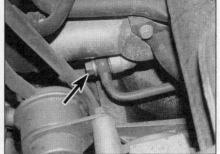

16.15a  Lossa kylvätskeröret (pil) från kylvätskepumpen . . .

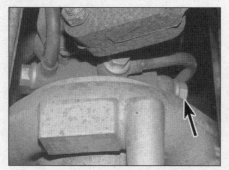

**16.15b . . . och kylvätskeröret (pil) från turboaggregatets framsida**

**16.16 Lossa kylvätskeröret (pil) från turboaggregatets bakre del**

**16.17 Lossa turboaggregatets fyra fästbultar (pilar)**

**16** Lossa anslutningarna och ta bort returröret för kylvätska från turbohuset **(se bild)**. Ta vara på tätningsbrickorna av koppar och täpp igen de öppna portarna för att hindra smuts från att tränga in.

**17** Stryk lite olja på avgasgrenrörets stöttor. Lossa därefter fästmuttrarna till turboaggregatet och ta bort aggregatet från bilen **(se bild)**. Kontrollera att inga andra rör eller ledningar är anslutna till aggregatet.

## Montering

**18** Monteringen utförs i omvänd ordningsföljd mot demonteringen, och tänk på följande:
a) *Fyll turboaggregatets inre kammare med ren motorolja genom oljetillförselanslutningen på turboaggregatet. Detta är viktigt eftersom det måste finnas olja i turboaggregatet när motorn startas.*
b) *Rengör avgasgrenrörets kontaktyta noga innan turboaggregatet monteras.*
c) *Byt alla berörda koppartätningsbrickor, O-ringstätningar och packningar.*
d) *Dra åt alla muttrar, bultar och olje- och kylvätskeanslutningar till angivna moment.*
e) *Lägg ett lämpligt värmetåligt antikärvningsfett på gängorna till pinnbultarna och muttrarna mellan avgassystemet och turboaggregatet samt avgasgrenröret och turboaggregatet.*
f) *Se till att laddtrycksventilens slangar monteras korrekt på turboaggregatet, övertrycksventilens manöverorgan och luftslangen (se bild 14.54).*

**19** När monteringen är klar, kontrollera att kylarens avtappningsplugg är ordentligt åtdragen och montera skölden.
**20** Sänk ner bilen och kontrollera motoroljan, fyll på om det behövs (se *Veckokontroller*). Om ett nytt turboaggregat har monterats bör motoroljan bytas innan motorn startas, eftersom det skyddar turbolagren under inkörningsperioden.
**21** Fyll på kylsystemet (se kapitel 1A).
**22** Laddtrycket bör kontrolleras av en Saab-verkstad så snart som möjligt.

## 17 Laddluftkylare– demontering och montering

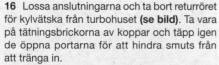

### Demontering

**1** Lyft upp framvagnen och stöd den ordentligt på pallbockar (se *Lyftning och stödpunkter*).
**2** Demontera den främre stötfångaren enligt beskrivningen i kapitel 11.
**3** Laddluftkylaren sitter inklämd mellan kylaren och luftkonditioneringskondensatorn. Ta bort kylaren enligt beskrivningen i kapitel 3.
**4** Skruva loss de två fästbultar och ta bort oljekylaren underifrån framvagnen **(se bild)**. Häng upp oljekylaren i kryssrambalken med buntband eller dylikt. Se till så att inte kylarrören skadas.
**5** Bind upp kondensorn mot den främre tvärbalken med buntband och skruva sedan loss de båda bultarna (en på varje sida) som

håller fast kondensorn mot laddluftkylaren **(se bilder)**.
**6** Lossa slangklämmorna och ta bort luftslangarna från laddluftkylarens vänstra och högra ände.
**7** Flytta laddluftkylaren från frontpanelen, lyft bort den från fästena och ta bort den från motorrummet.

## Montering

**8** Monteringen utförs i omvänd ordning mot demonteringen. Följ beskrivningarna i tillhörande kapitel. Se till att luftslangens klamrar sitter åt ordentligt.

## 18 Insugsgrenrör – demontering och montering

⚠ *Varning: Läs rekommendationerna i avsnitt 1 och informationen i avsnitten 'Säkerheten främst' i den här handboken innan du börjar arbeta med några komponenter i bränslesystemet.*

### Demontering

**1** Koppla loss batteriets minusledare.
**2** Ta bort gasspjällshuset från insugsgrenröret enligt beskrivningen i avsnitt 14.
**3** Ta bort bränslefördelarskenan och bränsleinsprutarna från insugsgrenröret enligt beskrivningen i avsnitt 14.

**17.4 Motoroljekylare**

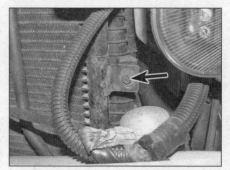

**17.5a Kondensatorns fästbult – vänster sida . . .**

**17.5b . . . och höger sida**

**4** Koppla loss vakuumslangen till bromsservot från insugsgrenröret **(se bild)**.
**5** Koppla loss kontaktdonet från temperaturgivaren för kylvätska **(se bild)**.
**6** Skruva loss fästbultarna som fäster insugsgrenröret i topplocket. Skruva även loss den nedre bulten från stödstaget **(se bild)**.
**7** Dra loss insugsgrenröret från topplocket **(se bild)**. I förekommande fall, dra försiktigt bort insugsluftvärmeplattan och koppla bort kablarna vid flervägskontakten. Ta loss packningen från topplocket.

## Montering

**8** Montering utförs i omvänd ordningsföljd. Montera en ny packning och återanslut i förekommande fall kablarna till insugsluftens värmeplatta. Se till att insugsrörets fästbultar dras åt till angivet moment.

## 19 Avgasgrenrör – demontering och montering

### Demontering

**1** Dra åt handbromsen och lyft med hjälp av en domkraft upp framvagnen på pallbockar (se *Lyftning och stödpunkter*).
**2** Koppla bort lambdasondens kablar enligt beskrivningen i kapitel 4C, avsnitt 2.
**3** Ta bort det främre avgasgrenröret och katalysatorn enligt beskrivningen i avsnitt 20.
**4** Demontera drivremmen enligt beskrivningen i kapitel 1A. För att komma åt muttrarna till höger om avgasgrenröret måste du skruva loss servostyrningspumpen och flytta den åt sidan; se kapitel 10 för detaljer. Observera att hydrauloljerören inte behöver kopplas loss.
**5** Skruva loss och ta bort avgasgrenrörets fästmuttrar, lyft sedan bort avgasgrenröret från topplocket. Observera hur hylsorna sitter under en del av pinnbultsmuttrarna **(se bild)**.
**6** Ta bort avgasgrenrörets packning från topplockets pinnbultar **(se bild)**.

### Montering

**7** Rengör kontaktytorna på topplocket och avgasgrenröret.
**8** Montera avgasgrenröret på pinnbultarna på topplocket tillsammans med en ny packning, dra sedan åt fästmuttrarna till angivet moment. Se till att hylsorna monteras på samma sätt som tidigare.
**9** Montera servostyrningspumpen enligt beskrivningen i kapitel 10.
**10** Montera tillbaka multiremmen enligt beskrivningen i kapitel 1A.
**11** Montera det främre avgasgrenröret enligt beskrivningen i avsnitt 20.
**12** Återanslut lambdasondens kablar enligt beskrivningen i kapitel 4C, avsnitt 2.
**13** Sänk ner bilen på marken.

**18.4 Tryck stoppringen nedåt och lossa vakuumröret**

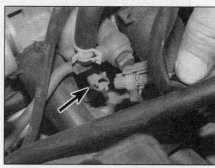
**18.5 Koppla loss kontaktdonet från temperaturgivaren (pil)**

**18.6 Ta bort de övre och nedre fästbultarna (pilar)**

**18.7 Ta bort insugsröret och packningen**

## 20 Avgassystem – allmän information och demontering av komponenter

### Allmän information

**1** Avgassystemet består av två sektioner:
1) Den främre sektionen (här finns en katalysator på 2,0-liters-modeller och två på 2,3-liters modeller).
2) Den bakre sektionen (här finns två ljuddämpare, som är av kombinerad resonans/absorbtionstyp).
**2** Om någon av de bakre ljuddämparna läcker eller är skadad kan du byta ut den genom att kapa avgasröret cirka 95 mm framför den. Därefter kan du montera en ny ljuddämpare, så att systemet består av tre sektioner. Hör

med återförsäljaren om alla nödvändiga delar finns.
**3** Avgassystemets sektioner är förbundna med flänsar utan packningar för att det ska vara enkelt att demontera. Dessutom blir inpassningen bättre. Det yttre utblåshöljet är överdraget med aluminium, vilket skyddar mot korrosion. Ljuddämparna är gjorda av 12-procentigt rostfritt kromstål.
**4** På 2,0-liters modeller finns en lambdasonde i det främre avgasröret. På 2,3-liters modeller, finns två lambdasonder i det främre avgasröret.
**5** Det främre avgasröret är försett med ett stödfäste, som också är anslutet till turboaggregatet.
**6** På samtliga modeller är systemet i sin helhet monterat med gummiupphängningar.

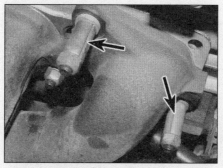
**19.5 Observera hur hylsorna sitter under en del av pinnbultsmuttrarna (två visas)**

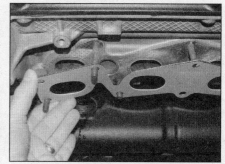
**19.6 Byt ut grenrörspackningen**

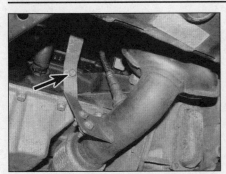

**20.12 Skruva loss bulten i stödfäste (pil)**

## Demontering

**7** Varje sektion kan demonteras för sig enligt beskrivningarna i följande punkter. Du kan också demontera hela avgassystemet samtidigt utan att du behöver demontera flänsen mellan den bakre och främre sektionen.

**8** För att ta bort en del av systemet, hissa först upp bilens fram- eller bakvagn på pallbockar (se *Lyftning och stödpunkter*). Alternativt kan bilen placeras över en smörjgrop eller på ramper.

### Främre delen

**Observera:** *Tappa inte katalysatorn. Den innehåller ett ömtåligt keramiskt element.*

**9** Demontera den främre lambdasonden enligt beskrivningen i kapitel 4C, avsnitt 2.

**10** Skruva loss fästmuttern och lossa värmeskölden från avgasgrenröret. Lossa de tre muttrarna som håller fast framröret mot turboaggregatet; ta inte bort helt än.

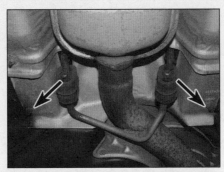

**20.19 Fästmuttrar till värmeskölden (pilar) – två visas**

**11** Om det är tillämpligt tar du bort den nedre motorkåpan från fordonets undersida.

**12** Ta bort bultarna som fäster det främre röret i stödfästet under motorns främre del **(se bild)**.

**13** Skruva loss muttrarna och dela flänsfogen mellan det främre och det bakre röret.

**14** Stötta den främre sektionen och ta bort de tre fästmuttrarna som du lösgjorde i punkt 10.

**15** Ta bort klämmorna från gummifästena. Haka därefter loss gummifästerna från underredet och sänk ner röret mellan motorn och tvärbalken.

 **Varning: Avgassystemets böjliga del bör inte böjas mer än 5° eftersom det kan skadas, vilket leder till avgasläckor och oljud.**

### Bakre delen

**16** Skruva loss muttrarna och dela flänsfogen mellan det främre och det bakre röret.

**17** Ta bort klämmorna från gummifästena. Stötta avgasröret och haka loss gummifästena från fordonets underrede. Sänk ner den bakre sektionen till marken.

**18** Om någon av de bakre ljuddämparna läcker eller är skadad kan du byta ut den separat genom att kapa respektive avgasrör enligt beskrivningen ovan.

### Värmeskärmar

**19** Värmeskölderna är fästa i underredet med fästmuttrar **(se bild)**. Varje skärm kan tas bort så fort relevant del av avgasgrenröret har demonterats.

## Montering

**20** Varje del monteras i omvänd ordning, och notera följande punkter:

a) Se till att alla spår av korrosion har avlägsnats från de vidgade rörändarna i flänsarna, och byt packning(ar) mellan det främre röret och avgasgrenröret/ turboaggregatet om det behövs.

b) Dra växelvis åt muttrarna på avgassystemets främre sektion till turbon, så att flänsen inte deformeras.

b) Undersök gummifästena efter tecken på skador eller åldrande och byt ut dem om det behövs.

d) Återanslut lambdasonden enligt beskrivningen i kapitel 4C, avsnitt 2.

e) Se till att alla gummifästen och deras fästklämmor placeras korrekt och att det finns tillräckligt med utrymme mellan avgassystemet och underredet.

f) Se till att den bakre delen av avgassystemet ligger i linje med utskärningen i den bakre stötfångaren.

# Kapitel 4 del B:
# Bränsle- och avgassystem – dieselmotorer

## Innehåll

## Svårighetsgrad

| Enkelt, passar novisen med lite erfarenhet  | Ganska enkelt, passar nybörjaren med viss erfarenhet  | Ganska svårt, passar kompetent hemmamekaniker 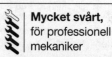 | Svårt, passar hemmamekaniker med erfarenhet | Mycket svårt, för professionell mekaniker  |
|---|---|---|---|---|

## Specifikationer

### Systemtyp

Alla motorer . . . . . . . . . . . . . . . . . . . . . . . . . . . . . . . . . . . . . . . . . . . . . Bosch EDC 16C9 direktinsprutningssystem med högtryck, common-rail , elektroniskt styrt

### Bränslesystemdata

Tändningsföljd . . . . . . . . . . . . . . . . . . . . . . . . . . . . . . . . . . . . . . . . . . . 1–3–4–2 (cylinder nr 1 vid motorns kamremsände)
Bränslesystemets arbetstryck . . . . . . . . . . . . . . . . . . . . . . . . . . . . . . 1600 bar vid 2200 varv/minut
Tomgångsvarvtal . . . . . . . . . . . . . . . . . . . . . . . . . . . . . . . . . . . . . . . . . Styrs av styrenheten
Maximal hastighet . . . . . . . . . . . . . . . . . . . . . . . . . . . . . . . . . . . . . . . . Styrs av styrmodulen
Högtrycksbränslepump:
  Typ . . . . . . . . . . . . . . . . . . . . . . . . . . . . . . . . . . . . . . . . . . . . . . . . . Bosch CP1H
Bränslematningspump:
  Typ . . . . . . . . . . . . . . . . . . . . . . . . . . . . . . . . . . . . . . . . . . . . . . . . . Elektrisk, nedsänkt i bensintanken
  Matningstryck. . . . . . . . . . . . . . . . . . . . . . . . . . . . . . . . . . . . . . . . . 3,3 bar (maximum)
Insprutningsventiler:
  Typ . . . . . . . . . . . . . . . . . . . . . . . . . . . . . . . . . . . . . . . . . . . . . . . . . Bosch CRIP 1-MI
  Insprutningshål (per insprutningsventil) . . . . . . . . . . . . . . . . . . . . . 6
  Resistans . . . . . . . . . . . . . . . . . . . . . . . . . . . . . . . . . . . . . . . . . . . . 0,255 ± 0,04 Ω

## Åtdragningsmoment

| | Nm |
|---|---|
| Anslutningsbult till turboaggregatets oljetillförselrör . . . . . . . . . . . . . . | 15 |
| Avgasgrenrör muttrar* . . . . . . . . . . . . . . . . . . . . . . . . . . . . . . . . . . . . . . | 20 |
| Avgasåterföringsventilens rör till avgasgrenröret . . . . . . . . . . . . . . . . . | 25 |
| Bränslefördelarskenans fästmuttrar/bultar . . . . . . . . . . . . . . . . . . . . . . | 25 |
| Bränsletrycksgivare till bränslefördelarskena . . . . . . . . . . . . . . . . . . . | 70 |
| Bränsletrycksregulator till bränslefördelarskena . . . . . . . . . . . . . . . . | 60 |
| Bultar till gasspjällshuset . . . . . . . . . . . . . . . . . . . . . . . . . . . . . . . . . . . | 9 |
| Bultar till turboaggregatets oljereturrör: | |
| M6-bultar . . . . . . . . . . . . . . . . . . . . . . . . . . . . . . . . . . . . . . . . . . . . . . | 9 |
| M8 bultar . . . . . . . . . . . . . . . . . . . . . . . . . . . . . . . . . . . . . . . . . . . . . . | 25 |
| Fästbultar till generatorn och högtrycksbränslepumpen . . . . . . . . . . . | 25 |
| Fästmuttrar till bränsleinsprutaren . . . . . . . . . . . . . . . . . . . . . . . . . . . . | 25 |
| Högtrycksbränslepumpens fästbultar . . . . . . . . . . . . . . . . . . . . . . . . . . | 25 |
| Högtrycksbränsleröranslutningar: . . . . . . . . . . . . . . . . . . . . . . . . . . . . | |
| M12 anslutningsmutter. . . . . . . . . . . . . . . . . . . . . . . . . . . . . . . . . . . . | 25 |
| M14 anslutningsmutter. . . . . . . . . . . . . . . . . . . . . . . . . . . . . . . . . . . . | 30 |
| Insprutningsventilens fästmutter . . . . . . . . . . . . . . . . . . . . . . . . . . . . . | 32 |
| Insugsgrenrörets muttrar . . . . . . . . . . . . . . . . . . . . . . . . . . . . . . . . . . . | 25 |
| Insugsluftgivarens fästbult . . . . . . . . . . . . . . . . . . . . . . . . . . . . . . . . . . | 9 |
| Kamaxelgivarens fästbult(ar) . . . . . . . . . . . . . . . . . . . . . . . . . . . . . . . . | 9 |
| Katalysatorns klämbult. . . . . . . . . . . . . . . . . . . . . . . . . . . . . . . . . . . . . | 20 |
| Muttrar mellan det främre avgasrör och katalysatorn * . . . . . . . . . . . . | 20 |
| Vevaxelgivarens fästbult. . . . . . . . . . . . . . . . . . . . . . . . . . . . . . . . . . . . | 9 |

* Återanvänds inte

## 1 Allmän information och föreskrifter

**1** Dessa motorer är utrustade med ett direktinsprutningssystem med högt tryck som inkorporerar det senaste inom dieselinjektionstekniken. På detta system används en högtrycksbränslepump vars enda syfte är att alstra det tryck som krävs av insprutningssystemet. Den har ingen kontroll över tidsinställningen för insprutningen (till skillnad från konventionella dieselinsprutningssystem). Tidsinställningen för insprutningen regleras av den elektriska styrmodulen som styr de elektriskt drivna insprutningsventilerna. Systemet fungerar så här:

**2** Bränslesystemet består av en bränsletank (som sitter under bilens bakre del med en elektrisk bränsletillförselpump nedsänkt inuti), ett bränslefilter med integrerad vattenseparator, en högtrycksbränslepump, insprutningsventiler och tillhörande komponenter.

**3** Bränsle leds till bränslefilterhuset som sitter i motorrummet. Bränslefiltret tar bort alla främmande partiklar och vatten. Dess syfte är att säkerställa att bränslet är rent när det matas till pumpen. Överflödigt bränsle leds tillbaka från utloppet på filterhusets lock till tanken via bränslekylaren. Bränslekylaren sitter på bilens undersida och kyls ner av luftflödet. Dess uppgift är att säkerställa att bränslet är kallt innan det kommer in i bränsletanken.

**4** Bränslet värms upp för att garantera att inga problem uppstår när omgivningstemperaturen är mycket låg. Detta åstadkoms genom en elektriskt driven bränslevärmare som är inbyggd i filterhuset; värmaren styrs via styrmodulen.

**5** Pumpen drivs med halva vevaxelhastigheten via kamremmen. Det höga trycket som systemet kräver (upp till 1600 bar) alstras av tre kolvar i pumpen. Högtryckspumpen matar bränsle med högt tryck till bränslefördelarskenan som agerar som en behållare för de fyra insprutningsventilerna. Eftersom pumpen inte kan styra tidsinställningen för insprutningen (till skillnad från konventionella insprutningssystem), betyder det att den pumpen inte behöver ställas in när kamremmen monteras.

**6** Det elektriska styrsystemet består av ECM:n tillsammans med följande givare:

a) *Gaspedalens lägesgivare – förser styrmodulen med information om gasspjällets läge och gasspjällets öppnings-/stängningshastighet.*

b) *Motorns temperaturgivare för kylvätska informerar den elektroniska styrenheten om motorns temperatur.*

c) *Luftflödesmätare – informerar styrmodulen om luftmängden som passerar genom insugskanalen.*

d) *Vevaxelgivaren – förser styrmodulen med information om vevaxelns hastighet och läge.*

e) *Kamaxelgivare – informerar styrmodulen om kolvarnas lägen.*

f) *Insugsluftgivare – informerar styrmodulen om insugsluftens temperatur och tryck i insugsgrenröret.*

g) *Bränsletrycksgivare – informerar styrmodulen om aktuellt bränsletryck i bränslefördelarskenan.*

h) *ABS styrenhet – förser styrmodulen med information om bilens hastighet.*

i) *Partikelfiltergivare – mäter differentialtrycket genom partikelfiltret, och informerar styrmodulen när filtret är fullt.*

j) *Avgastemperaturgivare – informerar styrmodulen om avgastemperaturen före och efter katalysatorerna.*

**7** Alla ovan nämnda signaler analyseras av styrmodulen som reglerar bränsletillförseln efter dessa värden. Den elektroniska styrenheten styr bränsleinsprutaren genom att variera pulsbredden – den tid insprutaren hålls öppen – för att skapa en fetare eller magrare blandning, efter tillämplighet. ECM:n varierar hela tiden luft-/bränsleblandningen för att skapa bästa möjliga inställningar för igångdragning av motor, start (antingen med varm eller kall motor) och uppvärmning av motorn, tomgång, körning på låg hastighet och accelerationer.

**8** Styrmodulen har även full kontroll över det aktuella bränsletrycket i bränslefördelarskenan via högtrycksbränsleregulatorn och tredje kolvens frånkopplande magnetventil som sitter på högtryckspumpen. För att minska trycket öppnar styrmodulen högtrycksbränsleregulatorn så att överflödigt bränsle kan ledas tillbaka direkt till tanken från pumpen. Frånkopplaren till den tredje kolven används huvudsakligen för att lätta belastningen på motorn, men kan också användas för att sänka bränsletrycket. Den frånkopplande magnetventilen lättar bränsletrycket från den tredje kolven i pumpen, med resultatet att endast två av kolvarna trycksätter bränslesystemet.

**9** Styrmodulen styr även avgasåterföringssystemet (EGR) som beskrivs i detalj i del C i detta kapitel, för-/eftervärmningssystemet (se kapitel 5A), och motorns kylfläkt.

**10** Insugsgrenröret är försett med en spjällventilinrättning för att förbättra effekten vid låg motorhastighet. Varje cylinder har två insugskanaler i grenröret, varav en är utrustad med en ventil; ventilerna styrs av styrmodulen via en elmotor. Vid låga motorhastigheter (under ca 1500 varv/minut) förblir vingarna stängda, vilket innebär att luften till varje cylinder endast passerar en av de två grenrörskanalerna. Vid högre hastigheter öppnar styrmodulen var och en av de fyra ventilerna så att luften kan passera grenröret och de båda inloppskanalerna.

**11** Ett turboaggregat med variabel geometri har monterats för att öka motorns effektivitet. Det ökar motorns verkningsgrad genom att höja trycket i insugningsgrenröret över atmosfäriskt tryck. I stället för att luft bara sugs in i cylindrarna tvingas den dit. Observera att turboaggregatet är inbyggt i avgasgrenröret.

**12** Mellan turboaggregatet och insugsröret passerar den komprimerade luften genom en laddluftkylare. Detta är en luftkyld värmeväxlare som sitter bredvid kylaren. Den förses med kylande luft från bilens framsida. Laddluftkylarens uppgift är att ta bort en del av värmen som alstras när insugsluften komprimeras. Eftersom kallare luft är tätare, ökar effektiviteten hos motorn ytterligare när luften kyls av.

**13** Turboaggregatet drivs av avgaserna. Gasen flödar genom ett specialutformat hus (turbinhuset) där den får turbinhjulet att snurra. Turbinhjulet sitter på en axel och i änden av axeln sitter ett till vingförsett hjul, kompressorhjulet. Kompressorhjulet roterar i ett eget hus och komprimerar den ingående luften innan den går vidare till insugsröret. Turboaxeln trycksmörjs av ett oljematarrör från huvudoljeledningarna. Axeln flyter på en 'kudde' av olja. Ett avtappningsrör för tillbaka oljan till sumpen. Laddtrycket (trycket i insugsröret) begränsas av en övertrycksventil, som leder bort utblåsningen från turbinhjulet som reaktion på ett tryckkänsligt manövreringsorgan.

**14** Om det uppstår fel på några givare och de skickar onormala signaler till styrmodulen har styrmodulen ett backup-program. Om detta händer ignoreras de onormala signalerna och ett förprogrammerat värde ersätter givarens signal så att motorn kan fortsätta att gå, dock med begränsad effekt. Om styrmodulens säkerhetsläge aktiveras tänds varningslampan på instrumentbrädan och relevant felkod lagras i styrmodulens minne. Denna felkod kan avläsas med hjälp av en lämplig specialtestutrustning som ansluts till systemets diagnosuttag. Kontaktdonet sitter nedanför instrumentbrädan på förarsidan, ovanför pedalerna **(se bild)**.

⚠ **Varning: Det är viktigt att följa föreskrifterna noggrant vid arbete på komponenterna i motorns bränslesystem, särskilt systemets högtryckssida. Innan arbetet på bränslesystemet påbörjas, se föreskrifterna i Säkerheten främst! i början av denna**

**1.14 Diagnosanslutning – markerad med pil**

*handbok och alla andra ytterligare varningar i början av respektive avsnitt. Se även ytterligare information i avsnitt 2.*

• *Kör inte motorn om någon insugskanal är frånkopplad eller om filterinsatsen har tagits bort. Om skräp kommer in i motorn kommer det att vålla allvarliga skador på turboaggregatet.*

• *För att undvika skada på turboaggregatet, varva inte motorn direkt efter starten, särskilt inte om det är kallt. Låt gå på tomgång i några sekunder så att oljan får cirkulera runt i turboaggregatets lager. Låt alltid motorn gå ner på tomgång innan den stängs av – varva inte upp motorn och vrid av tändningen, eftersom aggregatet då inte får någon smörjning.*

• *Följ de rekommenderade intervallen för olje- och filterbyte och använd en välkänd olja av angiven kvalitet. Bristande oljebyten eller användning av begagnad olja eller olja av dålig kvalitet kan orsaka sotavlagringar på turboaxeln med driftstopp som följd.*

## 2 Dieselinsprutningssystem med högt tryck – specialinformation

### Varningar och föreskrifter

**1** Det är viktigt att följa föreskrifterna noggrant vid arbete på komponenterna i motorns bränslesystem, särskilt systemets högtryckssida. Innan arbetet på bränslesystemet påbörjas, se föreskrifterna i *Säkerheten främst!* i början av den här handboken och följande extrainformation.

• Utför inga reparationer på högtrycksbränslesystemet om du inte är säker på att du kompetent nog att göra det. Se till att du har tillgång till alla verktyg och all utrustning som krävs och att du känner till säkerhetsföreskrifterna som gäller.

• Innan du påbörjar reparationer av bränslesystemet, vänta minst 30 sekunder efter det att motorn har slagits av så att bränslekretsens tryck hinner återgå till atmosfäriskt tryck.

• Arbeta aldrig med högtrycks bränslesystemet med motorn igång.

• Håll dig borta från alla eventuella källor till bränsleläckage, framförallt när du startar

motorn efter det att du har utfört reparationer. En läcka i systemet kan orsaka en stråle med extremt högt tryck, vilket kan leda till allvarliga personskador.

• Placera aldrig händerna eller någon annan kroppsdel nära en läcka i högtrycksbränslesystemet.

• Använd inte ångtvätt eller tryckluft för att rengöra motorn eller någon av delarna i bränslesystemet.

### Reparationer och allmän information

**2** Man måste vara mycket noga med renlighet och hygien när man arbetar med bränslesystemets delar. Detta gäller både arbetsplatsen i allmänhet, personen som utför arbetet och de komponenter som man arbetar med.

**3** Innan du börjar arbeta med bränslesystemets komponenter måste de rengöras ordentligt med ett lämpligt avfettningsmedel. Renlighet är särskilt viktigt när man arbetar med bränslesystemets anslutningar på följande komponenter:

a) Bränslefilter.
b) Högtrycksbränslepump.
c) Bränslefördelarskena.
d) Bränsleinjektoren.
e) Högtryckbränslerör

**4** När bränslerör eller andra komponenter har kopplats loss måste den öppna anslutningen eller öppningen täppas till omedelbart för att förhindra att det kommer in smuts eller främmande föremål. Plastpluggar och lock i olika storlekar kan köpas i större förpackningar från motorspecialister och tillbehörsbutiker, och passar mycket bra för detta arbete **(se bild)**. Fingrar som klippts av från gummihandskar kan användas för att skydda komponenter som bränslerör, bränsleinsprutare och kontaktdon, och kan fästas på plats med hjälp av gummisnoddar. Du kan hämta lämpliga handskar gratis på de flesta bensinstationer.

**5** När något av högtrycksbränslerören kopplas loss eller tas bort måste du skaffa nya rör för monteringen.

**6** Åtdragningsmomenten i Specifikationer måste följas noggrant när man drar åt komponenternas fästen och anslutningar. Detta är särskilt viktigt när man drar åt

**2.4 Typisk uppsättning med plastplugg och kåpa för att täppa till frånkopplade bränslerör och komponenter**

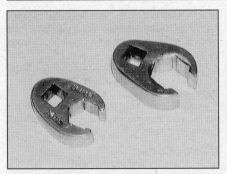

2.6 Två kråkfotsadaptrar krävs för att dra åt bränslerörsanslutningarna

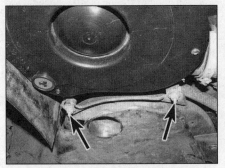

3.6 Ta bort de nedre fästmuttrarna (pilar) och dra ut luftrenarhuset

högtrycksbränslerörens anslutningar. För att man ska kunna använda en momentnyckel på bränslerörens anslutningar krävs två kråkfotsadaptrar. Lämpliga alternativ finns att köpa från motorspecialister och tillbehörsbutiker **(se bild)**.

### 3 Luftrenare – demontering och montering

## Demontering

1 Ta bort den främre grillen enligt beskrivningen i kapitel 11.
2 Ta höger bort strålkastarenhet enligt beskrivningen i kapitel 12.
3 Öppna fästklämman och ta bort insugsröret från luftrenarens topp **(se bild 3.5)**.
4 Dra åt handbromsen och lyft med hjälp av

7.1a Lossa kontaktdonet...

3.5 Lossa fästklämmorna (pilar) och koppla loss insugsröret

3.7 Skruva loss fästbulten (pil) från luftintagsröret

en domkraft upp framvagnen på pallbockar (se *Lyftning och stödpunkter*). Ta bort höger framhjul. Skruva loss fästskruvarna och ta bort hjulhusfodret.
5 Öppna fästklämman under bilen och ta loss insugsröret nedtill på luftrenaren **(se bild)**.
6 Skruva loss de nedre fästmuttrarna **(se bild)**, och sänk ner luftrenaren underifrån innerskärmen. **Observera:** *Du kanske behöver lossa ett par fästskruvar från den främre stötfångarens högra sida för att kunna ta bort luftrenaren.*
7 Om det behövs, tar du bort fästskruven/fästskruvarna och fästklämman till luftinsugsröret **(se bild)**. Dra sedan tillbaka luftinsugsröret från andra sidan av kylarens framsida.

⚠️ **Varning: Kör inte motorn medan luftrenarhuset och/eller lufttrummorna är demonterade –** *trycket vid turboaggregatets insug kan öka mycket snabbt om motorn får gå snabbare än tomgångsvarvtal.*

7.1b ... och lossa bränslerören

## Montering

8 Montera i omvänd ordningsföljd mot demonteringen. **Observera:** *Se till att stiftet överst på luftrenaren sitter i hålet i den inre skärmen.*

### 4 Gaspedal/lägesgivare – demontering och montering

Se kapitel 4A, avsnitt 4.

### 5 Bränslesystemet – snapsning och luftning

1 Efter att en del av bränslematningssystemet lossats eller efter att bränslet tagit slut är det nödvändigt att snapsa bränslesystemet och lufta det, för att få ut eventuell luft som kommit in i systemets. Gör som följer.
2 Sätt igång oljetillförselpumpen genom att slå på tändningen tre gången under ungefär 15 sekunder per gång. Motorn ska nu starta. Vänta några minuter om detta inte sker, och upprepa tillvägagångssättet.

### 6 Bränslemätargivare – demontering och montering

I alla modeller är bränslemätargivaren inbyggd i bränslepumpen och kan inte köpas separat. Se kapitel 4A, avsnitt 9, för information om demontering och montering av bränslepumpen

### 7 Bränslepump – demontering och montering

Dieselmatningspumpen sitter på samma plats som en vanlig bränslepump på bensinmodeller, och demontering och montering är i princip desamma **(se bilder)**. Se kapitel 4A, avsnitt 9. Avsluta med att lufta bränslesystemet enligt beskrivningen i avsnitt 5.

### 8 Bränsletank – demontering och montering

Se kapitel 4A, avsnitt 12. Avsluta med att lufta bränslesystemet enligt beskrivningen i avsnitt 5.

### 9 Insprutningssystemets elkomponenter – demontering och montering

## Luftflödesmätare

1 Lossa fästklämman som håller fast luftintagskanalen till luftflödesmätaren och lossa kanalen.

9.2  Lossa luftflödesmätarens kontaktdon

9.6  Ta loss laddluftslangen från gasspjället/gasspjällshuset och från laddluftkylarens luftslang.

9.10  Vevaxelgivaren (markerad med pil) sitter under startmotorn

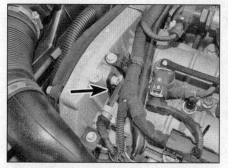

9.15  Kamaxelgivare placering (markerad med pil)

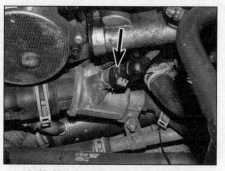

9.19  Kylvätsketemperaturgivaren (markerad med pil) sitter på topplockets vänstra ände

9.21  Lossa anslutningskontakten för laddluftgivaren (markerad med pil)

**2** Lossa luftflödesmätarens anslutningskontakt **(se bild)**.

**3** Lossa fästklämman och dra ut luftflödesmätaren från luftrenarhusets lock.

**4** Tillbakamontering sker omvänt i förhållande till montering, men försäkra dig om att pilen på luftflödesmätaren pekar mot gasspjället/gasspjällshuset efter monteringen.

### Gasspjällshus

**5** Ta bort plastkåpan från motorns överdel.

**6** Lossa fästklämman och lossa laddluftslangen från gasspjällshuset/huset **(se bild)**.

**7** Lossa gasspjällshusets anslutningskontakt.

**8** Skruva loss det trä fästbultarna och ta bort gasspjällshuset från insugsröret. Observera placeringen av kabelknippenas stödfästen och fästbultar.

**9** Monteringen utförs i omvänd ordningsföljd mot demonteringen, men rengör fogytorna noggrant och använd en ny packning/tätning. Dra åt fästbultarna till angivet moment.

### Vevaxelgivare

**10** Sensorn sitter på motorblockets baksida, under startmotorn **(se bild)**. Dra åt handbromsen. Lyft sedan upp framvagnen och ställ den på pallbockar (se *Lyftning och stödpunkter*).

**11** Skruva loss fästbultarna och ta bort den nedre kåpan underifrån motor/växellådsenheten.

**12** Rengör området runt vevaxelgivaren, koppla sedan loss anslutningskontakten.

**13** Skruva loss fästbulten och ta bort givaren från motorblocket. Ta vara på tätningen.

**14** Monteringen sker i omvänd ordningsföljd mot demonteringen, använd en ny tätningsring. Dra åt givarens bult till angivet moment.

### Kamaxelgivare

**15** Kamaxelgivaren sitter på kamaxelhusets högra ände **(se bild)**. Ta bort plastkåpan från motorns överdel för att komma åt.

**16** Rengör området runt kamaxelgivaren, koppla sedan loss anslutningskontakten.

**17** Skruva loss fästbulten och ta bort givaren från kamaxelkåpan. Ta vara på tätningen.

**18** Monteringen sker i omvänd ordningsföljd mot demonteringen, använd en ny tätningsring. Dra åt givarens bult till angivet moment.

### Temperaturgivare för kylvätska:

**19** Temperaturgivare för motorkylvätska sitter på termostathuset längst till vänster på topplock. Töm kylsystemet delvis, lossa anslutningskontakten och skruva loss givaren **(se bild)**.

**20** Monteringen utförs i omvänd ordningsföljd mot demonteringen. Fyll på kylsystemet enligt beskrivningen i kapitel 1B.

### Insugslufttryck/temperaturgivare

**21** Ta bort plastkåpan från motorns ovansida. Lossa anslutningskontakten från laddtryckgivaren som sitter i mitten av insugsgrenröret **(se bild)**.

**22** Skruva loss fästbulten och ta bort givaren från grenröret. Ta vara på tätningen.

**23** Monteringen sker i omvänd ordningsföljd mot demonteringen, använd en ny tätningsring. Dra åt givarens bult till angivet moment.

### Bränsletrycksregulator

**24** Koppla loss och ta bort batteriets jordledning enligt beskrivningen i kapitel 5A.

**25** Ta bort plastkåpan från motorns överdel.

**26** Lossa kontaktdonet från bränsletryckregulatorn **(se bild)**.

**27** Ta bort regulatorn från bränslefördelarskenan genom att skruva loss den inre muttern (närmast bränslefördelarskenan) medan du håller emot på regulator höljet med en andra skiftnyckel. Var beredd på visst bränslespill.

**28** Monteringen utförs i omvänd ordningsföljd mot demonteringen, dra åt regulatorn till angivet moment.

9.26  Skjut ut den gula låshaken, tryck ner klämman och lossa anslutningskontakten till bränsletrycksregulatorn

9.31 Koppla loss bränsletryckgivarens anslutningskontakt

9.35 Turboaggregatets övertrycks solenoid befinner sig på framsidan av motorrummet

## Bränsletryckgivare

**29** Koppla loss och ta bort batteriets jordledning enligt beskrivningen i kapitel 5A.
**30** Ta bort plastkåpan från motorns överdel.
**31** Lossa kontaktdonet vid bränsletryckgivaren **(se bild)**.
**32** Skruva loss givaren och ta bort den från bränslefördelarskenan. Var beredd på visst bränslespill.
**33** Monteringen utförs i omvänd ordningsföljd mot demonteringen, dra åt givaren till angivet moment.

## Elektronisk styrmodul (ECM)

**Observera:** *Om en ny styrmodul ska monteras måste arbetet utföras av en Saab-verkstad eller en specialverkstad med lämplig utrustning, eftersom det är nödvändigt att programmera den nya styrmodulen efter installationen. Detta arbete kräver att man använder Saabs dedikerade diagnosutrustning eller ett likvärdigt alternativ.*
**34** Den elektroniska styrmodulen (ECM) sitter på samma ställe på alla modeller. Se kapitel 4A, avsnitt 14, för information om demontering och montering av styrmodulen

## Turboaggregatets magnet

**35** Övertrycksmagnetventilen (laddtryck) sitter i främre motorrummet **(se bild)**.
**36** Lossa anslutningskontakten och de två vakuumslangarna från ventilen. Skruva sedan loss de två fästmuttrarna och ta bort ventilen från dess fästbygel.
**37** Montera i omvänd ordningsföljd mot demonteringen.

## 10 Högtrycksbränslepump – demontering och montering

 **Varning:** *Se försiktighetsåtgärderna i avsnitt 2 innan du fortsätter.*
**Observera:** *Det krävs ett nytt högtrycksbränslerör mellan bränslepumpen och bränslefördelarskenan vid monteringen.*

## Demontering

**1** Koppla loss och ta bort batteriets

jordledning enligt beskrivningen i kapitel 5A.
**2** Ta bort plastkåpan från motorns överdel.
**3** Ta bort kamremmen och högtrycksbränslepumpens drev enligt beskrivningen i kapitel 2B.
**4** Lossa fästklämmorna och lossa de två bränslereturslangar vid bränsleretur dämparkammaren **(se bilder)**. Plugga igen eller täck över öppna anslutningar på lämpligt sätt för att förhindra att det kommer in smuts.
**5** Lossa insprutningsventilens spillrör och bränslereturens snabbkoppling. Skruva sedan loss de två bultarna och ta bort dämparkammaren. Plugga igen eller täck över öppna anslutningar på lämpligt sätt för att förhindra att det kommer in smuts.
**6** Lossa bränslematningslangens

snabblossnings-fäste till högtrycksbränsle-pumpen. Plugga igen eller täck över öppna anslutningar på lämpligt sätt för att förhindra att det kommer in smuts **(se bild)**.
**7** Lossa anslutningskontakten från högtrycksbränslepumpen.
**8** Rengör bränslerörets anslutningar på bränslepumpen och bränslefördelarskenan. Använd en öppen nyckel och skruva loss anslutningsmuttrarna som fäster högtrycksbränsleröret på bränslepumpen och bränslefördelarskenan. Håll emot anslutningarna på pumpen med en andra nyckel, samtidigt som du skruvar loss anslutningsmuttrarna **(se bild)**. Ta bort högtrycksbränslerören och plugga igen eller täck över de öppna anslutningarna för att förhindra att det kommer in smuts.

10.4a Lossa klämmorna och koppla loss den övre (markerad med pil) . . .

10.4b . . . och de nedre (markerad med pil) bränslereturslangarna vid dämparkammaren

10.6 För in ett allmänt lossningsverktyg runt bränsleröret och tryck in det i kopplingen för att lossa klämman och koppla ifrån röret

10.8 Skruva loss anslutningsmuttrarna som fäster högtrycksbränsleröret på bränslepumpen och bränslefördelarskenan

**9** Skruva loss fästmuttrarna och ta bort pumpen från motorfästet **(se bilder)**.
*Varning: Högtrycksbränslepumpen är tillverkad med mycket snäva toleranser och får inte tas isär på något sätt. Det finns inga delar till pumpen att köpa separat, och om du misstänker något som helst fel på enheten måste den bytas.*

## Montering

**10** Montera tillbaka pumpen på motorfästet och dra åt fästbultarna till angivet moment.
**11** Ta bort täckpluggarna från bränsleledningsanslutningarna på pumpen och bränslefördelarskenan. Passa in ett nytt högtrycksbränslerör över anslutningarna och skruva på anslutningsmuttrarna med bara fingrarna på det här stadiet.
**12** Använd en momentnyckel och en kråkfotsadapter, dra åt anslutningsmuttrarna till angivet moment. Håll emot anslutningarna på pumpen med en gaffelnyckel när anslutningsmuttrarna dras åt.
**13** Återanslut pumpens anslutningskontakt och bränslereturslangens snabblossnings-fäste.
**14** Montera dämpningskammaren och dra åt fästbultarna ordentligt. Återanslut insprutningsventilens spillrör och de två resterande bränslereturslangarna.
**15** Montera tillbaka högtrycksbränslepumpens drev och kamrem enligt beskrivningen i kapitel 2B.
**16** Återanslut batteriets jordledning enligt beskrivningen i kapitel 5A.
**17** Följ föreskrifterna som listas i avsnitt 2 för att snapsa bränslesystemet som det beskrivs i avsnitt 5. Starta sedan motorn och låt den gå på tomgång. Leta efter läckor vid högtrycksbränslerörens anslutningar med motorn på tomgång. Om kontrollen inte avslöjar några läckor ökar du motorvarvtalet till 4000 varv/minut och letar efter läckor igen. Kör bilen en kort sväng och leta efter läckor igen när du kommer tillbaka. Om du upptäcker några läckor måste du köpa och montera ett nytt högtrycksbränslerör.
**18** Avsluta med att sätta tillbaka motorkåpan.

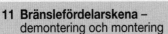
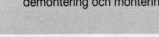

## 11 Bränslefördelarskena – demontering och montering

⚠ *Varning: Se försiktighetsåt-gärderna i avsnitt 2 innan du fortsätter.*

**Observera:** *Observera att det behövs ett nytt komplett set med högtrycksbränslerör vid monteringen.*

## Demontering

**1** Koppla loss och ta bort batteriets jordledning enligt beskrivningen i kapitel 5A.
**2** Ta bort plastkåpan från motorns överdel.
**3** Rengör alla högtrycksbränsleledningarnas anslutningar på bränslepumpen, bränsle-fördelarskenan och insprutningsventilerna

**10.9a  Skruva loss de tre fästmuttrarna (markerade med pilar) . . .**

ordentligt. Använd två skruvnycklar för att hålla fast anslutningarna och samtidigt lossa anslutningsmuttrarna som håller fast högtrycksbränslerören mot bränsleinsprutarna. Skruva loss anslutningsmuttrarna som håller fast högtrycksbränslerören mot bränslefördelarskenan. Ta sedan bort rören och plugga igen eller täck över de öppna anslutningarna så att inte smuts kan tränga in **(se bild)**.
**4** Använd en öppen nyckel och skruva loss anslutningsmuttrarna som fäster högtrycksbränsleröret på bränslepumpen och bränslefördelarskenan **(se bild)**. Håll emot anslutningarna på pumpen med en andra nyckel, samtidigt som du skruvar loss anslutningsmuttrarna. Ta bort högtrycksbränslerören och plugga igen eller

**11.3  Skruva loss anslutningsmuttrarna som fäster högtrycksbränslerören på bränslefördelarskenan och insprutningsventilerna**

**11.5a  Lossa bränslereturslangen. . .**

**10.9b  . . . och ta bort högtrycksbränslepumpen från motorfästet**

täck över de öppna anslutningarna för att förhindra att det kommer in smuts.
**5** Lossa kontaktdonen, bränsle-trycksregulatorn och bränsletrycksgivaren. Lossa sedan klämman och lossa bränslereturslangen. Skruva loss de två bultar och ta bort bränslefördelarskenan **(se bilder)**.

## Montering

**6** Montera bränslefördelarskenan och dra åt fästbultarna till angivet moment. Återanslut bränsletrycksregulatorn och bränsletryckgivarens kontaktdon, och återanslut bränslereturslangen.
**7** Arbeta med en bränsleinsprutare i taget och ta bort täckpluggen från bränsle-rörsanslutningarna på ackumulatorskenan och den berörda insprutningsventilen. Passa in ett

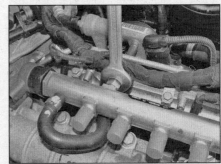

**11.4  Skruva loss anslutningsmuttrarna som fäster högtrycksbränsleröret på pumpen och bränslefördelarskenan**

**11.5b  . . . skruva sedan loss bultarna (markerade med pilar) och ta bort bränslefördelarskenan**

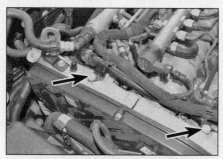

**12.3 Skruva loss de två bultarna (markerade med pilar) och ta bort ventilationsröret från topplocket**

**12.4a Skjut ut låsspärren . . .**

**12.4b . . . tryck in klämman och lossa insprutningsventilernas anslutningskontakter**

nytt högtrycksbränslerör över anslutningarna och skruva på anslutningsmuttrarna. Dra åt anslutningsmuttrarna till angivet moment med en momentnyckel och kråkfotsadapter. Håll emot anslutningen på insprutningsventilen med en gaffelnyckel när anslutningsmuttern dras åt. Upprepa detta tillvägagångssätt för de återstående tre insprutningsventilerna.

**8** Montera på samma sätt det nya högtrycksbränsleröret på bränslepumpen och bränslefördelarskenan. Dra sedan åt anslutningsmuttrarna till angivet moment. Håll emot anslutningen på pumpen med en gaffelnyckel när anslutningsmuttern dras åt.

**9** Återanslut batteriets jordledning enligt beskrivningen i kapitel 5A.

**10** Följ föreskrifterna som listas i avsnitt 2, snapsa bränslesystemet som det beskrivs i avsnitt 5. Starta sedan motorn

**12.5a Lossa bränslespillslangens anslutning vid varje insprutningsventil . . .**

och låt den stanna. Leta efter läckor vid högtrycksbränslerörens anslutningar med motorn på tomgång. Om kontrollen inte avslöjar några läckor ökar du motorvarvtalet till 4000 varv/minut och letar efter läckor igen. Kör bilen en kort sväng och leta efter läckor igen när du kommer tillbaka. Om du upptäcker några läckor måste du köpa och montera ett nytt högtrycksbränslerör.

**11** Avsluta med att sätta tillbaka motorkåpan.

## 12 Bränsleinjektoren – demontering och montering

⚠️ **Varning: Se försiktighetsåtgärderna i avsnitt 2 innan du fortsätter.**

**Observera 1:** *Vid återmonteringen krävs nya kopparbrickor, fästmuttrar och ett högtrycksbränslerör för varje insprutningsventil som har störts.*

**Observera 2:** *Injektorn sitter mycket hårt fast i topplocket och det är troligt att Saabs speciella avdragare (32 025 013) och adapter (32 025 012), eller lämpliga alternativ, behövs.*

### Demontering

**1** Koppla loss och ta bort batteriets jordledning enligt beskrivningen i kapitel 5A.

**2** Ta bort plastkåpan från motorns överdel.

**3** Lossa fästklämman som säkrar motorns ventilationsslang till ventilröret intill mätstickan för motorolja. Skruva loss de två bultarna som

håller fast ventilröret mot topplocket. Lossa sedan röret från slangen **(se bild)**.

**4** Lossa låshakarna som håller fast kontaktdonen på de fyra insprutningsventilerna, och lossa sedan kablaget **(se bilder)**.

**5** Lossa bränslespillslangens anslutning på varje insprutningsventil genom att trycka in låsklämman och lyfta ut slangfästet. Plugga igen eller täck över spillslanganslutningen på varje insprutningsventil, och sätt en plastpåse över den lossade spillslangen som skydd mot smuts **(se bilder)**.

**6** Rengör bränslerörets anslutningar på bränslepumpen och insprutningsventilen. Använd två öppna nycklar, håll emot anslutningarna och skruva loss muttern som fäster högtrycksbränsleröret på insprutningsventilen **(se bild)**. Skruva loss anslutningsmuttern som håller fast högtrycksbränsleröret mot bränslefördelarskenan. Ta sedan bort röret och plugga igen eller täck över de öppna anslutningarna så att inte smuts kan tränga in.

**7** Börja med insprutningsventil 1. Skruva loss fästmuttern och ta bort brickan från insprutningsventilens fästbygel **(se bild)**.

**8** Ta bort insprutningsventilen tillsammans med klämman från topplocket. Om det är svårt att demontera insprutningsventilen, applicera lite inträngande olja på insprutarens bas och vänta tills oljan trängt in. Om insprutningsventilen fortfarande inte vill lossna, kan man sätta en liten glidhammare under flänsen på insprutningsventilens stomme och

**12.5b . . . plugga sedan igen eller täck över spillslanganslutningen på insprutningsventil**

**12.6 Håll emot insprutningsventilens anslutning när du skruvar loss högtrycksbränslerörets anslutningar**

**12.7 Skruva loss fästmuttern till insprutningsventilens fästbygel och ta sedan bort brickan**

12.8  Använd en liten glidhammare för att lossa insprutningsventilens kropp från topplocket

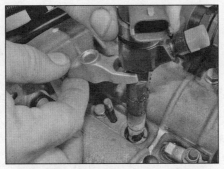

12.9a  När insprutningsventilen har tagits bort ska den skiljas från klämfästbygeln

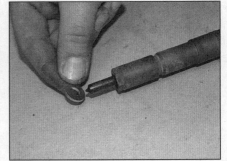

12.9b  Ta bort kopparbrickan från insprutningsventilens nedre del

12.17a  Montera brickan . . .

12.17b  . . . och fästmuttern till insprutningsventilens klämfäste

12.19  Dra åt bränslerörets anslutningsmuttrar till angivet moment med en momentnyckel och kråkfotsadapter

knacka försiktigt tills den lossnar **(se bild)**. Om tillgängligt, använd Saabs specialverktyg 32 025 013, 32 025 012 och 83 90 270 för detta syfte. Observera att det inte går att vrida insprutningsventilen fram och tillbaka för att lossa dem.

**9** När insprutningsventilen har demonterats, skilj den från klämfästet och ta bort kopparbrickan från insprutningsventilens bas **(se bilder)**. Kopparbrickan kan ha lämnats kvar längst ner i insprutningsventilens öppning i topplocket. Om så är fallet, haka ut det med en bit tråd.

**10** Ta bort de återstående insprutnings-ventilerna på samma sätt.

**11** Undersök varje insprutningsventil visuellt och leta efter tecken på uppenbara skador eller åldrande. Om det finns uppenbara fel byter du insprutningsventilen.

*Varning: Insprutningsventilerna är tillverkade med mycket snäva toleranser och får inte tas isär på något sätt. Skruva inte loss bränslerörsanslutningen på insprutningsventilens sida, och separera inte insprutningsventilens husdelar. Försök inte att ta bort sotavlagringar från insprutningsmunstycket eller utföra någon form av ultraljuds- eller trycktest.*

**12** Om insprutningsventilerna är i gott skick pluggar du igen bränslerörsanslutningen (om detta inte redan har gjorts) och täcker för den elektriska delen och insprutningsmunstycket på lämpligt sätt.

**13** Före återmonteringen skaffar du en ny uppsättning kopparbrickor, fästmuttrar och högtrycksbränsleledningar.

## Montering

**14** Rengör noggrant insprutningsventilens säte i topplocket, och säkerställ att alla rester av sot och andra avlagringar tagits bort.

**15** Börja med insprutningsventil nr 4 och placera en ny kopparbricka på insprutningsventilens bas.

**16** Placera insprutningsventilens fästbygel i spåret på insprutningsventilen och sätt tillbaka insprutningsventilen i topplocket.

**17** Sätt tillbaka brickan och fästmuttern och dra åt muttern till angivet moment **(se bilder)**.

**18** Ta bort täckpluggen från bränsle-ledningsanslutningen på bränslefördelarskenan och insprutningsventilen. Passa in ett nytt högtrycksbränslerör över anslutningarna och skruva på anslutningsmuttrarna. Var noga med att inte felgänga muttrarna eller belasta bränsleröret när det återmonteras.

**19** Dra åt bränslerörets anslutningsmuttrar till angivet moment med en momentnyckel och en kråkfotsadapter **(se bild)**. Håll emot anslutningen på insprutningsventilen med en gaffelnyckel när anslutningsmuttern dras åt.

**20** Upprepa detta tillvägagångssätt för de återstående insprutningsventilerna.

**21** Återanslut spillslangarnas beslag till insprutningsventilerna genom att skjuta in låsklämman, sätta fast beslaget och sedan släppa låsklämman. Se till att varje montering sitter ordentligt och hålls fast av klämman.

**22** Återanslut kontaktdonen till bränsleinjektorerna.

**23** Fäst motorns ventilationsslang vid ventilröret och säkra den med fästklämman.

Fäst ventilröret på topplocket med de två bultarna ordentligt åtdragna.

**24** Återanslut batteriets jordledning enligt beskrivningen i kapitel 5A.

**25** Följ föreskrifterna som listas i avsnitt 2 för att snapsa bränslesystemet som det beskrivs i avsnitt 5. Starta sedan motorn och låt den gå på tomgång Leta efter läckor vid högtrycksbränslerörens anslutningar med motorn på tomgång. Om kontrollen inte avslöjar några läckor ökar du motorvarvtalet till 4000 varv/minut och letar efter läckor igen. Kör bilen en kort sväng och leta efter läckor igen när du kommer tillbaka. Om du upptäcker några läckor måste du köpa och montera ett nytt högtrycksbränslerör.

**26** Avsluta med att sätta tillbaka motorkåpan.

---

**13 Insugningsgrenrör –** demontering och montering

## Demontering

**1** Koppla loss och ta bort batteriets jordledning enligt beskrivningen i kapitel 5A.

**2** Ta bort plastkåpan från motorns överdel.

**3** Ta bort högtrycksbränslepumpen enligt beskrivningen i avsnitt 10.

**4** Ta bort EGR-ventilen enligt beskrivningen i kapitel 4C.

**5** Töm kylsystemet enligt beskrivningen i kapitel 1B.

**6** Lossa klämmorna och ta bort

**13.9  Skruva loss muttrarna och lossa kablaget och kylvätskeröret från startmotorns fästbygel**

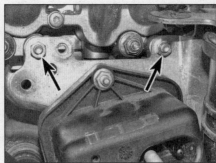

**13.10a  Skruva loss de två muttrar (markerade med pilar) ovanför vakuumbehållaren . . .**

**13.10b  . . . bulten (se pil) längst ner på vakuumbehållaren . . .**

**13.10c  . . . och bultarna (markerad med pil) på oljeavskiljarens högra sida. . .**

## Montering

**17** Om det tagits bort, montera tillbaka gasspjället/gasspjällshuset enligt beskrivningen i avsnitt 9. Montera sedan tillbaka manöverdrivningen för omkastningsventilen.
**18** Rengör noggrant insugsgrenrörets och topplockets fogytor. Placera sedan en ny packning på insugsgrenrörets fläns.
**19** Placera grenröret på sin plats och montera tillbaka fästmuttrarna. Dra åt muttrarna diagonalt och stegvis till angivet moment.
**20** Återanslut anslutningskontakterna på gasspjället/gasspjällshuset och ladda tryckgivaren.
**21** Montera tillbaka högtrycksbränslepumpens pinnbult och ta sedan bort de två muttrarna som användes för att ta bort/montera tillbaka pinnbulten.
**22** Montera tillbaka kylvätskeröret till grenröret, och fäst det med tre bultar. Återanslut kylvätskeröret och anslut kabelhärvan.
**23** Montera tillbaka oljeseparatorn och vakuumbehållarens fäste. Montera tillbaka och dra åt de två bultarna och två muttrarna. Återanslut sedan vevhusets ventilationsslang.
**24** Montera tillbaka kylvätskeröret och kabelhärvan på startmotorns fästbygel. Montera sedan tillbaka de två muttrarna och dra åt dem.
**25** Montera tillbaka EGR-ventilen enligt beskrivningen i kapitel 4C.
**26** Montera tillbaka högtrycksbränslepumpen enligt beskrivningen i avsnitt 10.
**27** Återanslut batteriets jordledning enligt beskrivningen i kapitel 5A.
**28** Följ föreskrifterna som listas i avsnitt 2 för att snapsa bränslesystemet som det beskrivs i avsnitt 5. Starta sedan motorn och låt den gå på tomgång Leta efter läckor vid högtrycksbränslerörens anslutningar med motorn på tomgång. Om kontrollen inte avslöjar några läckor ökar du motorvarvtalet till 4000 varv/minut och letar efter läckor igen. Kör bilen en kort sväng och leta efter läckor igen när du kommer tillbaka. Om du upptäcker några läckor måste du köpa och montera ett nytt högtrycksbränslerör.
**29** Avsluta med att sätta tillbaka motorkåpan.

turboaggregatets matningsslang från gasspjällshuset.
**7** Lossa kylvätskeröret och nivågivarens anslutningskontakt, ta sedan bort kylvätskebehållaren.
**8** Lossa slangen från termostathuset.
**9** Skruva loss muttrarna som håller fast kylvätskeröret vid startmotorfästet, och bända bort röret **(se bild)**.
**10** Ta bort oljeseparatorn och vakuumbehållarens fästbygel genom att lossa de båda muttrarna ovanför vakuumbehållaren, bulten längst ner på vakuumbehållaren och bulten på oljeseparatorns högra sida. Ta bort fästbygeln tillsammans med oljeseparator och vakuumbehållare **(se bilder)**.
**11** Lossa de tre bultarna, lösgör slangklämman och lossa kabelhärvan. Ta loss kylvätskeröret från insugsgrenröret.

**12** Skruva fast två muttrar på högtrycksbränslepumpens inre pinnbult. Lås de två muttrar tillsammans och skruva loss stiftet från motorfästet **(se bild)**.
**13** Lossa anslutningskontakterna vid gasspjället/gasspjällshuset, kylmedlets temperaturgivare, insugsluftgivaren, bränsletrycksgivaren och bränsletryckets styrventil.
**14** Skruva loss fästmuttrarna och ta bort insugsgrenröret från pinnbultarna **(se bild)**. Ta loss packningen.
**15** När grenröret tagits bort, ta vid behov bort gasspjället/gasspjällshuset enligt beskrivningen i avsnitt 9.
**16** Manöverdrivningen för omkastningsventilen kan tas bort genom att man lossar kulskålen för manöverstaget som sätter igång drivningsmotorn och skruvar loss de två pinnbultarna.

**13.10d  . . . ta sedan bort fästbygeln tillsammans med oljeseparatorn och vakuumbehållaren**

**13.12  Lås ihop två muttrar och skruva loss bränslepumpens stift från motorfästbygeln**

**13.14  Insugsgrenrörets fästmuttrar (markerade med pilar)**

14.11 Lossa manöverstagets kulhylsa (A), lossa de båda pinnbultarna (B) och ta bort manöverdrivningen

17.7 Skruva loss oljemätstickans rör (markerad med pil)

## 14 Insugsgrenrörets manöverdrivning – demontering och montering

### Demontering

**1** Koppla loss och ta bort batteriets jordledning enligt beskrivningen i kapitel 5A.
**2** Ta bort plastkåpan från motorns överdel.
**3** Ta bort högtrycksbränslepumpen enligt beskrivningen i avsnitt 10.
**4** Ta bort EGR-ventilen enligt beskrivningen i kapitel 4C.
**5** Töm kylsystemet enligt beskrivningen i kapitel 1B.
**6** Lossa klämmorna och ta bort turboaggregatets matningsslang från gasspjällshuset.
**7** Lossa kylvätskeröret och nivågivarens anslutningskontakt, ta sedan bort kylvätskebehållaren.
**8** Lossa slangen från termostathuset.
**9** Skruva loss muttrarna som håller fast kylvätskeröret vid startmotorfästet, och bända bort röret **(se bild 13.9)**.
**10** Ta bort oljeseparatorns och vakuumbehållarens fästbygel genom att lossa de båda muttrarna ovanför vakuumbehållaren, bulten längst ner på vakuumbehållaren och bulten på oljeseparatorns högra sida. Ta bort fästbygeln tillsammans med oljeseparator och vakuumbehållare **(se bilder 13.10a till 13.10d)**.
**11** Lossa kulskålen för manöverstaget som sätter igång drivningsmotorn och skruva loss de två pinnbultarna **(se bild)**.
**12** Ta bort enheten från insugsgrenröret och lossa anslutningskontakten.

### Montering

**13** Montera i omvänd ordningsföljd mot demonteringen.

## 15 Laddluftkylare – demontering och montering

Se kapitel 4A, avsnitt 17.

## 16 Turboaggregat – beskrivning och föreskrifter

### Beskrivning

**1** Turboaggregatet ökar motorns verkningsgrad genom att höja trycket i insugningsgrenröret över atmosfäriskt tryck. I stället för att luft bara sugs in i cylindrarna tvingas den dit.
**2** Turboaggregatet drivs av avgaserna. Gasen flödar genom ett specialutformat hus (turbinhuset) där den får turbinhjulet att snurra. Turbinhjulet sitter på en axel och i änden av axeln sitter ett till vingförsett hjul, kompressorhjulet. Kompressorhjulet roterar i ett eget hus och komprimerar den ingående luften innan den går vidare till insugsröret.
**3** Turboaggregatet drivs enligt principen för variabel geometri. Vid låga motorhastigheter stänger vingarna för att ge mindre flödestvärsnittsarea. När hastigheten sedan ökar, öppnar vingarna för att ge en större flödestvärsnittsarea. Detta ökar turboaggregatets effekt.
**4** Laddtrycket (trycket i insugsröret) begränsas av en övertrycksventil, som leder bort utblåsningen från turbinhjulet som reaktion på ett tryckkänsligt manövreringsorgan.
**5** Turboaxeln trycksmörjs av ett oljematningsrör från huvudoljeledningarna. Axeln flyter på en 'kudde' av olja. Ett avtappningsrör för tillbaka oljan till sumpen.

### Föreskrifter

**6** Turboaggregatet arbetar vid extremt höga hastigheter och temperaturer. Vissa säkerhetsåtgärder måste vidtas för att undvika personskador och skador på turboaggregatet.
• Kör aldrig turbon med någon del exponerad eller med någon av slangarna demonterade. Om ett föremål skulle falla ner på de roterande vingarna kan det orsaka omfattande materiella skador och (om det skjuts ut) personskador.
• Rusa inte motorn omedelbart efter start, särskilt inte om den är kall. Låt oljan cirkulera i några sekunder.

• Låt alltid motorn gå ner på tomgång innan den stängs av – varva inte upp motorn och vrid av tändningen, eftersom aggregatet då inte får någon smörjning.
• Låt motorn gå på tomgång i flera minuter innan den stängs av efter en snabb körtur.
• Följ de rekommenderade intervallen för olje- och filterbyte och använd en välkänd olja av angiven kvalitet. Bristande oljebyten eller användning av begagnad olja eller olja av dålig kvalitet kan orsaka sotavlagringar på turboaxeln med driftstopp som följd.

## 17 Avgasgrenrör och turboaggregat – demontering och montering

**Observera:** *För återmonteringen kommer det att behövas nya fästmuttrar till grenröret, ny packning till alla fogar som öppnats, och nya kopparbrickor till turboaggregatets oljetillförselrörsanslutning.*

### Demontering

**1** Koppla loss och ta bort batteriets jordledning enligt beskrivningen i kapitel 5A.
**2** Ta bort plastkåpan från motorns överdel.
**3** Dra åt handbromsen och ställ framvagnen på pallbockar (se *Lyftning och stödpunkter*). Skruva loss bultarna och ta bort motorns undre skyddskåpa.
**4** Töm kylsystemet enligt beskrivningen i kapitel 1B.
**5** Skruva loss fästena och ta bort avgasrörets främre del.
**6** Skruva loss muttrarna och ta bort värmeskölden över katalysatorn.
**7** Skruva loss bulten som håller fast oljemätstickans rör **(se bild)**.
**8** Lossa fästklämman som säkrar motorns ventilationsslang till ventilröret intill mätstickan för motorolja. Skruva loss de två bultarna som håller fast ventilröret mot topplocket. Lossa sedan röret från slangen.
**9** Demontera luftrenaren och luftintagskanalen enligt beskrivningen i avsnitt 3.
**10** Ta bort turboaggregatets insugsslang.
**11** Ta bort matningsröret från gasspjällshuset och turboaggregatet.

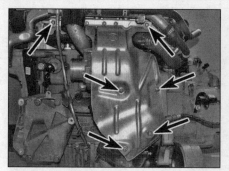

**17.17 Värmeskyddets fästmuttrar och bultar (markerade med pilar)**

**17.18 Skruva loss givaren från katalysatorn**

**17.20 Skruva loss klämbulten (markerad med pil) . . .**

**12** Lossa klämman och lossa kylarens övre slang från termostathuset.
**13** Koppla loss kylvätskeslangen mellan behållaren och grenröret. Skruva loss fästet och ta bort slangen.
**14** Lossa kylvätskeslangarna från kylvätskeröret på vänster ände av motorn, ta sedan bort den nedre kylvätskeslangen från kylvätskeröret.
**15** Skruva loss de tre främre bultarna och bänd bort den övre kamkåpan något från motorn.
**16** Skruva loss de tre fästanordningarna och ta bort kylvätskeröret från motorns framsida.
**17** Ta bort värmeskyddet vid turboaggregatets framsida **(se bild)**.
**18** Arbeta under bilen, skruva loss temperaturgivaren från katalysatorn (om en sådan finns) **(se bild)**.

**19** Skruva loss katalysatorns nedre fästbultar och bänd ner den nedre fästbygeln något.
**20** Skruva loss den övre klämman som håller fast katalysatorn mot turboaggregatet, och sänk ner katalysatorn **(se bild)**.
**21** Koppla loss vakuumslangen från turboaggregatets övertrycksventilaktuator.
**22** Skruva loss bultarna som håller fast oljereturröret till turboaggregatet och motorblocket **(se bild)**. Ta bort röret och packningarna.
**23** Skruva loss banjoanslutningen till turboaggregatets oljetillförselrör från motorblocket och ta vara på de två kopparbrickorna **(se bild)**.
**24** Skruva loss fästmuttern och bulten och lossa EGR-rörets klämma från EGR-ventilens värmeväxlare. Skilj röret från värmeväxlaren och ta loss packningen från anslutningen **(se bild)**.

**25** Skruva loss muttrarna som håller fast avgasgrenröret mot topplocket **(se bild)**. Observera att nya muttrar krävs vid monteringen. Ta bort grenröret och turboaggregatet från pinnbultarna. Flytta det åt sidan och ta bort det från bilens undersida. Ta loss packningen.

## Montering

**26** Monteringen sker i omvänd ordningsföljd mot demonteringen, och tänk på följande.
*a) Se till att anliggningsytorna är rena och torra och byt alla packningar, tätningar och kopparbrickor.*
*b) Montera de nya grenrörsmuttrarna och dra åt dem jämnt och stegvis i diagonal ordningsföljd till angivet moment.*
*c) Dra åt alla muttrar och bultar till angivet moment (om det är tillämpligt).*
*d) Montera tillbaka avgassystemet enligt beskrivningen i avsnitt 18.*
*e) Avsluta med att fylla på kylsystemet enligt beskrivningen i kapitel 1B och om det behövs, fyll på oljan enligt beskrivningen i Veckokontroller .*
*f) När motorn startas för första gången, låt den gå på tomgång några minuter innan motorhastigheten ökas; detta gör att olja kan cirkulera runt turboaggregatets lager.*

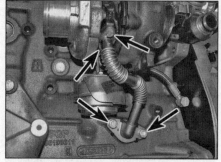

**17.22 Skruva loss bultarna (markerade med pilar) som håller fast oljereturröret på turboaggregatet och topplocket**

**17.23 Skruva loss turboaggregatets banjoanslutning för oljetillförsel (se pil) och ta hand om de två kopparbrickorna**

**18 Avgassystem –** allmän information, demontering och montering

## Allmän information

**1** Det finns två olika avgassystem beroende på modell och land osv. På vissa modeller sitter ett system som består av fyra delar, nämligen främre katalysator, framrör, partikelfilter och bakrör med ljuddämpare. På andra sitter en andra katalysator/ljuddämpare istället för partikelfiltret.
**2** Framröret är fäst vid avgasgrenröret/katalysatorn med en flänsanslutning som hålls fast av muttrar. De andra avgasdelarna sitter ihop med överlappande fogar som fästs med fästklämmor, eller flänsfogar med bultförband. Systemet är upphängt med gummifästen.
**3** Tillverkarna kräver att klämmorna byts ut om delar av avgassystemet separeras från varandra. Eftersom klämmorna

**17.24 Lossa EGR-rörets klämma från värmeväxlaren, skilj röret från den och ta vara på packningen.**

**17.25 Avgasgrenrörets fästmuttrar (markerade med pilar)**

vid tillverkningen punktsvetsas fast på avgassystemets delar måste man använda en lämplig vinkelslip för att ta bort svetspunkterna.

## Demontering

### Fullständigt system

**4** Lyft upp bilens fram- och bakvagn och stöd den säkert på pallbockar (innan du tar bort systemet). Eller så kan bilen ställas över en smörjgrop eller på ramper. Dessutom krävs assistans från en medhjälpare. Skruva loss hållarna och ta bort motorns undre skyddskåpa.
**5** Spraya inträngande olja över avgassystemets gummifästen så att fästblocken kan glida lätt längs avgassystemet och underredets hållare **(se bild)**.
**6** Skruva loss de två bultarna som håller fast framrörets stödfästbygel vid växellådsfästet/sumpen.
**7** Skruva loss de tre fästmuttrarna och skilj det främre avgasröret från avgasgrenröret/katalysatorn. Se till att stötta upp den rörliga delen. **Observera:** *Vinkelrörelse större än 10° kan orsaka permanenta skador på det böjliga partiet.* Ta loss packningen **(se bild)**. Observera att nya muttrar krävs vid monteringen.
**8** För undan framrörets gummifästblock så långt som möjligt. Flytta avgassystemet bakåt och lossa framrörets hållare från fästblocken.
**9** Flytta avgassystemet framåt och lossa mellanrörets och avgasrörets hållare från gummifästblocken. Sänk ner systemet på marken och för ut det från bilens undersida.

### Individuellt avsnitt

**10** Enskilda sektioner av avgassystemet kan tas bort genom att man lossar relevant klämma och lösgör avgassystemet från gummifästena.
**11** Lossa och ta bort muttern från relevant fästbult för avgasklämman. Applicera måttligt med inträngande olja på fogen och knacka runt om på fogen och tätningen med en hammare för att lossa den. Vrid röret som ska tas bort i båda riktningarna och håll samtidigt i det intilliggande röret. Dra isär rören när fogen är öppen.
**12** Markera klämmans läge på röret, så att den nya klämman kan monteras på samma plats, slipa sedan bort den punktsvetsning som håller fast klämman. Ta bort klämman.

**18.5 Spraya inträngande olja över avgassystemets gummifästblock i det område som markeras av pilen**

### Katalysator

**13** Det kan finnas en eller två katalysatorer beroende på modell, marknad etc. – en är monteras mellan avgasgrenröret och det främre avgasröret och en andra enhet är integrerad med det främre avgasröret. Se avsnitt 17 för information om demontering och montering av omvandlaren mellan framröret och grenröret.
**14** Om ingen andra katalysator finns monterad har ett partikelfilter installerats.

### Värmeskydd(en)

**15** Värmeskydden är fästa på karossens undersida med hjälp av olika muttrar och bultarna. Varje skärm kan tas bort så fort relevant del av avgasgrenröret har demonterats. Om ett skydd tas bort för att du ska komma åt en komponent som är placerad bakom det, kan det i vissa fall räcka att ta bort fästmuttrarna och/eller bultarna, och helt enkelt sänka ner skyddet, utan att röra avgassystemet. Om något av de gängade locken skadas vid demonteringen kan man använda en lämplig mutter och bricka vid återmonteringen.

### Partikelfilter

**16** Lyft upp framvagnen och stöd den ordentligt på pallbockar (se *Lyftning och stödpunkter*).
**17** Notera hur de sitter, och lossa avgastemperaturgivarens rör från partikelfiltret **(se bild)**.
**18** Om det behövs, skruva loss temperaturgivaren från filtret.
**19** Skruva loss de 3 muttrar som håller fast filtret mot framröret **(se bild)**. Observera att nya muttrar krävs vid monteringen.

**18.7 Skruva loss de 3 muttrar (markerade med pilar) och lossa det främre avgasrör från katalysatorn**

**20** Skruva loss bultarna som håller fast filtrets bakre fäste mot karossen **(se bild)**.
**21** Lossa klämman och skilj det bakre avgasröret från filtret.
**22** Lossa filtret från gummifästena och ta bort det från bilens undersida.
**23** Applicera lite antikärvningsfett för hög temperatur på temperaturgivarens gängor vid återmonteringen. Observera att om ett nytt partikelfilter har monterats, måste man ansluta Saabs diagnosutrustning till bilens diagnosuttag för att återställa anpassningsvärdena i motorns styrmodul. Arbetet bör överlåtas till en Saabåterförsäljare eller lämpligt utrustad specialist.

## Montering

**24** Montera i omvänd ordningsföljd mot demonteringen. Tänk på följande:
a) *Se till att alla spår av korrosion har tagits bort från systemets fogar och byt alla berörda tätningar.*
b) *Undersök gummifästena efter tecken på skador eller åldrande och byt ut dem om det behövs.*
c) *Använd en ny packning och nya fästmuttrar vid återmonteringen av framröret på grenröret/katalysatorn, och dra åt till angivet moment.*
d) *Kontrollera innan avgassystemets fästen och klämmor dras åt att alla gummiupphängningar är korrekt placerade och att det finns tillräckligt med mellanrum mellan avgassystemet och underredet. Dra åt klämbultens fästmuttrar ordentligt.*

**18.17 Rör till partikelfiltret i avgassystemet**

**18.19 Skruva loss de tre fästmuttrarna – markerade med pilar**

**18.20 Ta bort det bakre fästet**

# Kapitel 4 Del C:
## System för utsläppskontroll

## Innehåll

## Svårighetsgrad

| Enkelt, passar novisen med lite erfarenhet  | Ganska enkelt, passar nybörjaren med viss erfarenhet  | Ganska svårt, passar kompetent hemmamekaniker  | Svårt, passar hemmamekaniker med erfarenhet  | Mycket svårt, för professionell mekaniker  |
|---|---|---|---|---|

## Specifikationer

### EVAP kolkanisteravluftningsventil

| | |
|---|---|
| Resistans vid 20 °C . . . . . . . . . . . . . . . . . . . . . . . . . . . . . . . . . . . . . . | 45 ± 5 ohm |

### EVAP-tryckgivare

| Tryck | Spänning (cirka) |
|---|---|
| -0,038 bar. . . . . . . . . . . . . . . . . . . . . . . . . . . . . . . . . . . . . . . . . . . . . . | 0,1 |
| 0 bar . . . . . . . . . . . . . . . . . . . . . . . . . . . . . . . . . . . . . . . . . . . . . . | 2,5 |
| 0,012 bar . . . . . . . . . . . . . . . . . . . . . . . . . . . . . . . . . . . . . . . . . . . . . | 2,0 |

### EVAP-avstängningsstyrventil

| | |
|---|---|
| Resistans vid 20 °C . . . . . . . . . . . . . . . . . . . . . . . . . . . . . . . . . . . . . . | 24,5 ±1,5 ohm |

### Värmda lambdasonder

| | |
|---|---|
| Typ . . . . . . . . . . . . . . . . . . . . . . . . . . . . . . . . . . . . . . . . . . . . . . | Bosch LSF 4.7 (med förvärmning) |
| Resistans vid 20 °C (stift 1 och 2) . . . . . . . . . . . . . . . . . . . . . . . . . . | ca 9,0 ohm |

### Åtdragningsmoment

| | Nm |
|---|---|
| **Bensinmotorer** | |
| Lambdasonde . . . . . . . . . . . . . . . . . . . . . . . . . . . . . . . . . . . . . . | 40 |
| **Dieselmotorer** | |
| Avgastemperaturgivare . . . . . . . . . . . . . . . . . . . . . . . . . . . . . . . . . . . | 45 |
| Avgasåterföringsrörets (EGR) bultar. . . . . . . . . . . . . . . . . . . . . . . | 25 |
| Avgasåterföringsventil (EGR) bultar/muttrar. . . . . . . . . . . . . . . . . . | 25 |

## 1 Allmän information

**1** Alla bensinmodeller körs på blyfri bensin och har även många andra inbyggda funktioner i bränslesystemet som hjälper till att minska de skadliga utsläppen. Dessa omfattar ett avgaskontrollsystem för vevhuset, en katalysator, och ett avdunstningsregleringssystem för att hålla bränsleångsläppen och avgasutsläppen till ett minimum.

**2** Alla modeller med dieselmotor är dessutom utformade för att motsvara stränga utsläppskrav. Alla modeller är utrustade med ett styrsystem för vevhusets utsläpp, en eller två katalysatorer och ett partikelfilter (beroende på modell och land) för att hålla nere avgasutsläppen till ett minimum. Alla modeller har en katalysator och ett system för avgasåtercirkulation (EGR) som minskar avgasutsläppen.

**3** I en del länder med särskilt hårda miljökrav finns dessutom ett sekundärt insprutningssystem.

### Bensinmotorer
#### Avdunstningsreglering

**4** För att minimera utsläppen av oförbrända kolväten i atmosfären finns även ett system för avdunstningsreglering monterat på alla modeller. Systemet kallas även ELCD (evaporative-loss control device). Bränsletankens påfyllningslock är tätat, och ett kolfilter fångar upp bensinångor som uppstår i tanken när bilen står stilla. Ångorna ansamlas tills de kan avlägsnas från filtret, vilket styrs av ECM-bränslesystemet via rensventilen. Ångorna förs till insugskanalen och förbränns i motorn som vanligt.

**5** För att motorn ska fungera bra när det är kallt och/eller vid tomgång, samt för att skydda katalysatorn från skador vid en alltför mättad blandning, öppnar inte motorns elektroniska styrsystem rensstyrventilerna förrän motorn är uppvärmd och under belastning; magnetventilen stängs då av och på, så att ångorna kan dras in i insugskanalen.

#### Utsläppskontroll i vevhuset

**6** För att minska utsläppen av oförbrända kolväten från vevhuset är motorn förseglad. Genomblåsningsgaserna och oljeångor förs från vevhusets insida genom en extern oljefälla, som är ansluten till vevhuset via ventilkåpan och ventilationsslangen. Ångorna evakueras sedan i gasspjällshuset samt via turboaggregatet i insugsröret.

**7** När högt undertryck råder i grenröret (tomgångskörning, inbromsning) sugs gaserna ut ur vevhuset och in i gasspjällshuset. När lågt undertryck råder i insugsröret (acceleration, fullgaskörning), tvingas gaserna ut ur vevhuset av det (relativt) högre trycket i vevhuset. Om motorn är sliten gör det högre vevhustrycket (p.g.a. ökad genomblåsning) att en viss del av flödet alltid går tillbaka oavsett tryck i grenröret.

### Utsläppskontroll i avgaserna

**8** För att minimera mängden föroreningar som släpps ut i atmosfären är alla modeller försedda med en katalysator i avgassystemet. Systemet är slutet och har en lambdasonde (två sonder i senare system) som ständigt skickar information till bränsleinsprutningssystemets styrenhet om avgasernas syreinnehåll. På så sätt kan ECM-systemet justera blandningen dynamiskt, så att katalysatorn fungerar optimalt.

**9** Lambdasonderna har inbyggda värmeelement som styrs av ECM:n via ett relä, som snabbt ändrar temperaturen på givarens spets till optimal arbetstemperatur. Givarspetsen är syrekänslig. Spetsen skickar en spänning till ECM:n vars storlek ändras med syrehalten i avgaserna. En fet bränsleblandning ger en högre spänning. Spänningen minskar om blandningens bränsleinnehåll minskar. Maximal omvandlingseffekt för alla större föroreningar uppstår när bränsleblandningen hålls vid den kemiskt korrekta kvoten för fullständig förbränning av bensin, som är 14,7 delar (vikt) luft till 1 del bensin (den stökiometriska kvoten). Sondens signalspänning ändras kraftigt vid denna punkt och styrenheten använder signaländringen som referens för att justera bränsleblandningen genom att ändra bränsleinsprutarnas pulslängd (öppningstid).

### *Dieselmotorer*

### Vevhusventilation

**10** Se stycke 6 och 7.

### Avgasrening

**11** För att minimera mängden föroreningar som släpps ut i atmosfären är alla modeller försedda med en katalysator i avgassystemet. På vissa modeller sitter en andra katalysator istället för partikelfiltret.

**12** Katalysatorn består av en kanister med ett finmaskigt nät som är impregnerat med ett katalyserande material. De heta gaserna passerar över nätet. Katalysatorn snabbar på oxideringen av skadligt kolmonoxid, icke-förbränna kolväten och sot, vilket effektivt minskar mängden skadliga ämnen som släpps ut i atmosfären och vidare.

**13** Partikelfiltret är avsett att fånga upp sotpartiklar. En tryckgivare mäter tryckfallet genom filtret och meddelar motorns styrmodul när filtret är fullt. Styrmodulen initierar då filterrengöring. Denna process

innebär extra bränsleinsprutning i cylindrarna under avgastakten. Detta bränsle höjer avgastemperaturen avsevärt och förbränner sotet som fångats upp av filtret. Denna process är helt automatisk och tar ungefär 15 minuter.

### Avgasåterföringssystem

**14** Systemets syfte är att återcirkulera små avgasmängder till insuget och vidare in i förbränningsprocessen. Denna process minskar nivån på oförbrända kolväten i avgaserna innan de når fram till katalysatorn. Systemet styrs av insprutningssystemets styrmodul som använder informationen från olika givare, via den eldrivna avgasåterföringsventilen.

---

## 2 Bensinmotor avgasreningssystem – byte av komponenter 🔧

> ⚠️ *Varning: Läs rekommendationerna i kapitel 4A, avsnitt 8, samt informationen i avsnitten 'Säkerheten främst' i den här handboken innan du börjar arbeta med några komponenter i bränslesystemet.*

### *Avdunstningsreglering*

### Tryckgivare

**1** Tryckgivaren sitter överst på bränsletanken. Ta bort bränsletanken enligt beskrivningen i kapitel 4A, avsnitt 12.

**2** Rengör området runt tryckgivaren. Ingen smuts får komma in i bränsletanken när du tar bort givaren.

**3** Skruva loss fästskruven och dra ut givaren och dess O-ring från bränsletanken.

**4** Monteringen utförs i omvänd ordningsföljd mot demonteringen. **Observera:** *Byt ut O-ringen och smörj den med vaselin eller dylikt syrafritt medel.*

### Kolfilter (tidigare modeller)

**5** Kolfiltret och rensventilen sitter framme till höger i bilen direkt under höger framskärm.

**6** Dra åt handbromsen och lyft med hjälp av en domkraft upp framvagnen på pallbockar

**2.16 Rensventil (pil) monterad på luftflödesgivarens fästklämma**

(se *Lyftning och stödpunkter*). Ta bort det högra framhjulet.

**7** Ta bort kantlisten från höger framskärm och därefter den främre delen av hjulhusfodret.

**8** Observera hur slangarna sitter på filtret (A är ansluten till tanken och B är ansluten till rensventilen). Koppla sedan loss dem från filtret.

**9** Haka loss filtret från fästbygeln och ta bort den underifrån skärmen.

**10** Montera i omvänd ordningsföljd mot demonteringen. **Observera:** *Se till att fästklämmorna inte är skadade och att slangarna sitter säkert och på samma sätt som innan du ta bort dem.*

### Kolfilter (senare modeller)

**11** Kolfiltret sitter överst på bränsletanken. Ta bort bränsletanken enligt beskrivningen i kapitel 4A, avsnitt 12.

**12** Rengör området runt kolfiltret. Ingen smuts får komma in i bränsletanken när du tar bort filtret.

**13** Lossa fästklämmorna till slangarna som leder till filtret och ta bort dem. Observera hur de är monterade.

**14** Skruva loss fästskruven och dra ut kolfiltret. Du behöver haka loss det från hållaren överst på bränsletanken.

**15** Monteringen utförs i omvänd ordningsföljd mot demonteringen. **Observera:** *Se till att fästklämmorna inte är skadade och att slangarna sitter säkert och på samma sätt som innan du ta bort dem.*

### Rensventil

**16** Rensventilen sitter på höger framskärms innerpanel **(se bild)**. Kontrollera att slangarna från rensventilen är rena genom att ta bort dem och blåsa luft genom dem. Om du tror att rensventilen är trasig måste du byta ut den.

**17** Lossa fästklämman/klämmorna till slangen/slangarna som leder till ventilen och ta bort dem. Observera hur de är monterade.

**18** Ta bort rensventilen från fästbygeln. Notera hur den är monterad **(se bild)**.

**19** Vrid ventilen och koppla loss kontaktdonet. Dra sedan ut rensventilen.

**20** Monteringen utförs omvänt mot demonteringen. Kontrollera att rensventilen monteras på samma sätt som innan du demonterade den.

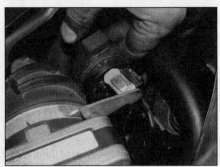

**2.18 Dra loss ventilgummifästet från fästbygeln**

System för utsläppskontroll  4C•3

## Avstängningsstyrventil

**21** Avstängningsventilen, om en sådan finns, är fäst på sidan om bränslepåfyllningsröret baktill i fordonet **(se bild)**. Parkera fordonet på ett plant och jämnt underlag och lägg i den första växeln (manuell växellåda) eller P (automatisk växellåda). Klossa framhjulen. Hissa upp bakvagnen och stöd den på pallbockar (se *Lyftning och stödpunkter*).
**22** Klipp av buntbandet och ta bort kontaktdonet till avstängningsventilen.
**23** Bänd försiktigt loss styrventilen med en skruvmejsel. Lossa den sedan från bränslepåfyllningsröret.
**24** Rengör området runt styrventilen. Ta därefter loss kåpan från ventilens topp. Koppla loss kontaktdonet från ventilen och dra tillbaka brickan.
**25** Lossa kåpan från ventilens botten. Lossa därefter fästklämman och koppla loss slangen från ventilens botten. Nu kan du byta ut filtret om det behövs.
**26** Monteringen utförs i omvänd ordningsföljd mot demonteringen. Kontrollera att kablarna på ventilens topp passar in i brickans urholkning.

## Utsläppskontroll i vevhuset

**27** Vad gäller komponenterna i det här systemet behöver du endast regelbundet kontrollera att slangen/slangarna och den externa oljefällan i cylinderblocket är rena och oskadda **(se bilder)**.

## Lambdasonder

⚠ **Varning: Kontrollera vilken typ av givare som är monterad och använd samma typ vid byte.**
**Observera:** *Vissa modeller har två lambdasonder, en före katalysatorn och en efter. På andra modeller sitter en lambdasonde framför katalysatorn. Lambdasonden är MYCKET ÖMTÅLIG. Den går sönder om den tappas i golvet eller stöts till, om dess strömförsörjning bryts eller om den kommer i kontakt med rengöringsmedel.*

### Främre lambdasonde

**28** Öppna motorhuven och ta bort toppkåpan från insugsröret **(se bild)**.
**29** Lossa fästklämman och koppla loss kontaktdonen. Tryck sedan ihop tapparna för

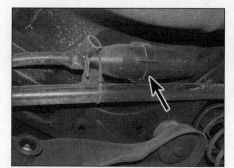
**2.21 Avstängningsventil (pil) monterad på bränslepåfyllningsröret**

**2.27b I senare modeller är slangarna (pil) försedda med snabbkopplingar till oljefällan**

**2.27a Oljefälla (pil) monterad baktill på motorblocket**

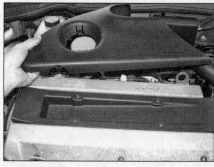
**2.28 Ta bort toppkåpan från insugsröret**

att lossa dem från fästbygeln bakom och till vänster om topplocket **(se bild)**.
**30** Ta bort värmeskölden från avgasgrenröret; lossa förbiledningen ifrån värmeskyddets överdel vid behov.
**31** Lossa buntbandet från kablaget till lambdasonden och dra tillbaka kabelhärvan.
**32** Skruva loss givaren från det främre avgasröret **(se bild)** och ta bort den. Givaren kan sitta hårt. Det kan gå lättare om du vrider den framåt och bakåt i gängorna när du tar bort den. Observera att du kan använda en särskilt hylsnyckel med spår, som passar på givaren utan att skada kablaget.
**33** Monteringen utförs omvänt mot demonteringen. Stryk lite temperaturbeständigt smörjfett på givarens gängor innan du monterar den. Dra åt givaren till angivet moment. Kablarna måste dras korrekt, och de får inte riskera att vidröra avgassystemet.

### Bakre lambdasonde

**34** Öppna motorhuven och ta bort toppkåpan från insugsröret **(se bild 2.28)**.
**35** Lossa fästklämman och koppla loss kontaktdonen. Tryck sedan ihop tapparna för att lossa kontaktdonen från fästbygeln bakom och till vänster om topplocket **(se bild 2.29)**.
**36** Lossa buntbandet från kablaget till lambdasonden och dra tillbaka kabelhärvan.
**37** Dra åt handbromsen och lyft med hjälp av en domkraft upp framvagnen på pallbockar (se *Lyftning och stödpunkter*).
**38** Dra kabelhärvan nedåt och skruva loss givaren från det främre avgasröret **(se bild)** och ta bort den. Givaren kan sitta hårt. Det kan gå lättare om du vrider den framåt och bakåt i gängorna när du tar bort den. Observera att du kan använda en särskilt hylsnyckel med spår, som passar på givaren utan att skada kablaget.

**2.29 Koppla loss de två kontaktdonen (pilar) till lambdasonderna**

**2.32 Skruva loss lambdasonden (pil)**

**2.38 Skruva loss lambdasonden (pil)**

**39** Monteringen utförs omvänt mot demonteringen. Stryk lite temperaturbeständigt smörjfett på givarens gängor innan du monterar den. Dra åt givaren till angivet moment. Kablarna måste dras korrekt, och de får inte riskera att vidröra avgassystemet.

### Kontroll

**40** Lambdasonderna kan testas med en multimeter genom att du kopplar loss kablarna från kontaktdonet, följer dem tillbaka från givaren och drar ut anslutningskontakten.
**41** Anslut en ohmmätare mellan pol 1 och 2 på givarens anslutningskontakt. **Anslut inte** ohmmätaren till ECM-kablaget. Motståndet bör vara ca 9 ohm om givarens temperatur är 20 °C.
**42** Återanslut kablarna när testet är klart.

### *Katalysator*

**43** I kapitel 4A, avsnitt 20, beskrivs hur du demonterar och monterar katalysatorn.

### Kontroll

**44** Katalysatorns prestanda kan endast testas genom att mäta avgaserna med en noggrant kalibrerad avgasanalyserare.
**45** Om CO-nivån vid det bakre avgasröret är för hög ska bilen lämnas till en Saab-verkstad så att bränsleinsprutningen och tändsystemet, inklusive lambdasonden, kan kontrolleras ordentligt med speciell diagnosutrustning. Om systemen kontrolleras och förklarats felfria sitter felet i katalysatorn som då måste bytas ut, se beskrivningen i kapitel 4A.

---

### 3 Diesel avgasreningssystem
 – kontroll och byte av komponenter

### *Vevhusventilation*

**1** Inga komponenter i det här systemet behöver tillsyn, förutom slangen/slangarna som måste kontrolleras regelbundet så att de inte är igentäppta eller skadade.

### *Avgasrening*

### Kontroll

**2** Katalysatorns funktion kan endast

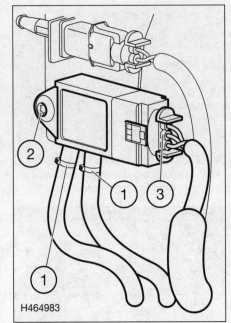

3.8 Partikelfiltrets tryckgivare

*1 Tillförselsslangar*     *3 Anslutningskontakt*
*2 Fästbult*

kontrolleras genom att man mäter avgaserna med en välkalibrerad avgasanalyserare av bra kvalitet.
**3** Om du misstänker att det är fel på katalysatorn är det värt besväret att kontrollera att problemet inte beror på en eller flera felaktiga insprutningsventiler. Kontakta närmaste Saab-verkstad för den senaste informationen.

### Katalysator – byte

**4** Katalysatorbyte beskrivs i kapitel 4B, avsnitt 18.

### Byte av partikelfilter

**5** Byte av partikelfiltret beskrivs i kapitel 4B, avsnitt 18.

### Partikelfilter
byte av tryckgivare

**6** Ta bort plastkåpan från motorns överdel.
**7** Givaren sitter på mellanväggen i

motorrummets vänstra del. Koppla loss givarens anslutningskontakt.
**8** Observera deras monteringslägen och lossa därefter klämmorna och koppla loss slangarna från givaren **(se bild)**.
**9** Skruva loss skruven och ta bort givaren.
**10** Montering sker i omvänd ordningsföljd. Observera att om en ny givare har monterats, måste styrmodulens anpassningsvärden återställas med hjälp av Saabs diagnosutrustning. Arbetet bör överlåtas till en Saab-återförsäljare eller lämpligt utrustad specialist.

### *Avgastemperaturgivare*

**11** Två temperaturgivare har monterats på avgassystemet. Den främre givaren sitter i inloppet till den främre katalysatorn. Den bakre givaren sitter i framkanten av den bakre katalysatorn. För att ta bort givaren, lyft upp framvagnen och ställ den på pallbockar (se *Lyftning och stödpunkter*).
**12** Ta bort det främre, högra hjulet, och hjulhusfodret.
**13** Koppla loss givarens anslutningskontakt.
**14** Arbeta under bilen, skruva loss givaren från katalysatorn, och lossa kablaget från fästklämmorna **(se bilder)**.
**15** När givaren har monterats tillbaka, applicera litet gängsmörjning för höga temperaturer till givarens gänga och dra åt den till angivet moment.

### *Avgasåterföringssystem*

### Kontroll

**16** Omfattade tester på systemet kan endast utföras med elektronisk specialutrustning som ansluts till insprutningssystemets diagnoskontaktdon.

### Byte av avgasåterföringsventilen

**17** Ta bort plastkåpan från motorns överdel.
**18** Lossa EGR ventilens kontaktdon.
**19** Skruva loss de två bultarna på ventilens ovansida och lösgör EGR-metallrörets fläns från ventilens bas. Ta loss packningen **(se bild)**.
**20** Skruva loss de två muttrar och bultar som

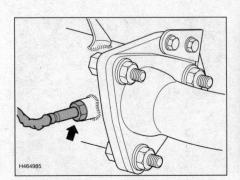

3.14a Främre avgastemperaturgivare

3.14b Bakre avgastemperaturgivare

3.19 Skruva loss de två bultar, lossa EGR rörflänsen och ta loss packningen

håller fast EGR ventilen mot insugsgrenröret
och lyft av motorkåpans fäste **(se bild)**.
21 Monteringen utförs i omvänd ordning mot
demonteringen. Använd nya packningar och
dra åt ventilbultarna till angivet moment.

## 4 Katalysator – allmän information och rekommendationer

1 Katalysatorn är en tillförlitlig och enkel
anordning som inte kräver något underhåll.
Det finns dock några punkter som bör
uppmärksammas för att katalysatorn ska
fungera ordentligt under hela sin livslängd.

### Bensinmotorer

a) *ANVÄND INTE blyad bensin i en bil
   med katalysator – blyet täcker över
   ädelmetallerna och reducerar deras
   katalysförmåga och förstör med tiden hela
   katalysatorn.*
b) *Underhåll alltid tändnings- och
   bränslesystemen regelbundet enligt
   tillverkarens underhållsschema (se
   kapitel 1A).*
c) *Om motorn börjar misstända ska bilen*

**3.20 Skruva loss de två muttrar och två
bultar som håller fast EGR ventilen på
insugsgrenröret**

   *inte köras alls (eller kortast möjliga
   sträcka) förrän felet är åtgärdat.*
d) *STARTA INTE bilen genom att knuffa
   eller bogsera igång den – då dränks
   katalysatorn i oförbränt bränsle, vilket
   leder till att den överhettas då motorn inte
   startar.*
e) *Stäng INTE av tändningen vid höga
   motorvarvtal, det vill säga tryck inte ner
   gaspedalen strax innan tändningen slås
   av. Låt motorn varva ner först.*

f) *Använd INTE tillsatser i olja eller bensin.
   Dessa kan innehålla ämnen som skadar
   katalysatorn.*
g) *Kör INTE bilen om motorn bränner så
   mycket olja att den avger synlig blårök.*
h) *Kom ihåg att katalysatorn arbetar vid
   mycket höga temperaturer. Parkera därför
   INTE bilen i torr undervegetation, i långt
   gräs eller över lövhögar efter en längre
   körsträcka.*
i) *Kom ihåg att katalysatorn är KÄNSLIG
   – slå inte på den med verktyg vid
   underhållsarbetet .*
j) *I vissa fall kan en svaveldoft (liknande
   ruttna ägg) märkas från avgasröret. Detta
   är vanligt med många katalysatorförsedda
   bilar och bör försvinna efter några
   hundratal mil.*
k) *Katalysatorn i en väl underhållen och körd
   bil ska hålla mellan 80 000 och 160 000 km
   – om den inte längre är effektiv måste den
   bytas.*

### Dieselmotorer

2 Se den information som finns i stycke
f, g, h, i och k som finns i informationen för
bensinmotorer ovan.

# Kapitel 5  Del A:
# Start- och laddningssystem

## Innehåll

## Svårighetsgrad

| Enkelt, passar novisen med lite erfarenhet  | Ganska enkelt, passar nybörjaren med viss erfarenhet | Ganska svårt, passar kompetent hemmamekaniker | Svårt, passar hemmamekaniker med erfarenhet | Mycket svårt, för professionell mekaniker  |
|---|---|---|---|---|

## Specifikationer

**Systemtyp**. . . . . . . . . . . . . . . . . . . . . . . . . . . . . . . . . . . . . . . . . .  12 volt, negativ jord

### Batteri

Typ . . . . . . . . . . . . . . . . . . . . . . . . . . . . . . . . . . . . . . . . . . . . . . . . .  Blybatteri, 'lågunderhålls' eller 'underhållsfritt' (livstidsförslutet)
Batterikapacitet . . . . . . . . . . . . . . . . . . . . . . . . . . . . . . . . . . . . . . .  60 till 85 amperetimmar (beroende på modell)
Laddningskondition . . . . . . . . . . . . . . . . . . . . . . . . . . . . . . . . . . . .  Över 12 volt

### Generator

Typ:
  Bensinmotorer . . . . . . . . . . . . . . . . . . . . . . . . . . . . . . . . . . . . . . .  Bosch NC–14V 65-130A eller Bosch E8–14V 75-140A
  Dieselmotorer . . . . . . . . . . . . . . . . . . . . . . . . . . . . . . . . . . . . . . . .  Denso 14V 70 – 130A
Märkspänning . . . . . . . . . . . . . . . . . . . . . . . . . . . . . . . . . . . . . . . .  14 V
Släpringens diameter:
  Min. . . . . . . . . . . . . . . . . . . . . . . . . . . . . . . . . . . . . . . . . . . . . . . .  15,4 mm
  Ny . . . . . . . . . . . . . . . . . . . . . . . . . . . . . . . . . . . . . . . . . . . . . . . . .  14,4 mm
Minimilängd på borstarnas utstickande del från hållaren . . . . . . . . . .  7,5 mm
Arbetseffekt:
  Bosch NC:
    Vid 1 800 varv/minut . . . . . . . . . . . . . . . . . . . . . . . . . . . . . . . . .  65 amp
    Vid 6 000 varv/minut . . . . . . . . . . . . . . . . . . . . . . . . . . . . . . . . .  130 amp
  Bosch E8:
    Vid 1 800 varv/minut . . . . . . . . . . . . . . . . . . . . . . . . . . . . . . . . .  75 amp
    Vid 6 000 varv/minut . . . . . . . . . . . . . . . . . . . . . . . . . . . . . . . . .  140 amp
  Denso:
    Vid 1 800 varv/minut . . . . . . . . . . . . . . . . . . . . . . . . . . . . . . . . .  70 amp
    Vid 6 000 varv/minut . . . . . . . . . . . . . . . . . . . . . . . . . . . . . . . . .  130 amp

### Startmotor

Typ . . . . . . . . . . . . . . . . . . . . . . . . . . . . . . . . . . . . . . . . . . . . . . . . .  Bosch DW eller Delco
Utgående värde:
  Bensinmotorer . . . . . . . . . . . . . . . . . . . . . . . . . . . . . . . . . . . . . . .  1,4 to 1,8 kW
  Dieselmotorer . . . . . . . . . . . . . . . . . . . . . . . . . . . . . . . . . . . . . . .  2,0 kW

## Åtdragningsmoment

| | Nm |
|---|---|
| Generatorns fästbult: | |
| Bensinmotorer | 20 |
| Dieselmotorer | 60 |
| Generatorremspännare | 45 |
| Glödstift | 10 |
| Mutter till motorfäste: | |
| Höger sida | 50 |
| Bak | 25 |
| Oljetryckkontakt: | |
| Bensinmotorer | 18 |
| Dieselmotorer | 30 |
| Startmotor: | |
| Bensinmotorer | 45 |
| Dieselmotorer | 24 |

## 1 Allmän information och föreskrifter

### Allmän information

Eftersom start-, laddnings- och tändsystemen står i nära relation till motorfunktionerna behandlas komponenterna i systemen separat från de andra elektriska funktionerna, som strålkastare, instrument, m.m. (som behandlas i kapitel 12). Se del B i det här kapitlet för information om tändsystemet.

Systemet är ett 12 volts elsystem med negativ jordning. Originalbatteriet är ett lågunderhålls- eller underhållsfritt batteri (livstidsförseglat). Batteriet laddas upp av en växelströmsgenerator som drivs av en rem på vevaxelns remskiva. Batteriet kan ha bytts ut mot ett standardbatteri tidigare under bilens liv.

Startmotorn är föringreppad med en inbyggd solenoid. Vid start för solenoiden drevet mot svänghjulets/drivplattans startkrans innan startmotorn ges ström. När motorn startat förhindrar en envägskoppling att startmotorn drivs av motorn tills drevet släpper från startkransen. Till skillnad från vissa moderna startmotorer innehåller den planetväxlar mellan generatorankaret och drevet.

### Föreskrifter

Detaljinformation om de olika systemen ges i relevanta avsnitt i detta kapitel. Även om vissa reparationer beskrivs här, är det normala tillvägagångssättet att byta ut defekta komponenter.

Det är nödvändigt att iakttaga extra försiktighet vid arbete med elsystem för att undvika skador på halvledarenheter (dioder och transistorer) och personskador. Utöver de säkerhetsföreskrifter som anges i *Säkerhet först!* bör följande iakttas vid arbete med systemet:

• *Ta alltid av ringar, klocka och liknande innan något arbete utförs på elsystemet.* En urladdning kan inträffa även med batteriet urkopplat, om en komponents strömstift jordas genom ett metallföremål. Detta kan ge stötar och allvarliga brännskador.

• *Kasta inte om batteripolerna.* Komponenter som växelströmsgeneratorer, elektroniska styrenheter och andra komponenter med halvledarkretsar kan totalförstöras så att de inte går att reparera.

• Om motorn startas med startkablar och ett slavbatteri, se *Starthjälp.*

**Varning: Koppla aldrig loss batteripolerna, växelströmsgeneratorn, elektriska ledningar eller testutrustning när motorn är igång.**

• Låt aldrig motorn dra runt generatorn när den inte är ansluten.

• Testa aldrig om generatorn fungerar genom att "gnistra" med spänningskabeln mot jord.

• Testa aldrig kretsar eller anslutningar med en ohmmätare av den typ som har en handvevad generator.

• Kontrollera alltid att batteriets negativa anslutning är bortkopplad vid arbete i det elektriska systemet.

• Koppla ur batteriet, växelströmsgeneratorn och komponenter som bränsleinsprutningens/tändningens elektroniska styrenhet för att skydda dem från skador, innan elektrisk bågsvetsningsutrustning används på bilen.

## 2 Felsökning av elsystemet – allmän information

Se kapitel 12.

## 3 Batteri – kontroll och laddning

### Kontroll

#### Standard- och lågunderhållsbatteri

**1** Om bilen endast körs en kort sträcka varje år är det mödan värt att kontrollera elektrolytens specifika vikt var tredje månad för att avgöra batteriets laddningsstatus. Använd en hydrometer till kontrollen och jämför resultatet med tabellen nedan: Observera att densitetsmätningarna förutsätter en elektrolyttemperatur på 15 °C.

dra bort 0,007 för varje 10 °C under 15 °C. Lägg till 0,007 för varje 10°C ovan 15°C. För enkelhetens skull är temperaturerna i följande tabell **omgivningstemperaturer** (utomhus) över eller under 25 °C:

| | Över 25°C | Under 25°C |
|---|---|---|
| Fulladdad | 1,210 till 1,230 | 1,270 till 1,290 |
| 70 % laddat | 1,170 till 1,190 | 1,230 till 1,250 |
| Urladdad | 1,050 till 1,070 | 1,110 till 1,130 |

**2** Om batteriet misstänks vara defekt, kontrollera först elektrolytens specifika vigt i varje cell. En variation över 0,040 mellan celler indikerar förlust av elektrolyt eller nedbrytning av plattor.

**3** Om specifika vikterna har en avvikelse på 0,040 eller mer måste batteriet bytas. Om variationen mellan cellerna är tillfredsställande men batteriet är urladdat ska det laddas upp enligt beskrivningen längre fram i detta avsnitt.

#### Underhållsfritt batteri

**4** Om ett 'underhållsfritt' batteri är monterat kan elektrolyten inte testas eller fyllas på. Batteriets skick kan därför bara kontrolleras med en batteriindikator eller en voltmätare.

**5** Vissa bilar kan vara utrustade med ett batteri med inbyggd laddningsindikator. Indikatorn är placerad ovanpå batterihöljet och anger batteriets skick genom att ändra färg. Om indikatorn visar grönt är batteriet i gott skick. Om indikatorn mörknar, möjligen ända till svart, behöver batteriet laddas enligt beskrivning längre fram i detta avsnitt. Om indikatorn är genomskinlig/gul betyder detta att elektrolytnivån i batteriet är för låg för att det ska kunna användas, och batteriet måste bytas. **Försök inte** ladda eller hjälpstarta ett batteri då indikatorn är ofärgad eller gul.

#### Alla batterityper

**6** Om batteriet kontrolleras med en voltmeter ska den kopplas över batteriet och resultaten jämföras med värdena i Specifikationer, under "Laddningskondition". För att kontrollen ska ge korrekt utslag får batteriet inte ha laddats på något sätt under de närmast föregående sex timmarna, inklusive laddning från växelströmsgeneratorn. Om så inte är fallet, tänd strålkastarna under 30 sekunder

**4.1  Ta bort batterikåpan från batteriet**

**4.2  Lossa klämmuttern och koppla loss kabeln vid minuspolen (jorden)**

**4.3  Batteriklämmans fästbult**

och vänta sedan 5 minuter innan batteriet testas. Alla andra elektriska kretsar måste vara frånslagna, kontrollera t.ex. att dörrarna och bakluckan är helt stängda när kontrollen utförs.

**7** Om spänningen är lägre än 12,2 volt är batteriet urladdat. Ett värde på 12,2 till 12,4 volt är tecken på att batteriet är delvis urladdat.

**8** Om batteriet ska laddas, ta bort det från bilen (avsnitt 4) och ladda det enligt beskrivningen i följande punkter.

## Laddning

**Observera:** *Följande är endast avsett som riktlinjer. Följ alltid tillverkarens rekommendationer (finns ofta på en tryckt etikett på batteriet) vid laddning av ett batteri.*

### Standard- och lågunderhållsbatteri

**9** Ladda batteriet med 3,5 till 4 ampere, och fortsätt tills den specifika vikten inte stiger ytterligare under en period av fyra timmar.

**10** Alternativt kan en droppladdare som laddar med 1,5 ampere användas över natten.

**11** Speciella snabbladdare som påstås kunna ladda batteriet på 1-2 timmar är inte att rekommendera, eftersom de kan orsaka allvarliga skador på batteriplattorna genom överhettning.

**12** Observera att elektrolytens temperatur aldrig får överskrida 38°C när batteriet laddas.

### Underhållsfritt batteri

**13** Den här batteritypen kräver längre tid för att laddas än ett standardbatteri. Hur lång tid det tar beror på hur urladdat batteriet är, men det kan ta upp till tre dagar.

**14** En laddare med konstant spänning behövs och ska om möjligt ställas in till mellan 13,9 och 14,9 volt med en laddström som underskrider 25 ampere. Med denna metod bör batteriet vara användbart inom 3 timmar med en spänning på 12,5 V, men detta gäller ett delvis urladdat batteri. Full laddning kan som sagt ta avsevärt längre tid.

**15** En normal droppladdare bör inte skada batteriet, förutsatt att inget överdrivet gasande äger rum och att motorn inte tillåts bli för het.

## 4  Batteri – demontering och montering

### Demontering

**1** Batteriet sitter längst fram till vänster i motorrummet. Snäpp loss kåpan från batteriet **(se bild)**.

**2** Lossa klämmuttern och koppla loss ledningen från den negativa (jord-) polen **(se bild)**. Koppla loss ledningen från pluspolen på samma sätt.

**3** Skruva loss fästbulten och ta bort batteriets fästklämma **(se bild)** som hålla fast batteriet på fästbygeln.

**4** Lyft bort batteriet från motorrummet (var noga med att inte luta batteriet).

**5** För att ta bort batterilådan, skruva loss fästbultarna och ta bort batterilådan **(se bilder)**. Med facket borttaget, tryck in klämmorna och skjut upp smältlänklådan (om sådan finns).

### Montering

**6** Monteringen sker i omvänd ordningsföljd mot demonteringen. Smörj vaselin på polerna när kablarna återansluts, och koppla alltid in den positiva kabeln först och den negativa kabeln sist.

**7** Efter inkopplingen måste tid och datum återställas enligt beskrivningen i ägarens handbok.

**8** Det kan även bli nödvändigt att återställa fönstrets klämskydd på följande sätt:

**4.5a  Skruva loss fästbultarna . . .**

1) Stäng dörrarna, starta bilen och öppna sidofönstret cirka 15 cm.
2) Stäng fönstret och håll knappen i stängningsläget under minst en sekund efter att fönstret stängts.
3) Tryck på 'nedåt'-knappen och låt fönstret öppna sig på egenhand.
4) Vänta i minst 1 sekund. Stäng sedan fönstret och håll knappen intryckt tills stängningen bekräftas av en ljudsignal.

**9** I vissa fall händer det att flera diagnostiska felkoder genereras på grund av att batteriet kopplats ur och in igen. Dessa koder kan man bortse från. De kommer inte att skapas igen efter att en gång ha blivit raderade. Låt en Saab-handlare eller specialiserad verkstad göra detta eftersom det krävs speciell diagnosutrustning för att radera dessa koder.

## 5  Laddningssystem – kontroll

**Observera:** *Se varningarna i Säkerheten främst! och i avsnitt 1 i detta kapitel innan arbetet påbörjas.*

**1** Om varningslampan för tändning/ingen laddning inte tänds när tändningen slås på, kontrollera att växelströmsgeneratorns kabelanslutningar sitter ordentligt. Om de är felfria, kontrollera att inte glödlampan har gått sönder och att glödlampssockeln sitter väl fast i instrumentbrädan. Om lampan fortfarande inte tänds, kontrollera att ström går genom ledningen från generatorn till lampan. Om allt fungerar, men lampan fortfarande inte tänds,

**4.5b  . . . och demontera batteritråget**

**7.7 Demontera drivrems- spännaren ...**

**7.8 ... och ta sedan bort generatorns övre fästbult (pil)**

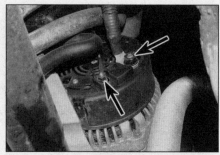

**7.9 Skruva loss polmuttrarna (pilar) och koppla loss kablaget från baksidan av generatorn**

är generatorn defekt och ska bytas eller tas till en bilelektriker för test och reparation eller bytas ut.

**2** Stäng av motorn om tändningens varningslampa tänds när motorn är igång. Kontrollera att drivremmen är intakt och spänd (se kapitel 1A eller 1B), och att växelströmsgeneratorns kopplingar sitter ordentligt. Om allt är som det ska kan du kontrollera generatorborstarna och släpringarna enligt beskrivningen i avsnitt 8. Om felet kvarstår ska generatorn lämnas till en bilelektriker för kontroll och reparation eller bytas ut.

**3** Om generatorns arbetseffekt misstänks vara felaktig även om varningslampan fungerar som den ska, kan regulatorspänningen kontrolleras på följande sätt.

**4** Anslut en voltmeter över batteripolerna och starta motorn.

**5** Öka motorvarvtalet tills voltmätaren står stadigt på; den bör visa ungefär 12 till 13 volt och inte mer än 14 volt.

**6** Slå på alla elektriska funktioner och kontrollera att generatorn upprätthåller reglerad spänning mellan 13 och 14 volt.

**7** Om spänningen inte ligger inom dessa värden kan felet vara slitna borstar, svaga borstfjädrar, defekt spänningsregulator, defekt diod, kapad fasledning eller slitna/skadade släpringar. Borstarna och släpringarna kan kontrolleras (se avsnitt 8), men om felet består ska växelströmsgeneratorn lämnas till en bilelektriker för test och reparation, eller bytas ut.

## 6 Generatorns drivrem – demontering, återmontering och spänning

Uppgifter om hur du tar bort drivremmen finns i kapitel 1A eller 1B.

## 7 Generator – demontering och montering

### Demontering

**1** Öppna motorhuven och snäpp loss kåporna över motorn och batteriet. Koppla sedan loss batteriets minusledare.

**2** Dra åt handbromsen och lyft med hjälp av en domkraft upp framvagnen på pallbockar (se *Lyftning och stödpunkter*). Ta bort höger framhjul och motorns undre skyddskåpa, om sådan finns.

**3** Ta bort den inre plastfodringen/hjulhusfodret på höger framskärm så att du kommer åt baksidan av motorn.

**4** Demontera drivremmen enligt beskrivningen i kapitel 1A eller 1B.

### Bensinmodeller:

**5** Ta bort grenröret enligt beskrivningen i kapitel 4A, avsnitt 18.

**6** Ta bort det främre avgasröret (inklusive katalysator) enligt beskrivningen i kapitel 4A, avsnitt 20.

**7** Skruva loss fästbulten och ta bort drivremsspännaren **(se bild)**.

**7.10 Skruva loss generatorns nedre fästbult**

**7.11b ... hylsan (pil) måste knackas utåt för att generatorn ska lossna**

**8** Skruva loss och ta bort generatorns övre fästbult **(se bild)**.

**9** Observera hur kablarna är dragna på baksidan av generatorn. Skruva sedan loss polmuttrarna och koppla loss kablarna **(se bild)**.

**10** Skruva loss generatorns nedre fästbult **(se bild)**.

**11** Observera att generatorn sitter fast ordentligt i fästbygeln. Metallhylsorna i fästhålen måste försiktigt flyttas utåt för att generatorn ska kunna lossas **(se bilder)**.

**12** Lyft upp generatorn och ta ut den ur motorrummet.

### Dieselmodeller

**13** Ta bort generatorns övre fästbultar **(se bild)**.

**14** Ta bort klämbulten från fjädringens nedre

**7.11a Metallhylsa (pil) i fästbygeln ...**

**7.13 Generatorns övre fästbultar – markerade med pilar**

**7.17 Generatorns nedre främre fästbult – markerad med pil**

högra kulledsarm och använd en hävarm för att sänka ner armen och kulleden från hjulspindeln (se kapitel 10). Kila fast armen i det sänkta läget med en träbit.

**15** Knacka loss höger drivaxel från stödlagret och skjut drivaxeln åt ena sidan.

**16** Skruva loss muttrarna och lossa de elektriska anslutningarna från generatorns baksida.

**17** Skruva loss bultarna, ta bort generatorns nedre fästbult, och sänk ner generatorn från motorn **(se bild)**.

## Montering

**18** Återmontering sker omvänt mot borttagning, men kom ihåg att rengöra generatorns fästpunkter och stryk ut vaselin på dem efter monteringen för att garantera en god elektrisk förbindelse med motorn. Se till att generatorfästena är ordentligt åtdragna och montera komponenterna enligt respektive kapitel.

### 8 Generatorborstar och regulator – kontroll och byte

**Observera:** *Generatorn Bosch E8–14V 75-140A eller andra liknande generatorer visas i bilderna.*

**1** Demontera generatorn enligt beskrivningen i avsnitt 7.

**2** Skruva loss de stora polmuttrar och skruven som håller fast kåpan på generatorns baksida **(se bild)**.

**3** Använd en skruvmejsel och bänd försiktigt bort den bakre kåpan. Ta bort den från generatorn.

**4** Skruva bort fästskruvarna och ta bort regulatorn/borsthållaren från växelströmsgeneratorns baksida **(se bild)**.

**5** Mät den utskjutande delen på varje borste från borsthållaren med hjälp av en ställinjal eller skjutmått **(se bild)**. Om den är mindre än 7,5 mm måste en ny regulator/borste användas.

**6** Om borstarna är i gott skick, rengör dem och kontrollera att de kan röra sig fritt i sina hållare.

**7** Rengör växelströmsgeneratorns släpringar med en trasa fuktad i bränsle. Kontrollera släpringarnas yta så den inte är spårig eller bränd. Eventuellt kan en elspecialist renovera släpringarna.

**8** Montera regulatorn/borsthållaren och dra åt fästskruvarna ordentligt.

**9** Montera kåpan, sätt i och dra åt fästskruvarna och montera den stora polmuttern.

**10** Montera växelströmsgeneratorn enligt beskrivningen i avsnitt 7.

### 9 Startsystem – kontroll

**Observera:** *Se föreskrifterna i Säkerheten främst! och i avsnitt 1 i detta kapitel innan arbetet påbörjas.*

**1** Om startmotorn inte går igång när startnyckeln vrids till rätt läge kan orsaken vara någon av följande:

a) Det är fel på batteriet.

b) Någon av de elektriska anslutningarna mellan startnyckel, solenoid, batteri och startmotor släpper inte igenom ström från batteriet genom startmotorn till jord.

c) Fel på solenoiden.

d) Elektriskt eller mekaniskt fel i startmotorn.

**2** Kontrollera batteriet genom att tända strålkastarna. Om de försvagas efter ett par sekunder är batteriet urladdat. Ladda (se avsnitt 3) eller byt batteri. Om strålkastarna lyser klart, vrid om startnyckeln och kontrollera strålkastarna. Om strålkastarna försvagas betyder det att strömmen når startmotorn, vilket anger att felet finns i startmotorn. Om strålkastarna fortsätter lysa klart (och inget klick hörs från solenoiden) är det ett tecken på fel i

kretsen eller solenoiden – se följande punkter. Om startmotorn snurrar långsamt, trots att batteriet är i bra skick, är det ett tecken på fel i startmotorn eller på att det finns ett avsevärt motstånd någonstans i kretsen.

**3** Om kretsen misstänks vara defekt, koppla loss batterikablarna, startmotorns/solenoidens kablar och motorns/växellådans jordledning. Rengör alla anslutningar noga och anslut dem igen. Använd sedan en voltmeter eller testlampa och kontrollera att full batterispänning finns vid den positiva batterikabelns anslutning till solenoiden och att jordförbindelsen är god.

**4** Om batteriet och alla anslutningar är i gott skick, kontrollera kretsen genom att lossa ledningen från solenoidens bladstift. Anslut en voltmeter eller en testlampa mellan kabeln och en felfri jordkontakt (som batteriets minuspol) och kontrollera att kabeln fungerar när tändningslåset vrids om till startläge. Är den det, fungerar kretsen. Om inte, kan kretsen kontrolleras enligt beskrivningen i kapitel 12.

**5** Solenoidens kontakter kan kontrolleras med en voltmeter eller testlampa som kopplas mellan polen på solenoidens startmotorsida och jorden. När tändningsnyckeln vrids till start ska mätaren ge utslag eller lampan tändas. Om inget sker är solenoiden eller kontakterna defekta och solenoiden måste bytas ut.

**6** Om kretsen och solenoiden fungerar måste felet finnas i startmotorn. Demontera startmotorn (se avsnitt 10) och kontrollera borstarna (se avsnitt 11). Om felet inte ligger hos borstarna måste motorns lindning vara defekt. I det fallet kan det vara möjligt att låta en specialist renovera motorn, men kontrollera först pris och tillgång på reservdelar. Det kan mycket väl vara billigare att köpa en ny eller begagnad startmotor.

### 10 Startmotor – demontering och montering

## Demontering

**1** Startmotorn är placerad på motorns vänstra bakre sida och är fastbultad vid motorns fästplatta och växellådan. Ta bort batteriets kåpa och koppla bort minusledaren.

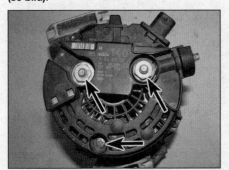

**8.2 Skruva loss muttrarna och skruvarna (markerade med pilar) som håller fast den bakre kåpan**

**8.4 Skruva loss regulatorns/borsthållarens skruvar – markerad med pilar**

**8.5 Mät hur långt borsten skjuter ut från hållaren**

**10.3  Dra bort startmotorns övre fästbult från ovansidan av balanshjulskåpan**

**10.5  Ta bort buntbandet (pil) och lossa kabelstammen**

**10.6  Skruva loss startmotorns nedre fästmutter (pil)**

**10.7  Skruva loss muttrarna och lossa kabelhärvan från stödfästet**

**10.8  Skruva loss muttrarna (markerade med pilar) och lossa startsolenoidens kontaktdon**

**10.9  Skruva loss muttern (markerad med pil) och lossa jordledningen från startmotorns pinnbult.**

**2** Dra åt handbromsen och lyft med hjälp av en domkraft upp framvagnen på pallbockar (se *Lyftning och stödpunkter*).

### Bensinmodeller:

**3** Ta bort startmotorns övre fästbult inifrån motorrummet **(se bild)**.
**4** Skruva loss muttrarna och koppla loss kablarnas poler från startmotorn/solenoiden.
**5** Skär av och ta bort buntbandet/bandet runt solenoiden så att du kan lossa kabelstammen **(se bild)**.
**6** Skruva loss startmotorns nedre fästmutter underifrån bilen och sänk ner startmotorn från motorrummet **(se bild)**.

### Dieselmodeller

**7** Arbeta under motorn och ta bort startmotorns övre fästbultar. Ta bort fästbygeln från kylvätskeröret och kabelknippet **(se bild)**.
**8** Observera deras monteringslägen och lossa därefter muttrarna och anslutningarna från startmotorn **(se bild)**.
**9** Skruva loss den nedre fästmutter och lossa jordkabeln från startmotorns nedre pinnbult **(se bild)**.
**10** Ta bort startmotorns nedre pinnbult genom att använda två muttrar som låsts ihop.
**11** För startmotorn från sitt läge.

### *Montering*

**12** Montering utförs i omvänd ordningsföljd. Dra åt alla kabelanslutningar ordentligt.

## 11 Startmotor– test och renovering

**Observera:** *När den här boken skrevs fanns inga separata startmotorkomponenter tillgängliga från Saab. Du kan dock hitta vissa delar, t.ex. borstar, hos en specialist på bilelektronik och även få hjälp med att montera dem.*

Om startmotorn misstänks vara defekt ska den demonteras (enligt beskrivningen i avsnitt 10) och lämnas till en bilelektriker för kontroll. I de flesta fall kan nya borstar monteras för en rimlig summa. Kontrollera dock reparationskostnaderna, det kan vara billigare med en ny eller begagnad startmotor.

**13.3  Oljetryckslampans kontakt – markerad med pil**

## 12 Tändningskontakt – demontering och montering

Information om demontering och montering finns i kapitel 12, avsnitt 4.

## 13 Brytare till varningslampa för oljetryck – demontering och montering

### *Demontering*

### Bensinmodeller:

**1** Brytaren skruvas i motorblockets framsida, alldeles intill oljefiltret. Brytaren kan nås om man tar bort plastkåpan från motorns överdel.
**2** Lossa anslutningskontakten, skruva sedan loss brytaren (använd en 27 mm ringnyckel eller hylsa) och ta vara på tätningsbrickan. Var beredd på oljespill och om brytaren ska tas bort från motorn under längre tid pluggar du igen öppningen.

### Dieselmodeller

**3** Brytaren skruvas fast i oljefilterhuset på motorns baksida **(se bild)**.
**4** Dra åt handbromsen och ställ framvagnen på pallbockar (se *Lyftning och stödpunkter*).
**5** Skruva loss fästbultarna och ta bort den nedre kåpan (om en sådan finns) underifrån motor/växellådsenheten.

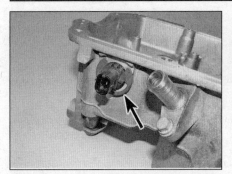

**14.2 Skjut av fästklämman (markerad med pil) och ta loss nivåsensorns kontaktdon från sumpen**

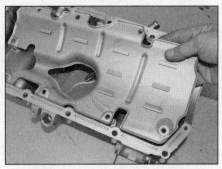

**14.3 Om en sådan finns, skruva loss fästbultarna och ta bort oljeskvalpplåten**

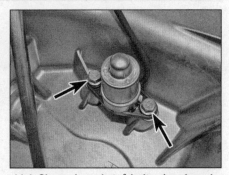

**14.4 Skruva loss de två bultar (markerade med pil) och ta bort oljenivågivaren från sumpen**

**6** Lossa kontaktdonet, skruva sedan loss brytaren och ta loss tätningsbrickan. Var beredd på oljespill och om brytaren ska tas bort från motorn under längre tid pluggar du igen öppningen.

### Montering

**7** Undersök tätningsbrickan efter tecken på skada eller åldrande, och byt ut om det behövs.
**8** Montera tillbaka brytaren och brickan, dra åt den till angivet moment, och återanslut kontaktdonet.
**9** På dieselmodeller, montera tillbaka motorns undre skyddskåpa.
**10** Sänk ner bilen på marken (om tillämpligt) och kontrollera sedan oljenivån. Kontrollera motoroljenivån och fyll på om det behövs enligt beskrivningen i *Veckokontroller*.

### 14 Oljenivågivare – demontering och montering

**Observera:** *Oljenivågivare finns inte på alla modeller. Kontrollera runt sumpens sidor för att hitta givaren, om sådan finns.*

### Demontering

**1** Oljenivågivaren sitter i sumpen, demontera sumpen enligt beskrivningen i kapitel 2A eller 2B.
**2** När sumpen har tagits bort skjuter du av fästklämman och tar loss givarens anslutningskontakt från sumpen **(se bild)**.
**3** Om det behövs, skruva loss fästbultarna och ta bort oljeskvalpplåten från sumpen **(se bild)**.
**4** Notera kablagets dragning och skruva sedan loss fästbultarna och ta bort givarenheten från sumpen.**(se bild)**. Kontrollera kontaktdonets tätning och se om det finns tecken på skador. Byt ut det vid behov.

### Montering

**5** Avlägsna alla spår av låslim från gängorna på sensorns fästskruvar före återmontering. Applicera en droppe gänglåsning på bultgängorna och smörj kontaktdonets tätning med litet motorolja.

**6** Montera givaren, se till att kablaget sitter korrekt, och dra ordentligt åt fästbultarna. Skjut försiktigt kontaktdonet genom sumpen och se till att du inte skadar dess tätning. Säkra det på plats med fästklämman.
**7** Se till att givaren monteras tillbaka korrekt. Om tillämpligt, montera tillbaka oljeskvalpplåten.
**8** Sätt tillbaka sumpen enligt beskrivningen i kapitel 2A eller 2B.

### 15 För/eftervärmningssystem – beskrivning och kontroll

### Beskrivning

**1** Varje cylinder i dieselmotorn är utrustad med en värmeplugg (vanligen kallad glödstift) som är fastskruvad i den. Tändstiften styrs elektroniskt före och efter start när motorn är kall. Den elektriska matningen till glödstiften styrs via för/eftervärmningssystemets styrenhet.
**2** En varningslampa på instrumentbrädan talar om för föraren att för-/eftervärming sker. När lampan släcks är motorn klar för start. Spänningsförsörjningen till glödstiften är fortfarande på några sekunder efter att lampan släcks. Om inga startförsök görs stänger timern av matningen för att förhindra att batteriet laddar ur och glödstiften överhettas.
**3** Glödstiften ger också en 'eftervärmningsfunktion' där glödstiften fortsätter att vara inkopplade efter att motorn har startats. Tiden för eftervärmning bedöms också av styrenheten, och är beroende av motortemperaturen.
**4** Bränslefiltret är utrustat med ett värmeelement för att förhindra att bränslet blir vaxartat under extrema temperaturförhållanden och för att förbättra förbränningen. Värmeelementet är en integrerad del av bränslefilterhuset och styrs av styrenheten för för-/eftervärmningssystemet.

### Kontroll

**5** Om systemet inte fungerar som det ska utföras test genom att man sätter in delar som

man vet fungerar, men vissa förberedande kontroller kan göras enligt följande.
**6** Anslut voltmätare eller en kontrollampa på 12 volt mellan glödstiftets matningskabel och jord (motor eller metalldel i bilen). Kontrollera att den strömförande anslutningen hålls borta från motorn och karossen.
**7** Be en medhjälpare slå på tändningen och kontrollera att glödstiften spänningsmatas. Observera hur länge kontrollampan lyser, och den totala tid som spänningen överförs innan systemet slås av. Slå av tändningen.
**8** Vid en temperatur på 20 °C under motorhuven ska de typiska tider som noteras för varningslampans funktion ligga på ungefär tre sekunder. Varningslampans tid stiger med lägre temperaturer och sjunker med högre temperaturer.
**9** Om det inte finns någon matning alls är det fel på styrenheten eller tillhörande kablage.
**10** För att hitta ett felaktigt glödstift, lossa anslutningskontakten för varje glödstift.
**11** Använd en kontinuitetsmätare, eller en kontrollampa på 12 volt som är ansluten till batteriets pluspol för att kontrollera förbindelsen mellan alla glödstiftsanslutningar och jord. Resistansen i ett glödstift i gott skick är mycket låg (mindre än 1 ohm), så om kontrollampan inte tänds eller om kontinuitetsmätaren visar en hög resistans, är det fel på glödstiftet.
**12** Om du har tillgång till en amperemätare kan du kontrollera strömförbrukningen i varje enskilt glödstift. Efter en inledande topp på 15 till 20 ampere ska varje stift dra 12 ampere. Glödstift som drar mycket mer eller mycket mindre än detta är troligtvis defekt.
**13** Gör en sista kontroll genom att ta bort glödstiften och undersöka dem visuellt enligt beskrivningen i nästa underavsnitt.

### 16 Glödstift – demontering, kontroll och återmontering

**Varning: Om för/eftervärmningssystemet precis har strömmatats, eller om motorn har varit igång, är glödstiften mycket varma.**

**16.3 Skruva loss glödstiften från topplocket**

**17.1 Placering av för/ eftervärmningsystemets styrenhet**

## Demontering

**1** Glödstiften sitter på baksidan av topplocket, ovanför insugsgrenröret.
**2** Ta bort plastkåpan genom att dra den uppåt från pinnbultarna.
**3** Dra bort kontaktdon från glödstiften, skruva sedan loss och ta bort dem från topplocket **(se bild)**.

## Kontroll

**4** Undersök glödstiften efter tecken på skador. Brända eller nedslitna glödstiftspetsar kan bero på felaktigt sprutmönster hos insprutningsventilerna. Be en mekaniker undersöka insprutningsventilerna om den här typen av skador förekommer.
**5** Om glödstiften är i bra fysiskt skick kontrollerar du dem elektriskt med en kontrollampa på 12 volt eller en kontinuitetsmätare föregående avsnitt.

**6** Glödstiften kan strömmatas med 12 volt för att kontrollera att de värms upp jämnt och inom den tid som krävs. Följ följande föreskrifter.
*a) Spänn fast glödstiftet i ett skruvstycke eller med självlåsande tänger. Tänk på att det är glödhett.*
*b) Kontrollera att strömförsörjningen eller testsladden har en säkring eller överbelastningsbrytare för att skydda mot skador vid kortslutning.*
*c) Efter testet låter du glödstiftet svalna i flera minuter innan du försöker hantera det.*
**7** Ett glödstift i gott skick börjar glöda rött i spetsen efter ett ha dragit ström i cirka 5 sekunder. Stift som tar längre tid på sig att börja glöda eller som börjar glöda i mitten istället för i spetsen är förmodligen defekta.

## Montering

**8** Sätt tillbaka pluggarna och dra åt dem

till angivet moment. Dra inte åt för hårt eftersom detta kan skada glödstiftet. Tryck dit elanslutningarna ordentligt på glödstiften.
**9** Återstoden av monteringen utförs i omvänd ordningsföljd mot demonteringen. Avsluta med att kontrollera funktionen hos glödstiften.

## 17 För-/eftervärmningssystemets styrenhet – demontering och montering

**Observera:** *Om styrenheten ska bytas ut måste Saabs diagnosutrustning användas för att ladda ner och återställa olika lagrade värden innan den gamla enheten tas bort och efter att den nya enheten monterats. Arbetet bör överlåtas till en Saab-återförsäljare eller lämpligt utrustad specialist.*
**Observera:** *Dessa elektroniska moduler är mycket känsliga för statisk elektricitet. Innan du hanterar enheten måste du jorda dig själv genom att vara i kontakt med en karossdel i ren metall.*

## Demontering

**1** Styrenheten sitter till höger i motorrummet, på innerskärmens panel och framför behållaren för servostyrningsvätska **(se bild)**.
**2** Lossa fästbulten och lyft bort styrenheten från innerskärmens panel.
**3** Lossa anslutningskontakten från styrenheten när denna tas bort.

## Montering

**4** Montering sker i omvänd ordningsföljd.

# Kapitel 5 Del B:
# Tändsystem – bensinmotorer

## Innehåll

## Svårighetsgrad

| Enkelt, passar novisen med lite erfarenhet  | Ganska enkelt, passar nybörjaren med viss erfarenhet  | Ganska svårt, passar kompetent hemmamekaniker  | Svårt, passar hemmamekaniker med erfarenhet  | Mycket svårt, för professionell mekaniker  |

## Specifikationer

### Systemtyp
Systemtyp . . . . . . . . . . . . . . . . . . . . . . . . . . . . . . . . . . . . . . . . . Direkttändningssystem (DI) i motorstyrningssystemet Trionic

### Direkttändningssystem (DI)
Tändningsmodul:
  Kondensator, spänning. . . . . . . . . . . . . . . . . . . . . . . . . . . . . . . 400 volt
  Tändning, spänning (maximum) . . . . . . . . . . . . . . . . . . . . . . . . . 40 000 volt
Tändningsinställning. . . . . . . . . . . . . . . . . . . . . . . . . . . . . . . . . . Förprogrammerad i den elektroniska styrenheten (ECM)

### Tändningsföljd . . . . . . . . . . . . . . . . . . . . . . . . . . . . . . . . . . . . . 1-3-4-2 (cylinder nr 1 vid kamkedjeänden)

### Åtdragningsmoment     **Nm**
Tändningsmodul . . . . . . . . . . . . . . . . . . . . . . . . . . . . . . . . . . . . . 12
Tändstift . . . . . . . . . . . . . . . . . . . . . . . . . . . . . . . . . . . . . . . . . . 28
Vevaxelns remskiva, bult . . . . . . . . . . . . . . . . . . . . . . . . . . . . . . 175

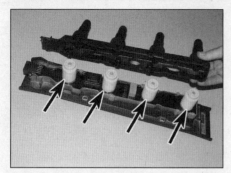

**1.2 Separata spolar (pilar) – en för varje cylinder**

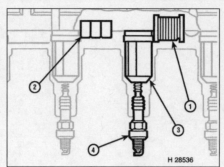

**1.8a DI-kassett**

1 Transformator
(12 volt/400
volt)

2 Kondensator
3 Tändspole
4 Tändstift

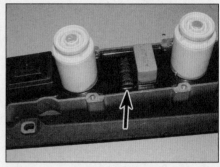

**1.8b Direkttändningens kondensator (vid pil) placering i kassetten**

## 1 Allmän information

**1** Alla modeller har ett direkttändningssystem som är inbyggt i Saabs motorstyrningssystem Trionic. En enda elektronisk styrenhet (ECM) styr både bränsleinsprutningen och tändningen. Mer information om systemkomponenterna finns i kapitel 4A.

**2** Direkttändningssystemet använder en separat högspänningsspole för varje tändstift **(se bild)**. Den elektroniska styrmodulen läser av motorn med hjälp av olika givare, för att avgöra den mest effektiva tändningsinställningen.

**3** I systemet finns en läges-/hastighetsgivare för vevaxeln, en tändningsmodul med en spole per tändstift, diagnosuttag, ECM, tryckgivare i insugsröret (för avkänning av motorlasten) och en magnetventil (som reglerar turboaggregatet).

**4** När bilen startas med en vevaxelhastighet som överstiger 150 varv per minut, bildas gnistor i det cylinderpar som har kolvarna i ÖD-läge. Råder försvårande omständigheter bildas flera gnistor för att underlätta starten. Den elektroniska styrenheten avgör i vilken cylinder som förbränning äger rum genom att mäta spänningen över tändstiftselektroderna, och använder sedan informationen till att justera tändningen.

**5** När motorn startar ställs tändningsinställning alltid in 10° före övre dödpunkt och den står kvar på denna inställning tills motorvarvtalet överstiger 825 varv/minut. Den elektroniska styrmodulen reglerar tändningsinställningen vid motorvarvtal över 825 varv/minut.

**6** När tändningen vrids av och motorn stannar fortsätter huvudreläet att fungera i ytterligare 6 sekunder. Under den här perioden jordar Trionic styrmodul alla kablar 210 gånger i sekunden i 5 sekunder, för att bränna bort orenheter från tändstiftselektroderna.

**7** Eftersom systemet inte använder högspänningskablar måste radioavstörning inkluderas i tändstiften. Därför måste alltid tändstift av resistortyp användas.

**8** Direkttändningssystem använder kapacitiv urladdning för att generera högspänningsgnistor. Ungefär 400 volt lagras i en kondensator **(se bilder)** och vid tändningsögonblicket laddas spänningen ur genom de primära kretsarna för relevant spole. Ungefär 40 000 volt induceras i den sekundära spolen och laddas ur över tändstiftselektroderna.

**9** Om ett fel uppstår i systemet lagras en felkod i den elektroniska styrenheten. Koden kan endast läsas av Saab-mekaniker med rätt utrustning.

**10** Observera att startmotorn aldrig får drivas om DI-kassetten är lossad från tändstiften men fortfarande ansluten till kabelstammen. Detta kan orsaka skador på kassetten som ej går att reparera.

**11** Motorstyrningssystemet styr motorns förförbränning via en knackningsgivare inbyggd i tändsystemet. Givaren sitter på motorblock och känner av vibrationer med hög frekvens, som uppstår när motorn börjar förtända eller "spika". När vibrationer uppstår skickar knackningsgivaren en elektrisk signal till den elektroniska styrenheten, som i sin tur sänker tändningsförställningen med små steg tills spikningen upphör. I Saab Trionic-systemet används själva tändstiften som knackningsgivare, istället för en separat knackningsgivare i motorblocket. Tändstiften fungerar som knackningsgivare genom att en svag likströmsspänning läggs över varje tändstift. När två cylindrar närmar sig ÖD orsakar spänningen en joniseringsström mellan tändstiftets poler i den cylinder som är under förbränning. En stark ström anger att knackning förekommer och i vilken cylinder tändningen behöver sänkas. Bränsleinsprutningens ordningsföljd styrs på samma sätt (se kapitel 4A).

## 2 Tändsystem – kontroll

⚠ **Varning: Spänningen från ett elektroniskt tändningssystem är mycket högre än den från konventionella tändningssystem. Var mycket försiktig vid arbete med systemet då tändningen är påslagen. Personer med pacemaker bör inte vistas i närheten**

av tändningskretsar, komponenter och testutrustning. Se rekommendationerna i kapitel 5A, avsnitt 1, innan du påbörjar arbetet. Slå alltid av tändningen innan någon komponent kopplas till eller från, liksom när en multimeter används för att testa motstånd.

**1** Om ett fel uppstår i motorstyrningssystemet, kontrollera först att alla kablar sitter fast ordentligt och är i gott skick. Om det behövs kan enskilda komponenter från direkttändningssystemet tas bort och undersökas enligt beskrivningen längre fram i det här kapitlet. Spolar undersöks bäst genom att man ersätter den misstänkt defekta spolen med en fungerande spole och kontrollerar om feltändningen upphör.

**2** På grund av tändstiftens placering under tändningskassetten finns det inget enkelt sätt att kontrollera om högspänningskretsen är defekt. Ytterligare kontroller bör överlåtas till en Saab-verkstad som har nödvändig utrustning för att läsa felkoderna som lagrats i den elektroniska styrenheten.

## 3 Tändningsenhet – demontering och montering

### Demontering

**1** Öppna motorhuven och snäpp loss kåpan från batteriet. Koppla sedan loss batteriets minusledare.

**2** Skruva loss de fyra skruvarna som fäster tändningskassetten på topplockets ovansida **(se bild)**.

**3.2 Skruva loss de fyra skruvarna (pilar) som håller fast kassetten**

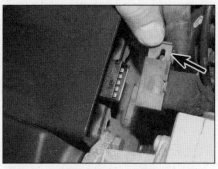

**3.3 Lossa fästklämman (pil) och koppla loss kontaktdonet**

**3.5 Lyft kassetten rakt upp och lossa den från tändstiften**

**3.6a Skruva loss skruvarna (tre visas) . . .**

**3** Koppla loss anslutningskontakten som sitter på den vänstra sidan av tändningsenheten **(se bild)**.
**4** Koppla i förekommande fall loss kabelklämmor eller jordledningar.
**5** Lyft på tändningskassetten och lossa den samtidigt från övre delen på tändstiften **(se bild)**.

⚠ *Varning: När du tar bort urladdningsmodulen måste den hållas upprätt. Om modulen har varit upp- och nervänd under en tid ska du låta den vara monterad ett par timmar innan du startar motorn.*

**6** Om det behövs, kan höljet tas bort från kassettens undersida. Vänd den upp och ner och skruva loss fästskruvarna. Ta loss det svarta (undre) höljet från kassetten **(se bilder)**.
**7** Tändkabelfjädrarna kan försiktigt bändas bort från höljet med hjälp av en skruvmejsel **(se bild)**.

## Montering

**8** Monteringen utförs i omvänd ordningsföljd mot demonteringen. Dra åt fästskruvarna till angivet moment.

---

### 4  Tändspolar –
allmän information

De fyra tändspolarna är inbyggda i tändningsenhetens övre del. Denna kan endast köpas som komplett enhet från Saab.
Vid behov kan tändningsenheten ta bort

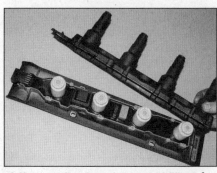

**3.6b . . . och ta bort det svarta höljet från kassettens undersida**

från bilen enligt beskrivningen i avsnitt 3 och tas med till en Saab-representant eller bilelektriker för kontroll.

⚠ *Varning: När du tar bort urladdningsmodulen måste den hållas upprätt. Om modulen har varit upp- och nervänd under en tid ska du låta den vara monterad ett par timmar innan du startar motorn.*

---

### 5  Rotor med spår för
vevaxelgivare –
demontering och montering 🔧

## Demontering

**1** Rotorn sitter på samma sida av vevaxeln som svänghjulet/drivplattan. Ta bort vevaxeln enligt beskrivningen i kapitel 2C.
**2** Skruva loss de fyra skruvarna som håller fast rotorn i vevaxeln med hjälp av en torx-nyckel

**3.7 Gummihylsa och fjäder sett från insidan av den nedre kåpan**

och lyft sedan bort rotorn över änden på vevaxeln.

## Montering

**3** Monteringen utförs i omvänd ordningsföljd mot demonteringen. Observera att bulthålen sitter med ojämna mellanrum, så rotorn kan bara monteras i en position.

---

### 6  Tändningsinställning –
allmän information

Tändningsinställningen är förprogrammerad i systemets ECM och kan inte justeras eller kontrolleras. Om tändningsinställningen misstänks vara felaktig ska bilen lämnas in till en Saab-verkstad, som har den nödvändiga utrustningen för att läsa koderna som lagrats i den elektroniska styrenheten. Mer information finns i kapitel 4A.

# Kapitel 6
# Koppling

## Innehåll

## Svårighetsgrad

| Enkelt, passar novisen med lite erfarenhet  | Ganska enkelt, passar nybörjaren med viss erfarenhet  | Ganska svårt, passar kompetent hemmamekaniker | Svårt, passar hemmamekaniker med erfarenhet | Mycket svårt, för professionell mekaniker  |
|---|---|---|---|---|

## Specifikationer

Systemtyp............................................ Enkel torrlamell med tallriksfjäder, kontrolleras av hydrauliskt urkopplingssystem med huvud- och slavcylinder

### Friktionsplatta
Diameter:
Bensin ......................................... 228 mm
Diesel ......................................... 240 mm
Tjocklek:
Ny ............................................ 7,3 mm
Minimum........................................ 5,5 mm

### Hydraulisk urkopplingsmekanism
Slavcylinderns kolvslag .......................... 8,0 mm
Huvudcylinderns kolvdiameter...................... 15,87 mm

### Åtdragningsmoment
|  | Nm |
|---|---|
| Huvudcylinderns fästmuttrar | 20 |
| Kopplingspedalen/huvudcylinderns monteringskonsol till mellanväggen... | 24 |
| Kopplingtryckplattans fästbultar | 30 |
| Slavcylinderns fästskruvar | 10 |
| Tillförselrör till slavcylinder | 22 |
| Vakuumservons pinnbultar* | 20 |

*Använd alltid nya bultar/muttrar*

## 1 Allmän beskrivning

**1** Hydraulkopplingen har en enkel torrlamell och består av följande huvudkomponenter: kopplingspedal, huvudcylinder, urtrampnings-lager/slavcylinder, lamell och tryckplatta med inbyggd tallriksfjäder och kåpa **(se bild)**.
**2** Lamellen kan glida fritt längs räfflorna i växellådans ingående axel. Axeln hålls på plats mellan svänghjulet och tryckplattan av en tallriksfjäder som trycker på tryckplattan. Lamellen är på båda sidorna fodrad med ett material med hög friktion. Fjädringen mellan friktionsbelägget och navet fångar upp stötar från växellådan och bidrar till mjuk kraftupptagning vid koppling.
**3** Tallriksfjädern är fäst på sprintar och hålls på plats i kåpan med stödpunktsringar.
**4** Kraften överförs från kopplingspedalen via

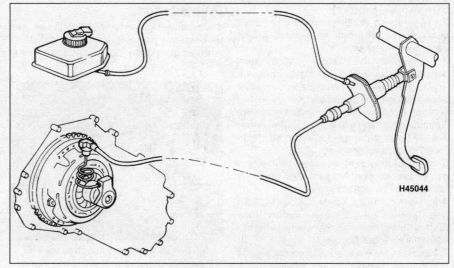

1.1 Hydrauliskt urkopplingssystem

en tryckstång till huvudcylindern, som sitter på baksidan av mellanväggen i motorrummet. Huvudcylinderns kolv tvingar hydraulolja genom ett tillförselrör till slavcylindern, som är placerad i växelhuset mitt över växellådans ingående axel. Oljan tvingar ut kolven ur slavcylindern och aktiverar på så sätt urkopplingslagret.

5 När kopplingspedalen är nedtryckt tvingas urkopplingslagret att glida längs den ingående axelhylsan så att det går emot tallriksfjäderns mitt och trycker den inåt. Tallriksfjädern verkar mot en rund stödpunktsring i kåpan. När fjäderns mitt trycks in trycks fjäderns yttre del ut så att tryckplattan kan röra sig bakåt, från lamellen.

6 När kopplingspedalen släpps tvingar tallriksfjädern tryckplattan mot lamellens friktionsbelägg. Detta trycker lamellen framåt i spåren och tvingar den mot svänghjulet. Lamellen sitter nu fast mellan tryckplattan och svänghjulet och tar upp kraft.

7 Vätskan i den hydrauliska kopplingen är den samma som används i bromssystemet; härifrån matas vätskan till huvudcylindern från en tappanordning på bromsvätsketanken. Kopplingens hydraulsystem måste tätas innan arbete kan utföras på komponenterna i kopplingssystemet, och sedan fyllas på och luftas för att få bort eventuella luftbubblor ur systemet. Ytterligare information finns i avsnitt 6 i detta kapitel.

## 2 Kopplingspedal – demontering och montering

**Observera:** *Kopplingspedalen är fast monterad i pedalenheten och kan inte tas bort separat.*

### Demontering

1 Ta bort instrumentbrädan enligt beskrivningen i kapitel 11.
2 I högerstyrda modeller tar du bort kåpan från motorns topp och insugsröret. Arbeta inifrån motorrummet.
3 I vänsterstyrda modeller tar du bort batteriet. Skruva sedan loss fästbultarna och -muttrarna och ta bort elcentralen som sitter uppe till vänster på fjäderbenet.
4 Inifrån motorrummet skruvar du loss de fyra fästmuttrarna från pedalenheten. **Observera:** *Två av muttrarna används för att fästa kopplingens huvudcylinder.*
5 Inifrån fordonet skruvar du loss fästbultarna och tar bort knäskyddet, som sitter nedtill vid rattstången och mellanväggen.
6 Koppla loss kontaktdonet från pedalkontakten. Skruva sedan loss fästbultarna som fäster pedalbygeln i instrumentbrädans tvärbalk.
7 Haka loss fjädern från kopplingspedalen, ta bort fästklämman och dra ut styrbulten.
8 Skruva loss rattstångens nedre fästbult och

ta bort den från spårningarna på kuggstången. **Observera:** *Ta inte bort skarven genom att bända upp den (mer information finns i kapitel 10).*

**Varning: Kontrollera att rattstångens övre och nedre delar inte skiljs åt när du tar bort rattstången från mellanväggen, se kapitel 10.**

9 Skruva loss fästbultarna från instrumentbrädans tvärbalk. Dra sedan ut tvärbalken så att du får plats att dra ut pedalfästbygeln från fotbrunnen.

### Montering

10 Monteringen utförs i omvänd ordningsföljd mot demonteringen. Se till att pedalreturfjädern sitter korrekt och att alla fästbultar är åtdragna till angivet moment.

## 3 Koppling – demontering, kontroll och montering

**Varning: Dammet från kopplingsslitage som avlagrats på kopplingskomponenterna kan innehålla hälsovådlig asbest. BLÅS INTE bort dammet med tryckluft och ANDAS INTE in det. ANVÄND INTE bensin eller bensinbaserade lösningsmedel för att tvätta bort dammet. Rengöringsmedel för bromssystem eller T-sprit bör användas för att spola ner dammet i en lämplig behållare. När kopplingens komponenter har torkats rena med trasor måste trasorna och rengöringsmedlet kastas i en tät, märkt behållare.**
**Observera:** *Även om de flesta moderna belägg inte innehåller asbest är det säkrast att utgå från att de gör det, och vidta lämpliga åtgärder*

### Demontering

1 Om inte hela motorn/växellådan ska demonteras och separeras för en större renovering (se kapitel 20C), kan man komma åt

**3.5 Lyft av tryckplattan och ta vara på lamellen. Observera åt vilket håll den är vänd**

kopplingen genom att bara ta bort växellådan, enligt beskrivningen i kapitel 7A.
2 Innan du börjar arbeta med några delar i kopplingen bör du markera förhållandet mellan tryckplattan, lamellen och svänghjulet.
3 Det blir lättare att ta bort tryckplattan om du låser svänghjulet på plats genom att skruva fast ett låsverktyg i något av växellådans monteringshål och låsa med startkransen på svänghjulet. Om du inte har något låsverktyg tillgängligt kan du hålla fast vevaxeln (och därmed även svänghjulet) med en hylsnyckel som du sätter på vevaxeldrevbulten. Då behöver du dock ta hjälp av en annan person.
4 Lossa tryckplattans fästbultar stegvis och diagonalt, ett halvt varv i taget, tills du kan ta bort dem för hand.
5 Lyft bort kopplingen när alla bultar är borttagna. Var beredd att ta emot lamellen när kopplingsenheten lyfts bort från svänghjulet, och åt att notera vilket håll lamellen sitter **(se bild)**.

### Kontroll

**Observera:** *På grund av det stora arbete som krävs för att ta bort och sätta tillbaka kopplingskomponenter är det en bra idé att byta kopplingslamellerna, tryckplattsenheten och urtrampningslagret tillsammans, även om det bara är en av dessa delar som är tillräckligt sliten för att behöva bytas.*

6 Läs igenom varningarna för hantering av belägg i början av det här avsnittet innan du rengör kopplingens komponenter. Ta bort damm med en ren torr trasa och arbeta i en välventilerad lokal.
7 Kontrollera lamellernas ytor och undersök om de är slitna, skadade eller nedsmutsade med olja. Om friktionsmaterialet har spruckit, är bränt, repat eller skadat, eller om det har smutsats ner med olja eller fett (syns som blanka svarta fläckar), måste lamellen bytas.
8 Om belägget inte behöver bytas ut, kontrollerar du att spårningarna i mitten inte är slitna, att torsionsfjädrarna är i gott skick och väl monterade samt att alla nitar sitter fast. Om tecken på slitage eller skada påträffas, måste plattan bytas.
9 Om belägget är oljigt beror det på läckage i vevhusets vänstra oljetätning, skarven mellan sump och motorblock eller från växellådans ingående axel. Byt ut tätningen eller reparera skarven efter behov enligt beskrivningen i kapitel 2A, 2B eller 7A innan du monterar en ny lamell.
10 Kontrollera tryckplattsenheten och leta efter tydliga tecken på slitage eller skada. Skaka den och lyssna efter löst sittande nitar eller slitna/skadade stödpunktsringar. Kontrollera att remmarna som fäster tryckplattan i kåpan inte har överhettats (mörkgula eller blå missfärgningar). Om tallriksfjädern är sliten eller skadad, eller om dess tryck på något sätt verkar misstänkt, ska tryckplattsenheten bytas.
11 Inspektera de bearbetade ytorna på

tryckplattan och svänghjulet **(se bild)**; De bör vara rena, helt släta och inte vara repade eller spåriga. Om någon av dem är missfärgad eller sprucken bör du byta ut den, även om mindre skador kan slipas bort med smärgelduk.

**12** Kontrollera att kontaktytan på urtrampningslagret roterar fritt och jämnt, och att själva ytan är jämn och utan tecken på sprickor, gropar eller spår. Om du är tveksam bör urtrampningslagret också bytas ut. Se kapitel 4 för mer information.

## Montering

### Standard koppling

**13** Se till att lagerytorna på svänghjulet och tryckplattan är helt rena, jämna och fria från olja och fett före återmonteringen. Använd lösningsmedel för att ta bort eventuellt skyddande fett från nya komponenter.

**14** Passa in lamellen så att fjädernavet är vänd bort från svänghjulet. Leta efter eventuella markeringar som anger hur monteringen ska göras **(se bild)**.

**15** Montera tryckplattan i svänghjulet med hjälp av styrstiften. Linjera markeringarna som du gjorde vid demonteringen, om du fortsätter använda den ursprungliga tryckplattan. Montera bultarna till tryckplattan. Dra endast åt dem med handen just nu, så att du vid behov kan justera lamellens läge.

**16** Nu måste lamellen centreras i tryckplattan, så att växellådans ingående axel löper genom spårningarna i mitten av lamellen. Det gör du genom att t.ex. föra en stor skruvmejsel eller ett förlängningsskaft för hylsnycklar genom lamellen och in i hålet i vevaxeln. Nu kan du centrera lamellen över hålet i vevaxeln. Du kan också använda ett universalinpassningsverktyg, som finns i de flesta tillbehörsbutiker. Se till att lamellen ligger korrekt innan du fortsätter.

**17** När lamellen är centrerad, dra stegvis åt tryckplattans bultar i diagonal ordningsföljd till angivet åtdragningsmoment.

**18** Ta bort svänghjulets låsverktyg, om tillämpligt.

**19** Stryk ett tunt lager temperaturbeständigt fett på lamellens och den ingående axelns spårningar.

**20** Montera växellådan enligt beskrivningen i kapitel 7A.

### Självjusterande koppling (SAC)

**21** Kopplingens tryckplatta är ovanlig, eftersom det finns en förjusteringsmekanism som kompenserar för slitage på friktionsplattan (Saab kallar detta för en självjusterande koppling (self-adjusting clutch, SAC), vilket är litet oklart eftersom alla hydraulkopplingar i grund och botten är självjusterande). Denna mekanism måste dock återställas innan tryckplattan återmonteras. En ny platta kan levereras förinställd och då kan man bortse från denna procedur.

**22** En bult med stor diameter (minst M14) och tillräckligt lång för att gå igenom tryckplattan,

**3.11 När kopplingen är demonterad, kontrollera svänghjulets slipade yta (pil)**

en passande mutter och flera brickor med stor diameter behövs för denna åtgärd. Sätt bulthuvudet i ett stadigt skruvstäd, med en stor bricka monterad.

**23** Passa in plattan över bulten med friktionsplatteytan nedåt. Passa in den centralt över bulten och brickan – brickan ska ligga an mot navet i mitten **(se bild)**.

**24** Montera ytterligare ett antal stora brickor på bulten så att de ligger an mot ändarna på fjäderfingrarna. Sätt dit muttern och dra åt den för hand för att hålla brickorna på plats **(se bild)**.

**25** Syftet med detta tillvägagångssätt är att vrida plattans inre justeringsskiva så att de tre små spiralfjädrarna som syns på plattans utsida trycks ihop helt och hållet. Dra åt den monterade muttern tills justerskivan kan rotera fritt. Sätt in en tång med tunn spets,

**3.14 Placera lamellen mot svänghjulet. Texten FLYWHEEL SIDE (svänghjulssida) ska vara vänd mot svänghjulet**

eller låsringstång i ett av de två fönstren i den övre ytan. Öppna tången och vrid justerskivan moturs tills fjädrarna är helt ihoptryckt **(se bilder)**.

**26** Håll tången i detta läge och skruva sedan loss centrummuttern. När muttern har tagits loss hålls justeringsskivan fast i sitt läge och tången kan tas bort. Ta tryckplattan från skruvstycket, den är redo att monteras.

**27** Se till att lagerytorna på svänghjulet och tryckplattan är helt rena, jämna och fria från olja och fett före återmonteringen. Använd lösningsmedel för att ta bort eventuellt skyddande fett från nya komponenter.

**28** Smörj kuggarna på friktionsplattans nav lätt med ett smörjmedel som har hög smältpunkt. Applicera inte för mycket; annars kan den förorena friktionsplattans beläggningar.

**3.23 Sätt en stor bult och en bricka i ett skruvstycke och passa sedan in tryckplattan över dem**

**3.24 Montera stora brickor och en mutter på bulten och dra åt för hand**

**3.25a Dra åt muttern tills fjäderjusteraren kan vrida sig fritt . . .**

**3.25b . . . öppna sedan käftarna på en lämplig tång för att trycka ihop fjädrarna**

3.29 Märkningen 'transmission side' eller 'Getriebseite' på friktionsplattan måste vara vänd mot växellådan

3.30 Montera tryckplattan över friktionsplattan

3.32 Använd ett syftningsverktyg för kopplingar eller motsvarande för att centrera friktionsplattan

29 Placera friktionsplattan på svänghjulet och säkerställ att märkningen 'transmission side' eller 'Getriebseite' vetter mot växellådan (se bild).

30 Montera tillbaka tryckplattans enhet och rikta in märkena som gjordes vid demonteringen (om den ursprungliga tryckplattan återanvänds). Applicera en droppe gänglåsning och montera tryckplattans bultar, men dra endast åt dem för hand så att plattan fortfarande kan röras (se bild).

31 Friktionsplattan ska nu centreras så att växellådan ingående axel går genom räfflorna mitt i friktionsplattan när växellådan monteras.

32 Centreringen kan åstadkommas genom att du för en skruvmejsel eller annan längre stång genom friktionsplattan och in i hålet på vevaxeln. Då kan lamellen flyttas runt tills den är centrerad på vevaxelhålet. Du kan även använda ett syftningsverktyg för kopplingen för att slippa eventuell osäkerhet. Verktyget finns i de flesta tillbehörsbutiker (se bild).

33 När friktionsplattan har centrerats drar du åt tryckplattans bultar jämnt och korsvis till angivet moment.

34 Montera tillbaka växellådan enligt beskrivningen i kapitel 7A.

## 4 Kopplingsslavcylinder/ urtrampningslager – demontering och montering

**Observera:** *Kopplingsslavcylindern och urtrampningslagret utgör en sammansatt enhet, som inte kan köpas i delar.*

### Demontering

1 Om inte hela motor-/växellådsenheten ska tas bort från bilen och separeras för en större genomgång (se kapitel 2C), kan urtrampningsmekanismen nås om man tar bort växellådan enligt beskrivningen i kapitel 7A.

2 Torka ren slavcylinderns utsida och lossa anslutningsmuttern och koppla loss hydraulröret. Torka bort all vätska med en ren trasa.

3 Skruva loss fästbultarna och dra bort slavcylindern från växellådas ingående axel (se bild). Ta i förekommande fall bort tätningsringen mellan cylindern och växellådshuset och släng den. Du måste sätta dit en ny vid monteringen. Var noga med att inte låta några föroreningar komma in i växellådan när cylindern tas bort.

4 Slavcylindern är försluten och kan inte renoveras. Om cylindertätningarna läcker eller

om urkopplingslagret låter illa eller är trögt vid körning, måste hela enheten bytas ut.

### Montering

5 Se till att slavcylinderns och växellådans fogytor är rena och torra, montera sedan den nya tätningsringen i växellådans fördjupning.

6 Smörj slavcylindertätningen med lite växelolja, för sedan försiktigt cylindern i läge längs den ingående axeln. Se till att tätningsringen fortfarande sitter ordentligt i spåret, montera sedan slavcylinderns fästbultar och dra åt dem till angivet moment.

7 Återanslut hydraulröret till slavcylindern och dra åt anslutningsmuttern till angivet moment.

8 Flöda och lufta slavcylindern med hydraulolja enligt beskrivningen i avsnitt 6.

9 Montera växellådan enligt beskrivningen i kapitel 7A.

## 5 Kopplingens huvudcylinder – demontering och montering

### Demontering

1 Ta bort batterikåpan och koppla sedan loss batteriets minusledare. För ledaren bort från batteripolen.

2 Ta bort ljuddämpningspanelen från undersidan av instrumentbrädan på förarsidan enligt anvisningarna i kapitel 11.

3 Använd en långarmad tång för att ta bort klämman från tappen som sitter vid kontaktpunkten mellan huvudcylinderns länkstag och kopplingspedalen. Dra därefter av länkstaget. Lossa även kopplingspedalens returfjäder.

4 Placera en trasa under kopplingspedalen i fotbrunnen för att samla upp eventuellt hydraulvätskespill.

5 I högerstyrda modeller tar du bort kåpan från toppen av insugsröret. Arbeta inifrån motorrummet.

6 I vänsterstyrda modeller tar du bort batteriet inifrån motorrummet. Skruva sedan loss fästbultarna och muttrarna och ta bort elcentralen som sitter uppe till vänster på fjäderbenet.

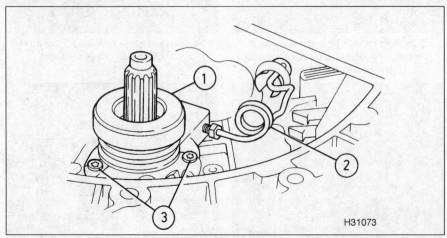

H31073

4.3 Slavcylinder

1 Urkopplingslager   2 Hydrauloljerör   3 Fästskruvar

**Varning: Observera varningarna i avsnitt 6 angående hantering av hydraulvätska.**

7 Sätt igen tillförselslangen från vätskebehållaren med en särskild slangklämma, som du sätter mellan vätskebehållaren och huvudcylindern.

8 Lossa klämman och dra loss tillförselslangen från huvudcylinderöppningen. Var beredd på att en del hydraulvätska läcker ut. Placera en behållare eller några trasor under fogen, så att eventuellt spill fångas upp.

9 Dra ut fästklammern och lösgör det hydrauliska tillförselröret från huvudcylinderns framsida **(se bild)**. Plugga igen röränden och huvudcylindern för att minimera bränsleförlusten och hindra smuts från att tränga in. Ta ut och kasta tätningsringen som sitter i anslutningen. Du måste sätta dit en ny vid monteringen. Montera tillbaka fästklämman i huvudcylinderspåret, så att du inte tappar bort den.

10 Ta bort de två muttrarna från fästbultarna och lyft bort huvudcylindern från mellanväggen, samtidigt som du för länkstaget genom öppningen. Ta vara på packningen och kontrollera om den är skadad. Byt ut den om det behövs.

## Montering

11 Montera huvudcylindern i omvänd ordningsföljd mot demonteringen. Observera följande:
a) Se till att matningsröret är korrekt monterat i rätt läge med fästklämman.
b) Följ angivna åtdragningsmoment när du drar åt muttrarna mellan huvudcylindern och pedalfästbygeln.
c) Avsluta med att lufta hydraulsystemet enligt beskrivningen i avsnitt 6.

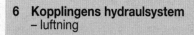

### 6 Kopplingens hydraulsystem – luftning

**Varning: Hydraulolja är giftig; Tvätta omedelbart bort eventuella stänk från huden. Kontakta läkare om oljan sväljs eller kommer i ögonen. Vissa hydrauloljor är lättantändliga och kan självantända om de kommer i kontakt med heta komponenter. När du utför service på ett hydraulsystem, är det säkrast att utgå ifrån att vätskan är brandfarlig. Vidta samma åtgärder som om det vore bensin. Den är också hygroskopisk, det vill säga den absorberar fukt från luften. En hög vattenhalt sänker dess kokpunkt, vilket leder till tryckfall i hydraulsystemet. Gammal hydraulolja kan innehålla vatten och ska därför aldrig användas. Vid påfyllning eller byte av olja ska alltid olja av rekommenderad grad från en nyöppnad förpackning användas.**

## Allmän information

1 Ett hydraulsystem kan inte fungera som

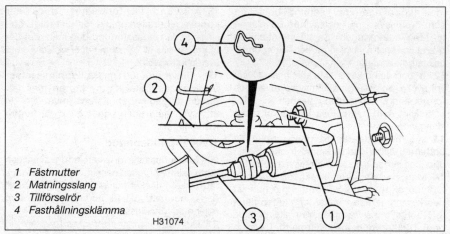

1 Fästmutter
2 Matningsslang
3 Tillförselrör
4 Fasthållningsklämma

H31074

**5.9 Ta bort muttern som fäster den högra sidan av kopplingspedalens/huvudcylinderns fäste vid mellanväggens baksida i motorrummet**

det ska förrän all luft har avlägsnats från komponenterna och kretsen. Detta uppnås genom att man luftar systemet.

2 Tillverkaren kräver att systemet initialt måste luftas med hjälp av 'returluftningsmetoden', varvid man använder Saabs specialutrustning för luftning. Detta inbegriper även att ansluta en tryckluftningsenhet med ny bromsolja till urkopplingscylinderns luftningsskruv, med ett uppsamlingskärl anslutet till huvudcylinderns bromsoljebehållare. Tryckluftningsenheten kopplas sedan på, luftningsskruven öppnas och hydraulvätskan matas under tryck, bakåt, för att tryckas ut från behållaren till uppsamlingskärlet. Slutgiltig luftning utförs sedan på vanligt sätt.

3 I praktiken krävs denna metod normalt endast om nya hydraulkomponenter monterats eller om systemet helt har dränerats på hydraulvätska. Om systemet bara har kopplats från för att tillåta demontering och montering av komponenter, som demontering och montering av växellådan (t.ex. byte av koppling) eller demontering och montering av motorn, då räcker det troligtvis med vanlig luftning.

4 Våra rekommendationer är därför följande:
a) Om hydraulsystemet bara har lossats delvis, försök att lufta enligt de vanliga metoderna som beskrivs i stycke 10 till 15, eller 16 till 19.
b) Om hydraulsystemet har tömts helt och nya komponenter har monterats, försök att lufta med tryckluftningsmetoden enligt beskrivningen i stycke 20 till 22.
c) Om de nämnda metoderna inte lyckas få pedalen att kännas fast, måste man returlufta systemet med Saabs luftningsutrustning eller likvärdig utrustning enligt beskrivningen i stycke 23 till 28.

5 Tillsätt endast ren, oanvänd hydraulvätska av rekommenderad typ under luftningen. Återanvänd aldrig gammal vätska som tömts ur systemet. Se till att ha tillräckligt med olja till hands innan arbetet påbörjas.

6 Om det finns någon möjlighet att fel typ av

vätska finns i systemet måste hydraulkretsen spolas ur helt med ren vätska av rätt typ.

7 Om systemet förlorat hydraulvätska eller luft trängt in från en läcka, se till att åtgärda problemet innan du fortsätter.

8 Luftningsskruven sitter i slangändens beslag överst på växellådan **(se bild)**. På vissa modeller är luftningsskruven svår att nå så att man måste lyfta upp framvagnen och stötta upp den på pallbockar för att kunna nå skruven från undersidan. Man kan även flytta batteriet och batterilådan enligt beskrivningen i kapitel 5A, för att komma åt skruven uppifrån.

9 Kontrollera att alla rör och slangar sitter säkert, att anslutningarna är ordentligt åtdragna och att luftningsskruven är stängd. Tvätta bort all smuts runt luftningsskruven.

## Luftningsprocedur

### Konventionell metod

10 Skaffa en ren glasburk, en lagom längd gummislang som sluter tätt över avluftningsskruven, samt en ringnyckel som passar skruven. Dessutom behövs en medhjälpare.

11 Skruva loss huvudcylinderbehållarens

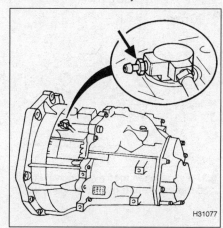

**6.8 Luftningsnippel till kopplingens hydraulsystem (pil)**

lock (kopplingen har samma behållare som bromssystemet) och fyll på behållaren till MAX-markeringen. Se till att oljenivån överstiger MIN-nivålinjen på behållaren under hela arbetets gång.

**12** Ta bort dammkåpan från luftningsskruven. Trä nyckel och slang på luftningsskruven och för ner andra slangänden i glasburken. Häll i tillräckligt med hydraulolja för att väl täcka slangänden.

**13** Låt medhjälparen trampa kopplingen botten ett flertal gånger, så att trycket byggs upp, och sedan hålla kvar bromsen i botten.

**14** Med pedaltrycket intakt, skruva loss luftningsskruven (ungefär ett varv) och låt den komprimerade vätskan och luften flöda in i behållaren. Medhjälparen ska behålla pedaltrycket och inte släppa det förrän instruktion ges. När flödet stannat upp, dra åt luftningsskruven, låt medhjälparen sakta släppa upp pedalen och kontrollera sedan nivån i oljebehållaren.

**15** Upprepa stegen i punkt 13 och 14 tills vätskan som kommer ut från luftningsskruven är fri från luftbubblor. Om huvudcylindern har tömts och fyllts på igen, låt det gå ungefär fem sekunder mellan cyklerna innan huvudcylindern går över till påfyllning.

## Med hjälp av en luftningssats med backventil

**16** Dessa luftningssatser består av en bit slang försedd med en envägsventil för att förhindra att luft och vätska dras tillbaka in i systemet. Vissa satser innehåller en genomskinlig behållare som kan placeras så att luftbubblorna lättare kan ses flöda från änden av slangen .

**17** Satsen ansluts till luftningsskruven, som sedan öppnas.

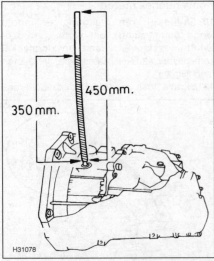

**6.37 Fyll slangen med ny bromsvätska till 350 mm höjd (mätt från luftningsnippeln)**

**18** Återvänd till förarsätet, tryck ner kopplingspedalen mjukt och stadigt och släpp sedan långsamt upp den igen; det här upprepas tills all olja som rinner ur slangen är fri från luftbubblor.

**19** Observera att dessa luftningssatser underlättar arbetet så mycket att man lätt glömmer vätskebehållarens nivå. Se till att nivån hela tiden ligger över den undre markeringen.

## Tryckluftningsmetod

**20** Tryckluftssatser för avluftning drivs vanligen av tryckluften i reservdäcket. Observera dock att trycket i däcket troligen måste minskas till under normaltryck. Se instruktionerna som följer med luftningssatsen.

**21** Om man kopplar en trycksatt vätskefylld behållare till vätskebehållaren kan man utföra avluftningen genom att helt enkelt öppna luftningsskruven och låta vätskan strömma ut tills den inte längre innehåller några bubblor.

**22** Den här metoden har fördelen att vara extra säker eftersom den stora behållaren hindrar luft från att dras in i systemet under avluftningen.

## 'Returluftnings'- metod

**23** Följande tillvägagångssätt beskriver den luftningsmetod som används med Saab-utrustning. Alternativ utrustning finns och ska användas i enlighet med tillverkarens anvisningar.

**24** Anslut tryckslangen (88 19 096) till luftningsskruven som sitter i fästet för slangänden ovanpå växellådans hus **(se bild 6.8)**. Anslut slangens andra ände till en lämplig tryckluftningsanläggning som är inställd på ungefär 2,0 bar.

**25** Fäst locket (30 05 451) på huvudcylinderns behållare och placera slangen i ett uppsamlingskärl.

**26** Slå på tryckluftningsutrustningen, öppna luftningsskruven och låt ny hydraulvätska strömma från tryckluftningsenheten genom systemet, ut genom behållarens ovansida och in i uppsamlingskärlet. Stäng luftningsskruven när vätska utan luftbubblor kommer ut i behållaren, och stäng av luftningsutrustningen.

**27** Lossa luftningsverktyget från luftningsskruven och behållaren.

**28** Genomför en avslutande vanlig luftning enligt beskrivningen i stycke 10 till 15, eller 16 till 19.

## Alla metoder

**29** När luftningen är klar, inga fler bubblor dyker upp och rätt pedalkänsla är återställd drar du åt luftningsskruven ordentligt (dra inte åt för hårt). Ta bort röret och skruvnyckeln. Spola av spilld vätska. Sätt tillbaka dammkåpan på luftningsskruven.

**30** Kontrollera hydrauloljenivån i

huvudcylinderbehållaren och fyll på om det behövs (se *Veckokontroller*).

**31** Kassera hydraulvätska som har luftats från systemet. Den går inte att återanvända.

**32** Kontrollera kopplingspedalens funktion. Om kopplingen fortfarande inte fungerar som den ska finns det luft kvar i systemet, och det måste luftas ytterligare. Om systemet inte är helt luftat efter ett rimligt antal upprepningar av luftningen kan det bero på slitna huvudcylinder/urkopplingscylindertätningar.

## *Snapsning av slavcylindern*

**33** Om slavcylindern inte har demonterats från växellådan bör metoden som beskrivs ovan räcka för att få ut all luft från kopplingens hydraulsystem. Om däremot stora mängder olja runnit ur slavcylindern så att luft kunnat komma in, eller om en ny slavcylinder har monterats, kan ytterligare åtgärder behöva vidtas för att tömma ur all luft ur slavcylindern. Det beror på att luftningsnippeln är placerad på den punkt där hydrauloljan leds in i slavcylinderns överdel. Det gör att oljan inte tvingas genom slavcylindern, som därför inte primas helt med hydraulolja under luftningen. Det kan alltså finnas luft kvar i slavcylinderhuset.

**34** För att åtgärda detta måste slavcylindern primas innan växellådan monteras.

**35** Sätt en 450 mm lång genomskinlig plastslang med 8 mm diameter över slavcylinderns luftningsnippel.

**36** Öppna nippeln och tryck urtrampningslagret längs den ingående axelns hylsa mot växellådan, så att kolven skjuts in helt i slavcylindern. Fånga upp eventuell olja från slangen i en behållare.

**37** Håll slangen lodrätt och fyll den med ny bromsvätska till 350 mm höjd (mätt från luftningsnippeln) **(se bild)**.

**38** Koppla en fotpump eller cykelpump till slangänden, se till att slangen sluter tätt runt pumpen. Öka stegvis trycket i slangen med hjälp av pumpen, tills bromsvätskan rinner in i slavcylindern. Låt kolven skjutas ut ur slavcylindern till slutet av sitt slag *men inte längre* – motståndet i pumpen ska öka när kolven når slutet av sitt slag.

**40** Tryck tillbaka urkopplingslagret längs den ingående axelns hylsa mot växellådan, så att kolven trycks tillbaka helt i cylindern. Släpp ut luftbubblorna som nu flödar genom bromsvätskan i slangen.

**41** Upprepa stegen i punkt 34 och 35 tills ingen mer luft kommer ut ur slavcylindern.

**42** Lämna kolven helt indragen i slavcylindern, koppla sedan loss plastslangen och töm den. Montera växellådan enligt beskrivningen i kapitel 7A utan att röra slavcylindern. Avsluta med att fylla på och lufta hydraulsystemet enligt beskrivningen i tidigare avsnitten.

# Kapitel 7  Del A:
# Manuell växellåda

## Innehåll

## Svårighetsgrad

| Enkelt, passar novisen med lite erfarenhet  | Ganska enkelt, passar nybörjaren med viss erfarenhet  | Ganska svårt, passar kompetent hemmamekaniker  | Svårt, passar hemmamekaniker med erfarenhet | Mycket svårt, för professionell mekaniker 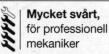  |
| --- | --- | --- | --- | --- |

## Specifikationer

### Allmänt

Typ ............................................... Tvärställd, framhjulsdriven växellåda med inbyggd axelöverförd differential/bakaxelväxel. Fem växlar och en back, alla synkroniserade Växellådskod FM

### Utväxlingsförhållanden

| | |
| --- | --- |
| 1 | 3,38 : 1 |
| 2 | 1,76 : 1 |
| 3 | 1,12 : 1 |
| 4 | 0,89 : 1 |
| 5 | 0,70 : 1 |
| Back | 3,17 : 1 |
| Slutväxel | 3,61 : 1 |

### Åtdragningsmoment

| | Nm |
| --- | --- |
| Backljusbrytare | 24 |
| Bult mellan växelspak och väljarstag | 22 |
| Bultar mellan balanshjulkåpan och motorblocket: | |
| M10 | 40 |
| M12 | 70 |
| Bultar mellan växelspakens fästbygel och motorfästet | 8 |
| Bultar mellan växelspakshuset och golvplattan | 8 |
| Pluggar för oljenivå, påfyllning och avtappning | 50 |
| Väljarstagets klämbult | 22 |
| Vänster oljetätningskåpa | 24 |

## 1  Allmän information

Den manuella växellådan är tvärställd i motorrummet och fastbultad direkt på motorn. Den här utformningen ger kortast möjliga drivavstånd till framhjulen samtidigt som kylningen av växellådan förbättras eftersom den är placerad mitt i luftflödet genom motorrummet.

Enheten har en kåpa av aluminiumlegering och är försedd med oljepåfyllnings-, avtappnings- och nivåpluggar. Kåpan har två fogytor: en till svänghjulskåpan, som tätas med flytande packning , och en till växellådans ändkåpa, som tätas med en fast packning. Det sitter en labyrintventil ovanpå växelhuset som släpper ut expanderande luft och gaser som produceras av smörjmedlet. Ventilen innehåller även ett filter som förhindrar att vatten och smuts tränger in.

Driften från vevaxeln överförs via kopplingen till växellådans ingående axel, som är räfflad för att ta emot kopplingslamellen. De sex drivväxlarna (dreven) är monterade på den ingående axeln. Backens, ettans och tvåans drev är fästa med axeltappar på glidande kontaktlager och treans, fyrans och femmans drev är nållagerburna.

De fem växlarnas växellådskugghjul är monterade på den utgående axeln. Även här är treans, fyrans och femmans kugghjul nållagerburna. Backen är inbyggd i första/andra växelns synkroniseringshylsa.

Dreven är i ständig kontakt med motsvarande växellådskugghjul och rör sig fritt oberoende av växellådans axlar, tills en växel väljs. Skillnaden i diameter och antalet kuggar mellan dreven och kugghjulen ger axeln den hastighetsminskning och den momentmultiplicering som krävs. Kraft överförs sedan till bakaxelväxelns kugghjul/differential via den utgående axeln.

Alla kugghjul är synkroniserade, även backen. När en växel väljs överförs den golvmonterade växelspakens rörelser till växellådan via ett väljarstag. Denna aktiverar i sin tur ett antal väljargafflar inuti växellådan som är spårade på synkroniseringshylsorna. Hylsorna, som är fästa på växellådans axlar men som kan glida längs axlarna med hjälp av räfflade nav, trycker balkringar mot respektive

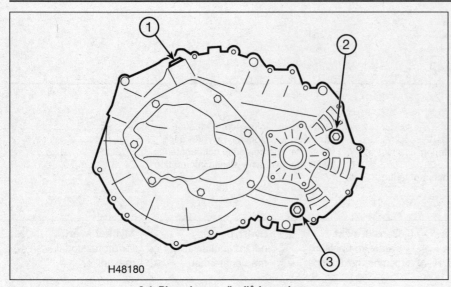

H48180

**2.4 Placering av växellådans pluggar**

1  Påfyllningsplugg          2  Nivåplugg          3  Dräneringsplugg

kugghjul/drev. De konformade ytorna mellan balkringarna och dreven/kugghjulen fungerar som friktionskoppling och anpassar stegvis synkroniseringshylsans hastighet (och växellådans axel) till kugghjulets/drevets hastighet. Kuggarna på balkringens utsida hindrar synkroniseringshylsan att haka i kugghjulet/drevet tills de har exakt samma hastighet. Det gör utväxlingen mjuk och minskar oljud och slitage som orsakas av snabba utväxlingar.

När backen läggs i hakar ett överföringsdrev i backdrevet och kuggarna på utsidan av den första/andra synkroniseringshylsan. Det minskar hastigheten så mycket som krävs, och tvingar den utgående axeln att rotera i motsatt riktning, med följd att bilen körs baklänges.

## 2  Växellåda – avtappning och påfyllning

### Allmän information

1  Tillverkaren fyller växellådan med olja av rätt kvalitet och kvantitet. Nivån måste kontrolleras regelbundet i enlighet med underhållsschemat,

**2.5a  Skruva loss avtappningspluggen från växelhuset**

och olja fyllas på om det behövs, (se kapitel 1A eller 1B). Oljan i växellådan behöver däremot inte tömmas ut och bytas under växellådans liv, om inte växellådan utsätts för reparation.

### Avtappning

2  Kör en sväng så att motorn/växellådan värms upp till normal arbetstemperatur. Detta påskyndar avtömningen, och eventuellt slam och avlagringar töms lättare ut.

3  Parkera bilen på plant underlag, slå av tändningen och dra åt handbromsen. Förbättra åtkomligheten genom att hissa upp framvagnen och stötta den säkert på pallbockar. **Observera:** *Bilen måste sänkas ner och parkeras på plant underlag för korrekt kontroll och påfyllning av olja.* Skruva loss skruvarna och ta bort motorns undre skyddskåpa (om sådan finns).

4  Torka rent området runt påfyllningspluggen, som sitter ovanpå växellådan. Skruva loss pluggen från huset, och ta loss tätningsbrickan **(se bild)**.

5  Placera en behållare som rymmer minst 2,5 liter (gärna tillsammans med en stor tratt) under avtappningspluggen **(se bilder)**. Dräneringspluggen sitter under drivaxeln

**2.5b  Observera att avtappningspluggen innehåller en avtagbar magnetisk insats**

på vänster sida; Skruva loss pluggen från höljet med en skiftnyckel. Observera att avtappningspluggen har en inbyggd magnet, som ska fånga upp metallpartiklarna som bildas när växellådans delar slits. Om mycket metall har samlats på pluggen kan det vara ett tidigt tecken på komponentfel.

6  Låt all olja rinna ner i behållaren. Vidta försiktighetsåtgärder för att undvika brännskador om oljan är het. Rengör både påfyllnings- och avtappningspluggen ordentligt och var extra noga med gängorna. Kasta de ursprungliga tätningsbrickorna. De bör alltid bytas ut vid ett fel.

### Påfyllning

7  När oljan har runnit ut helt, rengör plugghålens gängor i växelhuset. Montera en ny tätningsbricka på pluggen. Täck gängan med fästmassa och dra in den i växellådshuset. Sänk ner bilen om den är upphissad.

8  Låt oljan få god tid på sig att rinna ner i växellådan efter påfyllningen, innan nivån kontrolleras. Observera att bilen måste vara parkerad på plant underlag när oljenivån kontrolleras. Använd en tratt om det behövs för att få ett regelbundet flöde och undvika spill.

9  Fyll på växellådan med olja av angiven typ och mängd och kontrollera nivån enligt beskrivningen i kapitel 1A eller 1B. Om det rinner ut mycket olja när du tar bort pluggen för nivåkontrollen, sätt tillbaka både påfyllnings- och nivåpluggarna och kör bilen en kortare sträcka så att den nya oljan kan fördelas bland växellådans delar. Kontrollera sedan oljenivån igen.

10  Avsluta med att montera påfyllnings- och nivåpluggen med nya tätningsbrickor. Täck gängorna med fästmassa och dra åt dem ordentligt. Montera tillbaka motorns undre skyddskåpa (om tillämpligt).

## 3  Utväxlingens länksystem – justering

1  Om utväxlingens länksystem känns stelt, löst eller otydligt i hanteringen kan det bero på felaktig inställning mellan utväxlingens länksystem och växellådans väljarstag (kontrollera även oljenivån och oljetypen). Nedan följer en beskrivning av hur inställningen kontrolleras och, om det behövs, justeras.

2  Parkera bilen, dra åt handbromsen och stäng av motorn.

3  Lokalisera inställningshålet ovanpå växelhuset, i anslutning till plåten med artikelnumret **(se bilder)**. Bänd bort pluggen för att komma åt inställningshålet. Lägg i fyrans växel. Ta sedan en skruvmejsel med en skaftdiameter på ca 4 mm och sätt in den i inställningshålet. Då låses växellådan på den fjärde växeln. **Observera:** *Använd en skruvmejsel – handtaget förhindrar att den faller ner i växellådan.*

4  Arbeta inne i bilen. Ta bort växelspakens

damask och fästram för att komma åt växelspakens hus. Stick in en skruvmejsel eller borr med en diameter på ungefär 4 mm i inställningshålet i sidan av spakhuset **(se bild)**.

**5** Om skruvmejseln kan sättas i utan svårighet är utväxlingens länksystem korrekt inställt. Ta bort länksystemet och undersök det beträffande slitage eller skada – se avsnitt 4 för ytterligare information.

**6** Om skruvmejseln inte kan placeras i inställningshålet är utväxlingens länksystem felaktigt inställt.

**7** Arbeta från motorrummet där väljarstaget passerar genom torpedväggen, lossa klämbulten bredvid gummikopplingen för att åstadkomma ett spel mellan väljarstagets båda halvor **(se bild)**.

**8** Flytta växelspaken så att skruvmejselskaftet eller borren kan sättas in i växelspakshusets inställningshål. Kontrollera att växelspaken fortfarande är ilagd i fyrans växel.

**9** Arbeta i motorrummet och dra åt klämbulten på väljarstaget till angivet moment.

**10** Ta bort skruvmejseln från växellådans inställningshål och montera plastpluggen.

**11** Ta bort skruvmejseln från växelspakshusets inställningshål.

**12** Montera växelspakens damask och fästram.

**13** Kontrollera att växelspaken kan flyttas från neutralläge till alla sex växelpositioner, innan bilen flyttas. **Observera:** *Kontrollera att nyckeln kan tas bort medan backen ligger i.*

**14** Avsluta med att köra bilen en sväng och kontrollera att alla växlar fungerar mjukt och exakt.

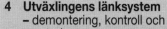

## 4 Utväxlingens länksystem
– demontering, kontroll och montering

### *Växelspak*

#### Demontering av huset

**1** Parkera bilen, stäng av motorn och dra åt handbromsen.

**2** Ta bort växelspakens damask, mittkonsol och mattans klädselpaneler på sidorna enligt instruktionerna i kapitel 11.

**3** Öppna motorhuven och lossa klämman till växelväljarstångens universalkoppling.

**4** Skruva loss bultarna som fäster växelspakshuset i fotbrunnen.

**5** Koppla loss anslutningskontakten från tändningslåset. Lyft sedan upp växelspakshuset och dra bort det från bilen. Skruva loss växelspaken från skaftet **(se bild)**. Ta loss alla bussningar, brickor och distansbrickor och ta bort huset.

#### Kontroll

**6** Det går att ta bort växelspaken från huset för att kontrollera och byta ut lagren. Om mekanismen visar tecken på slakhet beror det dock troligen på slitna bussningar mellan växelspaken och väljarstaget. Ta bort

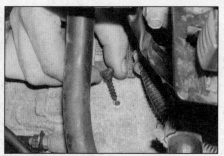

**3.3a Bänd bort pluggen från inställningshålet på växelhusets ovansida . . .**

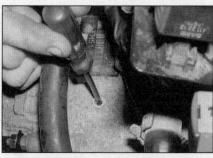

**3.3b . . . lägg sedan i fyrans växel och sätt in en skruvmejsel i inställningshålet. Då låses växellådan på den fjärde växeln.**

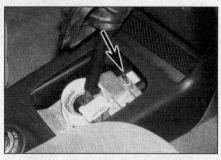

**3.4 Arbeta inuti bilen. Stoppa in en skruvmejsel eller borr i sidan av växelspakshuset**

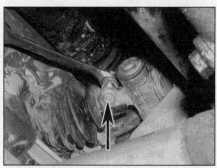

**3.7 Lossa väljarstagets klämbult**

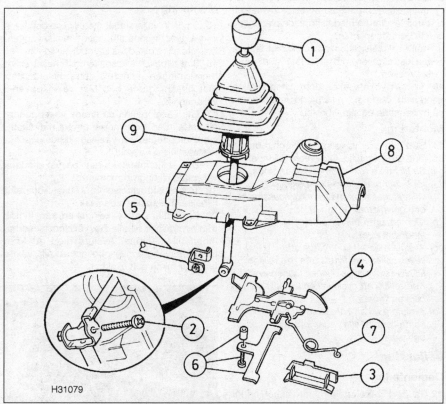

**4.5 Växelspak och hus**

| | | |
|---|---|---|
| *1 Växelspak* | *4 Låsplatta* | *7 Låsplattans fjäder* |
| *2 Skruv mellan växelspaken* | *5 Väljarstag* | *8 Växelspakshus* |
| *och väljarstaget* | *6 Skruv och hjulring* | *9 Växelspakens kulskål* |
| *3 Stopplatta* | | |

H31079

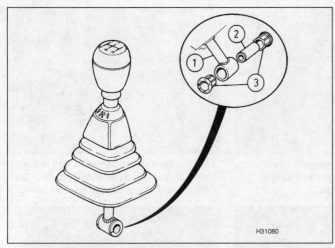
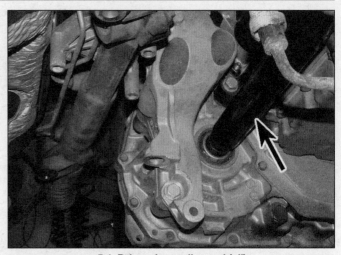

**4.6 Växelspakens väljarstagsbussningar (infälld bild)**
*1 Växelspak   2 Hylsa   3 Bussningar*

**5.4 Drivaxelns mellanaxel (pil)**

bussningarna från växelspakens länksystem **(se bild)** och undersök dem. Om de visar tecken på slitage eller korrosion ska de bytas ut.

### Demontering av spak

**7** Ta bort växelspaken från huset **(se bild 4.5)**, genom att först lossa låsplattans hållare och sedan snäppa loss låsplattans fjäder.
**8** Ta bort spärrhaken som styrs av tändningslåset med hjälp av en skruvmejsel. Lyft upp låsplattan med tillhörande plastbygel och ta bort stopplattan.
**9** Ställ in växelspaken på back och skruva sedan loss skruven som håller fast väljarstaget i växelspaken.
**10** Ta bort växelspaken och kultappskålen genom att försiktigt trycka på de tre låsflikarna på hylsan med en skruvmejsel.

### Montering

**11** Sätt tillbaka växelspaken och huset i omvänd ordningsföljd. Observera följande:
a) Se till att korrekt vridmoment används för bultarna mellan växelspaken och väljarstaget samt mellan växelspakshuset och golvplattan.
b) Montera anslutningskontakten i tändningslåset.
c) Avsluta med att kontrollera att växelspaken kan flyttas från neutralläge till alla sex växelpositioner. **Observera:** Kontrollera att nyckeln kan tas bort medan backen ligger i.
d) Avsluta med att köra bilen en sväng och kontrollera att alla växlar fungerar mjukt och exakt.

### Väljarstag

#### Demontering

**12** Ta bort växelspaken och huset enligt beskrivningen i föregående avsnitt. Kontrollera att fyrans växel ligger i före demonteringen. Ta bort pluggen från inställningshålet ovanpå växellådshuset och lås växellådan i fyrans växel med en lämplig skruvmejsel, enligt beskrivningen i avsnitt 3.

**13** Arbeta i motorrummet där väljarstaget passerar genom torpedväggen. Lossa klämbultskragen så att väljarstaget kan tas loss från växellådan.
**14** Dra försiktigt ut väljarstaget genom mellanväggen inifrån kupén. Var försiktig så att du inte skadar gummigenomföringen i mellanväggen.

#### Montering

**15** Smörj in väljarstaget med silikon och tryck in det genom genomföringen i mellanväggen. Dra inte åt växellådans klämbultskrage än.
**16** Sätt tillbaka växelspaken och huset enligt beskrivningen tidigare i detta avsnitt. Sätt fast bussningarna och fäst växelspaken i väljarstaget.
**17** Lås växelspaken på fyrans växel genom att sätta in en skruvmejsel med 4 mm skaft i inställningshålet på växelspakshuset enligt beskrivningen i avsnitt 3.
**18** Dra åt klämbultskragen på växellådans väljarstag till angivet moment.
**19** Ta bort skruvmejseln från huset och sätt tillbaka växelspakens damask.
**20** Kontrollera att växelspaken kan flyttas från neutralläge till alla sex växelpositionerna, innan bilen flyttas. Avsluta med att köra bilen en sväng och kontrollera att alla växlar fungerar mjukt och exakt.

**5.5 Bänd ut oljetätningen mot en träkloss för bättre bändkraft**

### 5 Oljetätningar – byte

#### Höger drivaxels oljetätning

**1** Parkera bilen på plant underlag, dra åt handbromsen och klossa bakhjulen. Ta bort navkapslarna och lossa hjulmuttrarna.
**2** Dra åt handbromsen. Lyft upp framvagnen och ställ den på pallbockar och demontera sedan hjulen. Se *Lyftning och stödpunkter*.
**3** Dränera växellådsoljan enligt beskrivningen i avsnitt 2. Rengör och montera avtappningspluggen enligt beskrivningen i avsnitt 2.
**4** Följ beskrivningen i kapitel 8, ta bort mellanaxeln och lagret **(se bild)**.
**5** Bänd loss drivaxelns oljetätning från växellådshuset med ett lämpligt bändverktyg **(se bild)**. Var försiktig så att du inte skadar tätningens yta. Kasta den gamla tätningen.
**6** Rengör anliggningsytorna noggrant på lagerhuset och differentialhuset. Se till att inte skräp hamnar i lagren i båda enheterna.
**7** Smörj den nya oljetätningen med ren olja och sätt försiktigt tillbaka den i växellådshuset. Se till att den sitter rakt **(se bild)**.

**5.7 Montera oljetätningen med en stor hylsnyckel och se till att den sitter rakt**

**8** Montera mellanaxeln och lagret enligt instruktionerna i kapitel 8.
**9** Montera hjulen och sänk ner bilen. Dra åt hjulbultarna till korrekt moment och sätt tillbaka navkapslarna.
**10** Se avsnitt 2 och fyll på växellådan med olja av rekommenderad kvalitet.

### Oljetätning och O-ring på vänster drivaxel

**11** Parkera bilen på plant underlag, dra åt handbromsen och klossa bakhjulen. Ta bort navkapslarna och lossa hjulmuttrarna.
**12** Dra åt handbromsen. Lyft upp framvagnen och ställ den på pallbockar och demontera sedan hjulen. Se *Lyftning och stödpunkter*.
**13** Dränera växellådsoljan enligt beskrivningen i avsnitt 2. Rengör och montera avtappningspluggen enligt beskrivningen i avsnitt 2.
**14** Utgå från kapitel 8. Koppla loss vänster drivaxel från växellådan vid universalkopplingen.
**15** Placera en behållare under drivaxelhusets fogyta, lossa sedan fästskruvarna och dra bort dem.
**16** Dra loss tätningskåpan från växellådan och ta bort O-ringstätningen från huset **(se bild)**.
**17** Observera hur djupt oljetätningen sitter i huset och hur den ska sitta. Bänd försiktigt ut oljetätningen från huset med ett lämpligt bändverktyg. Var försiktig så att du inte skadar tätningens yta.
**18** Rengör fogytorna på lagerhuset och differentialhuset noggrant. Var försiktig så att inte smuts kan tränga in i lagren på någon av enheterna.
**19** Smörj den nya oljetätningen med ren olja och sätt försiktigt tillbaka den i oljetätningskåpan. Se till att den sitter rakt **(se bild 5.7)**.
**20** Sätt tillbaka O-ringstätningen i huset och montera sedan huset i växellådan. Dra åt de fem fästskruvarna till angivet moment.
**21** Se kapitel 8 och montera den vänstra drivaxeln vid universalkopplingen.
**22** Montera hjulen och sänk ner bilen. Dra åt hjulbultarna till korrekt moment och sätt tillbaka navkapslarna.
**23** Se avsnitt 2 och fyll på växellådan med olja av rekommenderad kvalitet.

### Ingående axelns oljetätning

**24** Packboxen är en del av kopplingens slavcylinder och kan inte bytas ut separat, se kapitel 6, avsnitt 4 (*Kopplingens slavcylinder/ urkopplingslager – demontering och montering*) för mer information.

### Väljarstagets oljetätning

**25** Rengör området runt väljarstagtätningen i växellådan så att inte smuts kommer in i växellådan.
**26** Se till att fyrans växel är ilagd och ta bort pluggen från inställningshålet ovanpå växellådshuset. Lås växellådan i fyrans växel med en lämplig 4 mm skruvmejsel enligt beskrivningen i avsnitt 3.

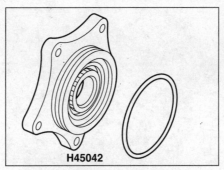

**5.16 O-ringstätning på drivaxelns tätningskåpa**

**27** Skruva loss väljarstagets fästbult och lägg i treans växel för att koppla loss väljarstaget från växellådan.
**28** Observera hur oljetätningen sitter i huset och bänd sedan försiktigt bort den ur växellådan med ett lämpligt bändverktyg. Var försiktig så att du inte skadar tätningens yta.
**29** Rengör noggrant tätningens yta och väljarstaget. Kontrollera att inga gjutgrader finns på väljarstaget och se till att inte smuts kan komma in i växellådan.
**30** Smörj den nya oljetätningen och väljarstaget med ren olja och sätt försiktigt tillbaka tätningen i växellådshuset. Se till att den sitter rakt.
**31** Sätt tillbaka väljarstaget och dra åt fästbulten ordentligt. Ta bort skruvmejseln från huset och kontrollera inställningen av växlingens länksystem enligt beskrivningen i avsnitt 3.
**32** Kontrollera att växelspaken kan flyttas från neutralläge till alla sex växelpositionerna, innan bilen flyttas. Kontrollera oljenivån i växellådan. Avsluta med att köra bilen en sväng och kontrollera att alla växlar fungerar mjukt och exakt.

### 6 Backljusbrytare – kontroll, demontering och montering

### Kontroll

**1** Lossa batteriets minusledare och placera den på avstånd från anslutningen.
**2** Lossa kablarna från backljuskontakten vid kontaktdonet. Kontakten sitter på växelhusets baksida **(se bild)**.
**3** Anslut sonderna på en kontinuitetsmätare, eller en multimeter som ställts in på resistansfunktionen, över backljuskontaktens poler.
**4** Brytarkontakterna är öppna när annan växel än backen har valts. testverktyget/mätaren bör indikera ett kretsavbrott. När backen läggs i ska kontakten stängas så att mätaren visar på kortslutning.
**5** Kontakten ska bytas ut om den alltid tycks vara öppen eller bruten, eller om den har en ojämn funktion.

### Demontering

**6** Koppla loss batteriets minusledare om du

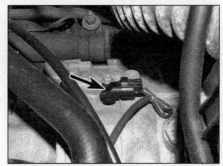

**6.2 Backljusbrytarens placering (pil)**

inte redan har gjort det. För ledaren bort från batteripolen.
**7** Koppla loss kabelnätet från backljuskontakten vid kontaktdonet.
**8** Skruva loss brytaren med en skruvnyckel och ta loss eventuella brickor. Dessa måste du sedan sätta tillbaka så att spelrummet mellan kontaktaxeln och backväxelns axel.

### Montering

**9** Sätt tillbaka brytaren i omvänd ordningsföljd. Återanslut batteriets minusledare.

### 7 Hastighetsmätarens drev – demontering och montering

### Allmän information

**1** Bilen har en elektronisk omvandlare vid drivaxeln. Denna mäter slutväxelns rotationshastighet och omvandlar informationen till en elektronisk signal som sänds till hastighetsmätarmodulen på instrumentbrädan. Signalen används också som indata till motorstyrningssystemets elektroniska styrmodul (och av farthållarens styrmodul, färddatorn och antispinnsystemets styrmodul om sådana finns).

### Demontering

**2** Hastighetsomvandlaren sitter på differentialhuset, på baksidan av växellådskåpan.
**3** Lossa kablarna från omvandlaren vid kontaktdonet.
**4** Ta bort omvandlarens fästskruv och skruva loss enheten från växellådskåpan.
**5** Ta i förekommande fall loss och kasta O-ringstätningen.

### Montering

**6** Montera omvandlaren i omvänd ordningsföljd mot demonteringen. **Observera:** *Använd vid behov en ny O-ringstätning.*

### 8 Växellåda – demontering och montering

**Observera:** *Se kapitel 2C för beskrivning av demontering av motor och växellåda som en enhet.*

**8.6 Skruva loss batterihyllans bultar (pilar)**

**8.17 Ta bort svänghjulets nedre skyddsplåt (pil)**

**8.20 Ta bort fästbultarna och muttern (pilar)**

## Demontering

**1** Parkera bilen på plant underlag, dra åt handbromsen och klossa bakhjulen. Ta bort navkapslarna och lossa hjulmuttrarna.

**2** Dra åt handbromsen. Lyft upp framvagnen och ställ den på pallbockar och demontera sedan hjulen. Se *Lyftning och stödpunkter*.

**3** Se avsnitt 2 i det här kapitlet och töm växellådan på olja. Montera och dra åt avtappningspluggen enligt beskrivningen i avsnitt 2.

**4** Ställ in växlingens länksystem på referensläget enligt beskrivningen i avsnitt 3, så att det kan riktas in korrekt när det monteras igen. Skruva loss fästbulten och koppla loss växellänkaget från växellådan.

**5** Ta bort batterikåpan enligt instruktionerna i kapitel 5A. Koppla loss båda batterikablarna och ta bort batteriet.

**6** Skruva loss batterihyllan från sidan av motorrummet **(se bild)**.

**7** Utgå från kapitel 6. Koppla bort kopplingens hydraulsystem genom att sätta en klämma på den flexibla delen av slavcylinderns tillförselslang.

**8** Lossa fästklämman och koppla loss anslutningen till kopplingsoljematningen ovanpå växellådan. Sätt tillbaka fästklämman på kontaktdonet när du har kopplat loss den så att den inte kommer bort. Förslut båda ändarna av de öppna bränsleledningarna för att minimera läckaget och förhindra att smuts tränger in.

**9** Lossa kablarna från backljuskontakten vid växellådan. Se avsnitt 6 i det här kapitlet för mer information.

**10** Skruva loss de tre övre fästbultarna till växellådan.

**11** Koppla loss kontaktdonet från lambdasonden. Se kapitel 4B, avsnitt 2 för mer information.

**12** Skruva loss den mittersta fästmuttern från det bakre motorfästet och lossa de tre yttre fästbultarna.

**13** Sätt en lyftbalk tvärs över motorrummet. Ställ stöden säkert mot trösklarna på båda sidor, i linje med benens övre fästen. Haka fast balken i motorlyftöglan och lyft upp den så att motorns vikt inte längre ligger på växellådans fäste. De flesta äger inte en lyftbalk, men det kan gå att hyra en. Ett alternativ kan vara att stötta motorn med en

motorlyft. Tänk dock på att du måste justera lyften så att inte motorfästena belastas för mycket om du t.ex. ändrar arbetshöjden genom att sänka bilens pallbockar.

**14** Ta bort kryssrambalken under motorn enligt beskrivningen i kapitel 10.

**15** Ta bort de tre fästbultarna från den bakre motorfästbygeln och dra loss bygeln från motorrummet.

**16** Följ beskrivningen i kapitel 8 och lossa båda drivaxlarna från växellådan.

**17** Skruva loss fästbultarna och ta bort den nedre skyddsplåten från svänghjulet **(se bild)**. **Observera:** *På HOT Aero-modeller (B235R) måste du även ta bort bultarna mellan växellådan och motoroljesumpen.*

**18** Skruva loss fästbultarna och koppla loss jordkablarna från växellådshuset.

**19** Placera en domkraft under växellådan och höj upp den så mycket att den tar upp tyngden. Kontrollera att alla anslutningar har kopplats loss från växellådan innan du försöker skilja den från motorn.

**20** Skruva loss bultarna som håller fast den vänstra fästbygeln för motorn/växellådan i karossen och mittmuttern från fästet **(se bild)**. Se till att växellådan har stöd och att inga andra motorfästen belastas. Ta bort fästet från den inre skärmpanelen och växellådan.

**21** Arbeta runt svänghjulskåpa och ta bort de sista fästbultarna från kåpan. Dra bort växellådan från motorn genom att dra loss den ingående axeln från kopplingslamellen. Ta alltid någon till hjälp för denna uppgift.

⚠️ *Varning: Ha alltid fullt stöd för växellådan så att den ligger stadigt på domkraftens huvud.*

**22** När den ingående axeln dragits ut ur kopplingslamellen kan du sänka ner växellådan ur motorrummet med hjälp av domkraften.

**23** I detta läge, när växellådan är borttagen, passar det bra att kontrollera och vid behov byta ut kopplingen. Se kapitel 6 för mer information

## Montering

**24** Montera växellådan i omvänd ordning och notera följande punkter:

a) Stryk ett lager fett med hög smältpunkt på spårningen på växellådans ingående axel. Använd inte för mycket fett, då kan kopplingslamellen förorenas.

b) Sätt tillbaka kryssrambalken enligt beskrivningen i kapitel 10.

c) Montera fästena för motorn/växellådan enligt beskrivningen i kapitel 2A eller 2B.

c) Observera angivna åtdragningsmoment (i förekommande fall) när muttrar och skruvar dras åt.

e) Lufta kopplingens hydraulsystem enligt instruktionerna i kapitel 6.

h) Om du har tappat av olja avslutar du med att fylla växellådan med rätt mängd olja av rätt kvalitet enligt beskrivningen i avsnitt 2.

## 9 Växellåda, översyn – allmän information

Renovering av en manuell växellåda är ett komplicerat (och ofta dyrt) arbete för en hemmamekaniker och kräver tillgång till specialutrustning. Det omfattar isärtagning och ihopsättning av många små delar. Ett stort antal spel måste mätas exakt och vid behov justeras med mellanlägg och distansbrickor. Inre komponenter till växellådor är ofta svåra att få tag på och, i många fall, mycket dyra. Därför är det bäst att överlåta växellådan till en specialist eller byta ut den om den går sönder eller börjar låta illa.

Trots allt är det inte omöjligt för en erfaren hemmamekaniker att renovera en växellåda, förutsatt att specialverktyg finns att tillgå och att arbetet utförs på ett metodiskt sätt så att ingenting glöms bort.

Inre och yttre låsringstänger, lageravdragare, en hammare, en uppsättning pinndorn, en indikatorklocka (mätklocka), och eventuellt en hydraulpress är några av de verktyg som behövs vid en renovering. Dessutom krävs en stor, stadig arbetsbänk och ett skruvstäd.

Anteckna noga hur alla komponenter är placerade medan växellådan tas isär, det underlättar en korrekt återmontering.

Det underlättar om du har en aning om var felet sitter innan växellådan tas isär. Vissa problem kan höra nära samman med vissa delar av växellådan, vilket kan underlätta undersökningen och bytet av komponenter. Se avsnittet *Felsökning* i slutet av den här handboken för ytterligare information.

# Kapitel 7  Del B:
# Automatisk växellåda

## Innehåll

## Svårighetsgrad

| Enkelt, passar novisen med lite erfarenhet  | Ganska enkelt, passar nybörjaren med viss erfarenhet  | Ganska svårt, passar kompetent hemmamekaniker  | Svårt, passar hemmamekaniker med erfarenhet  | Mycket svårt, för professionell mekaniker  |
|---|---|---|---|---|

## Specifikationer

### Allmänt

| | |
|---|---|
| Typ . . . . . . . . . . . . . . . . . . . . . . . . . . . . . . . . . . . . . . . . . . . . . . . . . . | Femväxlad elektroniskt styrd automatväxellåda med manuell Sentronic-växlingsfunktion. Växellådskod FA57 |

### Åtdragningsmoment

| | Nm |
|---|---|
| Avtappningsplugg . . . . . . . . . . . . . . . . . . . . . . . . . . . . . . . . . . . . . . . | 40 |
| Bult till vätsketemperaturgivarens täckplatta . . . . . . . . . . . . . . . . . . | 25 |
| Bultar mellan momentomvandlare och drivplatta . . . . . . . . . . . . . . . | 30 |
| Bultar mellan motorn och växellådan. . . . . . . . . . . . . . . . . . . . . . . . . | se kapitel 2A eller 2B |
| Drivplattans/nedre svänghjulskåpans skyddsplåt . . . . . . . . . . . . . . | 7 |
| Fästmutter för vätskepåfyllningsrör . . . . . . . . . . . . . . . . . . . . . . . . . | 22 |
| Ingående axelns hastighetsgivarbult . . . . . . . . . . . . . . . . . . . . . . . . | 6 |
| Kryssrambalkens fästbultar . . . . . . . . . . . . . . . . . . . . . . . . . . . . . . . . | se kapitel 10 |
| Oljekylarens anslutningar . . . . . . . . . . . . . . . . . . . . . . . . . . . . . . . . . | 27 |
| Utgående axelns hastighetsgivarbult . . . . . . . . . . . . . . . . . . . . . . . . | 6 |
| Vänster motorfäste. . . . . . . . . . . . . . . . . . . . . . . . . . . . . . . . . . . . . . . | se kapitel 2A eller 2B. |
| Vätsketemperaturgivare . . . . . . . . . . . . . . . . . . . . . . . . . . . . . . . . . . | 25 |
| Växelväljarens lägesgivare: | |
|   Bult/mutter mellan brytare och växellåda. . . . . . . . . . . . . . . . . . . | 8 |
|   Arm till lägesgivare . . . . . . . . . . . . . . . . . . . . . . . . . . . . . . . . . . . . | 25 |

## 1 Allmän information

1 Automatväxellådan AF30 är en elektroniskt styrd femväxlad enhet, som har en låsfunktion. Den består av en planetväxel, en momentomvandlare med låsbar koppling, ett hydrauliskt styrsystem och ett elektroniskt styrsystem. Enheten styrs av den elektroniska styrmodulen (ECM) via fyra elektriskt drivna magnetventiler. Växellådan har tre körlägen: normalläge (ekonomi), sportläge och vinterläge.

2 I normalläget (ekonomi), som är standardläge, växlar växellådan upp vid relativt låga varvtal för att kombinera tillfredsställande prestanda med ekonomi. Om växellådan övergår till sportläge växlar växellådan endast upp vid höga varvtal, vilket ger bättre acceleration och omkörningsmöjligheter. När växellådan befinner sig i sportläge lyser indikeringslampan på instrumentbrädan. Om du väljer vinterläget för växellådan med hjälp av knappen på växelväljarspakens indikatorpanel, väljer växellådan treans växel när bilen krös iväg från stillastående. på så sätt bibehåller man väggreppet på hala underlag.

3 Momentomvandlaren ger en hydraulisk koppling mellan motorn och växellådan. Den fungerar som en automatisk koppling och ger även något bättre vridmoment vid acceleration.

4 Planetväxelns kugghjulsdrivna kraftöverföring ger antingen en av fem framåtdrivande utväxlingsförhållanden, eller en bakåtväxel, beroende på vilka av dess komponenter som är stilla och vilka som vrids. Komponenterna i växeln hålls eller släpps av bromsar och kopplingar som aktiveras av styrenheten. En oljepump inuti växellådan ger nödvändigt hydrauliskt tryck för att bromsarna och kopplingarna ska gå att styra.

5 Föraren sköter växlingen med hjälp av en växelväljare med sju lägen. I körläget', D, får man automatisk växling i alla fem utväxlingsförhållandena. En automatisk kickdownkontakt växlar ner växellådan ett läge när gaspedalen trycks i botten.

6 På grund av automatväxelns komplexitet måste alla renoverings- och reparationsarbeten

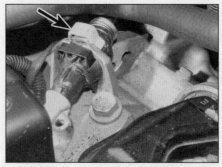

3.4 Ta bort låsklämman (pil) från växelvajern

överlämnas till en Saab-verkstad med nödvändig specialutrustning för feldiagnoser och reparationer. Följande avsnitt innehåller därför endast allmän information och sådan underhållsinformation och instruktioner som ägaren kan ha nytta av.

## 2 Växellådsolja – avtappning och påfyllning

Se informationen i kapitel 1A eller 1B.

## 3 Växelväljarkabel – justering

1 Manövrera väljarspaken genom hela dess längd och kontrollera att växellådan lägger i rätt växel som visas på väljarspakens indikering.

2 Kontrollera spelet i växelspaken när den står i läge N och läge D. Om det inte är detsamma måste spaken justeras enligt följande tillvägagångssätt.

3 Ställ växelspaken i läge P (parkeringsläget).

4 Arbeta i motorrummet och ta loss fästklämman i växellådsänden av växelvajern (se bild).

5 Lokalisera växelspaken på växellådans omkopplare, dit växelkabeln är ansluten. Ställ växelspaken i läge P.

6 Lossa handbromsen och rulla bilen tills P-spärren aktiveras.

7 Ta hjälp av någon och håll växelspaken bakåt i P-läget för att fånga upp spelrummet.

8 Tryck ner inställningsklämman i växellådsänden inifrån motorrummet och spärra kabeln.

9 Kontrollera växelspaken enligt beskrivningen under punkt 1 och 2. Upprepa inställningen vid behov.

10 Avsluta med att köra bilen en sväng och kontrollera att växlingen fungerar som den ska.

## 4 Växelväljarkabel – demontering och montering

### Demontering

1 Arbeta i motorrummet. Ta bort batteriet och batterihyllan för att komma åt växellådan och växelkabelns ände (se kapitel 5A).

2 Ställ växelspaken i P-läge. Lokalisera växelspaken på växellådans omkopplare, dit växelkabeln är ansluten. Ta bort fästmuttern och koppla loss spaken från omkopplaren (se bild).

3 Ta loss låsklämman och koppla loss växelvajern från växellådshuset (se bilder).

4 Ta bort växelspaken enligt beskrivningen i avsnitt 5.

5 Arbeta längs kabeln, observera hur den är dragen och ta loss den från alla fästklamrar och fästena. Ta loss kabelgenomföringen från torpedväggen och ta bort den från bilen.

6 Undersök vajern. Sök efter slitna ändbeslag och skador på höljet samt tecken på fransning av innervajern. Kontrollera kabelns funktion; den inre vajern ska röra sig smidigt och lätt genom vajerhöljet. Kom ihåg att en kabel som verkar vara okej när den testas utanför bilen mycket väl kan vara mycket tyngre i drift när den är böjd i sin arbetsställning. Byt kabeln om den verkar onormalt sliten eller är skadad.

### Montering

7 Monteringen utförs i omvänd ordningsföljd mot demonteringen, men tänk på följande:

8 Sätt tillbaka växelspaken enligt beskrivningen i avsnitt 5.

9 Se till att kabeln har dragits korrekt och löper genom växelspakshuset innan mellanväggen.

10 För växellådans ände av kabeln genom

4.2 Ta bort fästmuttern (pil) och koppla loss växelspaken från lägesgivaren

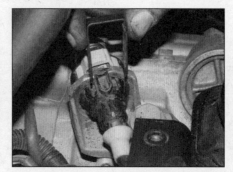

4.3a Dra bort låsklämman . . .

4.3b . . . och lossa växelvajern från fästbygeln

5.2a Ta bort låsklämman . . .

5.2b . . . och dämpningsklämman . . .

5.2c . . . och dra loss sprinten från växelspaken

monteringskonsolen och fäst den yttre kabeln ordentligt med klamrarna. Anslut kabeländen vid växellådans spak och fäst den med låsklammern. Montera växelspaken vid växellådans omkopplare, montera sedan muttern och dra åt den ordentligt.

## 5 Växelspak – demontering och montering

### Demontering

**1** Ta bort mittkonsolen och de bakre luftkanalerna enligt beskrivningen i kapitel 11.
**2** Ta bort låsklämman och dämpningsklämman. Slå ut sprinten medan du drar bort kabeländen från kulan **(se bilder)**.
**3** Skruva loss fästbultarna och lyft bort växelväljarkåpan från golvplattan.

5.4a Koppla loss kontaktdonet från växelväljaren . . .

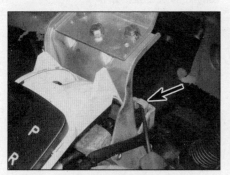

5.5a Bänd ut fästklämman med en skruvmejsel . . .

**4** Koppla loss kabelanslutningarna från växelväljarkåpan och ta bort eventuella buntband från kabelstammen **(se bilder)**.
**5** Ta loss fästklämman med en skruvmejsel och lossa växelvajern från kåpan **(se bilder)**. Ta bort växelväljarkåpan från bilen.
**6** Undersök växelspaksmekanismen efter tecken på slitage eller skada.

### Montering

**7** Monteringen utförs i omvänd ordningsföljd mot demonteringen, men tänk på följande:
**8** Sätt tillbaka kabeln till växelspaken och huset. Se till att alla fästklämmor sitter på rätt plats.
**9** Justera växelkabeln enligt beskrivningen i avsnitt 3.
**10** Avsluta med att montera mittkonsolen enligt beskrivningen i kapitel 11, och montera sedan alla komponenter som tagits bort för att komma åt växellådans ände av kabeln.

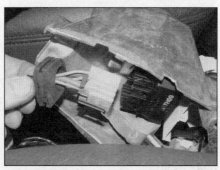

5.4b . . . och tändningslåset

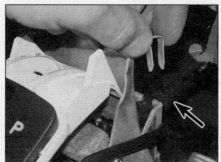

5.5b . . . och lossa växelvajern (pil) från kåpan

## 6 Oljetätningar – byte

### Drivaxelns oljetätningar

**1** Se kapitel 7A.

### Momentomvandlarens oljetätning

**2** Demontera växellådan enligt beskrivningen i avsnitt 9.
**3** Dra försiktigt bort momentomvandlaren från växellådans axel, var beredd på oljespill.
**4** Notera var tätningen i huset är placerad och bänd sedan försiktigt loss den, var noga med att inte göra märken i huset eller på axeln.
**5** Ta bort alla spår av smuts från området runt packboxens öppning och tryck sedan den nya tätningen på plats. Se till att tätningsläppen är riktad inåt.
**6** Smörj tätningen med ren växellådsolja och sätt momentomvandlaren försiktigt på plats
**7** Montera tillbaka växellådan (se avsnitt 9).

## 7 Oljekylare – allmän information

Växellådans oljekylare är inbyggd i kylarenheten. Se kapitel 3A för information om demontering och montering. Om kylaren är skadad måste hela kylarenheten bytas.

## 8 Växellådans styrsystem, elektriska komponenter – demontering och montering

### Växelväljarens lägesgivare

#### Allmän information

**1** Förutom att informera växellådans elektroniska styrenhet om vilken växel som för närvarande är vald, innehåller växelväljarens lägesgivare även kontakter som styr backljusens relä och startmotorns inhibitorrelä.

**8.4 Ta bort fästmuttern (pil) och lossa oljestickans rör**

**8.5 Ta bort fästmuttern (pil) och koppla loss växelspaken från lägesgivaren**

**8.9 Automatväxellådans styrmodul (se pil), intill styrmodulen för motorn**

## Demontering

**2** Ta bort batteriet från fästet enligt beskrivningen i kapitel 5A. Lossa sedan fästbultarna och ta bort batterihyllan.

**3** Lossa vid behov slangen för servostyrningsolja från monteringskonsolen och lägg den åt sidan.

**4** Om tillämpligt, skruva loss fästmuttern och lossa oljestickans rör från sidan av växellådans lägesgivare **(se bild)**. **Observera:** *Senare modeller har inget rör för oljemätstickan.*

**5** Välj läge P. Skruva sedan loss fästmuttern och koppla loss växelspaken från växellådans lägesgivare **(se bild)**.

**6** Skruva loss muttrarna/bultarna som fäster växelväljarens lägesgivare i växellådan.

**7** Koppla loss lägesgivarens kontaktdon. Ta loss lägesgivaren från växellådans växelspak och ta ut den ur motorrummet.

## Montering

**8** Monteringen sker i omvänd ordningsföljd mot demonteringen. Dra åt brytarens fästmutter/bult till angivet moment och avsluta med att kontrollera växelvajerns justering enligt beskrivningen i avsnitt 3.

## Elektronisk styrmodul (ECM)

### Demontering

**9** Styrmodulen sitter i passagerarsidans fotutrymme, bakom handskfacket **(se bild)**. Koppla bort batteriets minuspol innan demonteringen.

**10** Bänd ut fästklamrarna och ta bort den undre kåpan från instrumentbrädan på passagerarsidan. Ta bort handskfacket från

instrumentbrädan (se kapitel 11) för att komma åt den elektroniska styrenheten.

**11** Lossa fästklammern och koppla loss kontaktdonet från den elektroniska styrenheten. Lossa monteringskonsolen från karossen och ta bort den elektroniska styrenheten från bilen.

### Montering

**12** Montering utförs i omvänd arbetsordning. Se till att kablarna återansluts ordentligt.

## Ingående och utgående axelhastighetsgivare

### Demontering

**13** Hastighetsgivarna är monterade ovanpå växellådan. Den ingående axelns hastighetsgivare sitter framför de båda givarna och närmast växellådans vänstra ände. Den utgående skaftgivaren är den bakre av de båda **(se bild)**.

**14** För att komma åt givarna, ta bort batteriet från fästplattan enligt beskrivningen i kapitel 5A. Åtkomsten blir ännu bättre om kylarens expansionskärl demonteras från sina fästen och placeras ur vägen.

**15** Koppla loss kontaktdonet i monteringskonsolen till vänster om topplocket. Rengör området runt relevant givare.

**16** Skruva loss fästbulten och ta bort givaren från växellådan. Ta loss tätningsringen från sensorn och kassera den, eftersom det behövs en ny vid monteringen.

### Montering

**17** Montera den nya tätningsringen i spåret på givaren och smörj den med växelolja.

**18** Sätt tillbaka givaren på sin plats, montera fästbulten och dra åt den till angivet moment. Återanslut kontaktdonet.

**19** Montera batteriet och sätt tillbaka expansionskärlet (om det behövs) med klammern.

## Vätsketemperaturgivare

### Demontering

**20** Oljetemperaturgivaren är inskruvad i växellådans framsida. Innan du tar bort sensorn, lossa batteriets jordledning.

**21** Dra åt handbromsen och ställ framvagnen på pallbockar (se *Lyftning och stödpunkter*).

**22** Följ kablarna bakåt från givaren, observera hur de är dragna. Koppla loss kontaktdonet och ta loss kablarna från fästklämmorna.

**23** Skruva loss fästbultarna och ta bort kåpan från givaren **(se bild)**.

**24** Rengör området runt givaren och var beredd med en lämplig plugg för att stoppa oljeflödet när givaren tas bort **(se bild)**.

**25** Skruva loss givaren och ta bort den från växellådan tillsammans med tätningsbrickan. Plugga snabbt igen växellådsöppningen och torka bort eventuell utspilld vätska.

### Montering

**26** Montera en ny tätningsbricka på givaren och ta bort pluggen och skruva snabbt fast givaren i växellådan. Dra åt givaren till angivet moment och torka upp eventuell utspilld vätska. Montera kåpan och dra åt fästbultarna till angivet moment.

**27** Se till att kablarna dras korrekt och fäst dem med fästklamrarna, återanslut sedan kontaktdonet ordentligt.

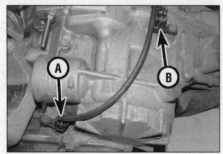

**8.13 Placering av hastighetsgivare för automatväxelns ingående axel (A) och utgående axel (B)**

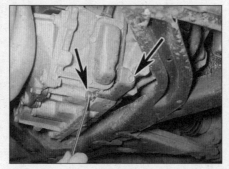

**8.23 Skruva loss fästbultarna (pilar) och ta bort kåpan . . .**

**8.24 . . . så att du kommer åt vätske-temperaturgivaren (markerad med pil)**

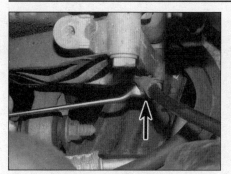

9.4a  Koppla loss jordkabeln (pil) från framsidan av växellådan . . .

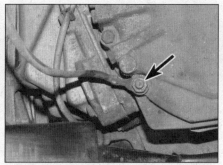

9.4b  . . . och jordkabeln (pil) från änden av växellådan

9.8  Lossa fästklämman (pil) och koppla loss kontaktdonen

**28** Sänk ner bilen och återanslut batteriet. Kontrollera växellådsoljan enligt beskrivningen i kapitel 1A eller 1B.

## 9  Växellåda – demontering och montering

**Observera 1:** *Se kapitel 2C för beskrivning av demontering av motor och växellåda som en enhet.*
**Observera 2:** *Du behöver nya bultar mellan momentomvandlaren och drivplattan och tätningsringar för vätskekylaranslutningen.*

### Demontering

**1** Klossa bakhjulen, dra åt handbromsen och sätt väljarspaken i neutralläget (N). Hissa upp framvagnen och ställ den på pallbockar (se *Lyftning och stödpunkter*). Demontera framhjulen, ta bort fästskruvarna och fästena (om det behövs) och ta bort kåpan under motorn/växellådan.
**2** Töm ur växeloljan enligt beskrivningen i kapitel 1A eller 1B, montera sedan avtappningspluggen och dra åt den till angivet moment.
**3** Ta bort batteriet från fästet enligt beskrivningen i kapitel 5A. Lossa sedan fästbultarna och ta bort batterihyllan.
**4** Koppla loss batteriets jordkablar från växellådshuset **(se bilder)**. Lossa kablarna från röret till växellådans oljemätsticka.
**5** Dra bort oljemätstickan och röret från växellådans hus och plugga igen det öppna hålet för att hindra smuts från att tränga in.

**6** Koppla loss ventilationsslangen (i förekommande fall) från växellådans överdel.
**7** Koppla loss växelkabeln från växellådan enligt beskrivningen i avsnitt 3 och 4.
**8** Koppla loss växellådans styrsystemskablar vid de två kontaktdonen på framsidan av batterihyllan **(se bild)**.
**9** Följ kablaget bakåt från växellådans brytare och givare och koppla ifrån de olika kontakterna genom att lyfta deras fästklämmor. Lossa huvudkablaget från eventuella klämmor eller buntband som fäster det på växellådsenheten.
**10** Ta bort luftrenaren och insugstrummorna enligt beskrivningen i kapitel 4A eller 4B. Ta bort toppkåpan över gasspjällshuset och ta bort kanalen mellan laddluftkylaren och gasspjällshuset.
**11** Sätt en lyftbalk tvärs över motorrummet. Ställ stöden säkert mot trösklarna på båda sidor, i linje med benens övre fästen. Haka fast balken i motorlyftöglan och lyft upp den så att motorns vikt inte längre ligger på växellådans fäste. De flesta äger inte en lyftbalk, men det kan gå att hyra en. Ett alternativ kan vara att stötta motorn med en motorlyft. Tänk dock på att du måste justera lyften så att inte motorfästena belastas för mycket om du t.ex. ändrar arbetshöjden genom att sänka bilens pallbockar.
**12** Skruva loss och ta bort det främre avgasröret och katalysatorn (se kapitel 4A eller 4B).
**13** Lossa anslutningarna och koppla loss växellådans kylvätskeslangar från växelhusets framsida. Ta loss tätningsbrickorna.

**14** Skruva loss de tre övre fästbultarna till växellådan.
**15** Skruva loss den mittersta fästmuttern från det bakre motorfästet och lossa de tre yttre fästbultarna.
**16** Ta bort kryssrambalken under motorn enligt beskrivningen i kapitel 10.
**17** Ta bort de tre fästbultarna från den bakre motorfästbygeln och dra loss bygeln från motorrummet.
**18** Följ beskrivningen i kapitel 8 och lossa båda drivaxlarna från växellådan.
**19** Skruva loss fästbultarna och ta bort den nedre skyddsplåten från svänghjulet. Vrid motorn med vevaxelns remskiva. Skruva loss momentomvandlarens fästbultar allt eftersom de blir synliga **(se bilder)**. Kassera fästbultarna; du måste sätta dit nya vid monteringen. **Observera:** *När växellådan har demonterats ska momentomvandlaren vara kvar i balanshjulskåpan och inte glida av växellådsaxeln. Du kan göra en fästbygel och fästa den i svänghjulskåpan för att hålla momentomvandlaren på plats.*
**20** Placera en domkraft under växellådan och höj upp den så mycket att den tar upp tyngden. Kontrollera att alla anslutningar har kopplats loss från växellådan innan du försöker skilja den från motorn.
**21** Skruva loss bultarna som håller fast den vänstra fästbygeln för motorn/växellådan i karossen och mittmuttern från fästet **(se bild)**. Se till att växellådan har stöd och att inga andra motorfästen belastas. Ta bort fästet från den inre skärmpanelen och växellådan.

9.19a  Skruva loss fästbultarna (pilar) och ta bort kåpan . . .

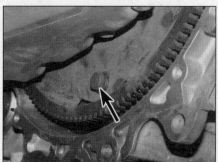

9.19b  . . . och skruva sedan loss momentomvandlarens bultar (en visas). Vrid motorn för att komma åt de andra bultarna

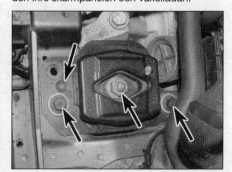

9.21  Skruva loss bultarna och muttern (pilar) och ta bort fästet

**22** Arbeta runt svänghjulskåpan och ta bort de sista fästbultarna från kåpan.

 **Varning: Ha alltid fullt stöd för växellådan så att den ligger stadigt på domkraftens huvud.**

**23** Kontrollera en sista gång att alla komponenter som kan hindra demonteringen av växellådan är borttagna eller urkopplade. Se till att komponenter som växelkabeln är uppfästa så att de inte kan skadas vid demonteringen.

**24** Dra bort växellådan från motorn. Håll den vågrätt tills svänghjulskåpan är utanför drivplattan och dess fästbultar. Se till att momentomvandlaren inte glider av växellådsaxeln.

**25** Sänk långsamt ner motorn/växellådan från motorrummet och se till att enheten går fri från komponenterna på de omgivande panelerna. Sänk ner enheten på marken och ta bort den från motorrummets undersida.

## Montering

**26** Växellådan monteras i omvänd arbetsordning, men tänk på följande.

a) Före återmontering, ta bort alla spår av gammal fästmassa från momentomvandlaren gängor genom att föra en gängtapp med rätt gängdiameter och stigning ner i hålen. I brist på en lämplig kran, använd en av de gamla bultarna och skär skåror i dess gänga.

b) Före återmonteringen, se till att motorns/växellådans styrstift sitter korrekt och stryk på lite molybdendisulfidfett på momentomvandlarens styrsprint och dess centrumbussning på vevaxelsidan.

c) När växellådan och motorn väl har förbundits med varandra på rätt sätt, återmontera fästbultarna och dra åt dem till angivet moment.

d) Montera de nya bultarna som förenar momentomvandlaren med drivplattan och dra åt dem något till att börja med och gå sedan runt och dra åt dem till angivet moment i diagonal ordningsföljd.

e) Dra åt alla muttrar och bultar till angivet moment (om det är tillämpligt).

f) Byt ut drivaxelns oljetätningar (se kapitel 7A) och montera drivaxlarna vid växellådan enligt beskrivningen i kapitel 8.

g) Montera nya tätningsringar på kylmedieslangens anslutningar och se till att båda anslutningarna hålls säkert på plats med sina klämmor.

h) När kryssrambalken monteras, se till att distansbrickorna monteras på de två bakre bultarna och ta hänsyn till inställningsmärkena som gjordes vid demonteringen. Dra inte åt kryssrambalkens bultar till angivet moment förrän hela motorns och växellådans vikt vilar på balken.

i) Se till att alla jordkablar är ordentligt monterade.

j) Avsluta med att fylla på växellådan med rätt mängd och kvalitet olja enligt beskrivningen i kapitel 1A eller 1B och justera växelkabeln enligt beskrivningen i avsnitt 3.

## 10 Växellåda, översyn – allmän information

**1** Om det uppstår fel i växellådan måste man först avgöra om det är ett mekaniskt eller hydrauliskt fel. För att göra detta krävs särskild testutrustning. Om växellådan misstänks vara defekt måste arbetet därför överlåtas till en Saab-mekaniker.

**2** Ta inte bort växellådan från bilen innan en professionell feldiagnos har ställts, för de flesta tester kräver att växellådan är monterad i bilen.

# Kapitel 8
## Drivaxlar

## Innehåll

## Svårighetsgrad

| | | | | |
|---|---|---|---|---|
| **Enkelt,** passar novisen med lite erfarenhet  | **Ganska enkelt,** passar nybörjaren med viss erfarenhet  | **Ganska svårt,** passar kompetent hemmamekaniker  | **Svårt,** passar hemmamekaniker med erfarenhet  | **Mycket svårt,** för professionell mekaniker  |

## Specifikationer

### Allmänt

Drivaxeltyp . . . . . . . . . . . . . . . . . . . . . . . . . . . . . . . . . . . . . . . . . . . . Stålaxlar med yttre universalknutar och inre trebensknutar. Mellanliggande axel från höger sida av växellådan till drivaxeln.

Smörjning (endast översyn och reparation) . . . . . . . . . . . . . . . . . . . . . Använd endast särskilt fett som medföljer damask- och översynssatserna. Knutarna är i annat fall förpackade med fett och förseglade

### Knutfettsmängd

Yttre drivknut . . . . . . . . . . . . . . . . . . . . . . . . . . . . . . . . . . . . . . . . . . 120 g
Inre drivknut:
  Automatväxellåda . . . . . . . . . . . . . . . . . . . . . . . . . . . . . . . . . . . . . . 200 g
  Manuell växellåda . . . . . . . . . . . . . . . . . . . . . . . . . . . . . . . . . . . . . . 185 g

### Åtdragningsmoment                             Nm

Bultar mellan mellanaxelns fäste och motorn . . . . . . . . . . . . . . . . . . . 47
Drivaxel/navmutter* . . . . . . . . . . . . . . . . . . . . . . . . . . . . . . . . . . . . . . 230
Främre fjädringens nedre kulled, klämbult . . . . . . . . . . . . . . . . . . . . . 50
Hjulbultar . . . . . . . . . . . . . . . . . . . . . . . . . . . . . . . . . . . . . . . . . . . . . . 110
* Återanvänds inte

2.2a Ta bort dammskyddet med en liten mejsel . . .

2.2b . . . och ta bort skyddet från navflänsen

2.3a Be en annan person trycka ner fotbromspedalen, lossa navmuttern . . .

2.3b . . . skruva sedan loss den helt

2.4 Lossa givararmen (se pil) från den lägre armen

## 1 Allmän information

Kraft överförs från växellådans slutväxel till hjulen via drivaxlarna. I alla modeller är de yttre drivknutarna av CV-typ (constant velocity) och består av sex kulor som löper i axiella spår. Drivaxelns yttre leder inbegriper axeltappar som är krysskilade på naven i framfjädringens navhållare. De inre universalknutarna är konstruerade för att röra sig i mindre bågar än de yttre CV-knutarna, och de kan även röra sig längs axeln så att framfjädringen i sin tur kan röra sig. De är av trebenstyp: en trebent 'spindel' med nållager och en yttre lagerbana som är fastkilad i drivaxeln, samt en ytterkåpa med tre urskärningar som lagerbanorna passar i.

En mellanliggande drivaxel med eget stödlager är monterad mellan växellådans axel och den högra drivaxeln – en utformning som utjämnar drivaxelns vinklar vid alla fjädringspunkter och minskar axelns flexibilitet för att förbättra stabiliteten vid hög acceleration.

Universal- och CV-knutar ger mjuk kraftöverföring till hjulen vid alla styr- och fjädringsvinklar. Knutarna skyddas av gummidamasker och är packade med fett så att de alltid är välsmorda. Om en knut skulle slitas ut kan den bytas ut separat från drivaxeln. Drivknutarna behöver inte smörjas utifrån, om de inte renoverats eller om gummidamaskerna har skadats så att fettet förorenats. Se kapitel 1A eller 1B för en beskrivning om hur man kontrollerar drivaxeldamaskernas skick.

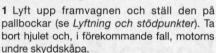

## 2 Drivaxlar – demontering och montering

### Demontering

1 Lyft upp framvagnen och ställ den på pallbockar (se *Lyftning och stödpunkter*). Ta bort hjulet och, i förekommande fall, motorns undre skyddskåpa.
2 Knacka loss dammkåpan av metall för att komma åt navmuttern (se bilder). Observera att det inte går att ta bort kåpan när hjulet är monterat, så du kan inte lossa navmuttern utan att lyfta upp framvagnen.
3 Montera tillfälligt två av hjulbultarna och dra åt dem så att bromsskivan sitter fast på navflänsen. Be en annan person att trycka ner bromspedalen samtidigt som du lossar navmuttern. Skruva loss navmuttern (se bilder). Kasta muttern, eftersom en ny måste användas vid återmonteringen.
4 Ta bort stänkskyddet från hjulhuset. När den högra drivaxeln tas bort (på modeller utrustade med helljuslägesgivare), lossar du muttern som fäster givararmen i den nedre fjädringsarmen (se bild). Skruva sedan loss givaren från fästbygeln och för den åt sidan.
5 Skruva loss klämbulten som håller fast framfjädringens nedre kulled i hjulspindeln. Vrid sedan länkarmen nedåt och lossa kulleden. Säkra länkarmen i det här läget med en träkloss, som du fäster mellan armen och krängningshämmaren.
6 När du tar bort vänster drivaxel häver du försiktigt den inre drivknuten bort från växellådan. Var beredd på att olja kommer att läcka ut, och tvinga inte isär drivknuten.
7 Vid borttagning av den högra drivaxeln ska du knacka loss drivaxeln från mellanaxeln med en mjuk klubba . Observera att spårningarna på höger drivaxels inre drivknut är försedd med en låsring, som fäster i ett spår inuti den räfflade delen på mellanaxeln.
8 Lossa bromsvätskeslangen och ABS-kabeln från det främre fjäderbenet.
9 Dra ut det främre fjäderbenet och knacka loss drivaxeln från navet med en mjuk klubba. Dra bort den underifrån bilen (se bilder). Var försiktig så att du inte skadar navmuttergängorna på drivaxeln. Om drivaxeln

2.9a Ta bort drivaxeln från spåren i navet

2.9b Dra loss drivaxeln från växellådan

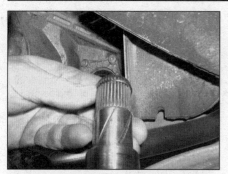

**2.11 Kontrollera låsringen på drivaxelns inre ände**

sitter hårt kan du dra loss den från navet med en trearmad avdragare.

## Montering

**10** Innan du återmonterar vänster drivaxel ska du kontrollera oljetätningen i växellådan. Byt vid behov ut den enligt beskrivningen i kapitel 7A eller 7B. Stryk försiktigt oanvänd växellådsolja på oljetätningen.
**11** Kontrollera att den inre låsringen är i gott skick och sitter korrekt i spåret på drivaxeln **(se bild)**. Det gäller drivaxlarna på båda sidorna.
**12** Se till att spårningarna på drivaxelns yttre ände är rena. Dra sedan ut benet och för in drivaxeln genom navet, så att axelns och navets spårningar passas in i varandra. Montera den nya navmuttern. Dra åt den med handen.
**13** Smörj spårningarna vid drivaxelns inre ände med växellådsolja. Sätt sedan den inre änden i växellådans solhjul (vänster sida) eller mellanaxel (höger sida) och tryck in den helt tills du hör låsringen snäppa på plats i spåret.
**14** Anslut bromsvätskeslangen och ABS-kabeln till det främre fjäderbenet.
**15** Sätt framfjädringens nedre spindelled i hjulspindeln och kontrollera att den är helt isatt. Sätt sedan fast klämbulten och dra åt till angivet moment.
*Varning: Se till att kulleden är helt införd i hjulspindeln.*
**16** Återmontera helljuslägesgivaren och det inre stänkskyddet.
**17** När två av hjulbultarna håller bromsskivan på plats ber du en annan person att trycka ner bromspedalen. Dra sedan åt navmuttern till angivet moment.

**18** Knacka fast dammskyddet på navflänsen.
**19** Kontrollera växeloljenivån och fyll vid behov på med olja enligt beskrivningen i kapitel 1A eller 1B.
**20** Montera underkåpan om tillämpligt. Montera sedan hjulet och sänk ner bilen. Dra åt hjulbultarna till angivet moment.

## 3 Drivaxlar – kontroll, byte av drivknutar och rengöring

### Kontroll

**1** Om kontrollerna i kapitel 1A eller 1B avslöjar kraftigt slitage eller spel tar du först bort hjulskyddet och kontrollerar att navmuttern (drivaxelns yttre mutter) är åtdragen till angivet moment. Upprepa kontrollen för navmuttern på den andra sidan.
**2** Kontrollera om drivaxlarna är slitna genom att köra bilen långsamt i en cirkel med fullt rattutslag (kör både åt vänster och åt höger), och lyssna efter metalliskt klickande eller knackande ljud från framhjulen. En medhjälpare i passagerarsätet kan lyssna efter ljud från drivknuten närmast passagerarsidan. Om sådana ljud hörs är det ett tecken på slitage i den yttre drivknuten.
**3** Om vibrationer som ökar och avtar i förhållande till hastigheten uppstår vid acceleration eller motorbromsning kan det vara ett tecken på att de inre drivknutarna är slitna. Utför en mer ingående kontroll genom att demontera och ta isär drivaxlarna där så är möjligt, enligt beskrivningen i följande avsnitt.

**3.6 Ta bort klämman . . .**

Vänd dig till en Saab-verkstad för information om tillgången på drivaxelkomponenter.
**4** Om oljud hörs kontinuerligt från området runt den högra drivaxeln, och ökar med hastigheten, kan det tyda på slitage i stödlagret.

### Byte av yttre drivknut

**5** Ta bort drivaxeln enligt beskrivningen i avsnitt 2. Rengör den noggrant och fäst den i ett skruvstäd. Det är mycket viktigt att damm, smuts och dylikt inte kommer in i drivknuten.
**6** Lossa den stora klämman som fäster gummidamasken i den yttre drivknuten **(se bild)**. Lossa därefter den lilla klämman som fäster gummidamasken vid drivaxeln. Notera hur damasken är monterad.
**7** Dra bort gummidamasken längs drivaxeln, bort från knuten **(se bild)**. Ta bort så mycket som möjligt av fettet från drivknuten och damasken.
**8** Markera den yttre drivknutens och drivaxelns läge i förhållande till varandra, så att du återmonterar dem korrekt.
**9** Använd en låsringstång på knutens innerkant, öppna låsringen och dra bort knuten från drivaxeländen **(se bilder)**. Om den sitter hårt, använd en hammare och en mjuk dorn för att knacka bort drivknutens nav från spåren. Observera att du på senare modeller kanske inte behöver öppna låsringen, eftersom den lossnar från drivaxeln när du tar bort drivknuten.
**10** När knuten är borttagen drar du bort gummidamasken och den lilla klämman från drivaxeln **(se bild)**. Kontrollera om

**3.7 . . . ta loss gummidamasken från drivknutshuset . . .**

**3.9a . . . öppna därefter låsringen med en låsringstång . . .**

**3.9b . . . och dra bort drivknuten från drivaxelns ände**

**3.10 Ta bort den yttre gummidamasken**

**3.11 Låsringen sitter kvar i den yttre drivknuten**

**3.13 Fyll CV-knuten med fett från reparationssatsen**

**3.22a Ta bort låsringen . . .**

**3.22b . . . dra sedan loss spindeln från drivaxelspåren med en avdragare**

gummidamasken är sprucken eller perforerad. Byt ut den om det behövs.

**11** Rengör noggrant spårningarna i drivaxeln och den yttre drivknuten. Rengör även kontaktytorna på gummidamasken. Om drivknuten har förorenats med grus eller vatten måste du ta bort den och rengöra den enligt beskrivningen senare i det här avsnittet. Kontrollera skicket på låsringen i den yttre drivknuten. Byt ut den om det behövs **(se bild)**.

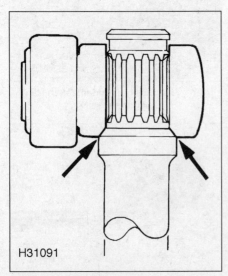

**3.26 På den inre drivknuten ser du till att den fasade änden riktas mot den inre ansatsen på drivaxeln**

**12** Sätt på damasken tillsammans med den lilla klämman på drivaxelns yttre ände. Stryk lite fett på drivaxeln så går det lättare.
**13** Fyll drivknuten med angiven mängd fett. Se till att fettet fyller ut alla håligheter **(se bild)**.
**14** Sätt på den yttre drivknuten i drivaxelns spårningar så att den sitter jäms med markeringarna du gjorde tidigare. Tryck tills den invändiga låsringen låser fast i spåret.
**15** Sätt tillbaka gummidamasken på drivknutens yttre hus så att den sitter likadant som innan du tog bort den. Sätt därefter tillbaka de två klämmorna. Dra åt klämmorna ordentligt.
**16** Montera drivaxeln enligt beskrivningen i avsnitt 2.

## Byte av inre drivknut

**17** Ta bort drivaxeln enligt beskrivningen i avsnitt 2. Rengör den noggrant och fäst den i

**3.28 Använd en kniptång för att dra åt damaskklamrarna**

ett skruvstäd. Det är mycket viktigt att damm, smuts och dylikt inte kommer in i drivknuten.
**18** Lossa den stora klämman som fäster gummidamasken i den inre drivknuten. Lossa därefter den lilla klämman som fäster gummidamasken vid drivaxel. Notera hur damasken är monterad. Om originaldamasken är fabriksmonterad måste man bända upp metallplattan för att ta bort den från ledhuset; men man behöver inte böja ner plattan vid återmonteringen.
**19** Skjut ner gummidamasken längs drivaxel, bort från drivknuten.
**20** Ta bort så mycket som möjligt av fettet från drivknuten och damasken.
**21** Märk ut drivaxelns position i förhållande till den inre drivknutsaxeln med en körnare eller färg. Ta sedan loss kåpan från trebensknuten.
**22** Markera drivaxelns placering i förhållande till trebensknuten med färg eller med en körnare. Öppna och ta bort låsringen från drivaxelns ände med en låsringstång. Dra sedan loss trebensknuten tillsammans med dess nållager med hjälp av en avdragare **(se bilder)**. Observera att drivknutens sneda yta är vänd mot mitten av drivaxeln.
**23** Dra bort gummidamasken och den lilla klämman från drivaxeln. Kontrollera om gummidamasken är sprucken eller perforerad. Byt ut den om det behövs.
**24** Rengör noggrant spårningarna i drivaxeln och den inre drivknuten. Rengör även kontaktytorna på gummidamasken. Om drivknuten har förorenats med grus eller vatten måste du ta bort den och rengöra den enligt beskrivningen senare i det här avsnittet. Kontrollera låsringens skick och byt ut den om det behövs. Kontrollera att de tre drivknutslagren roterar fritt utan motstånd, och att de inte är alltför slitna.
**25** Sätt på damasken tillsammans med den lilla klämman på drivaxelns inre ände. Stryk lite fett på drivaxeln så går det lättare.
**26** Montera trebensknuten på drivaxelns spårningar med den sneda ytan först. Se till att de märken du gjorde tidigare är i linje med varandra **(se bild)**. Tryck fast trebensknuten helt på drivaxeln med en hylsnyckel eller ett metallrör. Sätt därefter tillbaka låsringen och kontrollera att den sitter ordentligt i spåret.
**27** Fyll trebensknuten och den inre drivknutskåpan med angiven mängd fett. Se till att fettet fyller ut alla håligheter, även i lagren. Sätt den inre drivknutskåpan på trebensknuten så att den sitter likadant som före demonteringen.
**28** Sätt tillbaka gummidamasken på drivknutens inre hus så att den sitter likadant som innan du tog bort den. Sätt därefter tillbaka de två klämmorna. Dra åt klämmorna ordentligt. Om knipklämmor används drar du åt dem med ett knipningsverktyg **(se bild)**.
**29** Montera drivaxeln enligt beskrivningen i avsnitt 2.

## Rengöra drivknutar

**30** Om en drivknut har förorenats med grus eller vatten på grund av en skadad

**5.12 Lossa givararmen från den nedre armen**

**5.18 Bultar till den mellanliggande axelns fästbygel**

**5.19 Ta bort den mellanliggande drivaxeln från växellådan**

gummidamask måste du demontera den helt och rengöra den. Demontera drivknuten enligt beskrivningen tidigare i det här avsnittet.

**31** För att ta bort den yttre drivknuten fäster du den lodrätt i ett skruvstäd med mjuka käftar. Vrid sedan det räfflade navet och kulburen så att du kan ta bort de enskilda kulorna. Ta bort navet och därefter kulburen.

**32** Den inre drivknuten tas isär vid demonteringen, men trebensknutens lager ska sköljas med lämpligt lösningsmedel, så att alla fettrester försvinner.

**33** Rengör noggrant de inre och yttre drivknutskåporna, kullagren, burarna och kulorna från fettrester och smuts.

**34** Vid återmonteringen sätter du först i buren och därefter det räfflade navet. Flytta navet och hållaren så att du kan sätta i kulorna en i taget.

---

### 4 Drivaxeldamasker – byte

**1** Skaffa en sats nya damasker och fästklämmor från en Saab-återförsäljare eller en motorspecialist.

**2** Demontering och montering av damaskerna beskrivs i avsnitt 3.

---

### 5 Mellanliggande drivaxel och stödlager – demontering, översyn och montering

#### Demontering

**1** Koppla loss batteriets minusledare.

**2** Dra åt handbromsen. Lyft upp framvagnen och ställ den på pallbockar (se *Lyftning och stödpunkter*). Demontera höger framhjul.

**3** Arbeta under det högra hjulhuset, lossa fästena och ta bort stänkskyddet så att du kommer åt motorns högra sida.

**4** Ta bort motorns övre skyddskåpa i motorrummet.

**5** Ta bort klämman som håller fast servostyrningsröret.

**6** Stötta motorns högersida med en garagedomkraft och träkloss under sumpen. Du kan också trycka in en träkloss mellan kryssrambalken och motorsumpen.

**7** Skruva loss den övre högra motorfästbygeln (se kapitel 2A eller 2B om det behövs).

**8** Notera hur drivremmen är monterad och markera den normala rörelseriktningen med en pil.

**9** Ta fram ett fyrkantigt förlängningsskaft och vrid spännaren moturs för att lossa spänningen. Dra sedan av drivremmen från vevaxelns, generatorns, luftkonditioneringskompressorns och tomgångsstyrningens remskivor. Lossa spännaren.

**10** Med en 8,0 mm insexnyckel skruvar du loss spännaren från motorn. Skruva även loss generatorns övre fästbult.

**11** Lossa hydraulslangen till frambromsarna och flytta den åt sidan. Koppla också loss ABS-kablaget.

**12** På modeller utrustade med helljuslägesgivare, lossar du muttern som fäster givararmen i den nedre fjädringsarmen **(se bild)**. Skruva sedan loss givaren från fästbygeln och för den åt sidan.

**13** Skruva loss klämbulten som håller fast framfjädringens nedre kulled i hjulspindeln. Notera åt vilket håll bulten är monterad. Bänd länkarmen nedåt och lossa kulleden från hjulspindeln. Lås sedan armen i detta läge genom att placera en träbit mellan armen och krängningshämmaren.

**14** Med en mjuk klubba knackar du loss

drivaxelns inre drivknut från mellanaxeln och sänker ner drivaxeln på kryssrambalken och länkarmen. Om låsringen sitter fast trycker du leden mot den innan du knackar på den med klubban. Be vid behov en annan person att dra ut benet när drivaxeln trycks ihop.

**15** Skruva loss muttrarna på generatorns baksida och koppla loss batteriets pluskabel och varningslampkabeln.

**16** Skruva loss generatorns nedre fästbult och för generatorn åt sidan.

**17** Placera en behållare under växellådan för att fånga upp eventuellt vätskespill när den mellanliggande drivaxeln demonteras.

**18** Skruva loss bultarna som fäster stödlagerbygeln i motorblockets baksida **(se bild)**.

**19** Med en skruvmejsel bänder du bort bygeln från styrhylsorna på motorblocket. Dra sedan loss mellanaxeln från det räfflade solhjulet i växellådan **(se bild)**.

#### Renovering

**20** När mellanaxeln och fästbygeln ligger på bänken tar du bort dammtätningen från axelns ände. Tätningen kanske lossnade tillsammans med den högra drivaxeln **(se bild)**.

**21** Ta bort den yttre, lilla låsringen med en låsringstång från mellanaxelns ände **(se bild)**.

**22** Nu ska mellanaxeln tryckas loss från lagret. Fäst fästbygeln i ett skruvstycke och pressa ut axeln. Om axeln ska bytas ut tar

**5.20 Dammtätning till mellanliggande drivaxel**

**5.21 Liten låsring (A) och stor låsring (B) på den mellanliggande axelns lager**

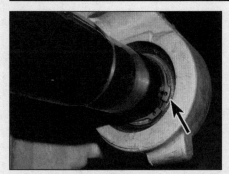

**5.22 Inre liten låsring på drivaxeln**

du ut den inre, lilla låsringen från axeln **(se bild)**.

**23** Använd en låsringstång och dra bort den stora låsringen som fäster lagret i fästet. Nu ska axeln tryckas loss från fästet. Skruva fast fästet i ett skruvstäd.

**24** Stöd fästet med den öppna änden uppåt, montera sedan det nya lagret och tryck eller driv in det helt i det yttre lagerspåret med hjälp av en metallhylsa. Montera den stora låsringen för att fästa lagret i fästet.

**25** När mellanaxeln sitter fast i skruvstädet sätter du tillbaka den lilla låsringen i drivaxeln. Sätt därefter tillbaka lagret och fästbygeln på drivaxeln och pressa eller tryck på den inre lagerbanan tills den vidrör låsringen. Se till att fästet monteras åt rätt håll och tryck endast på det inre lagerspåret.

**26** Montera den lilla låsringen i ringspåret, se till att den konkava sidan riktas mot lagret.

**27** Sätt en ny dammtätning på mellanaxelns yttre ände.

## Montering

**28** Rengör växellådans oljetätning, smörj sedan in tätningsläpparna med lite olja. Vi rekommenderar att du alltid byter oljetätningen enligt beskrivningen i kapitel 7A eller 7B, eftersom det är besvärligt att byta ut den separat.

**29** Montera den mellanliggande drivaxeln i växellådans sidokugghjul och låt spåren haka i varandra.

**30** Placera fästet på stiften, montera sedan bultarna och dra åt dem till angivet moment.

**31** Se kapitel 5A och kontrollera att generatorns justerhylsor knackas ut ca 1,0 mm från fästbygeln. Sätt därefter tillbaka generatorns monteringsbultar och dra åt dem.

**32** Återanslut batteriets pluskabel och varningslampkablarna på baksidan av generatorn och dra åt respektive fästbultar.

**33** Dra ut fjäderbenet och placera krysskilarna till drivaxelns inre drivknut i den spårade mellanaxeln. Tryck på drivknuten tills den interna låsringen hamnar i spåret i änden av spårningarna.

**34** Ta bort träklossen och håll ner fjädringslänkarmen, samtidigt som du placerar spindelleden i hjulspindeln. Se till att spindelleden förs in helt i hjulspindeln. Sätt därefter tillbaka klämbulten med huvudet i samma läge som innan demonteringen och dra åt till angivet moment.

**35** Montera tillbaka strålkastarens lägesgivare (om en sådan finns) och dra åt fästbultarna.

**36** Sätt tillbaka bromshydraulslangen i fjäderbensklämmorna och återanslut ABS-kablaget.

**37** Montera generatorns övre fästbult och dra åt den.

**38** Montera drivremsspännaren och dra åt bultarna med en 8,0 mm insexnyckel.

**39** Vrid spännaren medurs med förlängningsaxeln och sätt tillbaka drivremmen på remskivorna. Se till att den är korrekt monterad och ligger säkert i remskivornas spår. Släpp därefter spännaren.

**40** Montera motorns övre högra fästbygel och dra åt bultarna till angivet moment (se kapitel 2A eller 2B). Ta bort fästet från motorns högra sida.

**41** Sätt tillbaka klämman som håller fast servostyrningsröret.

**42** Fyll på med växellådsolja enligt beskrivningen i kapitel 1A or 1B.

**43** Montera motorns övre skyddskåpa.

**44** Sätt tillbaka stänkskyddet under höger hjulhus.

**45** Montera hjulet och sänk ner bilen.

**46** Återanslut batteriets jordledning.

# Kapitel 9
# Bromssystem

## Innehåll

## Svårighetsgrad

| Enkelt, passar novisen med lite erfarenhet |  | Ganska enkelt, passar nybörjaren med viss erfarenhet |  | Ganska svårt, passar kompetent hemmamekaniker |  | Svårt, passar hemmamekaniker med erfarenhet |  | Mycket svårt, för professionell mekaniker |  |
|---|---|---|---|---|---|---|---|---|---|

## Specifikationer

### Allmänt

Bromssystemets typ och utformning:

Fotbroms ............................................. Hydrauliska diagonalkretsar; vänster fram/höger bak och höger fram/vänster bak. Bromsskivor fram och bak, ventilerade bromsskivor fram. Enkolv glidande bromsok fram, tvåkolvs fasta bromsok (äldre) eller flytande bromsok (nyare) bak. ABS (Anti-lock Braking System) finns som tillval på alla modeller. Vakuumservo. Elektronisk stabilisering (ESP) som tillval på vissa modeller

Handbroms........................................... Spak- och vajerstyrd, verkar på bromsbackar i trummor inbyggda i de bakre bromsskivorna.

### Främre bromsar

Bromsskivor:

Typ ................................................ Ventilerade
Utvändig diameter ................................... 288,0 mm
Tjocklek (ny bromsskiva) ............................. 25,0 mm
Minimitjocklek efter slipning........................... 23,5 mm
Minimitjocklek efter slitage............................ 22,0 mm
Maximal skevhet...................................... 0,08 mm
Maximal tjockleksvariation ............................ 0,015 mm

Bromsok:

Typ ................................................ Enkel kolv av flottörtyp
Kolvdiameter......................................... 57,0 mm

Bromsklossar:

Minimitjocklek på bromsbeläggen ..................... 2,0 mm

## Bakre bromsar

Bromsskivor:

| | |
|---|---|
| Typ | Massiva |
| Utvändig diameter | 286,0 mm |
| Tjocklek (ny bromsskiva) | 10,0 mm |
| Minimitjocklek efter slipning | 8,5 mm |
| Minimitjocklek efter slitage | 8,0 mm |
| Maximal skevhet | 0,08 mm |
| Maximal tjockleksvariation | 0,015 mm |
| Handbromstrummans inre diameter | 160,0 mm |
| Handbromstrummans maximala ovalitet | 0,08 mm |

Bromsok:

Typ:

| | |
|---|---|
| Äldre | Fasta, dubbla kolvar |
| Nyare | Flytande, enkel kolv |
| Kolvdiameter | 38,0 mm |

Bromsklossar:

| | |
|---|---|
| Minimitjocklek på bromsbeläggen | 2,0 mm |

Handbroms:

| | |
|---|---|
| Minsta tjocklek på bromsbeläggen | 1,0 mm |

## ABS-komponenter

Hjulgivare:

| | |
|---|---|
| Resistans | 1 600 ± 160 ohm vid 20 °C |
| Spelrum mellan givare och tand (ej justerbart) | 0,2 till 1,3 mm |

## Åtdragningsmoment

| | Nm |
|---|---|
| ABS-hydraulenhetens fästmutter | 20 |

Bakhjulsnav till bakaxel:

| | |
|---|---|
| Steg 1 | 50 |
| Steg 2 | Vinkeldra ytterligare 30° |

Bakre fast bromsok:

| | |
|---|---|
| Bromsok till stödplatta | 80 |
| Rörets anslutningsmutter | 16 |

Bakre rörligt bromsok:

| | |
|---|---|
| Styrbultar | 28 |
| Slang till bromsok | 43 |
| Fästbygel | 80 |
| Elektronisk stabilisering (ESP-enhet) | 20 |

Främre bromsok:

Fästbygel:

| | |
|---|---|
| Steg 1 | 140 |
| Steg 2 | Vinkeldra ytterligare 45° |
| Slang till bromsok | 40 |
| Styrbultar | 28 |
| Hjulbultar | 110 |
| Huvudcylinder | 25 |
| Huvudcylinderns hydraulrör | 16 |
| Klämbult mellan rattstång och drev | 25 |
| Stödfäste till handbromsvajer | 8 |
| Vakuumpumpens banjobult | 24 |
| Vakuumpumpens fästbult | 24 |
| Vakuumservo | 25 |

## 1  Allmän information

Bilen bromsas med ett tvåkretsars hydraulsystem och en vakuumservoenhet. Alla modeller har bromsskivor både fram och bak. De främre bromsskivorna är ventilerade för att förbättra kylningen och minska slitaget.

De dubbla hydraulkretsarna verkar diagonala. I vänsterstyrda modeller verkar primärkretsen på vänster fram- och höger bakbroms. Sekundärkretsen verkar på höger fram- och vänster bakbroms. I högerstyrda modeller är kretsarnas verkan omkastade. Utformningen garanterar att bilen behåller minst 50 % av sin bromskapacitet om någon av hydraulkretsarna drabbas av tryckfall. Den diagonala utformningen hindrar bilen från att

bli instabil om bromsarna slås på när bara en krets fungerar.

De främre bromsoken är flytande och av enkolvstyp. Varje bromsok innehåller två bromsklossar, en inuti och en utanpå bromsskivan. Vid bromsning tvingar hydrauliskt tryck kolvarna längs cylindern och trycker den inre bromsklossen mot bromsskivan. Bromsokshuset reagerar genom att glida längs sina styrsprintar så att den yttre bromsklossen kommer i kontakt med bromsskivan. På så sätt påverkar bromsklossarna bromsskivan med lika stort tryck från båda sidorna. När bromspedalen släpps upp minskar hydraultrycket, och kolvtätningen drar tillbaka kolven från bromsklossen.

De bakre bromsoken har i äldre modeller dubbla fasta kolvar och två bromsklossar, en inuti och en utanpå skivan. Nyare modeller är försedda med ett flytande enkolvs bromsok med två bromsklossar. Kolvarna i äldre modeller arbetar oberoende av varandra, men den nyare typen fungerar likadant vad gäller de främre bromsoken.

De bakre bromsskivorna är försedda med trummor och bromsbackar för handbromsen. En primärkabel och två sekundära kablar från handbromsspaken manövrerar armen på varje bakbromsexpander. Handbromsen är inte självjusterande och behöver därför justeras regelbundet.

Bromsvakuumservon använder motorns insugsrörsvakuum för att förstärka bromsrörelsen till huvudcylindern från bromspedalen. För att servon ska matas med tillräckligt undertryck i modeller med automatväxellåda eller dieselmotorer är vakuumet i insugsröret förstärkt med en extra vakuumpump. Vakuumpumpen sitter på till vänster på topplocket och drivs av kamaxeln. Bensinmodeller med manuell växellåda är utrustade med en ejektorenhet som förstärker undertrycket till vakuumservon. Enheten är monterad i laddluftröret och ökar luftflödets hastighet via en stryphylsa, som på så sätt förmedlar undertryck till servon.

De låsningsfria bromsarna (ABS) är standardmonterade och hindrar hjulen från att låsa sig vid kraftig inbromsning. Det förkortar bromssträckan, samtidigt som föraren behåller kontrollen över styrningen. Genom att elektroniskt mäta varje hjuls hastighet i förhållande till de andra hjulen kan systemet avgöra när ett hjul är på väg att låsa sig, innan föraren förlorar kontrollen över bilen. Bromsvätsketrycket till oket i det aktuella hjulet minskar och återställs (moduleras) flera gånger i sekunden tills kontrollen återfåtts. Systemet består av fyra hjulhastighetsgivare, en hydraulenhet med inbyggd ECM, bromsledningar och en varningslampa på instrumentbrädan. De fyra hjulhastighetsgivarna är monterade på hjulnaven. Varje hjul är försedd med ett roterande nav med kuggar, som är monterade på drivaxeln (fram) eller navet (bak). Hjulhastighetsgivarna är monterade i navens närhet. Kuggarna genererar en spänningsimpuls, vars frekvens varierar med navets hastighet. Impulserna överförs till den elektroniska styrenheten, som använder dem till att beräkna hastigheten för varje hjul. Den elektroniska styrenheten har ett verktyg för självdiagnos och tar ABS-systemet ur drift samt tänder varningslampan på instrumentpanelen om ett fel upptäcks. Bromssystemet övergår då till att fungera som konventionella bromsar, utan ABS. Om

felet inte kan lokaliseras vid en vanlig kontroll *måste* bilen lämnas in till en Saab-verkstad som har rätt diagnosutrustning för att läsa ABS-systemets styrenhet elektroniskt och ta reda på exakt var felet ligger.

Antispinnsystemet (TCS) finns som tillbehör till en del modeller. Det samarbetar med ABS-systemet, och en ytterligare pump med ventiler är monterade på det hydrauliska manöverorganet. Om hjulspinn upptäcks i hastigheter under 50 km/h öppnas en av ventilerna. Pumpen trycksätter bromsen tills hjulhastigheten är densamma som fordonets hastighet. På så sätt överförs kraften till det hjul som har bäst fäste. Samtidigt stängs ventilplattan något, så att kraften från motorn minskar.

Stabilitetskontrollsystemet (ESP) utökar ABS-systemet med ytterligare funktioner. Givare avläser rattutslaget, trycket i bromshuvudcylindern, girhastighet och accelerationen i sidled. Utifrån denna information kan systemet jämföra förarens avsikter med fordonets rörelse och korrigera efter behov.

## 2 Hydraulsystem – luftning

⚠️ *Varning: Hydraulolja är giftig; tvätta noggrant bort oljan omedelbart vid hudkontakt och sök omedelbar läkarhjälp om olja sväljs eller hamnar i ögonen. Vissa hydrauloljor är lättantändliga och kan självantända om de kommer i kontakt med heta komponenter. vid arbete med hydraulsystem är det alltid säkrast att anta att oljan ÄR brandfarlig, och att vidta samma försiktighetsåtgärder mot brand som när bensin hanteras. Hydraulolja är ett kraftigt färglösningsmedel och angriper även plaster; vid spill ska vätskan sköljas bort omedelbart med stora mängder rent vatten. Hydraulolja är också hygroskopisk (den absorberar luftens fuktighet) och gammal olja kan vara förorenad och oduglig för användning. Vid påfyllning eller byte ska alltid rekommenderad typ användas och den måste komma från en nyligen öppnad förseglad förpackning.*

### Allmänt

**1** Ett hydraulsystem kan inte fungera som det ska förrän all luft har avlägsnats från komponenterna och kretsen. detta uppnås genom att man luftar systemet.

**2** Tillsätt endast ren, oanvänd hydraulvätska av rekommenderad typ under luftningen. återanvänd aldrig gammal vätska som tömts ur systemet. Se till att ha tillräckligt med olja till hands innan arbetet påbörjas.

**3** Om det finns någon möjlighet att fel typ av olja finns i systemet måste bromsarnas komponenter och kretsar spolas ur helt med

ren olja av rätt typ, och alla tätningar måste bytas.

**4** Om hydraulolja har läckt ur systemet eller om luft har trängt in på grund av en läcka måste läckaget åtgärdas innan arbetet fortsätter.

**5** Eller så kan bilen ställas över en smörjgrop eller på ramper. Klossa bakhjulen och dra åt handbromsen, och lyft sedan upp framvagnen och ställ den på pallbockar (se *Lyftning och stödpunkter*). För att komma åt bättre med bilen upplyft, ta bort hjulen.

**6** Kontrollera att alla rör och slangar sitter säkert, att anslutningarna är ordentligt åtdragna och att luftningsskruvarna är stängda. Avlägsna all smuts från områdena kring luftningsskruvarna.

**7** Skruva loss huvudcylinderbehållarens lock och fyll på behållaren till maxmarkeringen. montera locket löst. Kom ihåg att oljenivån aldrig får sjunka under MIN-nivån under arbetet, annars är det risk för att ytterligare luft tränger in i systemet.

**8** Det finns ett antal enmans gör-det-själv-luftningssatser att köpa i motortillbehörsbutiker. Vi rekommenderar att en sådan sats används närhelst möjligt eftersom de i hög grad förenklar arbetet och dessutom minskar risken för att avtappad olja och luft sugs tillbaka in i systemet. Om en sådan sats inte finns tillgänglig måste grundmetoden (för två personer) användas, den beskrivs i detalj nedan.

**9** Om en luftningssats ska användas, förbered bilen enligt beskrivningen ovan och följ sedan luftningssatstillverkarens instruktioner, eftersom metoden kan variera något mellan olika luftningssatser. de flesta typerna beskrivs nedan i de aktuella avsnitten.

**10** Oavsett vilken metod som används måste ordningen för luftning (se punkt 11 och 12) följas för att systemet garanterat ska tömmas på all luft.

### Ordningsföljd vid luftning av bromsar

**11** Om systemet endast kopplats ur delvis och åtgärder vidtagits för att minimera oljespill, ska bara den aktuella delen av systemet behöva luftas (det vill säga primär- eller sekundärkretsen).

**12** Om hela systemet ska luftas ska det göras i följande ordningsföljd:
a) Höger frambroms.
b) Vänster bakbroms.
c) Vänster frambroms.
d) Höger bakbroms.

### Luftning

#### Grundmetod (för två personer)

**13** Skaffa en ren glasburk, en lagom längd gummislang som sluter tätt över avluftningsskruven, samt en ringnyckel som passar skruven. Dessutom behövs en medhjälpare.

**14** Dra av dammskyddet från den första

**2.14 Dammkåpa på okets luftningsskruv**

**2.22 Luftning av bakre bromskrets med backventilsats**

åt avluftningsskruvarna ordentligt och montera dammskydden.
**29** Kontrollera hydrauloljenivån i huvudcylinderbehållaren och fyll på om det behövs (se *Veckokontroller*).
**30** Kassera hydraulvätska som har luftats från systemet. den går inte att återanvända.
**31** Kontrollera känslan i bromspedalen. Om den känns det minsta svampig finns det fortfarande luft i systemet som måste luftas ytterligare. Om fullständig luftning inte uppnåtts efter ett rimligt antal luftningsförsök kan detta bero på slitna tätningar i huvudcylindern.

nippeln i ordningen **(se bild)**. Trä nyckel och slang på luftningsskruven och för ner andra slangänden i glasburken. Häll i tillräckligt med hydraulolja för att väl täcka slangänden.
**15** Se till att oljenivån i huvudcylinderbehållaren överstiger MIN-markeringen under hela arbetet.
**16** Låt medhjälparen pumpa bromsen i botten flera gånger så att ett inre tryck byggs upp i systemet.
**17** Lossa avluftningsskruven ungefär ett halvt varv och låt sedan medhjälparen långsamt trampa ner bromspedalen till golvet och hålla fast den där. Dra åt avluftningsskruven och låt medhjälparen långsamt släppa upp pedalen till viloläget.
**18** Upprepa proceduren i punkt tills vätskan som rinner från avluftningsskruven är fri från luftbubblor. Kontrollera oljenivån i behållaren efter var annan eller var tredje pedalnedtryckning och fyll på med mer olja om det behövs.
**19** När inga fler luftbubblor syns, dra åt avluftningsskruven till angivet moment, ta bort nyckel och slang och montera dammkåpan. Dra inte åt luftningsskruven för hårt.
**20** Upprepa proceduren på de kvarvarande skruvarna i ordningsföljden tills all luft har tömts ur systemet och bromspedalen känns fast igen.

### Med hjälp av en luftningssats med backventil

**21** Dessa luftningssatser består av en bit slang försedd med en envägsventil för att förhindra att luft och vätska dras tillbaka in i systemet. vissa satser innehåller en genomskinlig behållare som kan placeras så

**3.2a Böjlig slang till bakbromsarna mellan underrede och länkarm**

att luftbubblorna lättare kan ses flöda från änden av slangen .
**22** Avluftningssatsen kopplas till avluftningsskruven som sedan öppnas **(se bild)**. Återvänd till förarsätet, tryck ner bromspedalen mjukt och stadigt och släpp sedan långsamt upp den igen. det här upprepas tills all olja som rinner ur slangen är fri från luftbubblor.
**23** Observera att dessa luftningssatser underlättar arbetet så mycket att man lätt glömmer huvudcylinderns vätskebehållares nivå. Se till att nivå hela tiden överstiger MIN-markeringen genom hela luftningsproceduren.

### Med hjälp av en tryckluftssats

**24** Tryckluftssatser för avluftning drivs vanligen av tryckluften i reservdäcket. Observera dock att trycket i däcket troligen måste minskas till under normaltryck. se instruktionerna som följer med luftningssatsen.
**25** Genom att koppla en trycksatt, oljefylld behållare till huvudcylinderbehållaren kan luftningen utföras genom att luftningsskruvarna helt enkelt öppnas en i taget (i angiven ordningsföljd), och oljan får flöda tills den inte innehåller några luftbubblor.
**26** En fördel med den här metoden är att den stora vätskebehållaren ytterligare förhindrar att luft dras tillbaka in i systemet under luftningen.
**27** Trycksatt luftning är speciellt effektiv för luftning av 'svåra' system och vid rutinbyte av all vätska.

### Alla metoder

**28** När luftningen är avslutad och pedalen känns fast, torka bort eventuellt oljespill, dra

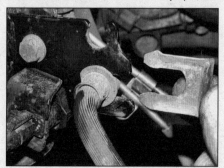

**3.2b Ta bort fjäderklämman från fästet**

### 3 Hydraulrör och slangar – byte

**1** Om ett rör eller en slang måste bytas ut, minimera oljespillet genom att först ta bort huvudcylinderbehållarens lock och sedan skruva på det igen över en bit plastfolie så att det blir lufttätt. Locket är försett med en nivåvarningsflottör, vilket gör att slangklämmor kan monteras på böjliga slangar och isolera delar av kretsen. bromsrörsanslutningar av metall kan pluggas igen (var försiktig så att inte smuts tränger in i systemet) eller täckas över så fort de kopplas loss. Placera trasor under de anslutningar som ska lossas för att fånga upp eventuellt oljespill.
**2** Om en slang ska kopplas loss, skruva loss muttern till bromsrörsanslutningen innan fjäderklämman som fäster slangen i monteringskonsolen tas bort **(se bilder)**. Om tillämpligt, skruva loss banjobulten som säkrar slangen vid bromsoket och ta loss kopparbrickorna. När den främre slangen tas bort, dra ut fjäderklämman och koppla loss den från fjäderbenet.
**3** Använd helst en bromsrörsnyckel av lämplig storlek för att skruva loss anslutningsmuttrarna. Sådana finns att köpa i de flesta större motortillbehörsbutiker. Finns ingen sådan nyckel tillgänglig måste en tättsittande öppen nyckel användas, även om det innebär att hårt sittande eller korroderade muttrar kan runddras om nyckeln slinter. Om det skulle hända kan de envisa anslutningarna skruvas loss med en självlåsande tång, men då måste röret och de skadade muttrarna bytas ut vid återmonteringen. Rengör alltid anslutningen och området kring den innan den skruvas loss. Om en komponent med mer än en anslutning kopplas loss ska noggranna anteckningar göras om anslutningarna innan de rubbas.
**4** Om ett bromsrör måste bytas ut kan ett nytt köpas färdigkapat, med muttrar och flänsar monterade, hos en Saab-verkstad. Allt som då behöver göras är att kröka röret med det gamla röret som mall, innan det monteras. Alternativt kan de flesta motortillbehörsbutiker tillhandahålla bromsrör, men det kräver extremt noggranna mätningar av originalet för att den nya delen ska få rätt längd. Det

4.2 Tryck in kolven i oket med en polygrip

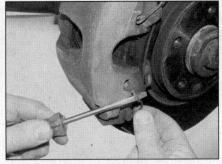
4.3a Bänd ut fästfjädern . . .

4.3b . . . och ta bort den från oket

4.4 Ta bort dammkåporna . . .

4.5a . . . skruva sedan loss styrbultarna . . .

4.5b . . . och lyft bort bromsoket och bromsklossarna från monteringskonsolen

säkraste alternativet är att ta med det gamla bromsröret till verkstaden som mall.

**5** Dra inte åt anslutningsmuttrarna för hårt vid återmonteringen.

**6** När du återmonterar slangarna i bromsoken, använd alltid nya kopparbrickor och dra åt banjoanslutningsbultarna till angivet moment. Kontrollera att slangarna är inpassade så att de inte rör omgivande karossdelar eller hjulen.

**7** Se till att rören och slangarna dras korrekt, utan veck, och att de monteras ordentligt i klämmor och fästen. Ta bort plastfolien från behållaren och lufta bromsarnas hydraulsystem enligt beskrivningen i avsnitt 2 efter monteringen. Skölj bort eventuell utspilld vätska och undersök noga om det finns vätskeläckage.

## 4 Främre bromsklossar – byte

⚠️ *Varning: Byt ut BÅDA främre bromsklossuppsättningarna på en gång – byt aldrig bromsklossar bara på ena hjulet eftersom det kan ge ojämn bromsverkan. Notera att dammet från bromsklossarnas slitage kan innehålla asbest vilket är hälsovådligt. Blås aldrig bort dammet med tryckluft och andas inte in det. Använd bromsrengöringsmedel eller T-sprit för att rengöra bromsarna.*

**1** Dra åt handbromsen. Lyft sedan upp framvagnen och ställ den på pallbockar (se *Lyftning och stödpunkter*). Demontera båda framhjulen.

**2** Tryck in kolven helt i bromsoket med

en polygrip **(se bild)**. *Observera: Under förutsättning att huvudcylinderns behållare inte överfyllts bör det inte bli något spill, men håll ett öga på oljenivån när kolven trycks tillbaka. Om oljenivån stiger över MAX-markeringen ska överskottet tömmas bort med en hävert eller matas ut genom ett plaströr anslutet till avluftningsskruven.*

*Varning: Om man trycker tillbaka kolven resulterar det i ett omvänt flöde av bromsoljan eftersom huvudcylinderns gummitätningar bryts, vilket leder till att bromseffekten förloras helt. För att undvika detta klämmer man ihop bromsokets böjliga slang och öppnar luftningsskruven – när kolven trycks tillbaka kan vätskan ledas ut till en lämplig behållare med en slang på luftningsskruven. Stäng skruven precis innan kolven trycks tillbaka helt för att säkerställa att ingen luft kommer in i systemet.*

**3** Bänd försiktigt bort fästfjädern från hålen

på bromsokets utsida, observera hur fjädern är monterad i bromsokets monteringskonsol **(se bilder)**

**4** Ta bort dammkåporna från styrbultarnas ändar **(se bild)**.

**5** Skruva loss styrbultarna från bromsoket med en insexnyckel, och lyft bort bromsoket och bromsklossarna från fästbygeln **(se bilder)**. Fäst bromsoket vid fjäderbenet spiralfjädern med en bit kabel. Låt inte bromsoket hänga i bromsslangen.

**6** Ta bort den inre och yttre bromsklossen från bromsokskolven, observera att den inre bromsklossen är fäst med en fjäderklämma på stödplattan **(se bilder)**. *Observera: På vissa modeller finns ett varningslarm för den yttre bromsklossen, som består av en metallremsa som kommer i kontakt med bromsskivan när belägget blir tunnare än 3,0 mm. Larmet ger ifrån sig ett skrapande missljud som varnar föraren att bromsklossarna är slitna.*

4.6a Ta bort den yttre bromsklossen från bromsoket . . .

4.6b . . . och sedan den inre bromsklossen. Observera att den sitter fast i kolven med en fjäderklämma

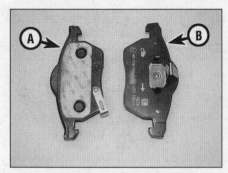

**4.11a Yttre (A) och inre (B) främre bromsklossar**

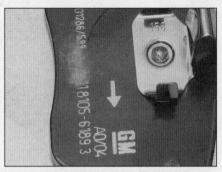

**4.11b Bromsklossarna måste monteras med pilarna i bromsskivans normala rotationsriktning framåt**

**7** Borsta bort smuts och damm från bromsoket, var noga med att inte andas in dammet. Ta försiktigt bort rost från kanten på bromsskivan.
**8** Mät tjockleken på bromsklossarna (endast beläggen, ej stödplattan). Om någon kloss är sliten ner till angiven minimitjocklek eller under måste alla fyra klossarna bytas. Dessutom ska klossarna bytas ut om de är förorenade med olja eller fett. Det går inte att ta bort olja och fett på ett bra sätt. Felsök och åtgärda orsaken till föroreningarna före ihopsättningen.
**9** Om bromsklossarna fortfarande är användbara, rengör dem noga med en fin stålborste eller liknande, och var extra noga med stödplattans kanter och baksida. Rengör noga bromsklossarnas säten i bromsokshuset/monteringskonsolen.
**10** Kontrollera att styrbultarna sitter bra i bromsoksbussningarna innan bromsklossarna monteras. Borsta bort damm och smuts från

bromsoket och kolven (se *Varning* i början av det här avsnittet). Smörj lite kopparbromsfett med hög smältpunkt på de områden runt bromsklossarnas stödplattor som är i kontakt med bromsoket och kolven. Kontrollera att kolvens dammskydd är intakt och om kolven visar spår av oljeläckage, korrosion eller skador. Om någon av dessa komponenter måste åtgärdas, se avsnitt 6.
**11** Montera den inre bromsklossen i bromsoket och se till att klammern placeras korrekt på bromsoksolven. Se till att pilarna på bromsklossen pekar i bromsskivans rotationsriktning **(se bilder)**.
**12** Montera den yttre bromsklossen i bromsokets monteringskonsol och se till att belägget är riktat mot bromsskivan. De akustiska slitageindikatorerna ska vara vända nedåt.
**13** Dra bromsoket och den inre bromsklossen i läge över den yttre bromsklossen, och fäst den i monteringskonsolen.

**14** Skruva i bromsokets styrbultar och dra åt dem till angivet moment.
**15** Montera styrbultarnas dammskydd.
**16** Montera fästfjädern på bromsoket och se till att fjäderändarna är korrekt placerade i hålen på bromsoket.
**17** Trampa ner bromspedalen upprepade gånger tills normalt pedaltryck återställs.
**18** Upprepa ovanstående procedur med det andra främre bromsoket.
**19** Montera hjulen, sänk ner bilen och dra åt hjulbultarna till angivet moment.
**20** Kontrollera hydrauloljenivån enligt beskrivningen i *Veckokontroller*.

## 5  Bakre bromsklossar – byte

⚠️ *Varning: Byt ut BÅDA bakre bromsklossuppsättningarna på en gång – byt aldrig bromsklossar bara på ena hjulet eftersom det kan ge ojämn bromsverkan. Notera att dammet från bromsklossarnas slitage kan innehålla asbest vilket är hälsovådligt. Blås aldrig bort dammet med tryckluft och andas inte in det. Använd bromsrengöringsmedel eller T-sprit för att rengöra bromsarna.*

**1** Klossa framhjulen, lyft upp bakvagnen med hjälp av en domkraft och stötta upp den på pallbockar (se *Lyftning och stödpunkter*). Demontera bakhjulen.

### Fast bromsok

**2** Observera hur dämpfjäderplattan är placerad, driv sedan ut bromsklossens övre och undre fästsprint från bromsokets utsida med hjälp av en körnare **(se bild)**.
**3** Ta bort dämpfjäderplattan **(se bild)**.
**4** Sära bromsklossarna något från skivan med en lämplig hävarm eller en stor polygrip. Dra sedan loss den yttre bromsklossen från oket med en tång eller särskilt borttagningsverktyg.
**5** Ta bort den inre bromsklossen från bromsoket **(se bilder)**.

### Flytande bromsok

**6** Tryck in kolven helt i bromsoket med en polygrip **(se bild)**. **Observera:** *Under förutsättning att huvudcylinderns behållare inte*

**5.2 Använd en körnare för att driva ut den bakre bromsklossens fästsprintar**

**5.3 Ta bort dämpfjäderplattan**

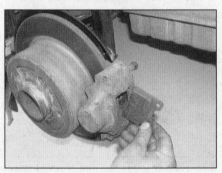

**5.5a Ta bort den inre, bakre bromsklossen**

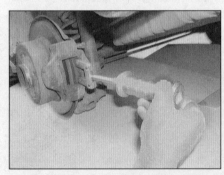

**5.5b Den inre, bakre bromsklossen tas bort med hjälp av ett demonteringsverktyg**

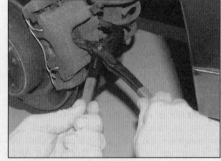

**5.6 Tryck in kolven helt i oket med en polygrip**

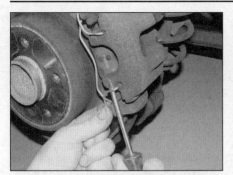

**5.7 Använd en skruvmejsel för att bända bort fästfjädern**

**5.8a Ta bort dammkåporna . . .**

**5.8b . . . skruva loss styrbultarna med en insexnyckel . . .**

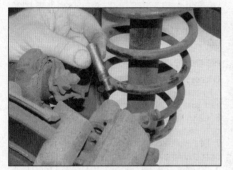

**5.8c . . . och ta bort dem från bromsoket . . .**

**5.8d . . . lyft sedan bort bromsoket och bromsklossarna från monteringskonsolen . . .**

**5.8e . . . och lyft bort bromsoket från spiralfjädern**

överfyllts bör det inte bli något spill, men håll ett öga på oljenivån när kolven trycks tillbaka. Om oljenivån stiger över MAX-markeringen ska överskottet tömmas bort med en hävert eller matas ut genom ett plaströr anslutet till avluftningsskruven.

*Varning: Om man trycker tillbaka kolven resulterar det i ett omvänt flöde av bromsoljan eftersom huvudcylinderns gummitätningar bryts, vilket leder till att bromseffekten förloras helt. För att undvika detta klämmer man ihop bromsokets böjliga slang och öppnar luftningsskruven – när kolven trycks tillbaka kan vätskan ledas ut till en lämplig behållare med en slang på luftningsskruven. Stäng skruven precis innan kolven trycks tillbaka helt för att säkerställa att ingen luft kommer in i systemet.*

7 Bänd försiktigt bort fästfjädern från hålen på bromsokets utsida, observera hur fjädern

är monterad i bromsokets monteringskonsol **(se bild)**.
8 Ta bort dammkåporna. Skruva loss styrbultarna från oket med en insexnyckel, och lyft sedan oket och bromsklossarna från fästbygeln. Bind fast oket i spiralfjädern med en bit kabel **(se bilder)**. Låt inte bromsoket hänga i bromsslangen.
9 Ta bort den inre och yttre bromsklossen från bromsokskolven, observera att den inre bromsklossen är fäst med en fjäderklämma på stödplattan **(se bilder)**.

## Alla modeller

10 Borsta bort smuts och damm från bromsoket, var noga med att inte andas in dammet. Ta försiktigt bort rost från kanten på bromsskivan.
11 Mät tjockleken på bromsklossarna (endast beläggen, ej stödplattan). Om någon kloss är sliten ner till angiven minimitjocklek eller mindre,

måste alla fyra klossar bytas. Dessutom ska klossarna bytas ut om de är förorenade med olja eller fett. Det går inte att ta bort olja och fett på ett bra sätt. Felsök och åtgärda orsaken till föroreningarna före ihopsättningen.
12 Om bromsklossarna fortfarande är användbara, rengör dem noga med en fin stålborste eller liknande, och var extra noga med stödplattans kanter och baksida. Rengör noga bromsklossarnas säten i bromsokshuset/monteringskonsolen.
13 Rengör styrbultarna/fäststiften och kontrollera att de sitter bra i bromsoket innan bromsklossarna monteras. Borsta bort damm och smuts från bromsoket och kolven (se *Varning* i början av det här avsnittet). Smörj lite kopparbromsfett med hög smältpunkt på de områden runt bromsklossarnas stödplattor som är i kontakt med bromsoket och kolven **(se bild)**. Undersök dammtätningen runt kolven/kolvarna och leta efter tecken på

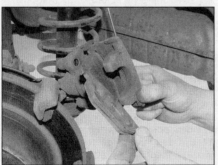

**5.9a Ta bort den yttre bromsklossen . . .**

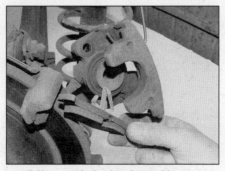

**5.9b . . . och den inre bromsklossen tillsammans med fästfjädern från bromsoket**

**5.13 Stryk lite temperaturbeständigt bromsfett på bromsklossarnas baksidor**

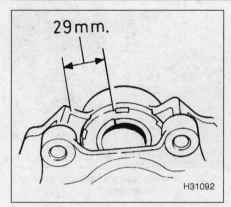

**5.15 Kolven i korrekt position i det bakre bromsoket (tidiga modeller)**

skador, och undersök kolven/kolvarna efter tecken på vätskeläckage, korrosion eller skador. Om någon av dessa komponenter måste åtgärdas, se avsnitt 7.

14 Om nya bromsklossar ska monteras måste bromsokskolven/kolvarna tryckas tillbaka in i cylindern för att de ska få plats. Använd antingen en G-klämmer eller liknande, eller använd lämpliga trästycken som hävarmar. Under förutsättning att huvudcylinderns behållare inte har överfyllts bör det inte bli något spill, men håll ett öga på oljenivån när kolven/kolvarna trycks tillbaka. Om oljenivån stiger över MAX-markeringen ska överskottet tömmas bort med en hävert eller matas ut genom ett plaströr anslutet till avluftningsskruven.

⚠️ *Varning: Sug inte med munnen, vätskan är giftig; använd en bollspruta eller en gammal testare för frostskyddsmedel.*

*Varning: Om man trycker tillbaka kolven resulterar det i ett omvänt flöde av bromsoljan eftersom huvudcylinderns gummitätningar bryts, vilket leder till att bromseffekten förloras helt. För att undvika detta klämmer man ihop bromsokets böjliga slang och öppnar luftningsskruven – när kolven trycks tillbaka kan vätskan ledas ut till en lämplig behållare med en slang på luftningsskruven. Stäng skruven precis innan kolven trycks tillbaka helt för att säkerställa att ingen luft kommer in i systemet.*

**6.5a Skruva loss bultarna . . .**

## Fast bromsok

15 Använd om tillämpligt en stållinjal och kontrollera att skårorna i kolvarna är korrekt placerade **(se bild)**. Skårorna ska vara på bromsokets botten. Vrid kolvarna rätt om det behövs.
16 Placera de nya bromsklossarna i bromsoket. Se till att belägget är riktat mot bromsskivan och kontrollera att bromsklossarna kan röra sig fritt.
17 Placera dämpfjäderplattan på bromsklossarna och montera fästsprintarna inifrån kanten på bromsoket medan fjädern trycks ner. Knacka fast sprintarna ordentligt i bromsoket.

## Flytande bromsok

18 Sätt fast de inre och yttre bromsklossarna i bromsoket. Se till att den inre bromsklossens fjädrar är helt införda i kolven.
19 Skjut bromsoket och bromsklossarna över skivan och i fästbygeln.
20 Skruva i bromsokets styrbultar och dra åt dem till angivet moment.
21 Montera styrbultarnas dammskydd.
22 Montera fästfjädern på bromsoket och se till att fjäderändarna är korrekt placerade i hålen på bromsoket.

## Alla modeller

23 Trampa ner bromspedalen upprepade gånger tills normalt pedaltryck återställs.
24 Upprepa ovanstående procedur med det andra bakre bromsoket.
25 Montera hjulen, sänk ner bilen och dra åt hjulbultarna till angivet moment.
26 Kontrollera hydrauloljenivån enligt beskrivningen i *Veckokontroller*.

---

**6  Främre bromsok –** 🔧
demontering, översyn och montering

---

## Demontering

1 Dra åt handbromsen. Lyft sedan upp framvagnen och ställ den på pallbockar (se *Lyftning och stödpunkter*). Ta bort hjulet.
2 Minimera eventuellt oljespill genom att skruva bort huvudcylinderbehållarens lock och sedan skruva på det igen över en bit

**6.5b . . . och ta bort monteringskonsolen från hjulspindeln**

plastfolie, så att det blir lufttätt. Du kan också fästa den böjliga slangen vid bromsoket med en bromsslangklämma.
3 Rengör området runt bromsokets bromsslanganslutning. Observera vilken vinkel slangen har (för att garantera korrekt återmontering), skruva sedan loss och ta bort anslutningsbultarna och ta loss tätningsbrickorna av koppar från sidorna av slanganslutningen. Kassera brickorna; du måste sätta dit nya vid monteringen. Plugga igen slangänden och bromsokshålet för att minimera vätskeförlusten och förhindra att det kommer in smuts i hydraulsystemet.
4 Ta bort bromsklossarna enligt beskrivningen i avsnitt 4, ta sedan bort bromsoket från bilen.
5 Skruva loss bromsokets monteringskonsol från navet/fjäderbenet om det behövs **(se bilder)**.

## Renovering

**Observera:** *Kontrollera tillgången och priset på reservdelar innan bromsoket tas isär, det kan löna sig att köpa en helt ny huvudcylinder.*
6 Lägg bromsoket på arbetsbänken och ta bort all smuts och avlagringar.
7 Dra bort kolven från bromsokshuset och ta bort dammskyddet. Kolven kan dras bort för hand eller, om det behövs, tryckas ut med hjälp av tryckluft som kopplas till bromsslangens anslutningshål. Endast ett lågt tryck behövs, som det från en fotpump.
8 Ta försiktigt bort kolvtätningen från bromsoket med en liten skruvmejsel, var noga med att inte repa loppet.
9 Ta bort styrbussningarna från bromsokshuset.
10 Rengör alla komponenter noga, använd endast T-sprit eller ren bromsvätska som tvättmedel. Använd aldrig mineraloljebaserade lösningsmedel (exempelvis olja eller fotogen). Torka omedelbart av delarna med tryckluft eller en ren, luddfri trasa. Använd tryckluft om du har tillgång till det för att blåsa rent i vätskepassagerna.
11 Kontrollera alla komponenter och byt ut de som är slitna eller skadade. Om kolven och/eller cylinderloppet har repats för mycket ska hela bromsokskroppen bytas. Kontrollera även skicket på styrningsbussningar och bultar, Bussningarna och bultarna ska vara oskadade och sitta någorlunda hårt. Om det råder minsta tvekan om en komponents skick ska den bytas. Byt ut oktätningarna och dammkåporna om det behövs. De säljs som renoveringssatser tillsammans med monteringsfett.
12 Se till att alla delar är fullständigt rena vid ihopsättningen.
13 Smörj den nya tätningen med det medföljande fettet, eller doppa den i ren hydraulolja. Placera tätningen i spåret i cylinderloppet, använd fingrarna.
14 Fyll den inre håligheten i dammskyddet med det medföljande fettet, eller doppa det i ren hydraulolja, montera det sedan på kolven.
15 Sätt fast kolven på oket och tryck in den helt i hålet. Vrid den från sida till sida, så att du

känner att den löper in i tätningen på rätt sätt. Se samtidigt till att dammskyddets inre ände hakar i spåret på bromsokshuset och att den yttre änden hakar i spåret på kolven.

**16** Montera styrbussningarna i bromsokshuset och smörj dem med lämplig fett.

## Montering

**17** Placera bromsokets monteringskonsol på navhållaren/fjäderbenet, applicera sedan låsvätska på fästbultsgängorna, montera dem och dra åt dem till angivet moment.

**18** Montera bromsklossarna enligt beskrivningen i avsnitt 4, tillsammans med bromsoket som i det här stadiet inte har någon slang kopplad till sig.

**19** Placera nya koppartätningsbrickor på sidorna av slanganslutningen och anslut bromsslangen till bromsoket. Se till att slangen är korrekt placerad mot bromsokshusets tapp, montera sedan anslutningsbulten och dra åt den ordentligt.

**20** Ta bort bromsslangklämman eller plastfolien, i förekommande fall, och lufta hydraulsystemet enligt beskrivningen i avsnitt 2. Observera att om angivna åtgärder vidtogs för att förhindra förlust av bromsvätska behöver man bara lufta den relevanta frambromsen.

**21** Montera tillbaka hjulet, sänk ner bilen och dra åt hjulbultarna till angivet moment.

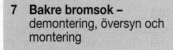

### 7 Bakre bromsok – demontering, översyn och montering

## Demontering

**1** Klossa framhjulen, lyft upp bakvagnen med hjälp av en domkraft och stötta upp den på pallbockar (se *Lyftning och stödpunkter*). Ta bort hjulet.

**2** Minimera eventuellt oljespill genom att skruva bort huvudcylinderbehållarens lock och sedan skruva på det igen över en bit plastfolie, så att det blir lufttätt. Du kan också fästa en bromsslangklämma på den böjliga slangen som leder till bromsröret på bakaxeln (äldre modeller med fast bromsok) **(se bild)** eller det flytande bromsoket (nyare modeller).

### Fast bromsok

**3** Rengör området runt hydraulledningens anslutningsmutter, lossa sedan muttern **(se bild)**. Skruva inte loss muttern helt i det här stadiet.

**4** Ta bort bromsklossarna enligt beskrivningen i avsnitt 5.

**5** Skruva loss och ta bort fästbultarna som fäster bromsoket på fästplattan **(se bild)**. Ta reda på skyddsplåten som sitter under bultskallarna.

**6** Skruva loss anslutningsmuttern helt och koppla loss hydraulledningen från bromsoket, dra sedan bort bromsoket från skivan **(se bild)**. Tejpa över eller plugga igen hydraulledningen för att hindra att damm eller smuts tränger in.

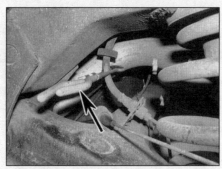

**7.2 Bromsslangklämma monterad på slangen från huset till bromsledningen på bakaxeln (före 2003)**

### Flytande bromsok

**7** Rengör området runt anslutningen på bromsoket. Lossa sedan endast bromsslanganslutningen. I det här stadiet går det inte att skruva loss slangen helt från bromsoket.

**8** Skruva loss anslutningsmuttern i bromsslangens andra ände och ta bort det stela bromsröret från slanganslutningen på bakfjädringslänkarmen. Var beredd på visst bromsvätskespill. Ta vara på klämman och dra bort slangen från fästbygeln. Tejpa över eller plugga igen rör- och slangändarna för att hindra smuts och damm från att tränga in.

**9** Ta bort bromsklossarna enligt beskrivningen i avsnitt 5, ta sedan bort bromsoket från bilen. Skruva loss slangen helt från bromsoket.

**10** Skruva loss okets fästbygel från stödplattan om det behövs.

## Översyn

**Observera:** *Kontrollera tillgången och priset på reservdelar innan bromsoket tas isär, det kan löna sig att köpa en helt ny huvudcylinder.*

**11** Lägg bromsoket på arbetsbänken och ta bort all smuts och avlagringar.

**12** Dra bort kolven/kolvarna från bromsokshuset och ta bort dammskyddet/dammskydden. Kolven/kolvarna kan dras bort för hand eller, om det behövs, tryckas ut med hjälp av tryckluft som kopplas till bromsslangens anslutningshål. Endast ett lågt tryck behövs, som det från en fotpump.

***Varning: På fasta bromsok måste du hålla reda på varje kolv, så att återmonteringen görs korrekt.***

**7.5 Ta bort det bakre bromsokets fästbultar**

**7.3 Skruva loss hydraulledningens anslutningsmutter från det bakre bromsoket**

**13** Ta försiktigt bort kolvtätningen/tätningarna från bromsoket med en liten skruvmejsel, var noga med att inte repa loppet/loppen.

**14** På flytande bromsok tar du bort styrbussningarna från oket.

**15** Rengör noga alla komponenter, använd endast T-sprit eller ren bromsvätska. Använd aldrig mineraloljebaserade lösningsmedel (exempelvis olja eller fotogen). Torka omedelbart av delarna med tryckluft eller en ren, luddfri trasa. Använd tryckluft om du har tillgång till det för att blåsa rent i vätskepassagerna.

**16** Kontrollera alla komponenter och byt ut dem som är slitna eller skadade. Om kolven/kolvarna och/eller cylinderloppet/loppen är påtagligt repiga ska hela bromsokshuset bytas ut. På flytande bromsok kontrollerar du skicket på styrbussningar och bultar. Bussningarna och bultarna ska vara oskadade och sitta någorlunda hårt. Byt ut oktätningarna och dammkåporna om det behövs. De säljs som renoveringssatser tillsammans med monteringsfett.

**17** Se till att alla delar är fullständigt rena vid ihopsättningen.

**18** Smörj de nya tätningarna med medföljande fettet, eller doppa dem i ren hydraulolja, montera dem sedan i spåren i cylinderloppen med fingrarna.

**19** Fyll dammskyddens inre håligheter med det medföljande fettet, eller doppa dem i ren hydraulolja, montera dem sedan på kolvarna.

**20** Sätt fast kolven/kolvarna på oket och tryck in den helt i bromsoket. Vrid den från sida till sida, så att du känner att den löper

**7.6 Ta bort det bakre bromsoket**

**8.5 Den främre bromsskivan kontrolleras med en mätklocka**

**8.7 Mät skivans tjocklek med en mikrometer**

in i tätningen på rätt sätt. Se samtidigt till att dammskyddets/skyddens inre ände hakar i spåret på bromsokshuset och att den yttre änden hakar i spåret på kolven. På fasta bromsok kontrollerar du att kolvfördjupningarna sitter enligt beskrivningen i avsnitt 5.

## Montering

### Fast bromsok

**21** När båda kolvarna är monterade, placera bromsoket över skivan på stödplattan, anslut hydraulledningen och skruva fast anslutningsmuttern. Skruva inte åt bulten helt i det här stadiet.
**22** Stryk lite låsvätska på fästbultarnas gängor. Sätt därefter tillbaka täckplattan och bultarna. Dra åt bultarna till angivet moment.
**23** Montera bromsklossarna (se avsnitt 5).
**24** Dra åt hydraulanslutningsmuttern helt.

### Flytande bromsok

**25** Placera bromsokets monteringskonsol på stödplattan, applicera sedan låsvätska på fästbultsgängorna, montera dem och dra åt dem till angivet moment.
**26** Skruva fast bromsslangen i bromsoket och dra åt till angivet moment.
**27** Montera tillbaka bromsklossarna tillsammans med bromsoket enligt beskrivningen i avsnitt 5.
**28** Sätt på bromsslangen i fästbygeln. Se till att den inte är vriden. Sätt tillbaka klämman. Sätt därefter i och dra åt anslutningsmuttern till den stela bromsledningen.

## Alla modeller

**29** Ta bort plastfolien i förekommande fall och lufta hydraulsystemet enligt beskrivningen i avsnitt 2. Observera att om angivna åtgärder vidtogs för att förhindra förlust av bromsvätska behöver man bara lufta den relevanta bakbromsen.
**30** Montera tillbaka hjulet, sänk ner bilen och dra åt hjulbultarna till angivet moment.

## 8 Främre bromsskiva – kontroll, demontering och montering

### Kontroll

**1** Dra åt handbromsen. Lyft sedan upp framvagnen och ställ den på pallbockar (se *Lyftning och stödpunkter*). Demontera båda framhjulen.
**2** För att en noggrann kontroll ska kunna utföras och för att man ska kunna komma åt båda sidorna av skivan, måste bromsoken skruvas loss och placeras åt sidan enligt beskrivningen senare i detta avsnitt. Alternativt behöver bara bromsklossarna tas bort enligt beskrivningen i avsnitt 5.
**3** Kontrollera att bromsskivans fästskruv sitter säkert. Montera sedan ungefär 10,0 mm tjocka mellanlägg på hjulbultarna och skruva därefter tillbaka dem igen. Då hålls bromsskivan i sitt normala arbetsläge.
**4** Vrid bromsskivan och undersök om den har djupa repor eller spår. Lätta repor är normalt, men om de är för djupa måste skivan tas bort och antingen bytas ut eller

renoveras (inom angivna gränsvärden) hos en specialistverkstad. Bromsskivans minimitjocklek anges i specifikationerna i början av det här kapitlet.
**5** Använd en mätklocka eller en platt metallbit och bladmått och kontrollera att bromsskivans skevhet inte överskrider värdet i Specifikationer **(se bild)**.
**6** Om bromsskivan är påtagligt skev, ta bort den enligt beskrivningen nedan, och kontrollera att ytorna mellan bromsskivan och navet är helt rena. Montera tillbaka skivan och kontrollera kast igen. Om skivan fortfarande är märkbart skev ska den bytas ut.
**7** Använd en mikrometer och kontrollera att bromsskivans tjocklek inte underskrider det angivna värdet i Specifikationer **(se bild)**. Mät tjockleken på flera ställen runt bromsskivan.
**8** Upprepa kontrollen på den andra främre bromsskivan.

### Demontering

**9** Ta bort hjulbultarna och distansbrickorna som användes när skivan kontrollerades.
**10** Ta bort bromsklossarna enligt beskrivningen i avsnitt 4 och bind fast bromsoket på en sida. Ta även bort det främre bromsokets monteringskonsol enligt beskrivningen i avsnitt 6.
**11** Skruva loss fästskruven och dra bort bromsskivan från navet. Om skruven sitter hårt lossar du den med en slagmutterdragare **(se bilder)**.

### Montering

**12** Montering utförs i omvänd ordningsföljd, men se till att kontaktytorna mellan bromsskivan och navet är helt rena och applicera lite låsvätska på fästskruvens gängor innan den dras åt. Om en ny bromsskiva monteras, ta bort skyddslagret med lämpligt lösningsmedel. Montera bromsskivans bromsklossar enligt beskrivningen i avsnitt 4, montera sedan hjulet och sänk ner bilen.

## 9 Bakre bromsskiva – kontroll, demontering och montering

### Kontroll

**1** Klossa framhjulen, lyft upp bakvagnen med hjälp av en domkraft och stötta upp den på

**8.11a Främre bromsskivans fästskruv**

**8.11b Lossa bromsskivans fästskruv med en slagskruvmejsel**

**8.11c Ta bort den främre bromsskivan**

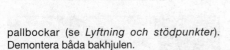

9.13a Skruva loss bultarna . . .

9.13b . . . och ta bort bromsokets monteringskonsol från bakfjädringens länkarm

9.14 Justera handbromsbeläggen med en skruvmejsel som du sätter i åtkomsthålet i bromsskivan

pallbockar (se *Lyftning och stödpunkter*). Demontera båda bakhjulen.

2 För att en noggrann kontroll ska kunna utföras och för att man ska kunna komma åt båda sidorna av skivan, måste bromsoken skruvas loss och placeras åt sidan enligt beskrivningen senare i detta avsnitt. Alternativt behöver bara bromsklossarna tas bort enligt beskrivningen i avsnitt 5.

3 Kontrollera att bromsskivans fästskruv sitter säkert. Montera sedan ungefär 10,0 mm tjocka mellanlägg på hjulbultarna och skruva därefter tillbaka dem igen. Då hålls bromsskivan i sitt normala arbetsläge.

4 Vrid bromsskivan och undersök om den har djupa repor eller spår. Lätta repor är normalt, men om de är för djupa måste skivan tas bort och antingen bytas ut eller renoveras (inom angivna gränsvärden) hos en specialistverkstad. Bromsskivans minimitjocklek anges i specifikationerna i början av det här kapitlet.

5 Använd en mätklocka eller en platt metallbit och bladmått och kontrollera att bromsskivans skevhet inte överskrider värdet i Specifikationer.

6 Om bromsskivan är påtagligt skev, ta bort den enligt beskrivningen nedan, och kontrollera att ytorna mellan bromsskivan och navet är helt rena. Montera tillbaka skivan och kontrollera kast igen. Om skivan fortfarande är märkbart skev ska den bytas ut.

7 Använd en mikrometer och kontrollera att bromsskivans tjocklek inte underskrider det angivna värdet i Specifikationer (se

bild 8.7). Mät tjockleken på flera ställen runt bromsskivan.
8 Upprepa kontrollen på den andra bakre bromsskivan.

## Demontering

9 Ta bort hjulbultarna och distansbrickorna som användes när skivan kontrollerades.
10 Ta bort bromsklossarna enligt beskrivningen i avsnitt 5.

### Fast bromsok

11 Lossa försiktigt bakbromsens hydraulledning från klammern på bakaxeln, var noga med att inte böja ledningen för mycket.
12 Skruva loss och ta bort det bakre bromsoket enligt beskrivningen i avsnitt 7, och knyt upp det åt ena sidan. Avgassystemet är en lämplig plats att knyta upp bromsoket på, använd ett långt buntband av plast.

### Flytande bromsok

13 När bromsoket är borttaget, så att bromsklossarna kan tas bort, skruvar du loss bultarna och tar bort fästbygeln från bakfjädringens länkarm (se bilder).

### Alla modeller

14 Stick en skruvmejsel genom åtkomsthålet och dra bort handbromsbackens justering enligt beskrivningen i avsnitt 16 (se bild).
15 Ta bort fästskruven och dra bort bromsskivan från navet (se bilder).

## Montering

16 Monteringen utförs i omvänd ordningsföljd mot demonteringen, men se till att kontaktytorna mellan bromsskivan och navet är helt rena och applicera lite låsvätska på fästskruvens gängor innan den dras åt. Om en ny bromsskiva monteras, ta bort skyddslagret med lämpligt lösningsmedel. Justera handbromsen enligt beskrivningen i avsnitt 15 och handbromsvajern enligt beskrivningen i avsnitt 16. Sätt tillbaka hjulet och sänk ner bilen till marken.

### 10 Handbromsbackar – kontroll, demontering och montering

**Varning: Byt ut BÅDA de bakre bromsbackarna samtidigt. Notera att dammet från bromsklossarnas slitage kan innehålla asbest vilket är hälsovådligt. Blås aldrig bort dammet med tryckluft och andas inte in det. Använd bromsrengöringsmedel eller T-sprit för att rengöra bromsarna.**

### Kontroll

1 Handbromsen arbetar oberoende av fotbromsen via bromsbackar, som sitter i en trumma som fast monterad i bromsskivorna.
2 Du kan snabbt kontrollera slitaget på bromsbackarna utan att ta bort den bakre bromsskivan. Klossa bakhjulen, lyft upp framvagnen och ställ den på pallbockar (se *Lyftning och stödpunkter*). Vrid bromsskivan så att den automatiska justeraren syns genom hålet i skivan Om fler än 10 gängvarv syns på justeraren är bromsbackarna nedslitna och bör bytas ut.
3 För att kontrollera noggrant tar du bort den bakre bromsskivan enligt beskrivningen i avsnitt 9. Kontrollera sedan minimitjockleken på belägget på varje bromsback. Om någon av bromsbackarna är nedsliten under det angivna gränsvärdet måste alla fyra handbromsbackarna bytas ut på en gång.

### Demontering

4 När den bakre bromsskivan är demonterad, tvätta bort dammet och smutsen från bromsbackarna och fästplattan.

9.15a Ta bort skruven . . .

9.15b . . . och ta bort den bakre bromsskivan

**10.6 Haka loss och ta bort vajerreturfjädern**

**10.7 Lossa handbromsvajerns ändbeslag från armen på fästplattan**

**10.8a Handbromsbackar monterade på bakbromsfästplattan**

**10.8b Handbromsbackjusterare (vänster bakbroms) . . .**

**10.8c . . . expander . . .**

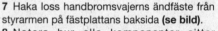

**10.8d . . . och fästfjädrar**

**5** Du kan ta bort och montera bromsbackarna utan att ta bort navet, men det är mycket enklare att göra det när navet är borttaget och stödplattan ligger på bänken. Speciellt återmonteringen går lättare. Se kapitel 10 och ta bort baknavet samt stödplattan tillsammans med bromsbackarna.

**6** Haka loss kabelns returfjäder från hålet i fästplattan och från vajerändens fäste **(se bild)**.

**7** Haka loss handbromsvajerns ändfäste från styrarmen på fästplattans baksida **(se bild)**.

**8** Notera hur alla komponenter sitter monterade och rita en skiss över dem om det behövs **(se bilder)**.

**9** Ta bort backarnas fästskålar, fjädrar och stift genom att trycka skålarna nedåt och vrida dem 90° med en tång **(se bild)**. Om navet sitter kvar sätter du ett lämpligt verktyg i hålet i navflänsen.

**10** Lyft försiktigt bromsbackarna från fästplattans fästen och för expanderarmen genom gummigenomföringen **(se bild)**.

**11** Dra isär skorna och ta bort justeraren. Ta därefter bort den övre returfjädern **(se bilder)**.

**12** Sväng bromsbackarnas övre ändar inåt och ta bort expandern från de nedre ändarna **(se bilder)**.

**10.9 Ta bort fästskålarna, fjädrarna och stiften till handbromsbelägget**

**10.10 Lyft av bromsbeläggen direkt från fästplattan**

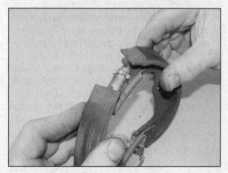

**10.11a Ta bort justeraren . . .**

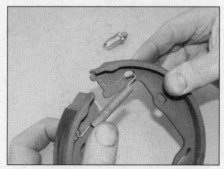

**10.11b . . . och därefter den övre returfjädern**

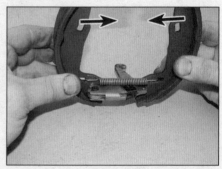

**10.12a Sväng bromsbeläggets övre ändar inåt . . .**

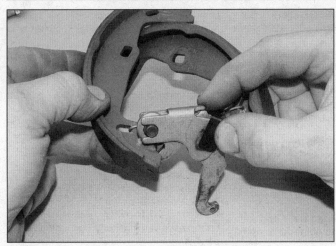

10.12b . . . och ta bort expandern

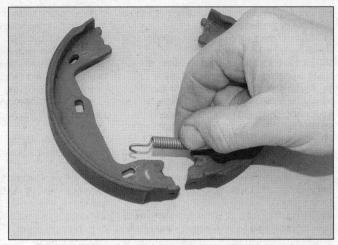

10.13 Haka loss den nedre returfjädern

**13** Haka loss den nedre returfjädern från bromsbackarna **(se bild)**.
**14** Ta isär justerar- och expander-komponenterna för rengöring **(se bild)**.
**15** Var noga med att inte blanda ihop de båda handbromsenheterna om de tas bort samtidigt.
**16** Rengör komponenterna och kontrollera om de är slitna eller skadade. Byt ut utslitna eller skadade komponenter. Se till att expandern och justeraren löper fritt och inte har kärvat ihop – stryk lite olja på expanderns svängtappar och lite fett med hög smältpunkt på justerarens gängor innan de återmonteras. Ställ in justeraren på den minsta längden.

### Montering

**17** Rengör fästplattan noga och smörj lite kopparfett på bromsbackens kontaktytor innan monteringen **(se bild)**.
**18** Montera bromsbackarna på fästplattan i omvänd ordningsföljd mot demonteringen.
**19** Montera fästplattan och baknavet enligt beskrivningen i kapitel 10.
**20** Haka fast vajerändens fäste på expanderarmen och placera vajerhållaren i fästet.
**21** Haka fast vajerns returfjäder i hålet i fästplattan och på ändfästet.
**22** Montera den bakre bromsskivan och

bromsoket enligt beskrivningen i avsnitt 9.
**23** Justera handbromsbackarna enligt beskrivningen i avsnitt 15, montera sedan hjulen och sänk ner bilen.

### 11 Huvudcylinder – demontering, översyn och montering

### Demontering

**1** Släpp ut allt vakuum från bromsservon genom att pumpa med bromspedalen.
**2** I vänsterstyrda modeller tar du bort huvudsäkringsdosan och kopplar loss kablaget från stöldskyddskontakten. Skruva loss och ta bort fästbygeln så får du mer plats.
**3** Om en sådan finns, koppla loss kablaget från bromsoljevarningskontakten i behållarens.
**4** Tappa ut vätskan ur behållaren. Alternativt, öppna en lämplig avluftningsskruv och pumpa försiktigt med bromspedalen för att tappa ur oljan genom en plastslang kopplad till avluftningsskruven (se avsnitt 2).

⚠️ *Varning: Sug inte med munnen, vätskan är giftig; använd en bollspruta.*

**5** Placera tygtrasor under huvudcylindern för att fånga upp oljespill.

**6** På modeller med manuell växellåda kopplar du loss kopplingshydraulslangen från bromsvätskebehållaren.
**7** Sätt tillbaka påfyllningslocket på behållaren. Bänd försiktigt loss behållaren från gummigenomföringarna överst på huvudcylindern med en bred spårskruvmejsel.
**8** Observera hur bromsledningarna är placerade, skruva sedan bort anslutningsmuttrarna och flytta ledningarna åt ena sidan precis så mycket att de är ur vägen för huvudcylindern. Böj inte bromsledningarna mer än vad som behövs. Använd en öppen nyckel, om en sådan finns tillgänglig, för att skruva bort muttrarna, de kan sitta mycket hårt. Tejpa över eller plugga igen öppningarna i bromsledningarna och huvudcylindern.
**9** Skruva loss fästmuttrarna och dra bort huvudcylindern från vakuumservons framsida **(se bild)**. Ta loss tätningen. Vira in huvudcylindern i tygtrasor och ta bort den från motorrummet. Var försiktig så att du inte spiller vätska på bilens lack.

### Renovering

**10** Kontrollera tillgången och priset på reservdelar innan huvudcylindern tas isär, det kan löna sig att köpa en helt ny huvudcylinder.

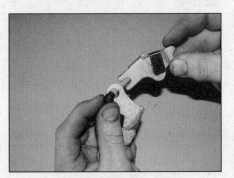

10.14 Ta isär expandern

10.17 Smörj lite kopparfett på bromsbackens kontaktytor

11.9 Huvudcylinderns fästmuttrar – markerade med pilar

**11** Tvätta bort all smuts och alla avlagringar från huvudcylinderns utsida.
**12** Bänd ut behållarens gummitätningar från huvudcylinderns topp **(se bild)**.
**13** Ta bort kåpan och låssprinten mellan oljeöppningen och den andra kolven.
**14** Använd en tång och dra bort låsringen från huvudcylinderns mynning medan kolven trycks ner något mot fjäderspänningen.
**15** Ta bort den primära och sekundära kolven tillsammans med fjädrarna från huvudcylinderloppet, observera demonteringsordningen. Knacka på cylindern när den ligger på arbetsbänken eller på en träkloss för att få loss kolvarna om de sitter hårt.
**16** Rengör noga huvudcylinderns komponenter med T-sprit eller ren bromsvätska, och kontrollera om de är slitna eller skadade. Var extra noga med att kontrollera loppens ytor och gummitätningarna. Ytorna i loppen får inte vara angripna av punktkorrosion eller spåriga och gummitätningarna får inte vara skadade eller utslitna. Rengör oljeportarna från rost och avlagringar.
**17** Om cylinderloppet är i gott skick men gummitätningarna märkbart slitna måste antingen tätningarna eller både tätningarna och kolvarna bytas ut.
**18** Smörj tätningarna och ytorna i loppen med ren bromsvätska. Montera den sekundära kolvenheten med skåran i linje med cylinderns överdel, och montera sedan låssprinten och kåpan för att hålla kolven på plats. Se till att tätningsläppen inte skadas när den trycks in i cylindern.
**19** För in den första kolvenheten; Se till att tätningsläppen inte skadas när den trycks in i cylindern.
**20** Tryck ner den primära kolven och montera låsringen i spåret i cylindermynningen. Lossa kolven.
**21** Doppa gummitätningarna i ren olja och placera dem i öppningarna ovanpå huvudcylindern.

## Montering

**22** Se till att fogytorna är rena och torra och montera sedan den nya tätningen på huvudcylinderns baksida.
**23** Montera huvudcylindern på vakuumservoenhetens pinnbultar och se till att servoenhetens tryckstång går in mitt i huvudcylinderns kolv. Montera fästmuttrarna och dra åt dem ordentligt.
**24** Ta bort tejpen eller pluggarna och återanslut bromsledningarna till huvudcylindern. Dra först åt anslutningsmuttrarna med fingrarna för att undvika korsgängning, dra sedan åt dem ordentligt med en nyckel.
**25** Montera oljebehållaren i gummitätningarna och tryck fast den ordentligt.
**26** På modeller med manuell växellåda sätter du tillbaka kopplingshydraulslangen på bromsvätskebehållaren.
**27** Fyll oljebehållaren med ny bromsvätska upp till MAX-markeringen.
**28** Sätt tillbaka kablaget på bromsvätskevarningskontakten i behållarens påfyllningslock.
**29** På vänsterstyrda modeller sätter du tillbaka kablaget till stöldskyddskontakten. Montera fästbygeln, huvudsäkringsdosan och hållaren.
**30** Lufta hydraulsystemet enligt beskrivningen i avsnitt 2. Gör en noggrann kontroll av bromssystemets funktion innan bilen körs igen.

## 12 Backventil för vakuumservo – demontering, kontroll och montering

### Demontering

**1** Backventilen är placerad i slangen som leder från vakuumservon till insugsgrenröret. Det går inte att få tag på en backventil separat.
**2** Ta försiktigt bort slangtillsatsen från gummifästet på servoenhetens framsida.
**3** Skruva loss anslutningsmuttern och koppla loss slangen från insugsröret.
**4** Lossa slangen från stödet och ta bort den från motorrummet.

### Kontroll

**5** Undersök om ventilen och slangen är skadade och byt ut dem om det behövs. Ventilen kan testas genom att man blåser luft genom slangen i båda riktningarna. Luften ska endast kunna komma igenom ventilen i ena riktningen – när man blåser från den sida av ventilen som är vänd mot servoenheten. Byt ut ventilen tillsammans med slangen om det behövs.
**6** Undersök om tätningsmuffen i vakuumservon är skadad eller åldrad och byt ut den om det behövs.

### Montering

**7** Monteringen utförs i omvänd ordningsföljd mot demonteringen, men dra åt anslutningsmuttern ordentligt. När du är klar startar du motorn och kontrollerar att bromsarna fungerar. Kontrollera också att det inte läcker luft någonstans.

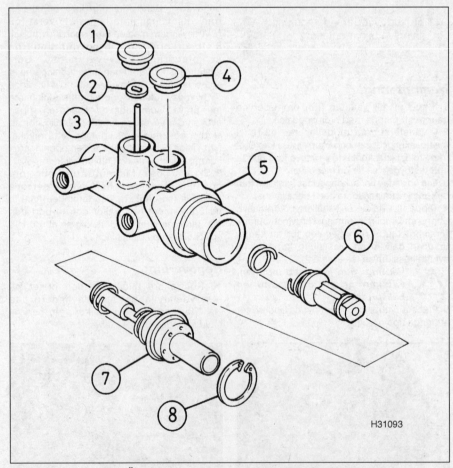

H31093

**11.12 Överblick över en isärtagen bromshuvudcylinder**

| | |
|---|---|
| 1 *Oljebehållarens gummitätning* | 5 *Huvudcylinderhus* |
| 2 *Kåpa* | 6 *Sekundärkolv* |
| 3 *Låssprint* | 7 *Primärkolv* |
| 4 *Oljebehållarens gummitätning* | 8 *Låsring* |

## 13 Vakuumservo – kontroll, demontering och montering

### Kontroll

**1** Testa vakuumservon på följande sätt: Tryck ner fotbromsen upprepade gånger med motorn avstängd, för att släppa ut vakuumet. Starta nu motorn och håll fortfarande pedalen ordentligt nedtryckt. När motorn startar ska pedalen ge efter märkbart medan vakuumet byggs upp. Låt motorn gå i minst två minuter och stäng sedan av den. Om bromspedalen nu trycks ned ska den kännas normal men fler tryckningar ska göra att den känns fastare med allt kortare pedalväg för varje nedtryckning.
**2** Om servon inte fungerar enligt ovan, kontrollera först servons backventil enligt beskrivningen i avsnitt 12.
**3** Om servon fortfarande inte fungerar som den ska finns felet i själva servoenheten. Det går inte att reparera servon. Om den är defekt måste hela servon bytas.

### Högerstyrda modeller

#### Demontering

**4** Demontera huvudcylindern enligt beskrivningen i avsnitt 11.
**5** Ta bort båda torkararmarna enligt beskrivningen i kapitel 12. Ta bort plastkåpan från motorrummets bakre mellanvägg för att komma åt torkarnas länksystem.
**6** Ta bort vakuumslangens tillsats från gummimuffen på vakuumservons framsida.
**7** Ta bort vevhusventilen och slangarna så får du bättre plats.
**8** Arbeta inuti bilen. Ta bort den nedre klädselpanelen från instrumentbrädan under rattstången.
**9** Haka loss returfjädern från bromspedalen, ta ut fjäderklämman och dra ut styrbulten som fäster tryckstångsgaffeln vid bromspedalen **(se bilder)**.
**10** Skruva loss bultarna och muttrarna till servofästbygeln från mellanväggen, bredvid torkarlänksystemet. Dra bort servoenheten och den övre monteringskonsolen från mellanväggen och ta bort dem från motorrummet.
**11** Skruva loss muttrarna och ta bort fästet från servoenhetens baksida.

#### Montering

**12** Montera fästet på servoenhetens baksida och dra åt muttrarna.
**13** Placera servoenheten och monteringskonsolen på mellanväggen och se till att det övre fästet placeras korrekt på det nedre fästet. Montera och dra åt generatorns fästbultar och fästmuttrar.
**14** Arbeta inuti bilen. Anslut tryckstångens gaffel till pedalen, montera sedan tappen och fäst den med en fjäderklämma. Sätt tillbaka returfjädern på bromspedalen **(se bild)**.
**15** Montera tillbaka den nedre klädselpanelen under rattstången.

**13.9a  Haka loss bromspedalens returfjäder . . .**

**13.9c  . . . och ta bort stötstångens styrbultstapp**

**16** Montera vevhusventilen och slangarna.
**17** Tryck in vakuumslangens tillsats i gummimuffen på vakuumservons framsida.
**18** Sätt tillbaka plastskyddet på baksidan av mellanväggen. Sätt därefter tillbaka torkararmarna enligt beskrivningen i kapitel 12.
**19** Montera huvudcylindern enligt beskrivningen i avsnitt 11 och lufta bromshydraulsystemet enligt beskrivningen i avsnitt 2.

### Vänsterstyrda modeller

#### Demontering

**20** Demontera huvudcylindern enligt beskrivningen i avsnitt 11.
**21** Rengör området runt bromsledningen som går från huvudcylindern till ABS-enheten. Notera dess placering, lossa anslutningsmuttern och ta bort ledningen från ABS-enheten. Tejpa över eller plugga igen ledningarna och öppningarna för att hindra damm och smuts från att tränga in.
**22** Ta bort vakuumslangens tillsats från gummimuffen på vakuumservons framsida.
**23** Skruva loss fästmuttrarna som håller fast servon i fästbygeln. Ta därefter bort klämman från tryckstången och ta bort servoenheten från bilen.

#### Montering

**24** Placera servoenheten på fästet och haka samtidigt fast styrstången från bromspedalen i servotryckstången. Montera och dra åt fästbultarna.
**25** Montera klämman på tryckstången och

**13.9b  . . . ta ut fjäderklämman . . .**

**13.14  Bromspedalens returfjäder, monterad**

tryck ner bromspedalen, så låses klämman fast.
**26** Tryck in vakuumslangens tillsats i gummimuffen på servoenhetens framsida.
**27** Montera den bakre bromsledningen på ABS-enheten på samma sätt som innan den demonterades. Dra sedan åt anslutningsmuttern.
**28** Montera bromshuvudcylindern enligt beskrivningen i avsnitt 11, och lufta bromshydraulsystemet enligt beskrivningen i avsnitt 2.

## 14 Vakuumpump – demontering och montering

### Mekanisk vakuumpump

#### Demontering

**1** Lossa och ta bort motorns övre skyddskåpa.
**2** Koppla loss vakuumslangen från tryckgivaren på sidan av turboaggregatet.
**3** Skruva loss skruven och ta bort bypassröret från turboaggregatets insugsrör.
**4** Koppla loss bypassventilen från laddluftröret.
**5** Koppla loss kablaget från temperaturgivaren på laddluftröret.
**6** Lossa klämmorna som fäster laddluftröret i gasspjällshuset och turboaggregatet. Skruva sedan loss fästbulten från bygeln på topplocket och dra ut röret från motorrummet. Tejpa över öppningarna i turboaggregatet och gasspjällshuset.

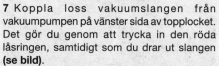

14.7 Tryck ner den röda låsringen för att lossa vakuumslangen

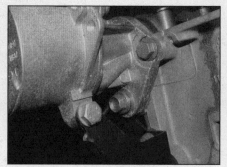

14.10 Fästbultar till mekanisk bromsvakuumpump

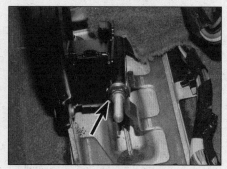

15.7 Justeringsmutter för handbromsvajer på handbromsspaken

7 Koppla loss vakuumslangen från vakuumpumpen på vänster sida av topplocket. Det gör du genom att trycka in den röda låsringen, samtidigt som du drar ut slangen (se bild).
8 Koppla loss kablaget från urladdningsmodulen på topplocket.
9 Lägg några tygtrasor under smörjbanjon på vakuumpumpen. Skruva sedan loss och ta bort banjobulten. Ta vara på yttertätningen.
10 Skruva loss pumpens fästbultar, inklusive bygelbulten, och dra ut den från topplocket (se bild). Ta loss den inre smörjtätningen och pumpens huvudtätning. Kasta alla tätningar. Använd nya tätningar vid monteringen.

## Montering

11 Rengör pumpens och topplockets kontaktytor. Placera de nya inner- och huvudtätningarna på pumpen och fäst dem med lite fett.
12 Placera pumpmedbringaren så att den fäster i spåret i slutet av kamaxeln vid återmonteringen. Placera pumpen på topplocket och sätt tillbaka fästbultarna. Dra endast åt dem med handen just nu. Torka bort utspilld olja från topplocket.
13 Montera banjobulten och en ny O-ringstätning. Dra åt till angivet moment.
14 Sätt i fästbultarna. Dra först åt bultarna på topplocket till angivet moment, och därefter den sista bulten i bygeln till angivet moment.
15 Återanslut kablaget till urladdningsmodulen och återanslut därefter vakuumslangen till pumpen.
16 Montera laddluftröret på gasspjällshuset och turboaggregatet. Dra åt fästbulten. Stryk vid behov lite vaselin på O-ringen på gasspjällshuset, så blir det lättare att montera den. Dra åt rörets fästklämmor.
17 Återanslut kablaget till temperaturgivaren på laddluftröret.
18 Återanslut bypassventilen till laddluftröret. Anslut sedan bypassröret till turboinsugsröret och dra åt skruven.
19 Återanslut vakuumslangen till tryckgivaren.
20 Montera motorns övre skyddskåpa.

## Elektrisk vakuumpump

### Demontering

21 Dra åt handbromsen. Lyft sedan upp framvagnen och ställ den på pallbockar (se Lyftning och stödpunkter). Ta bort det vänstra framhjulet.
22 Ta bort hjulhusfodringen och, i förekommande fall, motorns undre skyddskåpa.
23 Koppla loss vakuumslangen från pumpen.
24 Lossa kablaget från pumpen.
25 Skruva loss fästmuttrarna och bultarna och ta bort vakuumpumpen från innerskärmen.

### Montering

26 Monteringen utförs i omvänd ordningsföljd mot demonteringen.

## 15 Handbroms – justering

1 Klossa framhjulen, lyft upp bilens bakvagn med hjälp av en domkraft och stöd den på pallbockar (se Lyftning och stödpunkter). Demontera båda bakhjulen. Lossa handbromsen helt.
2 Kontrollera att kablarna inte drar i expanderarmarna på de bakre fästplattorna. Lossa i så fall kabeljusteringsmuttern enligt beskrivningen i punkt 6.
3 Arbeta med en sida i taget och justera bromsbackarna enligt följande. Vrid den bakre skivan/trumman tills åtkomsthålet är placerat över den övre justerarens tandning. Stick en skruvmejsel genom hålet, vrid justerarens tandning så att bromsskivan/trumman spärras. Dra sedan tillbaka tandningen så att skivan/trumman precis är fri att vrida sig. Upprepa inställningen på den återstående skivan/trumman.
4 Montera bakhjulen och dra åt bultarna.
5 Dra i handbromsspaken till det fösta hacket.
6 Öppna locket i mittkonsolen och ta bort mattan, så att du kommer åt handbromsvajerns justeringsmutter.
7 Dra åt justeringsmuttern tills det tar emot något när du vrider bakhjulen (se bild). Lossa handbromsspaken helt och kontrollera att bakhjulen roterar fritt. Dra sedan spaken till det andra eller tredje hacket och kontrollera att bakhjulen låses. Justera justeringsmuttern ytterligare om det behövs.
8 Om endast ett av bakhjulen låses kanske någon av bromsvajrarna kärvar. Det måste åtgärdas innan du justerar handbromsen.
9 Sänk ner bilen efter avslutat arbete.

## 16 Handbromsvajrar – demontering och montering

### Demontering

1 Det finns en primär och en dubbel sekundär handbromsvajer. En utjämnare är permanent fäst framtill på de sekundära, inre vajrarna, och primärvajern är fäst i mitten av utjämnaren. Sekundärvajrarna säljs som en sammansatt enhet. Klossa framhjulen, lyft upp bilens bakvagn med hjälp av en domkraft och stöd den på pallbockar (se Lyftning och stödpunkter).
2 Följ anvisningarna i kapitel 4A eller 4B och lossa de främre och bakre sektionerna av avgassystemet. Lossa sedan gummifästet från avgassystemets vänstra sida och sänk ner det.
3 Skruva loss de bakre muttrarna från värmeskölden på underredet. Böj sedan värmeskölden nedåt så att du kommer åt handbromsutjämnaren.
4 Koppla loss handbromsvajerns returfjäder från expanderarmarna på bakbromsens fästplattor.
5 Haka loss kabeländbeslagen från expanderarmarna.
6 Vrid primärvajerns ändbeslag 90° och koppla loss den från utjämnaren.
7 Lossa vajrarnas främre ändar från fästena.
8 Stötta bränsletanken med en garagedomkraft och en träkloss. Skruva sedan loss bränsletankens stödbyglar. Dra byglarna nedåt för att lossa handbromsens sekundärvajrar.
9 Lossa vajrarna från fästena och dra ut dem underifrån bilen.

### Montering

10 Montering sker i omvänd ordningsföljd, men avsluta med att justera handbromsen enligt beskrivningen i avsnitt 15.

## 17 Handbromsspak – demontering och montering

### Demontering

**1** Klossa framhjulen, lyft upp bakvagnen med hjälp av en domkraft och stötta upp den på pallbockar (se *Lyftning och stödpunkter*). Demontera båda bakhjulen.
**2** Arbeta vid vardera bakhjulsbroms och koppla loss höger och vänster returfjädrar från hålen i fästplattorna. Lossa sedan kabelskorna från handbromsbeläggets manöverarmar.
**3** Ta bort mittkonsolen enligt beskrivningen i kapitel 11, och lyft upp damasken.
**4** Koppla loss kablaget från kontakten till handbromsvarningslampan och lossa det från buntbanden.
**5** Skruva loss muttrarna som fäster handbromsenheten i golvet.
**6** Lyft upp handbromsenheten från golvet och tryck försiktigt upp utjämnaren genom öppningen i golvet. Bind ett snöre runt utjämnaren, så att den är tillgänglig för återmonteringen.
**7** Vrid primärvajerns ändbeslag 90° och koppla loss den från utjämnaren. Dra ut handbromsspakenheten från bilens insida.

### Montering

**8** Montering sker i omvänd ordningsföljd, men avsluta med att justera handbromsen enligt beskrivningen i avsnitt 15. Dra åt handbromsspakens fästbultar ordentligt.

## 18 Kontakt till handbromsvarningslampa – demontering, kontroll och montering

### Demontering

**1** Kontakten till handbromsens varningslampa är monterad på framsidan av handbromsspakens monteringskonsol **(se bild)**. Demontera mittkonsolen enligt instruktionerna i kapitel 11.
**2** Koppla loss kablarna från kontakten.
**3** Skruva loss fästskruven och ta bort brytaren.

### Kontroll

**4** Anslut en multimeter eller en kontinuitetsmätare på kabelanslutningen och kontakthöljet.
**5** När kontaktens tryckkolv är i vila ska multimetern visa på noll resistans eller kontinuitetsmätarens kontrollampa lysa. När tryckkolven är nedtryckt ska ohmmätaren visa på oändlig resistans eller kontrollampan vara släckt.
**6** Fel kan bero på korroderade anslutningar eller en defekt kontakt. Kontrollera att 12 volt

**18.1 Kontakt till handbromsens varningslampa**

matas till kablarna när tändningen är påslagen. Byt ut kontakten om det behövs.

### Montering

**7** Montering sker i omvänd ordningsföljd.

## 19 Bromspedal – demontering och montering

### Demontering

**1** Skjut tillbaka förarsätet helt.

### Högerstyrda modeller

**2** Ta bort bromsvakuumservon enligt beskrivningen i avsnitt 13.
**3** När vakuumservon är demonterad lossar du de fyra bultarna som fäster bromspedalbygeln i mellanväggen.
**4** Inifrån fordonet tar du bort hela instrumentbrädan enligt beskrivningen i kapitel 11.
**5** Följ instruktionerna i kapitel 10 och lossa rattstången från kuggstången. Dela inte den räfflade/teleskopiska sektionen. Framhjulen ska peka rakt fram. Tejpa för säkerhets skull fast ratten i instrumentbrädan.
**6** Koppla loss kablaget från pedalbrytarna.
**7** Skruva loss rattstången från mellanväggen och pedalbygeln. Flytta den bakåt så långt det går utan att kablaget sträcks.
**8** Lyft bort pedalbygeln från mellanväggen och ta bort den från bilen. Ta loss packningsskummet.

**20.3 Ta bort bromsljuskontakten från fästet . . .**

### Vänsterstyrda modeller

**9** Ta bort batteriet från motorrummets främre vänstra hörn (kapitel 5A).
**10** Ta bort den hydrauliska ABS/TCS/ESP-enheten enligt beskrivningen i avsnitt 22.
**11** Skruva loss och ta bort huvudsäkringsdosan från motorrummets bakre vänstra hörn när du kopplat loss kablaget.
**12** Koppla loss motorns kabelhärva och ta bort fästboxen från mellanväggsrummet bakom motorn.
**13** Skruva loss de fyra muttrarna som fäster bromspedalbygeln i mellanväggen.
**14** Ta bort dekoren nedtill på instrumentbrädan på förarsidan enligt instruktionerna i kapitel 11.
**15** Ta bort stegmotorn som sitter under bromspedalen.
**16** Följ instruktionerna i kapitel 10 och lossa rattstången från kuggstången. Dela inte den räfflade/teleskopiska sektionen. Framhjulen ska peka rakt fram. Tejpa för säkerhets skull fast ratten i instrumentbrädan.
**17** Skruva loss de två bultarna som fäster pedalenheten i rattstången.
**18** Koppla loss kablaget från pedalbrytarna.
**19** Haka loss returfjädrarna från pedalen. Ta sedan bort låsringen och dra ut gaffelbulten som håller fast pedalen i tryckstången.
**20** Lyft bort pedalbygeln från mellanväggen och ta bort den från bilen. Ta loss packningsskummet.

### Montering

**21** Monteringen utförs i omvänd ordningsföljd. Dra åt alla muttrar och bultar till angivet moment.

## 20 Bromsljuskontakt – demontering, kontroll och montering

### Demontering

**1** Bromsljusbrytaren sitter upptill på pedalfästbygeln. En inre fjäder spänner kontaktens tryckkolv så att anslutningarna normalt är stängda, men när bromspedalen släpps är spänningen från pedalens returfjäder starkare än den från kontaktens fjäder med följden att anslutningarna separeras när pedalen är i viloläge. När bromspedalen trycks ner skickas en spänning på 12 volt från kontakten till den elektroniska styrenheten, som sedan ger ström åt bromsljusen. Styrenheten kontrollerar bromsljusens tre glödlampor och tänder en varningslampa på instrumentpanelen om det behövs. När ett släp kopplas till bilen får släpets bromsljus ström direkt från bromsljuskontakten.
**2** Ta bort kontakten genom att först ta bort den nedre klädselpanelen från instrumentbrädan enligt beskrivningen i kapitel 11.
**3** Vrid brytaren moturs 90° och dra ut den från fästbygeln **(se bild)**.

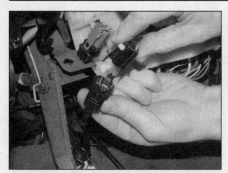

**20.4 . . . och koppla loss kablaget**

**4** Koppla loss kablaget från kontakten (se bild).

## Kontroll

**5** Kontakten är enkelpolig och har normalt stängda anslutningar. Kontaktens funktion kan kontrolleras med en multimeter (i ohmmätarläge), eller en kontinuitetsmätare av en glödlampa, ett torrbatteri och två bitar kabel. Koppla mätaren till kontaktens anslutningspoler när kontakten är i viloläge, och kontrollera att ohmmätaren visar på noll eller att glödlampan tänds.

**6** Tryck ner kontaktens tryckkolv och kontrollera att ohmmätaren visar på oändlig resistans (bruten krets) eller att kontrollampan slocknar.

**7** Om kontakten inte uppträder enligt ovanstående beskrivning, eller om den fungerar intermittent, ska den bytas ut; Enheten kan inte repareras.

## Montering

**8** Bromsljuskontakten monteras i omvänd ordningsföljd.

## 21 Låsningsfria bromsar (ABS) – allmän information och felsökning

### Allmän information

**1** Systemet för låsningsfria bromsar (ABS) styrs av en elektronisk styrenhet (ECM), som kan visa status och skick hos alla komponenter i systemet, inklusive sig själv. Om styrenheten upptäcker ett fel reagerar den med att stänga av ABS-systemet och tända varningslampan på instrumentbrädan. När det händer fungerar bromssystemet som ett konventionellt bromssystem, utan ABS. Observera även att varningslampan tänds när strömförsörjningen till ABS-systemets styrenhet bryts (t.ex. om säkringen går sönder). I modeller tillverkade efter hösten 1998 tänds bromsvarningslampan och lampan för allmänt fel samtidigt som ABS-varningslampan.

**2** Om ABS-systemets varningslampa anger ett fel är det mycket svår att diagnostisera problemet utan den utrustning och de kunskaper som behövs för att kunna avläsa felkoder från den elektroniska styrenheten.

Därför beskrivs först och främst grundläggande kontroller i det här avsnittet.

**3** Om orsaken till felet inte kan fastställas omedelbart med hjälp av kontrollistan som nämndes ovan *måste* bilen lämnas in till en Saab-verkstad för undersökning. Det behövs specialutrustning för att felmeddelandena från ABS-systemets styrenhet ska kunna läsas och orsaken till felet fastställas.

### Grundläggande felsökning

#### Bromsvätskenivå

**4** Kontrollera bromsvätskenivån (se *Veckokontroller*). Om nivån är låg ska hela bromssystemet undersökas efter tecken på läckage. Se kapitel 1A och 1B och kontrollera bilens alla bromsslangar och ledningar. Om inga läckor upptäcks, koppla bort hjulen ett i taget och leta efter läckor vid bromsokskolvarna.

#### Säkringar och reläer

**5** ABS-systemets säkring sitter under en kåpa i kanten av instrumentpanelen. Ta bort kåpan och dra ut säkringen. Kontrollera säkringstråden visuellt. Det kan vara svårt att se om säkringen har löst ut. Kontrollera säkringen med en multimeter. Om några andra säkringar har löst ut ska du hitta orsaken innan du monterar en ny – vid behov; låt en Saabhandlare undersöka bilen.

**6** ABS-systemets relä är placerat under en kåpa till vänster i motorrummet. Reläer är i allmänhet svåra att kontrollera och diagnostisera utan elektrisk specialutrustning. Man kan dock ofta känna (och höra) när kontakterna i reläet öppnas och stängs – om reläet inte uppför sig på det sättet när tändningen är på kan det vara defekt. Observera att den här kontrollen inte är avgörande, enda sättet att veta att komponenten fungerar är genom att byta ut det misstänkt defekta reläet mot ett relä *av samma typ* som man vet fungerar. Byt ut ett misstänkt relä genom att dra ut det ur sin sockel – observera åt vilket håll det är monterat – och sätt i ett nytt relä.

#### Elektriska anslutningar och jordningspunkter

**7** Motorrummet utgör en fientlig omgivning för elektriska komponenter och även de bästa tätningar kan någon gång springa läck. Vatten, kemikalier och luft leder till korrosion på kontaktdonens anslutningar och skapar störningar och avbrott, ibland återkommande. Koppla loss batteriets negativa kabel, kontrollera sedan att den hydrauliska ABS-enhetens anslutningar till vänster i motorrummet sitter säkert och är i gott skick.

**8** Koppla loss alla kontaktdon och undersök anslutningarna i dem. Rengör alla anslutningar som är smutsiga eller korroderade. Undvik att skrapa kontakterna rena med ett knivblad eller liknande, då påskyndas senare korrosion. Putsa kontaktytorna tills de är rena och metallglänsande med en dammfri trasa och särskilt lösningsmedel.

**9** Kontrollera även systemets elektriska jordningspunkt på sidan av hydraulenheten med avseende på säkerhet och skick.

## 22 Låsningsfria bromsar (ABS), komponenter – demontering och montering

**Observera:** *Om ABS-systemet är defekt får ingen del demonteras innan bilen lämnats in till en Saab-verkstad för kontroll.*

### Främre hjulsensor

#### Demontering

**1** Dra åt handbromsen. Lyft sedan upp framvagnen och ställ den på pallbockar (se *Lyftning och stödpunkter*). Demontera det relevanta hjulet.

**2** Koppla loss anslutningskontakten i motorrummet. Givaren för vänster framhjul sitter bredvid batteriet. Vi rekommenderar att du tar bort batteriet och batterihyllan (se kapitel 5A). om det behövs, lossa även kylvätskeexpansionskärlet och sätt det åt sidan. Givaren för höger hjul sitter bakom behållaren för servostyrningsvätska. Du behöver lossa låsfliken på kontaktdonet. Om det behövs, ta du också bort expansionskärlet och flyttar det åt sidan.

**3** Rengör området runt hjulgivaren på den främre hjulspindeln. Skruva sedan loss fästbulten och ta bort givaren.

**4** Bänd bort gummifästet från den inre skärmpanelen och dra ut kablaget.

**5** Lossa kablaget från fästklämmorna på den inre skärmpanelen och bromsslangen.

#### Montering

**6** Monteringen utförs i omvänd ordningsföljd mot demonteringen, men dra åt fästbulten ordentligt.

### Bakre hjulsensor

#### Demontering

**7** Bakhjulsgivarna är inbyggda i bakhjulsnaven. Det här avsnittet beskriver hur du tar bort navet. Klossa framhjulen, lyft upp bilens bakvagn med hjälp av en domkraft och stöd den på pallbockar (se *Lyftning och stödpunkter*). Demontera det relevanta hjulet.

**8** Ta bort den bakre bromsskivan enligt beskrivningen i avsnitt 9.

**9** Om en sådan finns, ta bort skyddskåpan från nederkanten av bakfjädringens länkarm och skruva loss handbromsvajerns stödfäste.

**10** Koppla loss kablaget från hjulgivaren på navets baksida.

**11** Skruva loss fästmuttrarna och dra bort navenheten från bakaxeln. Låt fästplattan, bromsbeläggen och distansbrickan/brickorna sitta kvar på kabeln. **Observera:** *Kasta navmuttrarna. Använd nya muttrar vid återmonteringen.* Ta loss mellanläggen, om sådana finns.

## Montering

**12** Rengör bakaxelns fogytor, stödplatta, distansbrick(or) och nav. Montera sedan komponenterna i rätt ordning. Montera och dra stegvis åt de nya muttrarna till angivet åtdragningsmoment och den vinkel som anges i Specifikationer.

**13** Återanslut kablarna till hjulgivaren.

**14** Om den har tagits bort, montera tillbaka handbromsvajerns stödbygel och skyddskåpan längst ned på den bakre fjädringens länkarm.

**15** Montera den bakre bromsskivan (se avsnitt 9) och justera handbromsbackarna (se avsnitt 15).

**16** Montera hjulet och sänk ner bilen.

**17** Tryck ner bromspedalen ordentligt för att ställa in de bakre bromsklossarna i normalläget.

## ABS/ESP/TCS-hydraulenhet

**Observera:** *ABS-styrenheten (ECM) är en del av hydraulenheten och kan inte demonteras separat. När du monterat en ny enhet måste ECU-enheten kalibreras av en Saab-verkstad med hjälp av diagnostikinstrumentet Tech2. Vi rekommenderar att du stänger av ESP-funktionen tills kalibreringen har utförts.*

## Demontering

**18** Koppla loss batteriets minusledare.

**19** Klipp av plastbuntbanden som fäster batteriets plusledare i huvudsäkringsdosan. Skruva sedan loss muttrarna och placera säkringsdosan åt sidan utan att koppla loss kablarna. Häng upp säkringsdosan i ett snöre om det behövs.

**20** Minimera eventuellt oljespill genom att skruva bort huvudcylinderbehållarens lock och sedan skruva på det igen över en bit plastfolie, så att det blir lufttätt. Placera även tygtrasor under ABS enheten för att fånga upp oljespill.

**21** Lossa anslutningskontakten från den elektriska styrmodulen, kapa plastbuntbanden som håller fast kabeln och lägg anslutningskontaktens plugg åt sidan **(se bild)**.

**22** Märk alla hydraulbromsrör för att underlätta återplaceringen på hydraulenheten, skruva sedan loss anslutningsmuttrarna och koppla loss rören. Tejpa över eller plugga igen rören och öppningarna för att hindra damm och smuts från att tränga in.

**23** Skruva loss fästmuttrarna och ta bort ABS hydraulenheten från motorrummet **(se bild)**. Var noga med att inte spilla hydraulolja på bilens lackade delar.

## Montering

**24** Monteringen görs omvänt mot demonteringen. Dra åt fästmuttrarna och anslutningsmuttrarna till hydraulbromsrören till angivet moment, och avsluta med att lufta hydraulsystemet enligt beskrivningen i avsnitt 2.

**22.21 Koppla loss kontaktdonet (markerad med pil) från styrenheten**

## 23 Elektroniskt stabilitetsprogram (ESP), komponenter demontering och montering

## Kursstabilitetsgivare (gyro)

### Demontering

**1** Ta bort mittkonsolen enligt beskrivningen i kapitel 11.

**2** på modeller med manuell växellåda tar du bort växelspakshuset enligt beskrivningen i kapitel 7A. På modeller med automatväxellåda tar du bort växelspakshuset enligt beskrivningen i kapitel 7B.

**3** Notera givarens montering och att pilen på ovansidan är vänd framåt. Lossa därefter fästskruvarna.

**4** Lossa låsfliken, koppla loss kablaget och ta bort givaren.

### Montering

**5** Monteringen utförs omvänt mot demonteringen. Se till att pilen är vänd framåt i bilens riktning.

## Rattvinkelgivare

**Observera:** *När du hr monterat en ny rattvinkelgivare måste den kalibreras av en Saab-verkstad med hjälp av diagnostikinstrumentet Tech2. Vi rekommenderar att du stänger av ESP-funktionen tills kalibreringen har utförts.*

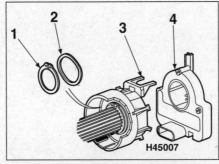

**23.10 Komponenter i rattvinkelgivaren**

1 Låsring     3 Lagerhållare
2 Fjäderbricka   4 Rattvinkelgivare

**22.23 ABS-systemets hydraulenhet övre fäste**

⚠️ *Varning: Montera aldrig en skadad rattvinkelgivare, eftersom bilen då kan uppföra sig oberäkneligt vid nödsituationer. Använd inte våld när du monterar eller demonterar givaren.*

### Demontering

**6** Ta bort rattstången enligt beskrivningen i kapitel 10.

**7** Den inre rattstången består av två räfflade sektioner, som är hopfällbara och bara passar ihop på ett sätt. Markera först de båda inre rattstångssektionernas och det yttre rattstångshusets lägen i förhållande till varandra.

**8** Dra försiktigt loss den nedre inre stången, tillsammans med lagerbygeln och vinkelgivaren, från den yttre stången.

**9** Skruva loss låsskruven som fäster lagerbygeln i lagerhållaren. Tryck sedan in plasthaken på den motsatta sidan med en skruvmejsel och dra ut bygeln över den nedre inre stången.

**10** Öppna låsringen med en låsringstång och ta bort den från den nedre inre stången/mellanaxeln, följt av fjäderbrickan **(se bild)**.

**11** Ta bort lagerhållaren och rattvinkelgivaren från den nedre inre stången/mellanaxeln.

### Montering

**12** Sätt givaren på den nedre inre stången/mellanaxeln och sätt spåret på den upphöjda fliken **(se bild)**. Monterar du en ny givare fyller du i etiketten och fäster den på givaren.

**13** Sätt lagerhållaren på axeln. Se till att armarna fästs i givarens ben.

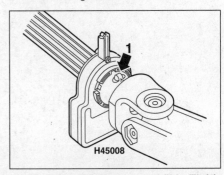

**23.12 Rattvinkelgivarens upphöjda flik (1) på mellanaxeln**

**14** Montera fjäderbrickan och låsringen. Kontrollera att låsringen ligger helt i spåret.

**15** Sätt bygeln på lagerhållaren. Se till att plasthaken snäpper på plats och sätt i och dra åt låsskruven.

**16** Placera markeringarna på de båda inre stångsektionerna med markeringarna på det yttre stånghuset. För sedan de övre och nedre inre stängerna mot varandra så att de sitter ihop. Tvinga inte ihop stängerna om de inte är i linje med varandra.

**17** Montera rattstångsenheten enligt beskrivningen i kapitel 10.

**18** Låt en Saab-verkstad kalibrera rattvinkelgivaren snarast.

## Bromstrycksgivare

### Demontering

**19** Bromstrycksgivaren sitter på hydraulenhetens baksida i motorrummets vänstra bakre del. Se till att du har något föremål till hands att täppa till givarens hål med, så att bromsvätska inte rinner ut.

**20** Koppla loss kablaget från givaren.

**21** Skruva loss givaren från hydraulenheten med en 24 mm nyckel. Täpp omedelbart till öppningen. Se till att damm och smuts inte kommer in.

### Montering

**22** Monteringen utförs i omvänd ordningsföljd

mot demonteringen. Dra åt givaren ordentligt. Avsluta med att lufta hydraulkretsen enligt beskrivningen i avsnitt 2. Om mängden utläckande vätska var liten behöver du bara lufta vänster frambroms och höger bakbroms.

## ESP/TCS-omkopplare

### Demontering

**23** ESP/TCS-omkopplaren sitter på instrumentbrädan. Bänd bort den försiktigt med en spårskruvmejsel.

**24** Koppla loss kablarna.

### Montering

**25** Monteringen sker i omvänd ordningsföljd.

# Kapitel 10
# Fjädring och styrning

## Innehåll

## Svårighetsgrad

| | | | | |
|---|---|---|---|---|
| **Enkelt,** passar novisen med lite erfarenhet  | **Ganska enkelt,** passar nybörjaren med viss erfarenhet  | **Ganska svårt,** passar kompetent hemmamekaniker  | **Svårt,** passar hemmamekaniker med erfarenhet 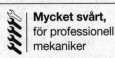 | **Mycket svårt,** för professionell mekaniker  |

## Specifikationer

### Allmänt

Framfjädring . . . . . . . . . . . . . . . . . . . . . . . . . . . . . . . . . . . . . . . . Separat med fjäderben, hjulnav och krängningshämmare från MacPherson. Fjäderbenen innehåller gasfyllda stötdämpare och spiralfjädrar. Kryssrambalk med länkarmar och kulleder

Bakfjädring . . . . . . . . . . . . . . . . . . . . . . . . . . . . . . . . . . . . . . . . . Separat med fjäderben och krängningshämmare. Fjäderbenen innehåller gasfyllda stötdämpare och spiralfjädrar. Kryssrambalk med övre och nedre tvärlänk för länkarmar

Styrning . . . . . . . . . . . . . . . . . . . . . . . . . . . . . . . . . . . . . . . . . . . Kuggstångsdrev, hydraulassistans på alla modeller.

### Hjulinställning

Fram:
  Toe-in:
    15 tum. . . . . . . . . . . . . . . . . . . . . . . . . . . . . . . . . . . . . . . . 2,0 ± 0,6 mm
    16 tum. . . . . . . . . . . . . . . . . . . . . . . . . . . . . . . . . . . . . . . . 2,2 ± 0,6 mm
    17 tum. . . . . . . . . . . . . . . . . . . . . . . . . . . . . . . . . . . . . . . . 2,2 ± 0,6 mm
  Camber:
    15 tum. . . . . . . . . . . . . . . . . . . . . . . . . . . . . . . . . . . . . . . . -0,8° (vid en höjd på 600 mm)
    16 tum. . . . . . . . . . . . . . . . . . . . . . . . . . . . . . . . . . . . . . . . -0,9° (vid en höjd på 610 mm)
    17 tum. . . . . . . . . . . . . . . . . . . . . . . . . . . . . . . . . . . . . . . . -0,8° (vid en höjd på 630 mm)
  Castervinkel . . . . . . . . . . . . . . . . . . . . . . . . . . . . . . . . . . . . . . 2,9° ± 0,5°
  Spindelbultslutning. . . . . . . . . . . . . . . . . . . . . . . . . . . . . . . . . . 12,6° ± 0,5°
Bak:
  Toe-in:
    15 tum. . . . . . . . . . . . . . . . . . . . . . . . . . . . . . . . . . . . . . . . 3,0 ± 1,4 mm
    16 tum. . . . . . . . . . . . . . . . . . . . . . . . . . . . . . . . . . . . . . . . 3,2 ± 1,4 mm
    17 tum. . . . . . . . . . . . . . . . . . . . . . . . . . . . . . . . . . . . . . . . 3,4 ± 1,4 mm
  Camber:
    15 tum. . . . . . . . . . . . . . . . . . . . . . . . . . . . . . . . . . . . . . . . -0,9° (vid en höjd på 590 mm)
    16 tum. . . . . . . . . . . . . . . . . . . . . . . . . . . . . . . . . . . . . . . . -0,8° (vid en höjd på 605 mm)
    17 tum. . . . . . . . . . . . . . . . . . . . . . . . . . . . . . . . . . . . . . . . -0,8° (vid en höjd på 620 mm)
Styrningsvinkel, toe-ut i svängar:
  Yttre hjul . . . . . . . . . . . . . . . . . . . . . . . . . . . . . . . . . . . . . . . . 20,0°
  Inre hjul. . . . . . . . . . . . . . . . . . . . . . . . . . . . . . . . . . . . . . . . . 21,25° ± 0,5°

### Hjul

Storlek:
  Standard. . . . . . . . . . . . . . . . . . . . . . . . . . . . . . . . . . . . . . . . . 6 x 15, 6,5 x 16 eller 7 x 17
  Reservdäck. . . . . . . . . . . . . . . . . . . . . . . . . . . . . . . . . . . . . . . 4.0 x 16

## Däck

Storlek . . . . . . . . . . . . . . . . . . . . . . . . . . . . . . . . . . . . . . . . . . . . . . 195/65R15, 205/65R15, 215/55R16, 225/45R17 & 235/45R17
Däcktryck . . . . . . . . . . . . . . . . . . . . . . . . . . . . . . . . . . . . . . . . . . . . Se slutet av *Veckokontroller*

## Servostyrning

Antal rattvarv mellan fulla utslag . . . . . . . . . . . . . . . . . . . . . . . . . . 2,9 varv

## Åtdragningsmoment

**Nm**

### Bakfjädring

Kryssrambalk:
    Steg 1 . . . . . . . . . . . . . . . . . . . . . . . . . . . . . . . . . . . . . . . . . . 90
    Steg 2 . . . . . . . . . . . . . . . . . . . . . . . . . . . . . . . . . . . . . . . . . . Vinkeldra 60°
Krängningshämmare till tvärbalk . . . . . . . . . . . . . . . . . . . . . . . . . . 50
Länkarmen mot fästbygeln:
    Steg 1 . . . . . . . . . . . . . . . . . . . . . . . . . . . . . . . . . . . . . . . . . . 90
    Steg 2 . . . . . . . . . . . . . . . . . . . . . . . . . . . . . . . . . . . . . . . . . . Vinkeldra 60°
Länkarmens fästbygel mot underredet:
    Steg 1 . . . . . . . . . . . . . . . . . . . . . . . . . . . . . . . . . . . . . . . . . . 90
    Steg 2 . . . . . . . . . . . . . . . . . . . . . . . . . . . . . . . . . . . . . . . . . . Vinkeldra 30°
Nav till länkarm:
    Steg 1 . . . . . . . . . . . . . . . . . . . . . . . . . . . . . . . . . . . . . . . . . . 50
    Steg 2 . . . . . . . . . . . . . . . . . . . . . . . . . . . . . . . . . . . . . . . . . . Vinkeldra 30°
Stötdämparens/fjäderbenets nedre fästbult. . . . . . . . . . . . . . . . . . 190
Stötdämparens/fjäderbenets övre kolvstångsfäste . . . . . . . . . . . . . 20
Stötdämpare/fjäderben till kaross . . . . . . . . . . . . . . . . . . . . . . . . . 55
Övre och nedre tvärlänk till länkarmen:
    Steg 1 . . . . . . . . . . . . . . . . . . . . . . . . . . . . . . . . . . . . . . . . . . 90
    Steg 2 . . . . . . . . . . . . . . . . . . . . . . . . . . . . . . . . . . . . . . . . . . Vinkeldra 60°

### Framfjädring

Bultar mellan krängningshämmare och kryssrambalk . . . . . . . . . . . . 25
Fjäderben till hjulspindel:
    Steg 1 . . . . . . . . . . . . . . . . . . . . . . . . . . . . . . . . . . . . . . . . . . 100
    Steg 2 . . . . . . . . . . . . . . . . . . . . . . . . . . . . . . . . . . . . . . . . . . Vinkeldra 90°
Fjäderbenets övre fästbultar. . . . . . . . . . . . . . . . . . . . . . . . . . . . . . 30
Kryssrambalkens fäste till underredet:
    Steg 1 . . . . . . . . . . . . . . . . . . . . . . . . . . . . . . . . . . . . . . . . . . 100
    Steg 2 . . . . . . . . . . . . . . . . . . . . . . . . . . . . . . . . . . . . . . . . . . Vinkeldra 45°
Krängningshämmarens länk. . . . . . . . . . . . . . . . . . . . . . . . . . . . . . 90
Motorns bakre fäste till kryssrambalk . . . . . . . . . . . . . . . . . . . . . . . 25
Motorns bakre fäste till motorfäste . . . . . . . . . . . . . . . . . . . . . . . . . 50
Nav (drivaxel) mutter (ny) . . . . . . . . . . . . . . . . . . . . . . . . . . . . . . . 230
Navlager och stödplatta till hållare:
    Steg 1 . . . . . . . . . . . . . . . . . . . . . . . . . . . . . . . . . . . . . . . . . . 90
    Steg 2 . . . . . . . . . . . . . . . . . . . . . . . . . . . . . . . . . . . . . . . . . . Vinkeldra 45°
Nedre armens bakre fäste till nedre arm . . . . . . . . . . . . . . . . . . . . . 75
Nedre armsfäste till kryssrambalk:
    Steg 1 . . . . . . . . . . . . . . . . . . . . . . . . . . . . . . . . . . . . . . . . . . 120
    Steg 2 . . . . . . . . . . . . . . . . . . . . . . . . . . . . . . . . . . . . . . . . . . Vinkeldra 90°
Nedre kulled till navhållare . . . . . . . . . . . . . . . . . . . . . . . . . . . . . . . 49
Nedre kulled till nedre arm:
    Steg 1 . . . . . . . . . . . . . . . . . . . . . . . . . . . . . . . . . . . . . . . . . . 20
    Steg 2 . . . . . . . . . . . . . . . . . . . . . . . . . . . . . . . . . . . . . . . . . . Vinkeldra 90°
Stödfäste för kryssrambalkens bakre tvärbalk. . . . . . . . . . . . . . . . . 65
Stötdämparkolvens övre fästmutter. . . . . . . . . . . . . . . . . . . . . . . . . 75

### Hjul

Hjulbultar . . . . . . . . . . . . . . . . . . . . . . . . . . . . . . . . . . . . . . . . . . . 110

### Styrning

Anslutningsbultar för styrväxelns tillförsel- och returrör. . . . . . . . . . 30
Anslutningsmutter för servostyrningspumpens matningsrör . . . . . . . 30
Klämbult mellan rattstång och drev . . . . . . . . . . . . . . . . . . . . . . . . . 30
Ratt . . . . . . . . . . . . . . . . . . . . . . . . . . . . . . . . . . . . . . . . . . . . . . . . 38
Rattstång . . . . . . . . . . . . . . . . . . . . . . . . . . . . . . . . . . . . . . . . . . . . 25
Servostyrningspump . . . . . . . . . . . . . . . . . . . . . . . . . . . . . . . . . . . . 25
Styrstagsände till styrarm. . . . . . . . . . . . . . . . . . . . . . . . . . . . . . . . . 35
Styrstagsändens låsmutter. . . . . . . . . . . . . . . . . . . . . . . . . . . . . . . . 70
Styrväxelns fästbultar. . . . . . . . . . . . . . . . . . . . . . . . . . . . . . . . . . . . 95
Stöd för servostyrningspumpens matningsrör. . . . . . . . . . . . . . . . . . 30

**2.2a  Skruva loss muttern . . .**

**2.2b  . . . och ta bort krängningshämmarens länk från fjäderbenet**

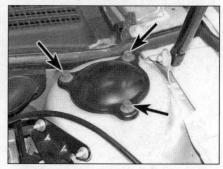

**2.5  Främre fjäderbenets övre fästbultar**

## 1  Allmän information

Framfjädringen är helt separat, med MacPherson fjäderben och en krängningshämmare. Fjäderbenen har stötdämpare och gasfyllda spiralfjädrar och naven är fästa med bultar längst ner på benen. Naven sitter längst ut på länkarmarna med utbytbara kulleder fästa på armarna. Hjullagren kan bytas ut separat, men på senare modeller är navet och lagren inbyggda och är fästa separat på spindeln. Länkarmarna och krängningshämmaren sitter på framfjädringens kryssrambalk under motorrummet.

Bakfjädringen är helt separat med länkarmar, fjäderben, övre och nedre tvärlänkar och en krängningshämmare. Fjäderbenen har stötdämpare och spiralfjädrar och naven sitter fast på länkarmarna. Tvärlänkarna och krängningshämmaren sitter på bakfjädringens kryssrambalk. De bakre naven har dubbla rader lager i ett stycke som inte kan demonteras. De är fästa i länkarmarna med pinnbultar och muttrar. Varje nav har en intern ABS-givare som övervakar hjulhastigheten.

Servostyrning finns på alla modeller. Kuggstången är i stort sett en hydraulisk fallvikt som drivs mekaniskt av ett drev och hydrauliskt av trycksatt hydraulolja från servostyrningspumpen. Rattstången överför kraft från ratten till drevet och en

kontrollventil, som styr tillförseln av hydraulolja till kuggstångens fallvikt. När ratten vrids dirigerar ventilen olja till den aktuella sidan av fallvikten som hjälper till att röra kuggstången. Servostyrningspumpen är utvändigt monterad på motorn, och drivs av drivremmen.

Rattstången är konstruerad och placerad så att den vid en frontalkrock absorberar smällen genom att kollapsa i längdriktningen och böjas undan från föraren.

## 2  Främre fjäderben – demontering, renovering och återmontering

### Demontering

**1** Dra åt handbromsen. Lyft sedan upp framvagnen och ställ den på pallbockar (se *Lyftning och stödpunkter*). Ta bort hjulet.
**2** Skruva loss muttern och lossa krängningshämmarens anslutningslänk från fjäderbenet Håll i länkspindeln med en skiftnyckel när du lossar muttern **(se bilder)**.
**3** Observera att bultarna som håller fast fjäderbenet i hjulspindeln sitter med huvudena framåt. Skruva loss bultarna och flytta hållaren för ABS-hjulgivaren och den hydrauliska bromsslangen åt sidan. Bultarna har små platsmärkningar på chucken och får inte vridas inne i hjulspindeln. Håll fast bultskallen och skruva loss muttern från den.
**4** Håll fjäderbenet inåt medan hjulspindeln

lutas utåt. Belasta inte bromsens flexibla hydraulslang.
**5** Stöd fjäderbenet och skruva loss de övre fästbultarna på tornet i det bakre hörnet av motorrummet. Observera att fästbultarna även fäster toppkåpan. Dra ut fjäderbenet under framskärmen **(se bild)**.

### Renovering

⚠️ **Varning: Innan det främre fjäderbenet kan demonteras måste spiralfjädern pressas ihop med ett lämpligt verktyg.** Universella fjäderspännare finns att köpa hos motorspecialister eller tillbehörsbutiker. Den här åtgärden kan inte utföras utan verktyget. FÖRSÖK INTE ta isär fjäderbenet utan ett sådant verktyg då risken för materiella skador och/eller personskador är överhängande.
**Observera:** *Den övre fästmuttern måste bytas ut vid monteringen.*
**6** Stötta fjäderbenet genom att klämma fast det i ett skruvstäd med mjuka käftar.
**7** Använd fjäderkompressorn och tryck ihop spiralfjädern tillräckligt för att avlasta **all** den från trycket från det övre fjädersätet **(se bild)**.
**8** Stötdämparkolven måste hållas fast medan det övre lagrets fästmutter skruvas loss. Använd en ringnyckel och en insexnyckel för att göra detta **(se bilder)**. Kasta muttern eftersom en ny måste användas vid återmonteringen.
**9** Ta bort det övre fästet, lagerbanan, det

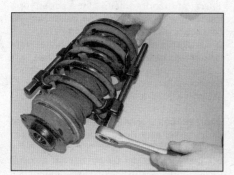

**2.7  Tryck ihop spiralfjädern med fjäderkompressorn**

**2.8a  Håll fast kolvstången med en insexnyckel medan du lossar lagrets övre fästmutter . . .**

**2.8b  . . . och skruva sedan loss muttern**

**2.9a Ta bort det övre fästet . . .**

**2.9b . . . lagerbanan . . .**

**2.9c . . . det övre fjädersätet och gummidamasken . . .**

**2.9d . . . följt av stoppklacken . . .**

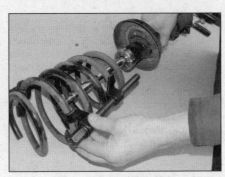

**2.9e . . . och spiralfjädern**

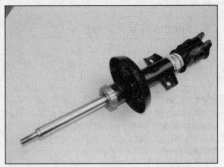

**2.10 Främre fjäderbenet med borttagen spiralfjäder**

övre fjädersätet och gummidamasken, följt av stoppklacken och spiralfjädern **(se bilder)**.

**10** Att ta isär benet mera är inte möjligt. därför måste själva fjäderbenet bytas om stötdämparen är defekt **(se bild)**.

**11** Rengör komponenterna och kontrollera om de är slitna eller skadade. Kontrollera att de övre fästets lager rör sig mjukt genom att vrida det för hand. Byt ut komponenterna om det behövs.

**12** Passa in spiralfjäderns nedre ände (liten diameter) på benet; säkerställ att änden ligger an mot placeringsstoppet på det nedre fjäderfästet **(se bild)**. **Observera:** *Om du använder en ny fjäder måste du först trycka ihop spiralen med fjäderkompressorn.*

**13** Sätt stoppklacken över kolvstången och sätt därefter dit gummidamasken.

**14** Montera det övre fjädersätet ovanpå fjädern, följt av lagerbanan, det övre fästet och en ny fästmutter.

**15** Dra åt muttern till angivet moment medan du håller fast kolvstången med insexnyckeln.

**16** Lossa försiktigt fjäderkompressorn och kontrollera samtidigt att fjäderänden sitter kvar i de undre fjädersätena. Ta bort kompressorn.

## Montering

**17** Placera fjäderbenet under framskärmen och lyft det på plats. Observera att det lilla hålet används för att placera det övre lagret i fjäderbenstornet. Sätt i de övre fästbultarna och dra åt dem till angivet moment.

**18** Luta hjulspindeln inåt och haka fast den

nedtill på fjäderbenet. Sätt i bultarna framifrån och sätt tillbaka hållaren för ABS-hjulgivaren/ bromsslangen. Applicera låsvätska på bultarnas gängor. Skruva fast bultarna och dra åt till angivet moment. Håll fast bultskallarna medan du drar åt muttrarna.

**19** Montera krängningshämmarens länk på fjäderbenet och dra åt muttern till angivet moment .

**20** Montera hjulet och sänk ner bilen.

**3 Främre nedre arm –** demontering, renovering och återmontering

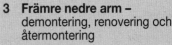

## Demontering

**1** Dra åt handbromsen. Lyft sedan upp framvagnen och ställ den på pallbockar (se *Lyftning och stödpunkter*). Ta bort hjulet.

**2** Skruva loss bultarna som håller fast länkarmens bakre fäste i kryssrambalken.

**3** Skruva loss länkarmens främre fästbult och dra ner länkarmen från kryssrambalken.

**4** Skruva loss klämbulten som håller fast länkarmens kulled längst ner på hjulspindeln. Bänd vid behov isär klämman något med en skruvmejsel eller dylikt. Dra loss länkarmen från hjulspindeln.

**5** Observera hur det bakre fästet är placerat på länkarmen. Skruva sedan loss muttern och ta bort fästet **(se bild)**.

**6** Skruva loss bultarna och ta bort

**2.12 Stopp på det nedre fjädersätet**

**3.5 Mutter som fäster det bakre fästet i framfjädringens länkarm**

framfjädringens nedre kulled från länkarmen **(se bild)**.

## Renovering

**7** Rengör komponenterna och kontrollera om de är slitna eller skadade.
**8** Om bussningen på det främre fästet är mycket slitet, tryck ut den gamla bussningen och tryck dit en ny. Om du inte har ett riktigt pressverktyg kan du använda en lång bult samt slang och brickor för att göra detta. Saabs mekaniker använder ett koniskt verktyg för monteringen. Det yttre gummit pressas samman till en diameter som är mindre än loppet i länkarmen.
**9** Se efter om det bakre fästet är slitet och byt ut det vid behov.
**10** Kontrollera om länkarmen är skadad och byt ut den om det behövs.
**11** Kontrollera att den nedre kulledens ände går lätt att vrida. Om den är torr eller anfrätt ska den bytas ut. Kontrollera även att kulledens gummidamask inte är skadad.

## Montering

**12** Sätt fast den nedre kulleden på armen och dra åt bultarna till angivet moment.
**13** Placera det bakre fästet på länkarmen så att dess axel ligger i linje med armen **(se bild)**. Montera muttern och dra åt den till angivet moment.
**14** Lyft länkarmen på plats och sätt i den nedre kulledsänden nedtill på hjulspindeln. Se till att änden förs in helt så att det ringformade spåret står mitt för klämbultshålet. Sätt i klämbulten och dra åt till angivet moment och korrekt vinkel.
**15** Placera den inre änden av länkarmen på kryssrambalken och sätt i den främre fästbulten. Dra endast åt den för hand tills vidare.
**16** Sätt i den bakre fästbulten för hand. Lyft sedan den yttre änden av länkarmen med en domkraft tills vikten av framvagnen ligger på framfjädringen och dra åt armens fästbultar helt till angivet moment. Om du vill kan du i stället dra åt bultarna helt när bilen har sänkts ner.
**17** Montera hjulet och sänk ner bilen.
**18** Kontrollera framhjulsinställningen och låt vid behov justera den så snart som möjligt.

## 4 Främre krängningshämmare – demontering, översyn och montering

## Demontering

**1** Dra åt handbromsen. Lyft sedan upp framvagnen och ställ den på pallbockar (se *Lyftning och stödpunkter*). Demontera båda framhjulen.
**2** Motorn måste stöttas upp när bakdelen av kryssrambalken sänks ner. Använd en lämplig motorhiss eller en lyftbalk som monteras tvärs över motorrummet. Lyft motorn något så att den stöds av hissen/lyftbalken.
**3** Skruva loss muttern som håller fast det

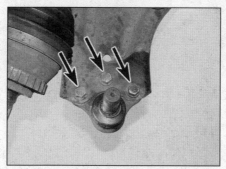

**3.6 Bultar som fäster fjädringens nedre kulled i länkarmen**

bakre motorfästet i motorbygeln på baksidan av motorn. Skruva sedan loss fästet från kryssrambalken och ta bort det.
**4** Skruva loss tvärbalken från baksidan av kryssrambalken underifrån bilen.
**5** Avgassystemets främre del måste sänkas ner innan kryssrambalken sänks ner. Se kapitel 4A eller 4B och ta bort avgassystemet eller lossa det i leden och från gummifästena.
**6** Skruva loss de två bultarna som håller fast styrväxeln i kryssrambalken.
**7** Stötta kryssrambalken med en domkraft. Skruva sedan loss de mittersta fästbultarna och sänk ner bakdelen av kryssrambalken så långt som möjligt så att du kommer åt de främre fästena på krängningshämmaren.
**8** Observera var sidolänkarna sitter på krängningshämmaren. Skruva sedan loss muttrarna och ta bort dem. Om du vill kan du ta loss sidolänkarna från fjäderbenet.
**9** Observera hur krängningshämmarens två fästklämmor är placerade. Skruva sedan loss bultarna och ta bort klämmorna **(se bild)**.
**10** Ta loss krängningshämmaren från ena sidan av bilen. Var försiktig så att du inte skadar bromsslangarna och kablarna.
**11** Observera hur klämmans delade gummifästen sitter och kläm sedan loss dem från krängningshämmaren.

## Renovering

**12** Kontrollera om krängningshämmaren och fästena visar tecken på slitage eller skador. Kontrollera även sidolänkarna.
**13** Kontrollera den delade klämman och byt den om det behövs.

## Montering

**14** Rengör krängningshämmaren. Doppa sedan klämmans gummifästen i såpvatten och sätt tillbaka dem med den delade sidan bakåt.
**15** Montera krängningshämmaren på kryssrambalken och sätt dit fästklamrarna. Sätt i fästbultarna och dra åt dem till angivet moment.
**16** Sätt tillbaka sidolänkarna på krängningshämmaren (eller fjäderbenet) och dra åt muttrarna till angivet moment.
**17** Lyft upp kryssrambalken och montera de mellersta fästbultarna. Dra åt bultarna till angivet moment och vinkel. Ta bort domkraften.

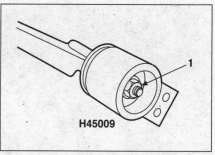

**3.13 Rikta in framfjädringens bakre fästbussning innan du drar åt fästmuttern (1)**

**18** Sätt i styrväxelns fästbultar och dra åt dem till angivet moment.
**19** Montera avgassystemets främre del enligt beskrivningen i kapitel 4A eller 4B.
**20** Sätt tillbaka tvärbalken på baksidan av kryssrambalken och dra åt fästbultarna till angivet moment.
**21** Montera det bakre motorfästet och dra åt bultarna till angivet moment.
**22** Ta bort motorhissen eller lyftbalken.
**23** Montera hjulen och sänk ner bilen.

## 5 Främre navhållare – demontering och montering

## Demontering

**1** Lyft upp framvagnen och ställ den på pallbockar (se *Lyftning och stödpunkter*). Ta bort hjulet och, i förekommande fall, motorns undre skyddskåpa.
**2** Om tillämpligt knacka loss dammkåpan av metall för att komma åt navmuttern. Observera att det inte går att ta bort kåpan när hjulet är monterat, så du kan inte lossa navmuttern utan att lyfta upp framvagnen.
**3** Montera tillfälligt två av hjulbultarna och dra åt dem så att bromsskivan sitter fast på navflänsen. Be en annan person att trycka ner bromspedalen samtidigt som du lossar navmuttern. Skruva loss navmuttern. Kasta muttern, eftersom en ny måste användas vid återmonteringen.

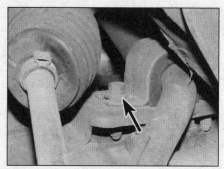

**4.9 Främre krängningshämmarens klämbult**

5.4 Lossa givararmen från den nedre armen

5.5 Ta loss den främre bromsskivan

5.6a Skruva loss bulten . . .

5.6b . . . och ta bort ABS-givaren från hjulspindeln

5.8a Lossa skruvarna . . .

5.8b . . . och ta bort bromsskölden

**4** På modeller utrustade med helljuslägesgivare, lossa givararmen den nedre fjädringsarmen och för den åt sidan (se bild).
**5** Ta bort den främre bromsskivan enligt instruktionerna i kapitel 9 (se bild). Lossa bromsoket från den främre spiralfjädern med en bit kabel eller buntband utan att koppla loss den flexibla hydraulvätskeslangen.
**6** Skruva loss bulten och ta bort ABS-givaren från hjulspindeln (se bilder). Lägg den åt sidan.
**7** Koppla loss styrstagets ände från hjulspindeln enligt beskrivningen i avsnitt 21.
**8** Skruva loss skruvarna och ta bort bromsskölden från hjulspindeln. Du når skruvarna genom hålen i navflänsen (se bilder).
**9** Observera att bultarna som håller fast fjäderbenet i hjulspindeln sitter med huvudena framåt. Skruva loss bultarna och flytta hållarplåten för ABS-hjulgivarens kablar och bromsvätskeslangen åt sidan (se bild). Bultarna har små platsmärkningar på chucken och får inte vridas inne i hjulspindeln. Håll fast bultskallen och skruva loss muttern från den. Sänk ner enheten så att drivaxeln vilar på den främre kryssrambalken.
**10** Skruva loss klämbulten som håller fast länkarmens kulled längst ner på hjulspindeln (se bild).
**11** Tryck ut den räfflade delen av drivaxeln ur navet. Om den sitter hårt kan du sätta tillbaka navmuttern och knacka på änden av drivaxeln med en mjuk klubba tills den lossnar. Lyft upp hjulspindeln från den nedre kulleden och ta loss den från bilen (se bilder). Bänd vid behov isär klämman något med en skruvmejsel eller dylikt.
**12** Ta vid behov bort navlagret från spindeln enligt beskrivningen i avsnitt 6.

5.9 Skruva loss bultarna mellan fjäderbenet och hjulspindeln tillsammans med hållaren för kablarna/slangen

5.10 Skruva loss klämbultarna på länkarmens kulled

### Montering

**13** Montera navlagret på spindeln enligt beskrivningen i avsnitt 6.
**14** Placera navet på änden av drivaxeln och

5.11a Dra av drivaxeln från navet . . .

5.11b . . . och lyft bort hjulspindeln från den nedre kulleden

haka i navets spår i drivaxelns spår. Dra fast navet på drivaxeln med den nya mittmuttern, men dra inte åt den helt ännu.

**15** Placera ovansidan av hjulspindeln nedtill på fjäderbenet och sätt i bultarna med huvudena framåt tillsammans med hållaren för ABS-hjulgivaren och bromsvätskeslangen. Applicera låsvätska på bultarnas gängor. Skruva fast bultarna och dra åt till angivet moment. Håll fast bultskallarna medan du drar åt muttrarna.

**16** Montera bromsskölden och dra åt fästskruvarna ordentligt.

**17** Lyft länkarmen på plats och sätt i den nedre kulledsänden nedtill på hjulspindeln. Se till att änden skjuts in helt och utskärningen sitter mitt för klämbultshålet **(se bild)**. Sätt i klämbulten och dra åt till angivet moment och korrekt vinkel.

**18** Sätt tillbaka styrstagsänden på hjulspindeln och dra åt muttern till angivet moment.

**19** Montera ABS-givaren på hjulspindeln och dra åt bulten ordentligt.

**20** Montera det främre bromsoket och skivan enligt beskrivningen i kapitel 9.

**5.17 Utskärningen (pil) ska riktas in efter bulthålet**

**21** Återmontera helljuslägesgivaren och det inre stänkskyddet.

**22** När två av hjulbultarna håller bromsskivan på plats ber du en annan person att trycka ner bromspedalen. Dra sedan åt navmuttern till angivet moment.

**23** Knacka fast dammskyddet på navflänsen.

**24** Montera underkåpan om tillämpligt. Montera sedan hjulet och sänk ner bilen. Dra åt hjulbultarna till angivet moment.

## 6  Främre navlager – byte

**1** Navet och lagret är fästa på karossen var sig med bultar **(se bild)**. Parkera fordonet på en plan yta och ta bort navkapseln (och dammkåpan i förekommande fall). Lossa navets mittmutter ett halvt varv.

**2** Dra åt handbromsen. Lyft upp framvagnen och ställ den på pallbockar (se *Lyftning och stödpunkter*). Ta bort hjulet.

**3** Skruva loss navets mittmutter helt. Kasta muttern, eftersom en ny måste användas vid återmonteringen.

**4** Ta bort den främre bromsskivan enligt instruktionerna i kapitel 9. Lossa bromsoket från den främre spiralfjädern med en bit kabel eller buntband utan att koppla loss den flexibla hydraulvätskeslangen.

**5** Skruva loss bulten och ta bort ABS-givaren från hjulspindeln. Lägg den åt sidan.

**6** Koppla loss styrstagets ände från hjulspindeln enligt beskrivningen i avsnitt 21.

**7** Skruva loss klämbulten som håller fast länkarmens kulled längst ner på hjulspindeln. Bänd vid behov isär klämman något med en skruvmejsel eller dylikt. Dra loss länkarmen från hjulspindeln.

**8** Tryck ut den räfflade delen av drivaxeln ur navet. Om den sitter hårt kan du sätta tillbaka navmuttern och knacka på änden av drivaxeln med en mjuk klubba tills den lossnar. Håll i hjulspindeln medan du gör detta.

**9** Skruva loss bultarna och lossa navlagret och bromsskölden från spindeln **(se bild)**.

**10** Rengör spindeln. Sätt sedan på det nya navlagret och bromsskölden på spindeln och dra åt fästbultarna till angivet moment.

**11** Placera navet och spindeln på änden av drivaxeln och haka i navets spår i drivaxelns spår. Dra fast navet på drivaxeln med den nya mittmuttern, men dra inte åt den helt ännu.

**12** Lyft länkarmen på plats och sätt i den nedre kulledsänden nedtill på hjulspindeln. Se till att änden förs in helt så att det ringformade spåret står mitt för klämbultshålet. Skruva i den nya klämbulten och dra den till angivet moment.

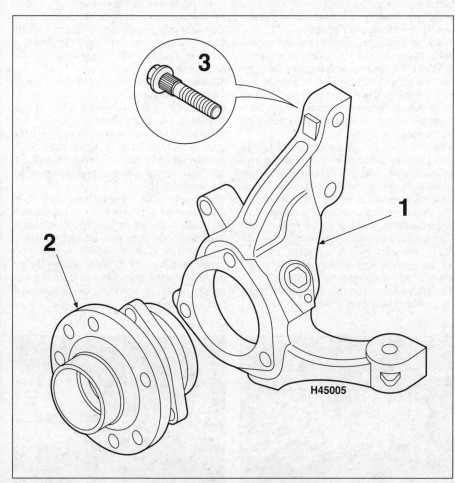

**6.1 Främre navhållare komponenter**

1  *Hjulspindel*
2  *Nav och lager*

3  *Räfflad bult som håller fast hjulspindeln på främre fjäderbenet*

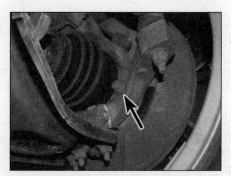

**6.9 En av bultarna som fäster navlagret på spindeln**

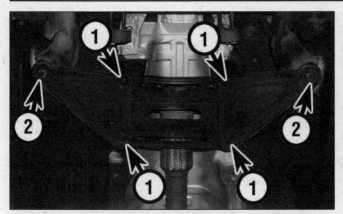

7.9 Förstärkande tvärbalk på baksidan av kryssrambalken

1 Bultar som fäster mittdelen och insidorna av de trekantiga plåtarna

2 Bultar som fäster utsidorna av de trekantiga plåtarna och baksidan av kryssrambalken

7.10 Styrväxelns fästbultar på kryssrambalken

**13** Sätt tillbaka styrstagsänden på hjulspindeln och dra åt muttern till angivet moment.
**14** Montera ABS-givaren på hjulspindeln och dra åt bulten ordentligt.
**15** Montera det främre bromsoket och skivan enligt beskrivningen i kapitel 9.
**16** Montera tillbaka hjulet och sänk ner bilen.
**17** Dra åt navets mittmutter till angivet moment.

## 7 Främre kryssrambalk – demontering, renovering och återmontering

### Demontering

**1** Dra åt handbromsen. Lyft sedan upp framvagnen och ställ den på pallbockar (se *Lyftning och stödpunkter*). Demontera båda framhjulen och ta bort underredets stänkskydd.
**2** Skruva loss motorns bakre fäste från kryssrambalken enligt beskrivningen i kapitel 2A eller 2B.
**3** Stöd motorns och växellådans vikt med en lyftanordning som ansluts till den bakre motorlyftsöglan.

**4** Fäst kylaren och luftkonditionerings-kondensorn i motorrummets främre tvärbalk med buntband.
**5** Koppla loss kontaktdonet till lambdasonderna.
**6** Skruva i förekommande fall loss oljekylaren och låt den hänga i sina slangar.
**7** Skruva loss fästbultarna till servostyrningens vätskekylare och fäst kylaren med buntband.
**8** Markera kryssrambalkens position på underredet så att du vet exakt var den ska sättas tillbaka. Det kan du t.ex. göra genom att spraya färg runt kryssrambalkens fäste. Fästenas kanter kommer att synas tydligt på underredet.
**9** Skruva loss den förstärkande tvärbalken från baksidan av kryssrambalken. Observera att de yttre bultarna även är kryssrambalkens bakre fästbultar **(se bild)**. **Observera:** *De två yttre trianglarna är skilda från mittsektionen.*
**10** Skruva loss styrväxelns fästbultar från kryssrambalken **(se bild)**. Fäst styrväxeln med buntband mellan styrstagen och underredet medan kryssrambalken är nedsänkt.
**11** Demontera avgassystemets främre rör enligt beskrivningen i kapitel 4A eller 4B.
**12** Skruva loss motorns/växellådans främre kardanstag från kryssrambalken.

**13** Skruva loss klämbultarna som håller fast länkarmens kulleder längst ner på hjulspindlarna. Bänd vid behov isär klämmorna något med en skruvmejsel eller dylikt. Dra loss länkarmarna från hjulspindlarna.
**14** Skruva loss muttrarna och koppla loss krängningshämmarens länkar från de främre fjäderbenen. Håll fast länkändarna med en skiftnyckel medan du lossar fästmuttrarna.
**15** Koppla i förekommande fall loss kablarna från lastvinkelgivaren.
**16** Skruva loss muttrarna som fäster luftrenaren i kryssrambalken.
**17** Demontera luftkonditioneringsrören från sina fästbyglar. Koppla även loss servostyrningsröret från fästklämmorna.
**18** Stöd framfjädringens kryssrambalk på domkrafter.
**19** Skruva loss fästbultarna på sidan och på framsidan och sänk ner kryssrambalken till marken. Se till att kylarens övre fästen sitter kvar på tvärbalken. De nedre fästena lossas från gummigenomföringarna på kryssrambalken **(se bilder)**. Observera att de förstärkande tvärbalkarnas fästbultar har mindre brickor än kryssrambalkens fästbultar och 20 mm huvuden.

7.19a Kryssrambalkens fästbult på sidan

7.19b Kryssrambalkens främre fästbult

7.19c Kylarens och luftkonditioneringens fästen och gummigenomföringar

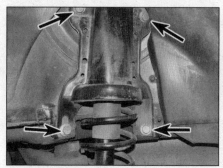

**8.2 Bakre stötdämparens/fjäderbenets fästbultar**

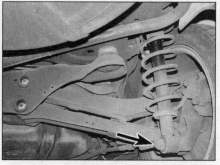

**8.3 Bakre stötdämparens/fjäderbenets nedre fästbult**

**8.4 Skruva loss bakre stötdämparen/fjäderbenet från bilen**

## Renovering

20 Se efter att inte kryssrambalken och fästbussningarna är slitna eller skadade och byt ut dem vid behov.
21 Fästbussningarna kan vid behov bytas ut med hjälp av ett tryckverktyg eller ett metallrör, brickor och en lång bult. Tryck fast de nya bussningarna på samma sätt.

## Montering

22 Monteringen utförs i omvänd ordningsföljd, men tänk på att sätta kryssrambalken enligt märkningarna du gjorde före demonteringen. Dra åt fästbultarna till angivet moment.

## 8 Bakre fjäderben/stötdämpare – demontering, översyn och montering

**Observera:** *En extra självnivellerande bakfjädring kan finnas på bilar i vissa länder; i skrivande stund fanns det ingen information .*

## Demontering

1 Klossa framhjulen. Lyft sedan upp bakvagnen och ställ den på pallbockar (se *Lyftning och stödpunkter*). Ta bort hjulet.
2 Stötdämparen/fjäderbenet sitter fast i karossen med 4 bultar. Skruva loss de två nedre bultarna och lossa de övre bultarna två eller tre varv **(se bild)**. De övre bulthålen är öppna i ena änden, men när de nedre bultarna har tagits bort kommer den bakre krängningshämmaren ändå att ha ett visst tryck uppåt.

3 Stöd fjäderbenet. Skruva sedan loss fästbulten som håller fast bakre stötdämparen/fjäderbenet i länkarmen och plocka bort brickan **(se bild)**. Kasta både bulten och brickan eftersom du måste använda nya vid monteringen.
4 Ta loss bakre stötdämparen/fjäderbenet från bilen **(se bild)**.

## Renovering

⚠️ *Varning: Innan bakre stötdämparen/fjäderbenet kan demonteras måste spiralfjädern pressas ihop med ett lämpligt verktyg. Universella fjäderspännare finns att köpa hos motorspecialister eller tillbehörsbutiker. Den här åtgärden kan inte utföras utan verktyget. FÖRSÖK INTE ta isär fjäderbenet utan ett sådant verktyg då risken för materiella skador och/eller personskador är överhängande.*

**Observera:** *Den övre fästmuttern måste bytas ut vid monteringen.*
5 Markera den bakre spiralfjäderns läge med en färgklick. Observera att spiralen med liten diameter är längst ner på fjädern.
6 Stötta fjäderbenet genom att klämma fast det i ett skruvstäd med mjuka käftar.
7 Använd fjäderkompressorn och tryck ihop spiralfjädern tillräckligt för att avlasta **all** den från trycket från det övre fjädersätet **(se bild)**.
8 Stötdämparkolven måste hållas fast medan det övre lagrets fästmutter skruvas loss. Använd en ringnyckel och en insexnyckel för att göra detta **(se bild)**. Kasta muttern eftersom en ny måste användas vid återmonteringen.
9 Skruva loss muttern helt och ta loss den övre skålade brickan och den övre gummibussningen **(se bilder)**.
10 Lyft av den övre fästbygeln. Ta sedan bort det övre fjädersätet, följt av distansbrickan, den nedre gummibussningen, den nedre skålade

**8.7 Pressa samman fjädern ordentligt med en fjäderkompressor så att det övre fjädersätet avlastas från allt tryck**

**8.8 Lossa det övre lagrets fästmutter med en ringnyckel och en insexnyckel**

**8.9a Skruva loss muttern . . .**

**8.9b . . . ta loss den övre skålade brickan . . .**

**8.9c . . . och ta bort den övre gummibussningen**

8.10a Lyft av den övre fästbygeln . . .

8.10b . . . och ta bort det övre fjädersätet
. . .

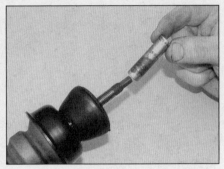

8.10c . . . distansbrickan . . .

8.10d . . . den nedre gummibussningen . . .

8.10e . . . den nedre skålade brickan . . .

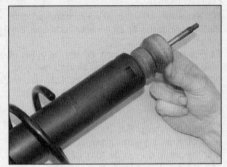

8.10f . . . gummistoppet . . .

brickan, gummistoppet och spiralfjädern. Kom ihåg hur de är monterade **(se bilder)**.

**11** Rengör komponenterna och kontrollera om de är slitna eller skadade. Fäst stötdämparen i skruvstädet. För kolvstången fram och tillbaka längs hela längden flera gånger och se efter om den kärvar. Stången ska löpa jämnt med konstant motstånd. Byt ut komponenterna om det behövs.

**12** Sätt tillbaka spiralfjädern med den mindre diametern nedåt. Se till att den nedre delen sitter korrekt i det nedre fjädersätet.

**13** Montera gummistoppet följt av brickan, den nedre gummibussningen och distansbrickan.

**14** Sätt tillbaka det övre fjädersätet på den övre fästbygeln och placera enheten på

spiralfjädern. Se till att änden på spiralen hamnar i den avsedda skåran i fjädersätet.

**15** Skruva fast den nya övre fästmuttern för hand så långt som möjligt.

**16** Håll fast kolvstången (som vid isärtagningen) och dra åt fästmuttern till angivet moment.

## Montering

**17** Placera stötdämparen/fjäderbenet på de lösa övre fästbultarna och sätt i de nedre fästbultarna utan att dra åt dem. Tryck fjäderbenet uppåt och dra sedan åt bultarna till angivet moment.

**18** Sätt fast den nya nedre fästbulten och brickan på länkarmen och dra åt till angivet moment.

**19** Montera hjulet och sänk ner bilen.

## 9 Bakre krängningshämmare
– demontering, översyn och montering

## Demontering

**1** Klossa framhjulen. Lyft sedan upp bakvagnen och ställ den på pallbockar (se *Lyftning och stödpunkter*). Demontera båda bakhjulen.

**2** Skruva loss bultarna som håller fast krängningshämmarens länkar i länkarmarna **(se bild)**.

**3** Lossa i tillämpliga fall ABS-kablarna från klämmorna på den bakre krängningshämmaren.

**4** Skruva loss muttrarna och bultarna från

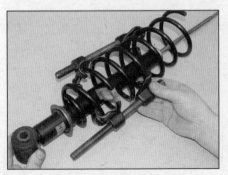

8.10g . . . och spiralfjädern . . .

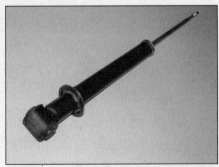

8.10h . . . Bakre stötdämparen/fjäderbenet med demonterade spiralfjäderdelar

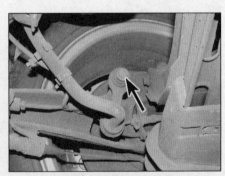

9.2 Bult som fäster den bakre krängningshämmarens länk i länkarmen

**9.4 Klämbult som håller fast krängningshämmaren i den bakre tvärbalken**

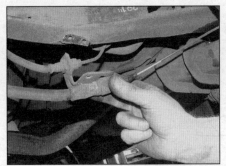

**10.2 Skruva loss stödfästet från länkarmen**

**10.4 Ta bort det bakre navet från länkarmen och bromsskölden**

klämmorna och ta bort krängningshämmaren från den bakre tvärbalken **(se bild)**. Bultarna sitter antagligen kvar i klämmorna.

### Renovering

**5** Kontrollera att de delade gummifästena och sidolänkarnas fästen inte är slitna eller skadade och byt ut dem vid behov.

**6** Innan du byter ut gummifästena måste du notera deras placering på krängningshämmaren. För att ta bort fästena sätter du fast klämmorna i ett skruvstäd och knackar ut bultarna. Haka sedan loss klämmans spännbrickor från skåran i mellanplattorna. Bänd loss gummina från krängningshämmaren. Rengör stången innan du doppar de delade klämgummifästena i såpvatten och sätter tillbaka dem på sina platser. Sätt tillbaka mellanplattorna och haka fast spännbrickorna. Se till att den öppna sidan av gummina har kontakt med mellanplattorna.

**7** Om du vill byta ut sidolänkarna spänner du fast krängningshämmaren i ett skruvstäd och trycker av länkarna. Det kan vara möjligt att även byta länkfästena, men kontrollera detta med din Saab-handlare först. Du tar bort fästena genom att trycka ut dem med ett metallrör och ett skruvstäd. Tryck fast de nya fästena på samma sätt.

### Montering

**8** Sätt krängningshämmaren på den bakre tvärbalken. Sätt i muttrarna och bultarna och dra åt till angivet moment.

**9** Skruva i bultarna som håller fast krängningshämmarens länkar i länkarmarna och dra åt dem ordentligt.

**10** Kläm fast ABS-kablarna på krängningshämmaren i tillämpliga fall.

**11** Montera hjulen och sänk ner bilen.

### 10 Bakre nav – demontering och montering

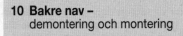

**Observera:** *De bakre hjullagren kan inte bytas ut separat. Vid kraftigt slitage måste hela navet bytas ut.*

### Demontering

**1** Ta bort den bakre bromsskivan enligt beskrivningen i kapitel 9.

**2** Om en sådan finns, ta bort skyddskåpan från underdelen av bakfjädringens länkarm och skruvar loss handbromsvajern, kablaget och bromsrörets stödfästen **(se bild)**.

**3** Koppla loss kablaget från ABS-givaren på baksidan av navet.

**4** Skruva loss muttrarna som fäster det bakre navet i länkarmen. Notera var fästbygeln sitter på en av navets pinnbultar och lossa sedan navet medan bromsskölden hålls fast av handbromsvajern **(se bild)**. Ta loss de två mellanläggen mellan bromsskölden och länkarmen. Kasta muttrarna. Använd nya muttrar vid återmonteringen.

### Montering

**5** Rengör kontaktytorna på navet, fästplattan och länkarmen.

**6** Placera fästplattan och sedan mellanlägget på navets pinnbultar, montera sedan enheten på hängarmen och dra åt de nya muttrarna till angivet moment. Se till att mellanläggen placeras korrekt mellan plattan och länkarmen.

**7** Återanslut kablarna till ABS-givaren.

**8** Om tillämpligt, sätter du tillbaka stödfästena till handbromsvajern, kablaget och bromsröret och monterar sedan skyddskåpan längst ner på bakfjädringens länkarm.

**9** Montera den bakre bromsskivan enligt beskrivningen i kapitel 9.

### 11 Bakre länkarm – demontering, renovering och återmontering

### Demontering

**1** Ta bort navet enligt beskrivningen i avsnitt 10.

**2** Skruva loss den nedre fästbulten som håller fast bakre stötdämparen/fjäderbenet i länkarmen och ta loss brickan. Kasta både bulten och brickan eftersom du måste använda nya vid monteringen.

**3** Skruva loss bulten och ta bort den nedre tvärlänken från länkarmen. Observera att bultskallen är riktad framåt.

**4** Skruva loss handbromsvajerns stödfäste från länkarmen.

**5** Haka loss handbromsvajerns returfjäder och ta bort vajern.

**6** Skruva loss bulten och lossa krängningshämmarens anslutningslänk från länkarmen.

**7** Skruva loss bulten och ta bort den övre tvärlänken från länkarmen. Observera att bultskallen är riktad framåt.

**8** Markera länkarmens främre fästbygel i förhållande till underredet. Skruva sedan loss och ta bort bultarna och ta ut enheten ur bilen.

**9** I detta skede sätter Saabs mekaniker fast ett litet fästverktyg som håller fast länkarmen i rätt position i förhållande till fästbygeln. Om du inte har ett sådant verktyg måste du markera de två delarnas inbördes placering så att monteringen blir korrekt. Skruva loss muttern och bulten och ta bort fästbygeln från länkarmen. Observera att bultskallen är vänd mot armens utsida.

**10** Skruva i tillämpliga fall loss muttern och ta bort gummidämparen från framsidan av länkarmen **(se bild)**.

### Renovering

**11** Se efter att inte länkarmen är sliten eller skadad och byt ut den vid behov.

**12** Den främre fästbussningen kan bytas ut vid behov. Du trycker ut den med hjälp av ett metallrör och ett skruvstäd. Skär först bort kanterna på gummibussningen med en bågfil så att den lättare kan tas bort. Tvärlänksbussningarna kan också bytas på samma sätt.

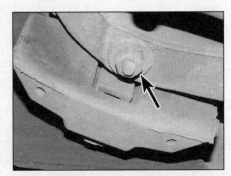

**11.10 Mutter som fäster gummidämparen på framsidan av länkarmen**

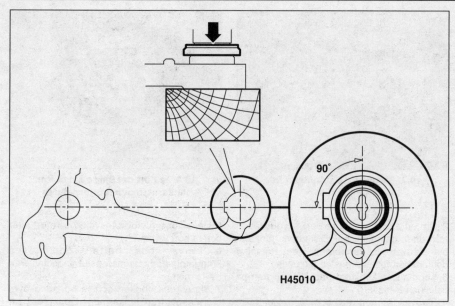

**11.13 Byte av bussning på bakfjädringens länkarm**

13 Tryck in den nya bussningen på samma sätt. Se till att du sätter den rätt **(se bild)**. Gummibussningens utsida sväller något. Detta är helt normalt.

## Montering

14 Sätt i tillämpliga fall tillbaka gummidämparen på framsidan av länkarmen och dra åt muttern ordentligt.
15 Placera fästbygeln på framsidan av länkarmen och sätt i bulten. Sätt fästbygeln och armen på plats och dra åt bulten till angivet moment och korrekt vinkel.
16 Lyft upp länkarmen och fästbygeln på underredet och sätt i fästbultarna. Rikta in fästbygeln efter de markeringar som du har gjort. Sätt sedan i bultarna och dra åt dem till angivet moment och korrekt vinkel.
17 Sätt tillbaka den övre tvärlänken och dra åt bulten till angivet moment.
18 Montera krängningshämmarens länk och dra åt bulten ordentligt.
19 Återanslut handbromsvajern och returfjädern.
20 Sätt tillbaka handbromsvajerns stödfäste och dra åt bulten ordentligt.

21 Sätt tillbaka den nedre tvärlänken och dra åt bulten till angivet moment.
22 Montera bakre stötdämparen/fjäderbenet på länkarmen och fäst med en ny nedre fästbult och bricka. Dra åt bulten till angivet moment.
23 Sätt tillbaka navet enligt beskrivningen i avsnitt 10.
24 Kontrollera bakhjulsinställningen och låt vid behov justera den så snart som möjligt.

## 12 Övre, bakre tvärlänk – demontering och montering

### Demontering

1 Klossa framhjulen. Lyft sedan upp bakvagnen och ställ den på pallbockar (se *Lyftning och stödpunkter*). Ta bort hjulet.
2 Om du vill ta bort den vänstra tvärlänken ska du haka loss avgassystemets mellersta och bakre gummifästen och sänka ner avgassystemet på pallbockar. Se till att den

främre flexibla delen inte utsätts för alltför stor belastning.
3 Skruva loss muttern och bulten och ta bort den nedre tvärlänken från länkarmen. Observera att bultskallen är riktad framåt. Kasta muttern, eftersom en ny måste användas vid återmonteringen.
4 Skruva loss bulten och ta bort den övre tvärlänken från länkarmen **(se bild)**. Observera att bultskallen är riktad framåt. Kasta muttern, eftersom en ny måste användas vid återmonteringen.
5 Skruva loss bulten och lossa krängningshämmarens anslutningslänk från länkarmen
6 Ställ ner bakfjädringens tvärbalk på en domkraft. Skruva sedan loss och ta bort bultarna mellan tvärbalken och underredet på den sida där arbetet utförs. Lossa tvärbalkens fästbultar på motsatt sida. Sänk ner tvärbalken något.
7 Skruva loss bulten och ta bort den nedre tvärlänken från fjädringens tvärbalk. Observera att bultskallen är riktad framåt. Kasta muttern, eftersom en ny måste användas vid återmonteringen.
8 Skruva loss bulten och ta bort den övre tvärlänken från fjädringens tvärbalk. Observera att bultskallen är riktad framåt. Kasta muttern, eftersom en ny måste användas vid återmonteringen.

## Montering

9 Monteringen utförs i omvänd ordningsföljd. Dra åt alla muttrar och bultar till angivet moment. Observera att fästbultarna mellan tvärlänken och tvärbalken och (de nya) muttrarna till en början endast bör dras åt för hand och sedan dras åt helt när bilens fulla vikt läggs på bakfjädringen. Bultarna har särskilda hylsor som skyddar bränsletanken och bränslepåfyllningsröret vid en eventuell krock. Använd **inte** någon annan sorts bultar.
10 Kontrollera bakhjulsinställningen och låt vid behov justera den så snart som möjligt.

## 13 Nedre, bakre tvärlänk – demontering och montering

### Demontering

1 Klossa framhjulen. Lyft sedan upp bakvagnen och ställ den på pallbockar (se *Lyftning och stödpunkter*). Ta bort hjulet.
2 Om du vill ta bort den vänstra tvärlänken ska du haka loss avgassystemets mellersta och bakre gummifästen och sänka ner avgassystemet på pallbockar. Se till att den främre flexibla delen inte utsätts för alltför stor belastning.
3 Skruva loss muttern och bulten och ta bort den nedre tvärlänken från länkarmen **(se bild)**. Observera att bultskallen är riktad framåt. Kasta muttern, eftersom en ny måste användas vid återmonteringen.

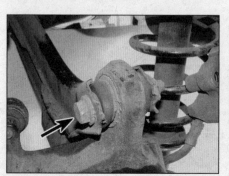

**12.4 Bultskallen på den övre tvärlänken ska vara vänd framåt**

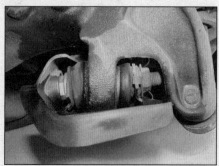

**13.3 Nedre tvärlänksfästet på länkarmen**

**4** Skruva loss bulten och ta bort den övre tvärlänken från länkarmen. Observera att bultskallen är riktad framåt. Kasta muttern, eftersom en ny måste användas vid återmonteringen.
**5** Skruva loss bulten och lossa krängningshämmarens anslutningslänk från länkarmen
**6** Ställ ner bakfjädringens tvärbalk på en domkraft. Skruva sedan loss och ta bort bultarna mellan tvärbalken och underredet på den sida där arbetet utförs. Lossa tvärbalkens fästbultar på motsatt sida. Sänk ner tvärbalken något.
**7** Skruva loss bulten och ta bort den nedre tvärlänken från fjädringens tvärbalk **(se bild)**. Observera att bultskallen är riktad framåt. Kasta muttern, eftersom en ny måste användas vid återmonteringen.

### Montering

**8** Monteringen utförs i omvänd ordningsföljd. Dra åt alla muttrar och bultar till angivet moment. Observera att fästbultarna mellan tvärlänken och tvärbalken och (de nya) muttrarna till en början endast bör dras åt för hand och sedan dras åt helt när bilens fulla vikt läggs på bakfjädringen. Bultarna har särskilda hylsor som skyddar bränsletanken och bränslepåfyllningsröret vid en eventuell krock. Använd **inte** någon annan sorts bultar.
**9** Kontrollera bakhjulsinställningen och låt vid behov justera den så snart som möjligt.

### 14 Bakre kryssrambalk – demontering, renovering och återmontering

### Demontering

**1** Ta bort bakfjädringens krängningshämmare enligt beskrivningen i avsnitt 9.
**2** Ta bort den övre och nedre tvärlänken på höger och vänster bakfjädring enligt beskrivningen i avsnitt 12 och 13, men ta inte bort kryssrambalkens fästbultar.
**3** Stöd kryssrambalken på en domkraft och en brädbit.
**4** Skruva loss kryssrambalkens fästbultar och brickor **(se bild)**.
**5** Sänk ner kryssrambalken från underredet och dra ut den underifrån bilen.

### Renovering

**6** Se efter att inte kryssrambalken och fästbussningarna är slitna eller skadade och byt ut dem vid behov.
**7** Fästbussningarna kan vid behov bytas ut med hjälp av ett tryckverktyg eller ett metallrör, brickor och en lång bult. Tryck fast de nya bussningarna på samma sätt.

### Montering

**8** Lyft upp kryssrambalken på underredet och sätt i fästbultarna för hand så länge.
**9** Montera den övre och nedre tvärlänken

**13.7 Nedre tvärlänksfästet på tvärbalken**

på höger och vänster bakfjädring enligt beskrivningen i avsnitt 12 och 13.
**10** Sätt tillbaka bakfjädringens krängningshämmare enligt beskrivningen i avsnitt 9.
**11** Dra åt kryssrambalkens fästbultar till angivet moment och sänk ner bilen.

### 15 Ratt – demontering och montering

### Demontering

**1** Vrid tändningen till läget OFF, lämna nyckeln i brytaren med rattlåset öppet och vrid ratten 90° åt vänster.
**2** För in en liten skruvmejsel genom hålet på baksidan av rattens nedre del för att lossa

**15.2a Sätt i en skruvmejsel . . .**

**15.3 Lossa krockkuddens kontaktdon**

**14.4 Fästbult på bakfjädringens kryssrambalk**

fästklämman. Vrid ratten 180° och för in en liten skruvmejsel genom hålet på baksidan av rattens nedre del för att ratt lossa den andra fästklämman **(se bilder)**.
**3** När de två klämmorna som håller fast den har lossats drar du försiktigt bort krockkuddemodulen från ratten. Lossa krockkuddens anslutningskontakter när den tas bort **(se bild)**.
*Varning: Läs säkerhetsinstruktionerna i kapitel 11.*
**4** Vrid ratten så att hjulen pekar rakt framåt. Markera förhållandet mellan ratten och rattstången med en färgklick. Skruva sedan loss rattens fästmutter och brickan om sådana finns **(se bild)**.
*Varning: Luta inte stången mot rattlåset medan du tar bort muttern. Det kan skadas.*
**5** Lossa ratten försiktigt från räfflorna i rattstången och lossa samtidigt kontaktdonet

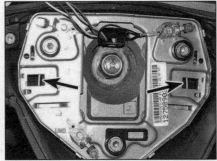
**15.2b . . . och lossa fästklämmorna (markerade med pilar)**

**15.4 Skruva loss rattens fästmutter**

**15.5a Ta bort ratten. . .**

**(se bilder). Observera:** *Om ratten sitter hårt fast på räfflorna kan du tillfälligt lämna kvar fästmuttern och brickan på de sista gängorna så att det inte uppstår någon skada när den frigörs från stångens räfflor.*
***Varning: Slå inte bort ratten från räfflorna. Du kan skada den hopfällbara inre stången. Var också noga med att inte***

**15.5b . . . och koppla loss kontaktdonet**

***skada krockkuddens kontaktfjäder ovanför stångens överdel.***

## Montering

**6** Kontrollera att framhjulen fortfarande pekar rakt fram.
**7** Placera ratten i räfflorna på stången och anslut kontaktdonet till styrningens

kontaktfjäder. Rikta in den efter de markeringar som du har gjort.
**8** Montera tillbaka fästmuttern och brickan (om tillämpligt) och dra sedan åt muttern till angivet moment.
**9** Placera förarens krockkuddemodul på ratten och återanslut krockkuddens kontaktdon. Fäst krockkuddenheten i ratten genom att trycka in den ordentligt tills fästklämmorna hakar i.
**10** Låt en Saab-verkstad kontrollera eventuella felkoder i bilens elektroniska styrsystem.

## 16 Rattstång –
demontering och montering

⚠ ***Varning: Skilj inte rattens mellanaxel från den inre stången när du tar bort rattstången.***

## Demontering

**1** Demontera ratten enligt beskrivning i avsnitt 15.
**2** Lossa rattens höjdjusteringsarm.
**3** Ta bort rattstångens övre och nedre kåpor. I den övre kåpan sitter två uppåtvända skruvar, och under den nedre sitter en skruv **(se bilder)**.
**4** Ta bort kombinationsbrytarna för belysning och torkare från stången och koppla loss kablarna enligt beskrivningen i kapitel 12. Om tillämpligt, lossa kabelkanalen från rattstången.
**5** Koppla loss kablarna och ta bort krockkuddens kontaktfjäder (se kapitel 11).
**6** Markera var hållaren till kontaktfjädern och kombinationsbrytarna ska sitta på rattstången

**16.3a Skruva loss de övre skruvar . . .**

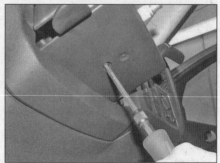

**16.3b . . . och den nedre skruven . . .**

**16.3c . . . ta sedan bort kåporna**

**16.6a Markera hållarens plats på rattstången med en filtpenna . . .**

**16.6b . . . lossa klämskruven . . .**

**16.6c . . . och lossa krockkuddens fäste med en skruvmejsel . . .**

**16.6d . . . Ta loss kontaktfjäderhållaren . . .**

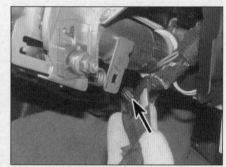

**16.6e . . . och lossa krockkuddens kablage från fästet**

**16.7 Ta bort knäskyddet**

**16.8a Skruva loss klämbulten . . .**

**16.8b . . . och dra av universalkopplingen från styrväxelns kuggstång**

och lossa klämskruven. Lossa krockkuddens kabelhylsa från hållaren med en skruvmejsel och lossa hållaren från rattstången. Lossa även krockkuddens kabelhylsa från fästet **(se bilder)**.

**7** Ta bort instrumentbrädespanelen och luftkanalen på förarsidan enligt beskrivningen i kapitel 11. Om tillämpligt, ta bort knäskyddet från rattstången **(se bild)**.

**8** Vid rattstångens nederdel, skruva bort klämbulten och ta bort kardanknuten från styrväxeldrevets axel **(se bilder)**. Märk axeln och rattstången om det behövs för att garantera korrekt återmontering. Se till att stångens mellanaxel sitter ihop med den övre stången medan rattstången tas bort.

**9** Skruva loss rattstångens nedre fästbult. Bulten kan inte tas ut helt ännu **(se bild)**.

**10** Lossa relevanta kablar från buntbanden och lägg dem åt sidan.

**11** Dra bort dammskyddsdamasken av gummi över rattens höjdjusteringsarm så att spaken kan tas bort tillsammans med rattstången.

**12** Skruva loss de övre fästbultarna **(se bild)** och lossa rattstången från bilens insida. Du kan nu ta bort den nedre fästbulten från stången.

## Montering

**13** Placera den nedre fästbulten i rattstången. Sätt sedan rattstången på mellanväggen och dra åt bulten för hand så att stången fästs. Sätt i de övre fästbultarna och dra åt alla bultar till angivet moment.

**14** Haka fast kardanknuten i botten av stången i spåren på styrväxeldrevets axel. Se till att bulthålet är i linje med skåran i axeln och att inställningsmärkena är i linje med varandra. Dra åt klämbulten till angivet moment.

**15** Sätt tillbaka dammskyddsdamasken över rattens höjdjusteringsarm så att spaken sticker ut genom hålet i damasken.

**16** Fäst kablarna med nya buntband. Fäst kabelkanalen på rattstången.

**17** Sätt tillbaka instrumentbrädespanelen och luftkanalen på förarsidan enligt beskrivningen i kapitel 11. Montera tillbaka knäskyddet på rattstången.

**18** Montera hållaren för kontaktfjädern och kombinationsbrytarna i det översta spåret och

**16.9 Skruva loss rattstångens nedre fästbult (observera att det inte går att ta bort den helt ännu)**

dra åt bultarna. Se till att tejpen fortfarande håller den på plats i mitten.

**19** Återanslut kablarna för krockkuddens kontaktfjäder till kontaktdonet.

**20** Sätt tillbaka kombinationsbrytarna för belysning och torkare och anslut kablarna enligt beskrivningen i kapitel 12.

**21** Sätt tillbaka rattstångens övre och nedre kåpa och dra åt skruvarna.

**22** Montera tillbaka ratten enligt beskrivningen i avsnitt 15.

## 17 Styrväxel – demontering och montering

### Demontering

**1** Dra åt handbromsen. Lyft sedan upp framvagnen och ställ den på pallbockar (se *Lyftning och stödpunkter*). Demontera båda framhjulen.

**2** Tappa ut hydrauloljan ur servosystemet enligt beskrivningen i avsnitt 18, vrid sedan ratten så att hjulen riktas rakt fram. Ratten måste vara kvar i mittläget under följande moment. Tejpa fast den vid instrumentbrädan.

*Varning: Krockkuddens kontaktfjäder skadas om ratten inte fästs i mittläget.*

**3** Koppla loss batteriets minusledare.

**4** Vid rattstångens nederdel, skruva bort klämbulten och dra bort kardanknuten från styrväxeldrevets axel. Märk axeln och

**16.12 Rattstångens övre fästbultar**

rattstången om det behövs för att garantera korrekt återmontering. Se till att stångens mellanaxel sitter ihop med den övre stången medan styrväxeln tas bort.

**5** Motorn måste stöttas upp när bakdelen av kryssrambalken sänks ner. Använd en lämplig motorhiss eller en lyftbalk som monteras tvärs över motorrummet. Lyft motorn något så att den stöds av hissen/lyftbalken. Om du använder en stödbalk kan du behöva ta bort kåpan från insugsröret.

**6** Skruva loss muttern som håller fast det bakre motorfästet i motorbygeln på baksidan av motorn. Skruva sedan loss fästet från kryssrambalken och ta bort det.

**7** Om styrstagsändarna ska tas bort från styrväxeln, lossa justeringsmuttern som håller fast ändarna ett kvarts varv tills vidare.

**8** Lossa styrstagsändarna från styrarmarna på hjulspindlarna med en kulledsavdragare enligt beskrivningen i avsnitt 21. Skruva vid behov loss styrstagsändarna från styrstagen. Räkna exakt hur många varv du måste vrida för att ta bort dem så att du vet hur du ska montera dem sedan.

**9** Skruva loss tvärbalken och stödfästet från baksidan av kryssrambalken underifrån bilen.

**10** Avgassystemets främre del måste sänkas ner innan kryssrambalken sänks ner. Se kapitel 4A eller 4B och ta bort avgassystemet eller lossa det i leden och från gummifästena.

**11** Stöd kryssrambalken med en domkraft. Skruva sedan loss de mittre fästbultarna och sänk ner baksidan av kryssrambalken så långt som möjligt.

**12** Placera en behållare under styrväxeln för att fånga upp oljespill. Märk de hydrauliska tillförsel- och returrören för att underlätta återplaceringen, skruva sedan bort anslutningsmuttrarna och lägg försiktigt rören på ena sidan. Ta loss O-ringstätningarna och ventilhusets dammkåpa. Tejpa över eller plugga igen rörändarna och styrväxelns öppningar för att hindra damm och smuts från att tränga in. Skär i förekommande fall av buntbanden som håller fast kablarna i rören.

**13** Skruva loss de två muttrarna och bultarna som håller fast styrväxeln i kryssrambalken. Observera positionen för den mutter som fäster matningsrörets stödfäste.

**14** Ta loss styrväxeln från ena sidan av bilen. Var försiktig så att du inte skadar gummidamaskerna.

**15** Undersök om fästgummina är slitna eller skadade och byt ut dem om det behövs. Om en ny styrväxel ska monteras, flytta över de inre rören från den gamla enheten och montera nya O-ringtätningar. Dra åt anslutningsmuttrarna ordentligt. Kontrollera torpedväggens gummidamask och byt ut den om det behövs.

### Montering

**16** Innan du sätter tillbaka styrväxeln måste du se till att stången sitter i mittläget och att framhjulen fortfarande står rakt fram.

**17** Sätt på styrväxeln på kryssrambalken och anslut matnings- och returrören tillsammans med nya O-ringstätningar. Skruva inte åt anslutningsbultarna helt i det här stadiet.

**18** Sätt i styrväxelns fästbultar underifrån kryssrambalken och skruva i dem, men dra inte åt dem helt än. Se till att matningsrörets stödfäste sitter på rätt plats.

**19** Dra åt anslutningsbultarna för matnings- och returrören till angivet moment. Håll fast rören så att de inte vrids med när du drar åt bultarna.

**20** Dra åt styrväxelns fästbultar till angivet moment.

**21** Fäst kablaget till hydraulrören med nya buntband.

**22** Lyft upp kryssrambalken och montera de mittre fästbultarna. Dra åt bultarna till angivet moment och vinkel. Ta bort domkraften.

**23** Montera avgassystemets främre del enligt beskrivningen i kapitel 4A eller 4B.

**24** Sätt tillbaka tvärbalken och stödfästet på baksidan av kryssrambalken och dra åt fästbultarna till angivet moment.

**25** Skruva på styrstagsändarna på styrstagen om du har tagit bort dem. Vrid exakt det antal varv som du tidigare antecknat.

**26** Montera styrstagsändarna på styrarmarna på hjulspindlarna. Sätt sedan tillbaka muttrarna och dra åt till angivet moment. Håll styrstagsändarna i mittläget och dra åt låsmuttrarna ordentligt.

**27** Montera det bakre motorfästet och dra åt bultarna till angivet moment.

**28** Ta bort lyftanordningen eller fästbalken och montera vid behov kåpan över insugsröret.

**29** Se till att ratten står kvar i mittläget. Haka sedan i universalkopplingen längst ner på stången i räfflorna på styrväxelns kuggstång. Se till att bulthålet ligger mitt för utskärningen i stången och observera inställningsmarkeringarna. Dra åt klämbulten till angivet moment. Ta bort tejpen från ratten.

**30** Återanslut batteriets jordledning.

**31** Fyll servosystemet med rekommenderad hydrauloljetyp och lufta systemet enligt beskrivningen i avsnitt 18.

**32** Montera framhjulen och sänk ner bilen.

**33** Kontrollera framhjulsinställningen och låt vid behov justera den så snart som möjligt.

## 18 Styrservons hydraulsystem – avtappning, påfyllning och luftning

**Observera:** *Styrservons hydraulsystem måste luftas om någon del av systemet har demonterats.*

### Avtappning

**1** När hela hydraulsystemet ska tömmas, placera en behållare (som rymmer minst en liter) under servopumpen till höger om motorn. Snäpp loss behållaren från fästet. Lossa klämman och koppla loss returslangen från pumpen. Låt oljan från returslangen rinna ner i behållaren.

**2** Placera behållaren säkert i motorrummet, på avstånd från rörliga komponenter och direkta värmekällor. Starta motorn och låt hydrauloljan pumpas ner i behållaren. Vrid ratten till fullt utslag från sida till sida flera gånger för att tvinga ut oljan från kuggstången. När vätskeflödet sinar måste du stänga av motorn direkt. Servostyrningspumpen får **inte** torrköras någon längre stund.

**3** Återanslut returslangen och kläm fast klämman. Sätt sedan tillbaka behållaren på fästet.

### Påfyllning

**4** Ta bort vätskebehållarens påfyllningslock och fyll på med vätska av rätt typ och kvalitet till den högsta nivåmarkeringen. se *Smörjmedel och vätskor* för vägledning.

### Luftning

**5** Parkera bilen på ett plant underlag och dra åt handbromsen.

**6** Med motorn avstängd, vrid ratten långsamt till fullt utslag åt båda hållen flera gånger så att all luft tvingas ut, fyll sedan på oljebehållaren. Upprepa proceduren tills oljenivån i behållaren inte sjunker mer.

**7** Starta motorn, vrid sedan ratten till fullt utslag åt båda hållen flera gånger för att tvinga ut eventuell kvarvarande luft ur systemet.

Upprepa proceduren tills det inte längre finns några bubblor i vätskebehållaren.

**8** Om onormala ljud hörs från pumpen eller oljerören när ratten vrids är det ett tecken på att det fortfarande finns luft i systemet. Kontrollera detta genom att vrida hjulen rakt fram och sedan stänga av motorn. Om oljenivån i behållaren stiger finns det luft i systemet och det behöver luftas ytterligare. Upprepa proceduren ovan om det behövs.

**9** När all luft har tvingats ut ur servostyrningens hydraulsystem, stanna motorn och låt systemet svalna. Avsluta med att kontrollera att oljenivån går upp till maxmarkeringen på behållaren, och fyll på mer olja om det behövs.

## 19 Servostyrningspump – demontering och montering

### Demontering

**1** Tappa ut hydrauloljan ur servosystemet enligt beskrivningen i avsnitt 18, vrid sedan ratten så att hjulen riktas rakt fram och sätt tillbaka vätskebehållaren.

**2** Lossa klämmorna i det främre högra hörnet av motorrummet och koppla loss luftintagsslangen och massluftflödesmätaren. Lägg slangen och mätaren åt sidan.

**3** Demontera drivremmen enligt beskrivningen i kapitel 1A eller 1B.

**4** Placera en behållare under servostyrningspumpen. Lossa klämman och koppla loss slangen mellan vätskebehållaren och pumpen.

**5** Skruva loss bulten som fäster matningsröret till pumpen. Skruva sedan loss anslutningsmuttern och koppla loss röret från pumpen. Du kan komma åt fästbulten genom hålet i remskivan. Ta loss O-ringstätningen.

**6** Skruva loss bultarna som håller fast servostyrningspumpen i fästbygeln och ta bort den från motorn. Vira in pumpen i tygtrasor för att förhindra att olja droppar på bilens lackerade ytor.

### Montering

**7** Placera pumpen på motorn. Sätt sedan i fästbultarna och dra åt dem till angivet moment.

**8** Sätt en ny O-ringstätning på matningsrörets ändbeslag och sätt sedan fast det på pumpen. Dra åt anslutningsmuttern och fästbulten till angivet moment.

**9** Återanslut slangen mellan behållaren och pumpen och tryck ihop klämman.

**10** Montera tillbaka multiremmen enligt beskrivningen i kapitel 1A eller 1B.

**11** Montera tillbaka luftinsugsslangen och luftmassflödesmätaren.

**12** Fyll på och lufta servostyrningens hydraulsystem enligt beskrivningen i avsnitt 18.

## 20 Kuggstångens gummidamask – byte

1 Dra åt handbromsen. Lyft sedan upp framvagnen och ställ den på pallbockar (se *Lyftning och stödpunkter*). Demontera det relevanta hjulet.
2 Lossa styrstagsändens låsmutter på styrstaget ett kvarts varv.
3 Koppla loss styrstagsänden från styrarmen på hjulspindeln med en kulledsavdragare **(se bild)**.
4 Skruva loss styrstagsänden från styrstagen. Räkna exakt hur många varv du måste vrida för att ta bort den så att du vet hur du ska montera den sedan.
5 Observera var styrstagsändens låsmutter sitter och skruva loss den från styrstaget.
6 Torka rent styrstaget och lossa gummidamaskens fästklämmor på staget och styrväxelhuset.
7 Lossa damasken från spåren i huset och dra av den från styrstaget.
8 Torka av styrväxelhuset och styrstaget och smörj in styrstagets inre kulled med litiumfett. Smörj lite fett på styrstaget så att det går lättare att föra på den nya damasken.
9 Skjut på den nya damasken och placera den i spåren. Montera och dra åt fästklamrarna. Om du använder nya Saab-klämmor måste de dras åt med en tång eller kniptång.
10 Skruva fast styrstagsändens låsmutter på sin plats.
11 Skruva fast styrstagsänden med det exakta antalet varv som noterades vid demonteringen.
12 Sätt i styrstagsänden i styrstången och dra åt muttern till angivet moment.
13 Dra åt styrstagsändens låsmutter till angivet moment.
14 Montera hjulet och sänk ner bilen.
15 Kontrollera framhjulsinställningen och låt vid behov justera den så snart som möjligt.

## 21 Styrstagsände – demontering och montering

### Demontering

1 Dra åt handbromsen. Lyft sedan upp framvagnen och ställ den på pallbockar (se *Lyftning och stödpunkter*). Demontera det relevanta hjulet.
2 Observera att styrstagsändarna svängda och lutar något bakåt i förhållande till styrstagen. De är markerade LH och RH längst upp på kulleden så att man kan se vilken som är vilken.
3 Lossa styrstagsändens låsmutter på styrstaget ett kvarts varv.
4 Koppla loss styrstagsänden från styrarmen på hjulspindeln med en kulledsavdragare.
5 Skruva loss styrstagsänden från styrstagen.

Räkna exakt hur många varv du måste vrida för att ta bort den så att du vet hur du ska montera den sedan.

### Montering

6 Skruva fast styrstagsänden med det exakta antalet varv som noterades vid demonteringen.
7 Placera styrstagsänden på styrarmen och dra åt bultarna till angivet moment.
8 Dra åt styrstagsändens låsmutter till angivet moment.
9 Montera hjulet och sänk ner bilen.
10 Kontrollera framhjulsinställningen och låt vid behov justera den så snart som möjligt.

## 22 Framvagnsinställning och hjulvinkel – allmän information

1 Noggrann framhjulsinställning är viktig för styrningens egenskaper och för att förhindra att däcken slits onormalt mycket. Innan styrningsvinklarna och fjädringen undersöks, kontrollera att däcken har tillräckligt med luft, att hjulen inte är buckliga och att styrleden och fjädringslederna är i gott skick utan slakhet eller slitage. Det är också viktigt att den främre kryssrambalken riktas in korrekt.
2 Hjulinställningen beror på fyra faktorer **(se bild)**:
**Cambervinkeln** är den vinkel med vilken framhjulen ställs in vertikalt när de ses framifrån eller bakifrån bilen. Positiv camber är det värde (i grader) som hjulen lutar utåt från vertikallinjen upptill.
**Castervinkeln** är vinkeln mellan styraxeln och en vertikal linje sett från sidan av bilen. Positiv caster föreligger om styraxeln lutar bakåt upptill.
**Styraxelns lutning** är den vinkel (sett framifrån) mellan en vertikal linje och en imaginär linje som dras mellan det främre fjäderbenets övre fäste och den nedre fjädringsarmens spindelled.
**Toe-inställningen** är det värde med vilket avståndet mellan de främre insidorna av fälgarna (mätt i navhöjd) skiljer sig från det diametralt motsatta avståndet mellan fälgarnas bakre insidor.
3 Eftersom det krävs precisionsmätare för att mäta de små vinklarna i styrinställningar och fjädring måste kontrollen av cambervinklar, castervinklar och styraxelns lutning överlåtas till en verkstad med nödvändig utrustning. Värdena kan variera beroende på hjulstorlek och karosshöjd enligt specifikationerna. Höjden mäts från underredet, precis innanför hjulen. Alla avvikelser från den angivna vinkeln beror på skador genom olycka eller allvarligt slitage i fjädringsfästena.
4 Det finns två möjliga sätt för hobbymekanikern att kontrollera framhjulens toe-inställning. Ett sätt är att använda en mätare och mäta avståndet mellan den främre och den bakre fälgen på insidan av hjulet. Du

**20.3 Lossa styrstagsändens kulled med en kulledsavdragare**

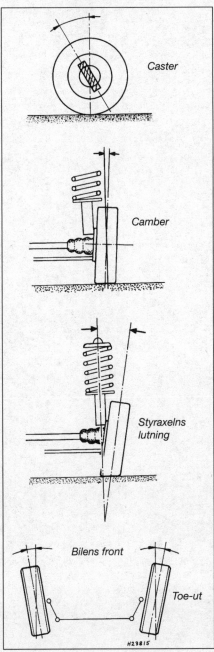

Caster

Camber

Styraxelns lutning

Bilens front

Toe-ut

**22.2 Hjulinställning och styrningsvinklar**

kan även använda en hasplåt. Båda framhjulen rullas över en rörlig plåt, som känner av däckets eventuella avvikelse, hasning, från det framåtriktade läget. För båda sätten finns ganska billiga verktyg att köpa som tillbehör.

**5** Om du kontrollerar toe-inställningen och märker att en justering behövs går du tillväga på följande sätt.

**6** Vrid ratten så långt som möjligt åt vänster och räkna antalet gängor som syns på höger styrstagsände. Vrid sedan ratten så långt det går åt höger och räkna antalet synliga gängor på vänster styrstag. Om lika mycket av gängorna syns på båda sidor ska efterföljande justeringar göras lika mycket på båda sidor. Om fler gängor syns på endera sidan måste detta kompenseras vid justeringen. Efter justeringen ska du kunna se lika många gängor på båda styrstagen. Detta är mycket viktigt.

**7** Du kan ändra toe-inställningen genom att lossa låsmuttrarna på styrstagen och vrida styrstagen till önskad inställning med hjälp av en självlåsande tång. Vrid styrstagen ett kvarts varv i taget och kontrollera sedan inställningen igen.

**8** Dra åt låsmuttrarna när du är klar och kontrollera att lika många gängor syns på de båda styrstagen. Sätt tillbaka styrväxelns gummidamasker. De rätar ut kablar och dylikt som kan vridas när du vrider styrstagen.

### Bakhjulinställning

**9** Det går även att kontrollera och justera bakhjulets toe-inställning, men de måste även riktas in efter framhjulen, så du bör i stället lämna in bilen till en servicestation som har rätt utrustning för jobbet.

# Kapitel 11
# Kaross och detaljer

## Innehåll

## Svårighetsgrad

| | | | | |
|---|---|---|---|---|
| **Enkelt,** passar novisen med lite erfarenhet  | **Ganska enkelt,** passar nybörjaren med viss erfarenhet  | **Ganska svårt,** passar kompetent hemmamekaniker  | **Svårt,** passar hemmamekaniker med erfarenhet  | **Mycket svårt,** för professionell mekaniker  |

## Specifikationer

| Åtdragningsmoment | Nm |
|---|---|
| Bakre stötfångare | 40 |
| Bakre säkerhetsbälte | 45 |
| Framsäten | 24 |
| Främre säkerhetsbälte: | |
| Fästtapp | 33 |
| Haspel | 45 |
| Sidokrockkudde | 7 |
| Sidostötgivare | 5 |
| Styrning till bakre säkerhetsbälte (kombimodeller) | 22 |
| Styrtapp till gångjärn bak (kombimodeller) | 24 |

## 1 Allmän information

Bilens kaross är konstruerad av pressade stålsektioner som antingen är punktsvetsade eller sömsvetsade ihop. Karossens stelhet förstärks med förstärkningsbalkar som är inbyggda i karosspanelerna, stålflänsar i fönster- och dörröppningarna och fästmedel i fasta glasskarvar.

Den främre kryssrambalken är försedd med fästpunkter för motor/växellåda, framvagnsfjädring och styranordning. Framskärmarna är fastbultade istället för svetsade, för att underlätta reparationer efter olyckor.

Bilens underrede är behandlat och täckt med rostskyddsmedel. Behandlingen skyddar mot väder och vind och fungerar samtidigt som ett effektivt ljudisolerande lager. Kupén, bagageutrymmet och motorrummet är också fodrade med bituminös filt och andra ljudisolerande material för ytterligare ljuddämpning.

Alla modeller är utrustade med elektriska fönsterhissar fram och bak. Fönsterglasen höjs och sänks av en elektrisk motor som styr en fönsterhiss direkt.

Elstyrda framsäten finns som tillbehör. Styrmodulen sitter i så fall under förarsätet. Modulen innehåller minne för position och rörelsekontroll samt en kommunikationsfunktion för diagnostiksyfte. Systemet kommer ihåg läget på de elstyrda backspeglarna. När backväxeln är ilagd kan backspegeln på passagerarsidan tippas nedåt mot bakhjulet. när backen läggs ur; systemet ställer tillbaka speglarna till ursprungsläget.

Fjärrstyrt centrallås är monterat i alla modeller. Centrallåset omfattar alla fyra dörrarna, bakluckan och bränslepåfyllningslocket. Låsmekanismen aktiveras av servomotorn och systemet styrs av en elektronisk styrenhet (ECM).

Alla modeller är försedda med krockkudde på förarsidan, monterad i rattnavet, samt sidokrockkuddar och bältessträckare på förar- och passagerarsidorna. Krockkudde på passagerarsidan är valfritt tillval. Ett knäskydd av skumplast, plåt och aluminium är fäst i rattstången. På passagerarsidan är handskfackslocket förstärkt med plåt som skyddar passagerarens knän.

De främre säkerhetsbältena har automatiska sträckare som aktiveras vid en frontalkrock. Krockkuddarna utgör en del av bilens SRS-system (Supplementary Restraint System) som styrs av den elektroniska styrenheten (ECM). Givare inbyggda i styrenhetens hölje och i motorrummets främre del aktiveras vid en frontalkrock och tvingar styrenheten att aktivera krockkuddarna och bältessträckarna.

## 2 Underhåll – kaross och underrede

Karossens allmänna skick påverkar bilens värde väsentligt. Underhållet är enkelt men måste vara regelbundet. Försummat underhåll, speciellt efter smärre skador, kan snabbt leda till värre skador och dyra reparationer. Det är även viktigt att hålla ett öga på de delar som inte är direkt synliga, exempelvis underredet, under hjulhusen och de nedre delarna av motorrummet.

Tvättning utgör grundläggande underhåll av karossen – helst med stora mängder vatten från en slang. Detta tar bort all lös smuts som har fastnat på bilen. Det är viktigt att smutsen spolas bort på ett sätt som förhindrar att lacken skadas. Hjulhusen och underredet behöver också spolas rent från lera som håller kvar fukt, vilken i sin tur kan leda till rostskador. Paradoxalt nog är det bäst att tvätta av underredet och hjulhuset när det regnar eftersom leran då är blöt och mjuk. Vid körning i mycket våt väderlek spolas vanligen underredet av automatiskt vilket ger ett lämpligt tillfälle för kontroll.

Med undantag för bilar med vaxade underreden är det bra att periodvis rengöra hela undersidan av bilen, inklusive motorrummet, med ångtvätt så att en grundlig kontroll kan utföras för att se vilka åtgärder och mindre reparationer som behövs. Ångtvättar finns att få tag på hos bensinstationer och verkstäder och behövs när man ska ta bort de ansamlingar av oljeblandad smuts som ibland lägger sig tjockt i vissa utrymmen. Om en ångtvätt inte finns tillgänglig finns det ett par utmärkta avfettningsmedel som man stryker på med borste för att sedan spola bort smutsen. Observera att ingen av ovanstående metoder ska användas på bilar med vaxade underreden, eftersom de tar bort vaxet. Bilar med vaxade underreden ska kontrolleras årligen, helst på senhösten. Underredet ska då tvättas av så att skador i vaxbestrykningen kan hittas och åtgärdas. Helst ska ett helt nytt lager vax läggas på. Överväg även att spruta in vaxbaserat skydd i dörrpaneler, trösklar, balkar och liknande som ett extra rostskydd där tillverkaren inte redan åtgärdat den saken.

Torka av lacken med sämskskinn efter tvätten så att den får en fin yta. Ett lager med genomskinligt skyddsvax ger förbättrat skydd mot kemiska föroreningar i luften. Om lacken mattats eller oxiderats kan ett kombinerat rengörings-/polermedel återställa glansen. Detta kräver lite arbete, men sådan mattning orsakas vanligen av slarv med regelbundenheten i tvättningen. Metallic-lacker kräver extra försiktighet och speciella slipmedelsfria rengörings-/polermedel krävs för att inte skada ytan. Kontrollera alltid att dräneringshål och rör i dörrar och ventilation är öppna så att vatten kan rinna ut. Kromade ytor ska behandlas på samma sätt som lackerade. Fönster och vindrutor ska hållas fria från fett

och smuts med hjälp av fönsterputs. Vax eller andra medel för polering av lack eller krom ska inte användas på glas.

## 3 Underhåll – klädsel och mattor

Mattorna ska borstas eller dammsugas med jämna mellanrum så att de hålls rena. Om de är svårt nedsmutsade kan de tas ut ur bilen och skrubbas. Se i så fall till att de är helt torra innan de läggs tillbaka i bilen. Säten och klädselpaneler kan torkas rena med fuktig trasa. Om de smutsas ner (syns ofta bäst i ljusa inredningar) kan lite flytande tvättmedel och en mjuk nagelborste användas för att skrubba ut smutsen ur materialet. Glöm inte takets insida. Håll det rent på samma sätt som klädseln. När flytande rengöringsmedel används inne i en bil får de tvättade ytorna inte överfuktas. För mycket fukt kan tränga in i sömmar och stoppning och framkalla fläckar, störande lukter och till och med röta. Om insidan av bilen blir mycket blöt är det mödan värt att torka ur den ordentligt, speciellt mattorna. *Lämna inte olje- eller eldrivna värmare i bilen för detta ändamål.*

## 4 Mindre karosskador – reparation

### Mindre repor

Om en repa är mycket ytlig och inte har trängt ner till karossmetallen är reparationen mycket enkel att utföra. Gnugga det skadade området helt lätt med lackrenoveringsmedel eller en mycket finkornig slippasta så att lös lack tas bort från repan och det omgivande området befrias från vax. Skölj med rent vatten.

Lägg bättringslack på skråman med en fin pensel. Lägg på i många tunna lager till dess att ytan i skråman är i jämnhöjd med den omgivande lacken. Låt den nya lacken härda i minst två veckor och jämna sedan ut den mot omgivande lack genom att gnugga hela området kring repan med lackrenoveringsmedel eller en mycket finkornig slippasta. Avsluta med en vaxpolering.

Om repan gått ner till karossmetallen och denna börjat rosta krävs en annan teknik. Ta bort lös rost från botten av repan med ett vasst föremål och lägg sedan på rostskyddsfärg så att framtida rostbildning förhindras. Använd sedan ett spackel av gummi eller nylon och fyll upp repan med spackelmassa. Vid behov kan spacklet tunnas ut med thinner så att det blir mycket tunt vilket är idealiskt för smala repor. Innan spacklet härdar, linda ett stycke mjuk bomullstrasa runt en fingertopp. Doppa fingret i cellulosaförtunning och stryk snabbt över fyllningen i repan. Detta ser till att spackelytan blir något ihålig. Lacka sedan över repan enligt tidigare anvisningar.

## Bucklor

När en djup buckla uppstått i bilens kaross blir den första uppgiften att räta ut den så att karossen i det närmaste återfår ursprungsformen. Det finns ingen anledning att försöka återställa formen helt eftersom metallen i det skadade området sträckt sig vid skadans uppkomst och aldrig helt kommer att återta sin gamla form. Det är bättre att försöka ta bucklans nivå upp till ca 3 mm under den omgivande karossens nivå. Om bucklan är mycket grund är det inte värt besväret att räta ut den. Om undersidan av bucklan är åtkomlig kan den knackas ut med en träklubba eller plasthammare. När detta görs ska mothåll användas på plåtens utsida så att inte större delar knackas ut.

Skulle bucklan finnas i en del av karossen som har dubbel plåt, eller om den av någon annan anledning är oåtkomlig från insidan, krävs en annan teknik. Borra ett flertal hål genom metallen i bucklan – speciellt i de djupare delarna. Skruva därefter in långa plåtskruvar precis så långt att de får ett fast grepp i metallen. Dra sedan ut bucklan genom att dra i skruvskallarna med en tång.

Nästa steg är att ta bort lacken från det skadade området och ca 3 cm runt den omgivande oskadade plåten. Detta görs enklast med stålborste eller slipskiva monterad på borrmaskin, men det kan även göras för hand med slippapper. Fullborda underarbetet genom att repa den nakna plåten med en skruvmejsel eller filspets, eller genom att borra små hål i det område som ska spacklas. Detta gör att spacklet fäster bättre.

Se avsnittet om spackling och sprutning för att avsluta reparationen.

## Rosthål och revor

Ta bort lacken från det drabbade området och ca 30 mm av den omgivande oskadade plåten med en sliptrissa eller stålborste monterad i en borrmaskin. Om sådana verktyg inte finns tillgängliga kan ett antal ark slippapper göra jobbet lika effektivt. När lacken är borttagen kan rostskadans omfattning uppskattas mer exakt och därmed kan man avgöra om hela panelen (om möjligt) ska bytas ut eller om rostskadan ska repareras. Nya plåtdelar är inte så dyra som de flesta tror och det går ofta snabbare och ger bättre resultat med plåtbyte än att försöka reparera större rostskador.

Ta bort all dekor från det drabbade området, utom den som styr den ursprungliga formen av det drabbade området, exempelvis lyktsarger. Ta sedan bort lös eller rostig metall med plåtsax eller bågfil. Knacka kanterna något inåt så att du får en grop för spacklingsmassan.

Borsta av det drabbade området med en stålborste så att rostdamm tas bort från ytan av kvarvarande metall. Lacka det berörda området med rostskyddsfärg om baksidan på det rostiga området går att komma åt behandlar du även det.

Före spacklingen måste hålet blockeras på något sätt. Detta kan göras med nät av plast eller aluminium eller med aluminiumtejp.

Nät av plast eller aluminium eller glasfiberväv är antagligen det bästa materialet för ett stort hål. Skär ut en bit som är ungefär lika stor som det hål som ska fyllas och placera den i hålet så att kanterna är under nivån för den omgivande plåten. Ett antal klickar spackelmassa runt hålet fäster materialet.

Aluminiumtejp bör användas till små eller mycket smala hål. Dra av en bit tejp från rullen och klipp till den storlek och form som behövs. Dra bort eventuellt skyddspapper och fäst tejpen över hålet. Flera remsor kan läggas bredvid varandra om bredden på en inte räcker till. Tryck ner tejpkanterna med ett skruvmejselhandtag eller liknande så att tejpen fäster ordentligt på metallen.

## Spackling och sprutning

Se tidigare anvisningar beträffande reparation av bucklor, repor, rosthål och andra hål innan beskrivningarna i det här avsnittet följs.

Det finns många typer av spackelmassa. Generellt sett är de som består av grundmassa och härdare bäst vid den här typen av reparationer. Ett brett och följsamt spackel av nylon eller gummi är ett ovärderligt verktyg för att skapa en väl formad spackling med fin yta.

Blanda lite massa och härdare på en skiva av exempelvis kartong eller masonit. Följ tillverkarens instruktioner och mät härdaren noga, i annat fall härdar spacklingen för snabbt eller för långsamt. Bred ut massan på det förberedda området med spackeln; dra applikatorn över massans yta för att forma den och göra den jämn. Sluta bearbeta massan så snart den börjar anta rätt form. Om du arbetar för länge kommer massan att bli klibbig och fastna på spackeln. Fortsätt lägga på tunna lager med ca 20 minuters mellanrum till dess att massan är något högre än den omgivande plåten.

När massan härdat kan överskottet tas bort med hyvel eller fil. Börja med nr 40 och avsluta med nr 400 våt- och torrpapper. Linda alltid papperet runt en slipkloss, i annat fall blir inte den slipade ytan plan. Vid slutpoleringen med torr- och våtpapper ska papperet då och då sköljas med vatten. Detta skapar en mycket slät yta på massan i slutskedet.

På det här stadiet bör bucklan vara omgiven av en ring med ren metall, som i sin tur omges av den ruggade kanten av den "friska" lacken. Skölj av reparationsområdet med rent vatten tills allt slipdamm har försvunnit.

Spruta ett tunt lager grundfärg på hela reparationsområdet. Då avslöjas mindre ytfel i spacklingen. Laga dessa med ny spackelmassa eller filler och slipa av ytan igen. Massa kan tunnas ut med thinner så att den blir mer lämpad för riktigt små gropar. Upprepa denna sprutning och reparation till dess att du är nöjd med spackelytan och den ruggade lacken. Rengör reparationsytan med rent vatten och låt den torka helt.

Reparationsytan är nu klar för lackering. Färgsprutning måste utföras i ett varmt,

torrt, drag- och dammfritt utrymme. Detta kan åstadkommas inomhus om det finns tillgång till ett större arbetsområde. Om arbetet måste äga rum utomhus är valet av dag av stor betydelse. Om arbetet utförs inomhus kan golvet spolas av med vatten eftersom detta binder damm som annars skulle finnas i luften. Om reparationsområdet begränsas till en karosspanel täcker du över omgivande paneler. Då kommer inte mindre nyansskillnader i lacken att synas lika tydligt. Dekorer och detaljer (kromlister, handtag med mera) ska även de maskeras. Använd riktig maskeringstejp och flera lager tidningspapper för att göra detta.

Före sprutning, skaka burken ordentligt och spruta på en provbit, exempelvis en konservburk, tills tekniken behärskas. Täck reparationsområdet med ett tjockt lager grundfärg. Tjockleken ska byggas upp med flera tunna färglager, inte ett enda tjockt lager. Slipa ner grundfärgen med nr 400 slippapper tills den är riktigt slät. Medan detta utförs ska ytan hållas våt och pappret ska periodvis sköljas i vatten. Låt torka innan mer färg läggs på.

Spruta på färglagret och bygg upp tjockleken med flera tunna lager färg. Börja spruta i ena kanten och arbeta med sidledes rörelser till dess att hela reparationsytan och ca 5 cm av den omgivande lackeringen täcks. Ta bort maskeringen 10 – 15 minuter efter att det sista färglagret sprutats på.

Låt den nya lacken härda i minst två veckor innan den nya lackens kanter jämnas ut mot den gamla med en lackrenoverare eller mycket fin slippasta. Avsluta med en vaxpolering.

## Plastdetaljer

Eftersom biltillverkarna använder mer och mer plast i karosskomponenterna (t.ex. i stötfångare, spoilrar och i vissa fall även i de större karosspanelerna), har reparationer av allvarligare skador på sådana komponenter blivit fall för specialister eller så får hela komponenterna bytas ut. Gör-det-självreparationer av sådana skador lönar sig inte på grund av kostnaden för den specialutrustning och de speciella material som krävs. Principen för dessa reparationer är dock att en skåra tas upp längs med skadan med en roterande rasp i en borrmaskin. Den skadade delen svetsas sedan ihop med en varmluftspistol och en plaststav i skåran. Plastöverskott tas bort och ytan slipas ner. Det är viktigt att rätt typ av plastlod används. Plasttypen i karossdelar varierar och kan bestå av exempelvis PCB, ABS eller PPP.

Mindre allvarliga skador (skrapningar, små sprickor etc.) kan lagas av en hemmamekaniker med hjälp av en tvåkomponents epoxymassa. Den blandas i lika delar och används sedan på ungefär samma sätt som spackelmassa på plåt. Epoxyn härdar i regel inom 30 minuter och kan sedan slipas och målas.

Om ägaren har bytt en komponent på egen hand eller reparerat med epoxymassa, återstår

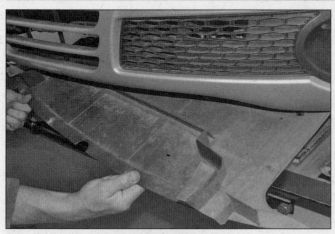

6.1 Ta bort stänkskydden

6.2 Skruva loss de övre fästskruvarna

svårigheten att hitta en färg som lämpar sig för den aktuella plasten. Tidigare fanns ingen universalfärg som kunde användas, på grund av det breda utbudet av plaster i karossdelar. Generellt sett fastnar inte standardfärger på plast och gummi, men det finns färger och kompletta färgsatser för plast- och gummilackering och att köpa. Numera finns det dock satser för plastlackering att köpa. Dessa består i princip av förprimer, grundfärg och färglager. Kompletta instruktioner finns i satserna, men grundmetoden är att först lägga på förprimern på den aktuella delen och låta den torka i 30 minuter. Sedan ska grundfärgen

läggas på och lämnas att torka i ungefär en timme innan det färgade ytlacket läggs på. Resultatet blir en korrekt färgad del där lacken kan röra sig med materialet, något de flesta standardfärger inte klarar.

## 5 Större karosskador – reparation

Om helt nya paneler måste svetsas fast på grund av större skador eller bristande underhåll, bör arbetet överlåtas till

professionella mekaniker. Om det är frågan om en allvarlig krockskada måste en professionell mekaniker med uppriktningsriggar utföra arbetet för att det ska bli framgångsrikt. Förvridna delar kan även orsaka stora belastningar på komponenter i styrning och fjädring och möjligen kraftöverföringen med åtföljande slitage och förtida haveri, i synnerhet då däcken.

## 6 Främre stötfångare – demontering och montering

### Demontering

1 Dra åt handbromsen. Lyft sedan upp framvagnen och ställ den på pallbockar (se *Lyftning och stödpunkter*). Skruva loss skruvarna och ta bort stänkskyddet som sitter under framvagnen **(se bild)**.
2 Öppna motorhuven och ta bort de två yttre fästskruvar från stötfångaren/gallret **(se bild)**.
3 Använd en liten dorn och tryck ner mittklämman. Ta bort de båda inre fästklämmorna från ovansidan av stötfångaren/gallerkåpan **(se bilder)**.
4 Arbeta under hjulhusen på båda sidor; Skruva loss skruvarna som håller fast hjulhusfodren på den främre stötfångaren **(se bild)**.
5 Stick in handen på insidan av stötfångarens högra sida och lossa anslutningskontakten för de främre dimstrålkastarna och till den yttre temperaturgivaren på den främre stötfångaren **(se bild)**.
6 På modeller med spolare för strålkastarna, stick in handen innanför stötfångaren på vänster sida och lossa spolarledningen från behållaren med spolarvätska. **Observera:** *En täckplugg behövs för att stänga till ledningen på spolarvätskebehållaren, så att inte allt vatten rinner ut ur behållaren.*
7 Ta hjälp av en annan person och lossa den främre stötfångarens yttre hörn från

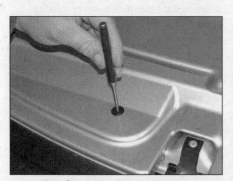

6.3a Tryck in stiftet i mitten. . .

6.3b . . . och ta bort fästklämman

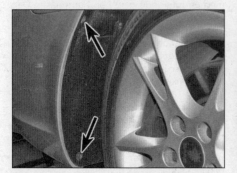

6.4 Skruvar som fäster hjulhusfodringarna vid den främre stötfångaren

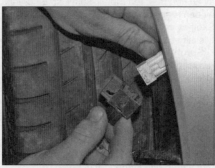

6.5 Koppla loss kontaktdonet

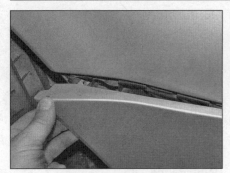

6.7a Frigör hörnen . . .

6.7b . . . och ta bort stötfångarens kåpa

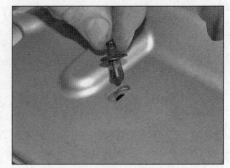

6.15 Montera tillbaka klämmorna med mittstiftet i riktning uppåt

främskärmarna och hjulhusfodren **(se bilder)**. Dra sedan bort stötfångaren från tvärbalken på fordonets framsida.

**8** Om stötfångaren ska tas bort: ta bort gallret, nummerplåten, dimstrålkastarna, utetemperaturgivaren, strålkastarnas spolarmunstycken och nedre gallret efter tillämplighet. För sedan över dem till den nya stötfångaren.

## Montering

**9** Ta hjälp av en medhjälpare och placera stötfångaren på framvagnen; kontrollera att den sitter korrekt tvärs över framvagnen.

**10** Tryck stötfångaren på plats och fäst de yttre hörnen. Försäkra dig om att de sitter ordentligt på plats tillsammans med fodren.

**11** På modeller med spolarmunstycken för strålkastarna, stick in handen innanför stötfångaren på vänster sida och återanslut spolarledningen till behållaren med spolarvätska.

**12** Stick in handen på insidan av stötfångarens högra sida och återanslut anslutningskontakten till de främre dimstrålkastarna och till den yttre temperaturgivaren på den främre stötfångaren.

**13** När stötfångarens kåpa är på plats monterar du tillbaka och drar åt skruvarna som håller fast hjulhusfodren.

**14** Montera och dra åt de två skruvarna som fäster den främre övre delen av stötfångaren/gallret i tvärbalken.

**15** Sätt tillbaka de två fästklämmor som håller fast stötfångarens/gallrets övre del

mot tvärbalken **(se bild)**. **Observera:** *För en säker placering, tryck ut stiftet i mitten genom klämmans överdel vid montering och tryck sedan ner stiftet tills det ligger kant i kant med fästklämman.*

**16** Montera tillbaka stänkskydden på stötfångarens nedre kant och på underredet, och sänk sedan ner bilen på marken.

## 7 Bakre stötfångare – demontering och montering

### Demontering

**1** Med bakluckan öppen lossar du gummitätningsremsorna och drar tillbaka mattan från bagageutrymmets bakre ände, så att du kommer åt fästbultarna för stötfångaren.

**2** På kombimodeller, lyft ut den täckande panelen och ta bort förvaringsutrymmet i hörnet från insidan av bagageutrymmet, under bakljusenheterna **(se bilder)**.

**3** När mattan tagits bort från insidan av bagageutrymmet, ta bort isoleringsblocken och lossa stötfångarens fästskruvar **(se bilder)**. **Observera:** *Fästmuttrar får bara monteras på de övre pinnbultarna.*

**4** Vid stötfångarens främre ändar, på vardera sidan av fordonet, skruvar du loss de två

7.2a I kombimodeller tar du bort kåpan . . .

7.2b . . . och förvaringsfacken

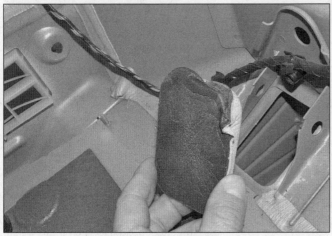

7.3a Ta bort isoleringsklossarna. . .

7.3b . . . för att komma åt fästmuttrarna (markerade med pil)

**7.4 Skruvar som fäster hjulhusfodringarna vid den bakre stötfångaren**

**7.5a Lossa fästklämmorna . . .**

**7.5b . . . och lossa stötfångarens kåpa från fästet under bakljusen**

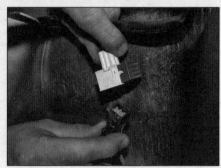

**7.6 Koppla loss kablarna till SPA-systemet**

skruvarna som fäster stötfångaren i hjulhusen **(se bild)**.

5 Ta hjälp av en annan person och lossa den främre stötfångarens yttre hörn från bakskärmarna och hjulhusfodren **(se bilder)**.

Dra sedan bort stötfångaren från tvärbalken på fordonets framsida.

6 När stötfångaren tas bort, om tillämpligt, lossa kablaget från Saabs parkeringshjälp-system (SPA) **(se bild)**.

**8.2a Lossa fästklämmorna (markerade med pilar) . . .**

**8.2b . . . och ta bort gallret från stötfångaren**

**9.4 Lossa fästklämman**

**9.5 Motorhuv gångjärn fästmuttrar**

## *Montering*

7 Monteringen utförs i omvänd ordningsföljd mot demonteringen. Dra åt alla bultar och muttrar ordentligt. Se till att stötfångaren placeras korrekt på sidofästena och under bakljusenheten.

## 8 Kylargrillpaneler – demontering och montering

### Demontering

1 Demontera den främre stötfångaren enligt beskrivningen i avsnitt 6.
2 Arbeta runt grillpanelerna och lossa fästklämmorna på insidan av stötfångarens kåpa. Ta sedan bort grillpanelerna **(se bilder)**.

### Montering

3 Placera gallret i hålen i stötfångaren och tryck fast det ordentligt.
4 Montera stötfångaren enligt beskrivningen i avsnitt 6.

## 9 Motorhuv, fjäderben och gångjärn – demontering och montering

### *Motorhuv*

### Demontering

1 Stötta motorhuven i öppet läge och placera trasor eller kartongbitar mellan motorhuvens bakkant och vindrutekanten.
2 Lossa ljudisoleringen och koppla loss spolröret vid anslutningen. Lossa och ta bort rören från motorhuvens gångjärn.
3 Använd en penna och märk gångjärnens placering på motorhuven.
4 Ta hjälp av en annan person. Stötta motorhuvens båda sidor och koppla loss de gasfyllda dämparna genom att bända ut specialfjädrarna **(se bild)**. Sänk ner dämparna på innerskärmarna.
5 Skruva loss fästmuttrarna och ta bort motorhuven från gångjärnen **(se bild)**. Lägg motorhuven åt sidan på en säker plats. Var försiktig så att inte lacken skadas. Observera att du bara behöver lossa de övre gångjärnsbultarna, eftersom bulthålet är öppet i ena änden.
6 Om det behövs, tar du bort tätningslisten, ljudisoleringen och spolarmunstyckena från den gamla motorhuven och monterar dem på den nya.

### Montering

7 Montering sker i omvänd ordningsföljd. Sänk ner motorhuven försiktigt första gången den stängs, och kontrollera att låstungan är i linje med låset. Kontrollera också att motorhuven är placerad mitt emellan framskärmarna. Om det behövs, lossa bultarna och flytta motorhuven innan den stängs. Avsluta med att dra åt bultarna. Kontrollera att motorhuvens främre del är i nivå med framskärmarna. Om det

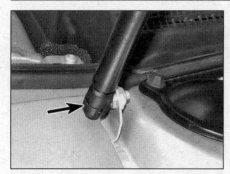

9.10 Lossa fästklämman från benets nedre del

10.1 Skruva loss skruven från den yttre kabelklämman. . .

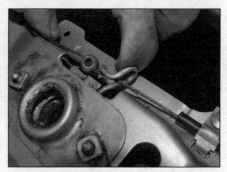

10.2 . . . och lossa den inre kabeln från låsfjädern

behövs skruvar du i eller ur gummistoppen i motorrummets främre hörn. Du kanske också behöver justera de två låsen på motorhuvens undersida. Höjden i bakkant justerar du genom att lossa bultarna som fäster gångjärnen i karossen.

## Fjäderben

### Demontering

8 Öppna motorhuven. Om bara ett fjäderben ska demonteras kommer det återstående fjäderbenet att hålla upp motorhuven, men om båda ska demonteras måste en medhjälpare hålla upp huven. Alternativt, använd en träkloss för att hålla upp motorhuven.
9 Med en skruvmejsel bänder du bort fjäderklämman från fjäderbenets topp och lossar fjäderbenet från kulstiftet (se bild 9.4).
10 Koppla loss fjäderbenets nedre del från det nedre kulstiftet genom att bända loss fjäderklämman (se bild).

### Montering

11 Monteringen utförs i omvänd ordningsföljd mot demonteringen.

## Gångjärn

### Demontering

12 Demontera motorhuven enligt beskrivningen tidigare i detta avsnitt.
13 Markera gångjärnets plats på karossen med en penna. Skruva därefter loss bultarna och ta bort gångjärnet.

### Montering

14 Monteringen utförs i omvänd ordningsföljd mot demonteringen, men dra åt bultarna ordentligt och justera motorhuven enligt den tidigare beskrivningen.

## 10 Motorhuvslåsvajer och arm – demontering och montering

### Demontering

1 Öppna motorhuven, lossa klämskruvarna från tvärbalken (se bild), och lossa de yttre huvud- och mellanvajrarna.
2 Lossa den inre vajerändens stoppskruvar från båda låsfjäderöglor (se bild).
3 Ta bort torkararmarna till vindrutan (se kapitel 12) och ta bort gummitätningarna från spindlarna.
4 Dra loss tätningslisten baktill i motorrummet, skruva loss skruvarna och ta bort ventilkåpan genom att lyfta den i framkanten och dra loss den från de bakre fästklämmorna.
5 Inuti fordonet tar du bort den nedre klädselpanelen från instrumentbrädan på förarsidan, så att du kommer åt armen (se bild).
6 Ta bort sparkplåten från den inre tröskelpanelen på fotbrunnen på förarsidan och vik undan mattan.
7 Tryck ner motorhuvarmsfästets nedre och övre delar och lossa motorhuvsarmen genom att dra den bakåt.

8 Dra armen och vajern till passagerarutrymmet och ta bort dem från fordonet. För att underlätta återmonteringen knyter du ett snöre runt vajerns främre ände och låter det sitta kvar till återmonteringen. Linda tejp runt vajerns kanter så att den inte fastnar.

### Montering

9 Monteringen utförs omvänt mot demonteringen. Justera ändstoppen (se bild) så att det finns ca 1,0 mm utrymme mellan stoppet och returfjädern.
10 Stäng motorhuven och kontrollera att vajern styr låsfjädrarna korrekt.

## 11 Motorhuvslås – demontering och montering

### Demontering

1 Öppna motorhuven, lossa den inre vajerändens stoppskruvar från båda från låsen, dra ut vajern tills den löper ut ur låsfjäderöglorna (se bild 10.2).
2 Skruva loss fästbultarna och ta bort motorhuvslåsen från undersidan av den främre tvärbalken (se bild).

### Montering

3 Monteringen utförs omvänt mot demonteringen. Justera ändstoppen så att det finns ca 1,0 mm utrymme mellan stoppet och returfjädern (se bild 10.9). Smörj fjäderkontakterna med lite fett.

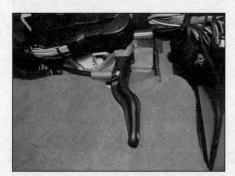

10.5 Motorhuvens lösgöringsspak och vajer

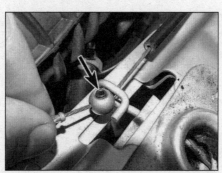

10.9 Justeringslåsskruven (markerad med pil) för motorhuvens låsvajer

11.2 Motorhuvlåsets fästbultar – skruva loss underifrån panelen

**12.3  Fästbult till framdörrens dörrstängningsremsa**

**12.5  Dörrgångjärnets fästmutter/bult**

**12.8  Framdörrens låskolv på B-stolpen**

## 12  Dörrar – demontering, montering och justering

### Fram

#### Demontering

**1** Innan du tar bort dörren kontrollerar du gapet mellan dörren och omgivande karosseri när dörren är stängd. Du kan justera gångjärnen på A-stolpen när dörren är borttagen, men inte när dörren är monterad. På samma sätt är det bäst att justera dörrens framkant i förhållande till framskärmen när dörren är borttagen.
**2** Öppna dörren och bänd ut gummimuffen. Koppla loss kablaget mellan dörren och A-stolpen.
**3** Skruva loss dörrstängningsremsan från A-stolpen **(se bild)**.

**12.9  Koppla loss kablarna från bakdörren vid B-stolpen**

**12.12  Mutter/bult till bakdörrens övre gångjärnsplatta**

**4** Markera gångjärnsplattornas platser på A-stolpens gångjärnsfästen.
**5** Ta hjälp av en annan person och skruva först loss den nedre fästbulten, sedan den övre. Dra bort dörren från A-stolpens gångjärnsfästen **(se bild)**. Var noga med att inte skada lacken.

#### Montering och justering

**6** Monteringen sker i omvänd ordningsföljd mot demonteringen. Kontrollera att gapet mellan dörren och omgivande karosseridelar är detsamma när dörren är stängd. Ta bort dörren och justera om det behövs. Observera att du kan justera dörrens framkant i förhållande till framskärmen endast när dörren är monterad och framskärmen är borttagen. Justera dörren i höjd- eller sidled genom att lossa gångjärnsfästbultarna från A-stolpen (tre bultar per gångjärn). Om du vill justera läget på dörrens framkant lossar du muttrarna som fäster gångjärnsplattorna i gångjärnsfästena.

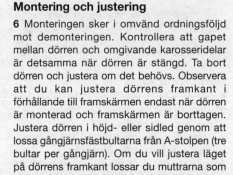

**12.10  Fästbult till bakdörrens dörrstängningsremsa på B-stolpen**

**12.14  Bakdörrens låskolv på C-stolpen**

Dra åt alla muttrar och bultar till angivet moment, om ett sådant anges.
**7** Vid mindre justeringar kan du ta bort hylsorna från muttrarna som fäster dörrgångjärnsplattorna i gångjärnsfästena. Öppna dörren, skruva loss muttrarna och ta bort hylsorna. Montera sedan muttrarna, justera dörrens läge och dra åt muttrarna igen.
**8** Kontrollera att dörrlåsets position i förhållande till låskolven på C-stolpen är korrekt när dörren stängs. Justera vid behov låskolven genom att lossa de två skruvarna **(se bild)**. Lossa inte skruvarna helt, eftersom distansplattan då faller ner inuti B-stolpen.

### Bak

#### Demontering

**9** Öppna framdörren så att du kommer åt gummigenomföringen för bakdörrens kabelnät i B-stolpen. Ta bort gummigenomföringen och koppla loss kablaget **(se bild)**.
**10** Öppna bakdörren och skruva loss dörrstängningsremsan från B-stolpen **(se bild)**.
**11** Markera gångjärnsplattornas platser på B-stolpens gångjärnsfästen.
**12** Ta hjälp av en annan person och skruva först loss den nedre fästbulten, sedan den övre. Dra bort dörren från B-stolpens gångjärnsfästen **(se bild)**. Var noga med att inte skada lacken.

#### Montering och justering

**13** Monteringen sker i omvänd ordningsföljd mot demonteringen. Kontrollera att gapet mellan dörren och omgivande karosseri är detsamma när dörren är stängd. Justera dörren i höjd- eller sidled genom att lossa gångjärnsfästbultarna från B-stolpen (två övre och tre nedre bultar). Om du vill justera läget på dörrens framkant lossar du muttrarna som fäster gångjärnsplattorna i gångjärnsfästena. Dra åt alla muttrar och bultar till angivet moment, om ett sådant anges.
**14** Kontrollera att dörrlåsets position i förhållande till låskolven på B-stolpen är korrekt när dörren stängs **(se bild)**. Justera vid behov låskolven genom att lossa de två skruvarna. Lossa inte skruvarna helt, eftersom distansplattan då faller ner inuti C-stolpen.

13.1 Ta bort den inre klädselpanelen

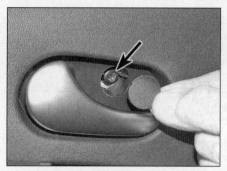
13.3a Bänd ut kåpan och skruva loss skruven . . .

13.3b . . . lossa sedan innerhandtaget

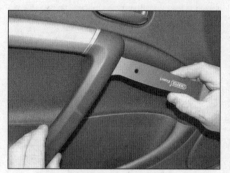
13.4a Bänd ut plastkåpan . . .

13.4b . . . och skruva loss fästskruvarna (markerade med pilar)

13.5 Lossa försiktigt klämmorna från framdörrens klädselpanel

## 13 Dörrens inre klädselpanel – demontering och montering

### Demontering

**1** Bänd försiktigt loss den böjda klädselpanelen från dörrens övre del (runt fönsterglasöppningen) med en bred spårskruvmejsel (**se bild**). Klämmorna kan dras ut ur metallramen. I så fall tar du bort dem från dekoren och trycker tillbaka dem på plats.
**2** Lossa anslutningskontakten från den yttre dörrspegeln på framdörrarna.
**3** Bänd ut plastkåpan, skruva loss skruven, ta bort det inre dörröppningshandtaget och lossa det från stången (**se bilder**).

**4** Bänd ut plastkåporna, skruva loss skruvarna från dörrhandtaget (**se bilder**).
**5** Med en bred spårskruvmejsel bänder du försiktigt ut klämmorna och lossar klädselpanelen från dörren (**se bild**). Var noga med att inte skada klädselpanelen eller ha sönder klamrarna, bänd så nära klamrarnas placeringar som möjligt.
**6** Lossa dörrkupélampan från nederdelen av klädselpanelen och koppla loss kontaktdonet från ledningen (**se bild**).
**7** När klämmorna är borttagna, lyft klädselpanelen uppåt över låsknappen (**se bilder**). Lossa allt kablage från dörrbrytarna (om tillämpligt) när klädselpanelen tas bort.
**8** Om det behövs skär du försiktigt loss vattenmembranen från dörrens innerpanel (**se bild**).

### Montering

**9** Monteringen utförs i omvänd ordningsföljd mot demonteringen.

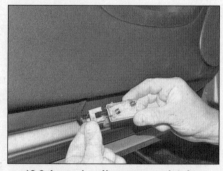
13.6 Lossa kupélampans anslutning

13.7a Lyft panelen från dörrlåsets knapp . . .

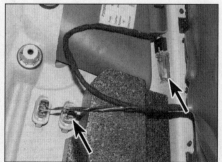
13.7b . . . och koppla loss kablaget från brytare på klädselpanelen

13.8 Skär loss vattenskyddsmembranet från dörrens innerpanel

## 14 Dörrhandtag och låskomponenter – demontering och montering

### Inre handtag

**1** Bänd bort plastkåpan från det inre dörrhandtaget, skruva sedan loss skruven och ta loss handtaget från stången **(se bilder 13.3a och 13.3b).**

**2** Monteringen utförs i omvänd ordningsföljd mot demonteringen.

### Framdörrens lås

**3** Öppna fönstret och ta bort dörrfodringen och membranen enligt beskrivningen i avsnitt 13.

**4** Lossa fästskruvarna till den yttre dörrspegeln något, så att du kan lossa den främre delen av den yttre tätningsremsan. Skruva sedan loss skruven från baksidan och dra loss tätningsremsan från dörren.

**5** Hissa ner fönstret så att du ser den nedre glaskanalen i den stora invändiga öppningen i dörrpanelen. Stötta glaset i det här läget med tejp, samtidigt som du kopplar loss fönsterarmen från den nedre kanalen.

**6** Koppla loss fönsterarmarna från valsarna i den nedre glaskanalen genom att dra bort klämmorna. Bänd sedan ut armarna med en bred spårskruvmejsel. Sätt skruvmejseln nära kulan, mellan armen och kanalen, så att armen inte deformeras.

**7** Lyft försiktigt upp och tippa glaset i bakkant och dra bort det från utsidan av dörramen. Lägg det på en säker plats.

**14.8a** Tryck ut återstoden av centrumsprinten . . .

**14.8b** . . . borra bort nitarna . . .

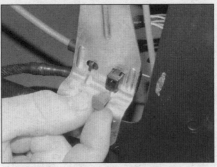

**14.8c** . . . koppla loss kabeln . . .

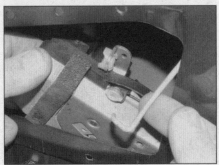

**14.8d** . . . ta bort fästet . . .

**8** Fönsterhisskabelns stödfäste måste nu tas bort. Det gör du genom att trycka ut centrumstiftet. Borra bort nitarna, ta bort fästet och lossa kabeln. Koppla sedan loss kabeln från låset **(se bilder).**

**9** Skruva loss muttern och bulten från skyddsplåten. Skruva sedan loss skruvarna som fäster den bakre fönsterkanalens nedre del i dörren, dra kanalen framåt och dra ut skyddsplåten **(se bilder).**

**10** Skruva loss låsfästskruvarna från dörrens bakkant, tippa låset och lossa dragstängerna. Koppla samtidigt lossa den yttre dörrhandtagstryckstången **(se bilder).**

**14.8e** . . . och haka loss kabeln från låset

**14.9a** Skruva loss fästmuttrarna och bultarna . . .

**14.9b** . . . ta sedan bort säkerhetsplåten

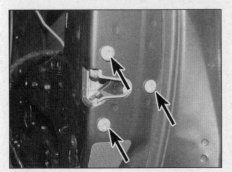

**14.10a** Skruva loss låsets fästskruvar . . .

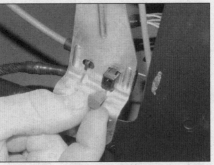

**14.10b** . . . koppla sedan loss dragstängerna . . .

**14.10c** . . . och ytterhandtagets tryckstång

14.11a Koppla loss kablaget . . .

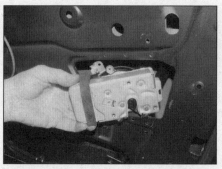

14.11b . . . och ta bort framdörrslåset

14.15 Ta bort bakdörrslåsets fästskruvar

**11** Koppla loss kablaget och dra bort framdörrlåset från dörren **(se bilder)**. Ta bort låstätningen.

**12** Monteringen utförs omvänt mot demonteringen. Stryk lite fett på hissvalsarna och kanalen innan du fäster klämmorna i valsarna. När klämmorna är monterade trycker du in armkulorna helt i valsarna tills du hör dem snäppa på plats.

**13** Innan du monterar dörrklädseln kontrollerar du att låset fungerar korrekt. Fäst metallstödfästet med nya nitar.

## Bakdörrens lås

**14** Ta bort dörrklädseln och det vattentäta membranet enligt beskrivningen i avsnitt 13.

**15** Skruva loss låsfästskruvarna från dörrens bakkant **(se bild)**.

**16** Lossa låsknoppen och innerhandtags vajrarna från stödklämmorna **(se bilder)**.

**17** Haka loss det yttre dörrhandtagets låsstång från låset. Dra sedan ut bakdörrslåset

14.16a Lossa klamrarna . . .

14.16b . . . och lossa kablarna

genom öppningen i dörrinnerpanelen **(se bild)**.

**18** Koppla loss kablaget från låset **(se bild)**.

**19** Haka loss låsknoppens manövervajer. Haka loss det invändiga handtagets manövervajer från låset **(se bilder)**.

**20** Monteringen utförs i omvänd ordningsföljd mot demonteringen.

## Yttre dörrhandtag

**21** Demontera dörrlåset enligt beskrivningen tidigare i detta avsnitt.

**22** Sträck in handen i dörrens innerpanel, skruva loss muttrarna och ta bort skyddsplåten från ytterhandtaget **(se bilder)**.

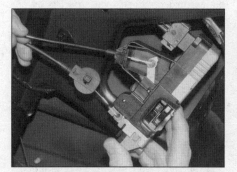

14.17 Dra bort bakdörrslåset . . .

14.18 . . . och koppla loss kablaget

14.19a Haka loss låsknoppens manövervajer . . .

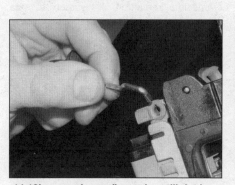

14.19b . . . och manövervajern till det inre dörrhandtaget

14.22a Skruva loss muttrarna (markerade med pilar) . . .

14.22b . . . och ta bort skyddsplåten

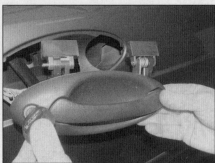

**14.24 Ta bort det yttre handtaget från framdörren**

**14.25 Ta bort det yttre handtaget från bakdörren**

**14.28a Haka loss manöverstången . . .**

## Framdörren

**23** Sätt i startnyckeln i dörrlåset och vrid moturs. Tippa handtagets bakkant, så att änden på manöverdragstången sätts på plats i handtagsskåran. Dra sedan handtaget uppåt och dra bort det från dörren så långt det går. Var noga med att inte skada lacken. Tejpa kartongbitar på dörren som skydd.

**24** Håll handtaget bort från dörren och lossa låscylinderns fästskruv. Det går lättast med en vinkelskruvmejsel. Vrid låscylinderhållaren medurs (sett från handtagets baksida) samtidigt som du trycker den genom handtaget. Haka loss låscylinderarmen från manöverstången och dra ut det yttre dörrhandtaget **(se bild)**. Ta loss packningen.

## Bakdörrar

**25** Dra bort dörrhandtaget från dörrpanelen **(se bild)**. Ta loss packningen.

## Alla dörrar

**26** Monteringen utförs i omvänd ordningsföljd mot demonteringen.

## Framdörrens låscylinder

**27** Ta bort framdörrens ytterhandtag och låscylinderhållare enligt beskrivningen tidigare i detta avsnitt.

**28** På vissa modeller är cylindern fäst med skruvar och inte en del av hållaren. I andra modeller utgör dock hållaren och cylindern en sammansatt enhet. I förekommande fall hakar du loss manöverstången, skruvar loss skruvarna och tar bort låscylindern **(se bilder)**.

**29** Monteringen utförs i omvänd ordningsföljd mot demonteringen.

## 15 Dörrens fönsterglas – demontering och montering

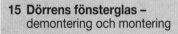

## Framdörr

### Demontering

**1** Öppna fönstret och ta bort dörrfodringen och membranen enligt beskrivningen i avsnitt 13.

**2** Lossa fästskruvarna till den yttre dörrspegeln något, så att du kan lossa den främre delen av den yttre tätningsremsan.

**14.28b . . . skruva loss skruvarna . . .**

Skruva sedan loss skruven från baksidan och dra loss tätningsremsan från dörren.

**3** Hissa ner fönstret så att du ser den nedre glaskanalen i den stora invändiga öppningen i dörrpanelen. Det gör du genom att tillfälligt återansluta kontakten till hissmotorn. Akta händer och kläder medan du hissar ner fönstret och koppla loss kontakten innan du fortsätter. Stötta glaset i det här läget med tejp, samtidigt som du kopplar loss fönsterarmen från den nedre kanalen.

**4** Koppla loss fönsterarmarna från valsarna i den nedre glaskanalen genom att dra bort klämmorna. Bänd sedan ut armarna med en bred spårskruvmejsel. Sätt skruvmejseln nära kulan, mellan armen och kanalen, så att armen inte deformeras.

**5** Lyft försiktigt upp och tippa glaset i bakkant och dra bort det från utsidan av dörramen **(se bild)**.

**6** Ta bort valsarna från kanalen.

**15.5 Ta bort fönsterglaset från framdörren**

**14.28c . . . och ta bort låscylindern**

## Montering

**7** Monteringen utförs omvänt mot demonteringen. Stryk lite fett på hissvalsarna och kanalen innan du fäster klämmorna i valsarna. När klämmorna är monterade trycker du in armkulorna helt i valsarna tills du hör dem snäppa på plats.

## Bakdörr

### Demontering

**8** Öppna fönstret och ta bort dörrfodringen och membranen enligt beskrivningen i avsnitt 13.

**9** Dra försiktigt bort tätningsremsan från fönsteröppningens ytterkant **(se bild)**.

**10** Hissa ner fönstret så att du ser den nedre glaskanalen i den invändiga öppningen i dörrpanelen. Det gör du genom att tillfälligt återansluta kontakten till hissmotorn. Akta

**15.9 Dra bort tätningsremsan från fönsteröppningens ytterkant**

händer och kläder medan du hissar ner fönstret och koppla loss kontakten innan du fortsätter. Stötta glaset i det här läget med tejp, samtidigt som du kopplar loss fönsterarmarna från den nedre kanalen.

**11** Koppla loss fönsterarmarna från valsarna i den nedre glaskanalen genom att ta bort klämman från valsen. Bänd sedan ut armarna med en bred spårskruvmejsel. Sätt skruvmejseln nära kulan, mellan armen och kanalen, så att armen inte deformeras.

**12** Sänk ner glaset till dörrens botten.

**13** Skruva loss skruven som fäster tätningsremsans främre del i dörramen och bänd försiktigt ut tätningsremsan. Skydda lacken med tejp **(se bilder)**.

**14** Skruva loss de övre och nedre skruvarna till fönstrets bakre styrkanal **(se bild)**.

**15** Skruva loss fästmuttrarna från det fasta fönstret, tryck fönstret framåt och dra bort det uppåt från dörren **(se bilder)**. Var noga med att inte skada lacken.

**16** Lyft upp fönsterglaset och dra bort det från dörrens utsida **(se bild)**.

### Montering

**17** Monteringen utförs omvänt mot demonteringen. Stryk lite fett på hissvalsen och kanalen innan du sätter fönsterglaset i dörren. När fjäderklämman är på plats trycker du motorarmens kula in i klämman tills du hör två snabba klick. Avsluta med att kontrollera att fönstret fungerar.

### 16 Dörrens fönsterhiss – demontering och montering

## *Framdörr*

### Demontering

**1** Öppna fönstret och ta bort dörrfodringen och membranen enligt beskrivningen i avsnitt 13.

**2** Hissa ner fönstret så att den nedre glaskanalen syns i den stora öppningen nederst i dörrpanelen **(se bild)**. Det gör du genom att tillfälligt återansluta kontakten till hissmotorn. Akta händer och kläder medan du hissar ner fönstret och koppla loss kontakten innan du fortsätter. Stötta glaset i det här

15.13a Skruva loss skruven bakom tätningen . . .

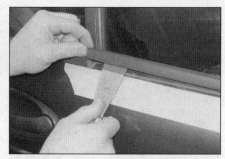
15.13b . . . och bänd försiktigt loss tätningsremsan . Observera tejpen som skyddar lacken

15.14 Ta bort skruvarna till den bakre fönsterstyrkanalen

15.15a Skruva loss fästmuttrarna . . .

15.15b . . . och ta bort det fasta fönstret från bakdörren

15.16 Ta bort fönsterglaset från bakdörren

läget med tejp, samtidigt som du kopplar loss fönsterarmen från den nedre kanalen.

**3** Koppla loss fönsterarmarna från valsarna i den nedre glaskanalen genom att dra bort klämmorna. Bänd sedan ut armarna från

valsarna med en bred spårskruvmejsel. Sätt skruvmejseln nära kulan, mellan armen och kanalen, så att armen inte deformeras **(se bilder)**.

**4** Tryck ut resterna av nitcentrumsprintarna

16.2 Sänk ner glaskanalen i öppningen . . .

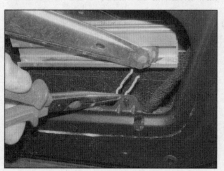
16.3a . . . dra ut fästklämmorna . . .

16.3b . . . och bänd ut armarna från valsarna

**16.4a Tryck ut resterna av centrumsprintarna . . .**

**16.4b . . . och borra bort nitarna**

**16.5 Koppla loss kablarna från fönsterhissen**

## Montering och justering

**8** Montering utförs i omvänd ordning mot demonteringen. Fäst fönsterhissen med nya nitar. Stryk lite fett på hissvalsarna och kanalen innan du sätter glaset i dörren. När klämmorna är monterade trycker du in armkulorna helt i valsarna tills du hör dem snäppa på plats.
**9** Kontrollera att fönsterglaset är i linje med dörramen när det är stängt. Vid behov justerar du enligt nedan. Öppna glaset halvvägs, lossa styrskruvarna och tryck glaset bestämt bakåt, så att dess bakkant ligger helt i den bakre kanalen. Håll glaset på plats och dra åt skruvarna helt.

**16.6 Skruva loss fästmuttrarna . . .**

**16.7 . . . och dra ut fönsterhissen genom öppningen i dörrens innerpanel**

## Bakdörr

### Demontering

**10** Öppna fönstret och ta bort dörrfodringen och membranen enligt beskrivningen i avsnitt 13.
**11** Hissa ner fönstret så att du ser den nedre glaskanalen i den invändiga öppningen i dörrpanelen. Det gör du genom att tillfälligt återansluta kontakten till hissmotorn. Akta händer och kläder medan du hissar ner fönstret och koppla loss kontakten innan du fortsätter. Stötta glaset i det här läget med tejp, samtidigt som du kopplar loss fönsterarmarna från den nedre kanalen **(se bilder)**.
**12** Koppla loss fönsterarmarna från valsarna i den nedre glaskanalen genom att ta bort klämman från valsen. Bänd sedan ut armarna med en bred spårskruvmejsel. Sätt skruvmejseln nära kulan, mellan armen och kanalen, så att armen inte deformeras **(se bilder)**.
**13** Sänk ner glaset till dörrens botten.
**14** Koppla loss fönsterhisskablaget vid kontakten.
**15** Tryck ut resterna av nitcentrumsprintarna som håller fast fönsterhissen i dörren. Borra sedan bort nitarna **(se bilder)**.
**16** Sänk hissen och dra bort den övre delen genom hålet i dörrens innerpanel **(se bild)**.
**Observera:** *Motorn och regulatorn kan inte tas isär.*

### Montering

**17** Montering utförs i omvänd ordning mot demonteringen. Fäst fönsterhissen med nya nitar **(se bild)**. Stryk lite fett på hissvalsen och kanalen innan du sätter fönsterglaset i

som håller fast fönsterhissen i dörren. Borra sedan bort nitarna **(se bilder)**.
**5** Koppla loss fönsterhisskablaget vid kontakten **(se bild)**.
**6** Märk hissens styrmutterpositioner på den

inre dörrpanelen. Skruva sedan loss muttrarna och ta bort dem tillsammans med hissens fästmuttrar **(se bild)**.
**7** Ta bort hissen genom det stora hålet i dörrens innerpanel **(se bild)**.

**16.11a Sänk fönsterglaskanalen i dörröppningen . . .**

**16.11b . . . stötta sedan glaset med tejp**

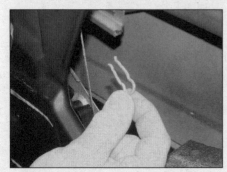

**16.12a Ta bort klämman från valsen . . .**

**16.12b . . . bänd sedan ut armen med en skruvmejsel**

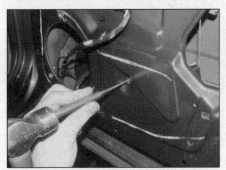

**16.15a Tryck ut centrumsprintarna . . .**

**16.15b . . . och borra bort nitarna**

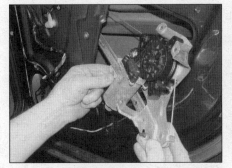

**16.16 Ta bort fönsterhissen genom dörröppningen**

**16.17 Fäst fönsterhissen med nya nitar**

dörren. När fjäderklämman är på plats trycker du motorarmens kula in i valsen tills du hör två snabba klick. Avsluta med att kontrollera att fönstret fungerar. Det bakre fönsterglasets läge kan inte justeras.

### 17 Baklucka, stödben och gångjärn – demontering och montering

#### Baklucka

**Demontering**

**1** Öppna bakluckan, sträck in handen i bagageutrymmets bakre vänstra hörn och öppna luckan som täcker över kontaktdonet till bakluckans kabelhärva. Koppla loss anslutningskontakten.

**2** Bänd ut kabelgenomföringen från karossen och lossa den från gångjärnet. Dra kablaget uppåt från bagageutrymmet.

**3** Ta hjälp av en annan person, stötta bakluckan i öppet läge, bänd ut klämmorna och koppla loss stödbenets övre ändar från gångjärnen.

**4** Markera gångjärnens konturer på bakluckan med en penna **(se bild)**.

**5** Skruva loss de nedre muttrarna som fäster gångjärnen i bakluckan. Lossa sedan de övre bultarna och lyft försiktigt bort bakluckan från gångjärnen. De övre bulthålen i gångjärnen är öppna i ena änden.

#### Montering och justering

**6** Sätt i de övre bultarna utan att dra åt dem,

sänk ner bakluckan på dem och montera de nedre bultarna. Dra åt bultarna ordentligt.

**7** När du först stänger bakluckan sänker du den sakta nedåt och kontrollerar att låskolven är i linje med låset. I annat fall lossar du

bulten/bultarna, flyttar låskolven och drar åt bulten/bultarna **(se bild)**. **Observera:** *Det kan vara nödvändigt att ta bort den bakre klädselpanelen för att komma åt fästbultarna till låsplattan.* Kontrollera att bakluckan är centralt placerad i karossöppningen. Du kan justera den framåt och bakåt genom att lossa muttrarna och flytta luckan på gångjärnen. Du kan justera bakluckans framkant i höjdled genom att flytta gångjärnens framkanter på karossen. Du kan justera bakluckans bakkant i höjdled (när luckan är stängd) genom att vrida in eller ut de två gummikuddarna. Du kan justera höjden på **hela** bakluckan genom att lossa bultarna som fäster gångjärnen i karossen. Dra åt alla muttrar och bultar.

**8** Återanslut stödbenets övre ändar till gångjärnen och montera klämmorna.

**9** För in kablaget i bagagerummet och montera kabelgenomföringen. Fäst genomföringen i gångjärnet.

**10** Återanslut kontaktdonet och stäng luckan.

#### Stödben

**Demontering**

**11** Stötta bakluckan i öppet läge och notera de monterade stödbenens lägen. Benets kolvdel är vänd nedåt **(se bilder)**.

**12** Bänd ut klämmorna och koppla loss stödbenets övre och nedre ändar från gångjärnen **(se bild 9.4)**. Dra bort stödbenet från bilen.

**Montering**

**13** Monteringen sker i omvänd ordningsföljd mot demonteringen.

**17.4 Gångjärn och fästmuttrar till bakluckan**

**17.7 Ta bort klädselpanelen för att komma åt bakluckans låstunga (markerad med pil)**

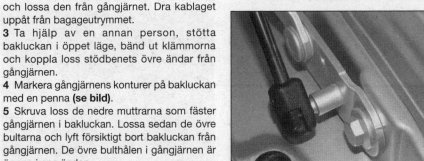

**17.11a Nedre fäste till bakluckans stödben . . .**

**17.11b . . . och det övre fästet**

## *Gångjärn*

### Demontering

**14** Demontera bakluckan enligt beskrivningen tidigare i detta avsnitt.
**15** Bänd ut klämman och koppla loss stödbenets nedre ände från gångjärnet. För stödbenet åt sidan.
**16** Markera gångjärnets kontur på karossen med en penna. Skruva därefter loss bultarna och ta bort gångjärnet.

### Montering

**17** Monteringen utförs i omvänd ordningsföljd mot demonteringen, men dra åt bultarna ordentligt och justera bakluckan enligt den tidigare beskrivningen.

### 18 Baklucka, stödben och gångjärn – demontering och montering

## *Baklucka*

### Demontering

**1** Öppna bakluckan och placera några tygtrasor eller kartongbitar mellan bakluckan och karossen som skydd mot skador.
**2** Skruva loss fästskruvarna och ta bort kåporna/tätningarna från bakdörrens gångjärn **(se bild)**. Bänd därefter isär och ta bort ledningskanalen.
**3** Bänd försiktigt lås kåporna, skruva loss skruvarna och ta bort den övre klädselkanten runt bakfönsteröppningen inuti bakluckan.
**4** Skruva loss fästskruvarna och ta bort det inre handtaget från nederkanten av bakrutans panel **(se bild)**.
**5** Lossa hållarna från klädselpanelens nedre kant genom att trycka ner centrumsprintarna. Dra sedan panelens översta del nedåt för att lossa den från de övre klämmorna. Dra sedan panelen bakåt för att lossa styrsprinten vid handtaget **(se bilder)**.
**6** Observera hur kabelhärvan är monterad, lossa den och ta bort den från stödklämmorna. Koppla också bort det bakre spolarröret. Ta försiktigt ut kablaget från bakluckan vid gångjärnen. **Observera:** *Om du måste ta bort bakluckan tillsammans med kablaget måste du ta bort dekoren från D-stolpen, och den*

**18.2 Ta bort kåpor/tätningar på bakdörrens gångjärn – ena sidan visas**

*bakre innertakklädseln måste sänkas så att du kommer åt kontaktdonen och jordkablarna.*
**7** Använd en penna och märk gångjärnens konturer på bakluckan.
**8** Ta hjälp av en annan person, stötta bakluckan, skruva loss bultarna och lyft av bakluckan från gångjärnen.

### Montering

**9** Sätt bakluckan i gångjärnen och sätt i bultarna. När bakluckan är i linje med markeringarna du gjorde drar du åt fästbultarna ordentligt. När du först stänger bakluckan sänker du den sakta nedåt och kontrollerar att låskolven är i linje med låset. I annat fall lossar du bulten/bultarna, flyttar låskolven och drar åt bulten/bultarna. Kontrollera att bakluckan är centralt placerad i karossöppningen. Du kan justera den framåt, bakåt och i sidled genom att lossa bultarna och flytta luckan på gångjärnen. Justering i höjdled görs genom att lossa bultarna som fäster gångjärnen i karossen. Tänk på att du måste ta bort dekoren från D-stolpen och ta ner innertakklädseln. Kontrollera att de två gummistöden mellan bakljusplatserna är justerade så att bakluckan får tillräckligt stöd när den är stängd.

## *Stödben*

### Demontering

**10** Ta bort dekoren och innertakklädseln från D-stolpen samt de två listerna mellan C- och D-stolparna. Ta ut klämmorna från innertakklädseln och ta bort bagagenätsfästena. Bänd försiktigt ner innertakklädseln i bakkant, så att du kommer åt stödbensfästena.

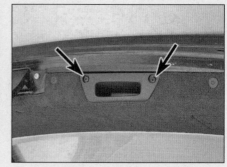

**18.4 Fästskruvarna till det inre handtagets klädsel (se pilar)**

**11** Stötta bakluckan i öppet läge och notera de monterade stödbenens lägen. Skruva loss metalloken som sitter över stödbenens främre fästen på takpanelens tvärbalk.
**12** Bänd ut klämmorna och koppla loss stödbenets övre och nedre ändar från gångjärnen och karossen. Dra bort stödbenet från bilen.

### Montering

**13** Monteringen görs omvänt mot demonteringen. Smörj stödbenskulan med fett före monteringen.

## *Gångjärn*

### Demontering

**14** Ta bort bakluckan och kablaget enligt beskrivningen tidigare i detta avsnitt.
**15** Bänd ut klämmorna och koppla loss stödbenets bakre ändar från gångjärnen.
**16** Arbeta genom hålet i takets bakre stödbalk, skruva oss och ta bort gångjärnets inre fästbultar.
**17** Markera platserna för bakluckans gummikuddar. Skruva sedan loss och ta bort dem.
**18** Dra ner tätningsremsan från den övre halvan av öppningen i bakluckan. Ta bort täckplåtarna upptill och på sidorna.
**19** Skruva loss fästbultarna och ta bort gångjärnen från takets bakre tvärbalk.

### Montering

**20** Monteringen görs omvänt mot demonteringen. Smörj stödbenskulan med fett före monteringen. Justera bakluckan enligt beskrivningen tidigare i detta avsnitt.

**18.5a Tryck ner centrumsprintarna . . .**

**18.5b . . . och ta bort hållarna . . .**

**18.5c . . . lossa sedan klädselpanelen från de övre fästklämmorna**

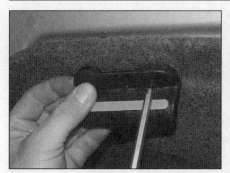

19.1a Ta bort handtaget . . .

19.1b . . . tryck nedåt i deras centrum . . .

19.1c . . . ta bort hållarna . . .

19.1d . . . och bänd loss panelen från bakluckan

19.2 Fästbultar till bakluckans lås

19.4 Ta bort bakluckans lås

## 19 Bakluckans/bakluckans låskomponenter – demontering och montering

### Bakluckans lås

#### Demontering

1 Öppna bakluckan, skruva loss skruvarna och ta bort handtaget. Lossa fästena och bänd försiktigt bort klädselpanelen med en bred spårskruvmejsel, som du sätter bredvid var och en av fästklämmorna (se bilder).
2 Skruva loss och ta bort låsfästbultarna på bakluckans nedre kant (se bild).
3 Arbeta genom hålet i bakluckans innerpanel och lossa låsmanöverstången från låsmotorn. Det gör du genom att trycka plasthållaren åt sidan.
4 Ta bort bakluckslåset tillsammans med manöverstången (se bild).

#### Montering

5 Monteringen utförs i omvänd ordningsföljd mot demonteringen. Dra åt bultarna ordentligt.

### Bakluckans lås

#### Demontering

6 Öppna bakluckan och bänd försiktigt bort den sargen från innerhandtaget.
7 Skruva loss skruvarna från klädselpanelens nedre kant. Dra sedan panelens översta del nedåt för att lossa den från de övre klämmorna. Dra sedan panelen bakåt för att lossa styrsprinten vid handtaget. Dra inte ner

panelens baksida innan du lossat den upptill, eftersom styrsprinten då kan gå av.
8 Inuti bakluckan noterar du manöverstängernas plats på låset. Tryck sedan

plasthållarna åt sidan och lossa dem (se bild).
9 Koppla loss kontaktdonet, skruva loss fästbultarna och ta bort låset (se bilder).

19.8 Koppla loss manöverstängerna

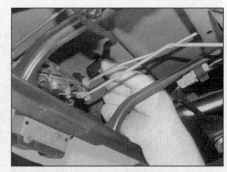

19.9a Koppla loss kablaget . . .

19.9b . . . skruva sedan loss fästbultarna . . .

19.9c . . . och dra ut bakluckans lås

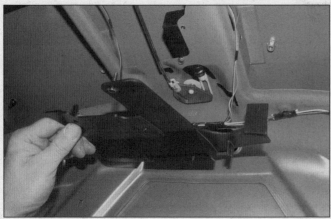

19.12a  Ta bort kåpan . . .

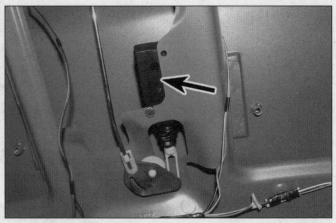

19.12b  . . . så att du kommer åt motorn till bakluckans lås

## Montering

10  Montering sker i omvänd ordningsföljd.

## Bakluckans låsmotor

### Demontering

11  Öppna bakluckan, skruva loss skruvarna och ta bort handtaget. Lossa fästena och bänd försiktigt bort klädselpanelen med en bred spårskruvmejsel, som du sätter bredvid var och en av fästklämmorna.

12  Ta bort låsmotorkåpan. Genom hålet i bakluckans innerpanel kopplar du loss låsmanöverstången från låsmotorn (se bilder). Det gör du genom att trycka plasthållaren åt sidan.

13  Koppla loss låsmanöverstångens medbringare från motorn genom att trycka ut centrumsprinten med ett böjt

redskap. Låt medbringaren hänga löst på låsmanöverstången.

14  Skruva loss fästbultarna, ta ut motorn och koppla loss anslutningskontakten.

### Montering

15  Monteringen sker i omvänd ordning mot demonteringen.

## Bakrutans låsmotor

### Demontering

16  Öppna bakluckan och bänd försiktigt bort sargen från innerhandtaget.

17  Skruva loss skruvarna från klädselpanelens nedre kant. Dra sedan panelens översta del nedåt för att lossa den från de övre klämmorna. Dra sedan panelen bakåt för att lossa styrsprinten vid handtaget. Dra inte ner

panelens baksida innan du lossat den upptill, eftersom styrsprinten då kan gå av.

18  Genom hålet i bakluckans innerpanel kopplar du loss anslutningskontakten från låsmotorn (se bild).

19  Skruva loss fästbultarna och koppla loss låsmanöverstångens medbringare från motorn genom att trycka ut centrumsprinten med ett böjt redskap. Låt medbringaren hänga löst på låsmanöverstången. Sänk försiktigt ner och vrid motorn. Ta sedan bort den från bakluckan. Var försiktig så att du inte skadar sprinten på medbringaren (se bilder).

### Montering

20  Monteringen utförs i omvänd ordningsföljd mot demonteringen.

## Bakluckans låscylinder

### Demontering

21  Öppna bakluckan och bänd försiktigt bort sargen från innerhandtaget.

22  Skruva loss skruvarna från klädselpanelens nedre kant. Dra sedan panelens översta del nedåt för att lossa den från de övre klämmorna. Dra sedan panelen bakåt för att lossa styrsprinten vid handtaget. Dra inte ner panelens baksida innan du lossat den upptill, eftersom styrsprinten då kan gå av.

23  Koppla loss låsmanöverstången från armen på låscylindern. Det gör du genom att trycka plastklämman åt sidan (se bild).

24  Koppla loss kablaget, skruva loss

19.18  Koppla loss kablaget. . .

19.19a  . . . skruva loss fästbultarna . . .

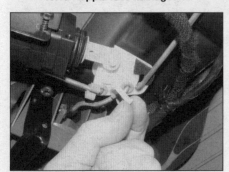

19.19b . . . ta bort centrumsprinten . . .

19.19c  . . . och dra ut motorn till bakluckans lås

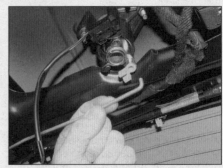

19.23  Koppla loss låsmanöverstången från armen på låscylindern

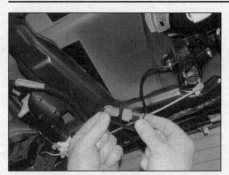

19.24a Koppla loss kablaget . . .

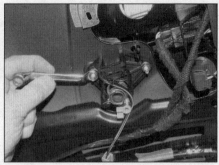

19.24b . . . skruva loss fästmuttrarna . . .

19.24c . . . och dra ut låscylindern från bakluckan

19.34a Koppla loss den manuella manöverstången . . .

19.34b . . . och centrallåsets manöverstång

19.35 Ta bort det inre handtaget från bakluckan

fästmuttrarna och ta bort låscylindern från bakluckan **(se bilder)**. Kontrollera tätningen och skaffa en ny om det behövs.

## Montering

25 Monteringen utförs i omvänd ordningsföljd mot demonteringen. Dra åt alla bultar och muttrar ordentligt.

## Bakluckans handtag

### Demontering

26 Ta bort registreringsskylten.
27 Öppna bakluckan, skruva loss skruvarna och ta bort handtaget. Bänd försiktigt bort klädselpanelen med en bred spårskruvmejsel, som du sätter bredvid var och en av fästklämmorna.
28 Skruva loss de fyra muttrarna och ta bort dekorpanelen.
29 Ta bort den bakre vänstra lampenheten genom att skruva loss muttrarna och trycka ner klämmorna (se kapitel 12, avsnitt 7).
30 Skruva loss fästbultarna, ta ut handtaget och koppla loss kablaget.

## Montering

31 Monteringen sker i omvänd ordningsföljd mot demonteringen.

## Bakluckans inre handtag

### Demontering

32 Öppna bakluckan, lossa skruvarna och ta bort innerhandtaget. Bänd också försiktigt loss sargen från innerhandtaget.
33 Skruva loss skruvarna från klädselpanelens nedre kant. Dra sedan panelens översta

del nedåt för att lossa den från de övre klämmorna. Dra sedan panelen bakåt för att lossa styrsprinten vid handtaget.
34 Koppla loss de två manöverstängerna **(se bilder)**.
35 Skruva loss fästskruvarna och ta bort innerhandtaget från bakluckan **(se bild)**.

## Montering

36 Monteringen utförs i omvänd ordningsföljd mot demonteringen.

## Bakluckans yttre handtag

### Demontering

37 Öppna bakluckan, lossa skruvarna och ta bort innerhandtaget.
38 Skruva loss skruvarna från klädselpanelens nedre kant. Dra sedan panelens översta del nedåt för att lossa den från de övre klämmorna. Dra sedan panelen bakåt för att lossa styrsprinten vid handtaget.

20.1a Bänd loss fönstersargen . . .

39 Ta bort den bakre vänstra ljusarmaturen från bakluckan enligt beskrivningen i kapitel 12, avsnitt 7.
40 Skruva loss fästmuttrarna och fästbultarna, lossa klämmorna och ta bort ytterhandtaget från bakluckan. Koppla sedan loss kablaget.

## Montering

41 Monteringen utförs i omvänd ordningsföljd mot demonteringen.

## 20 Yttre backspeglar och spegelglas – demontering och montering

## Spegel

### Demontering

1 Bänd försiktigt loss fönstersargen inifrån dörren och koppla loss omkopplarkablaget **(se bilder)**.

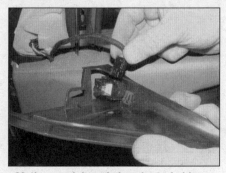

20.1b . . . och koppla loss brytarkablarna

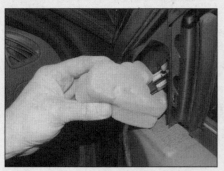

20.2a Ta bort skumgummitätningen . . .

20.2b . . . och koppla loss spegelkablarna

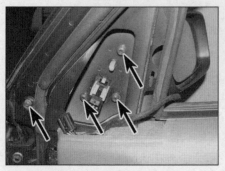

20.3 Skruva loss fästbultarna . . .

20.4 . . . och ta bort den yttre dörrspegeln

**2** Ta bort skumgummitätningen och koppla loss kablaget från den yttre dörrbackspegeln **(se bilder)**.
**3** Stötta ytterbackspegeln och skruva loss fästbultarna. Observera att den främre bulten sitter på dörrens framkant **(se bild)**.
**4** Haka loss spegeln och ta bort den från dörrens utsida **(se bild)**. Kontrollera packningen och byt ut den om det behövs.

### Montering

**5** Monteringen utförs i omvänd ordningsföljd mot demonteringen. Dra åt bultarna stegvis.

### Spegelglas

#### Demontering

**6** Sväng ytterbackspegeln helt framåt och vinkla ut spegelglasets inre kant. Håll en trasa över glaset så att det inte faller ut.
**7** Sätt försiktigt en liten skruvmejsel bakom glaset och lossa hållarfjädern **(se bild)**.

20.7 Lossa fästfjädern med en skruvmejsel . . .

**8** Ta loss glaset och koppla loss värmekablaget **(se bild)**.

### Montering

**9** Se till att fjäderklämmorna sitter korrekt på spegelns baksida.
**10** Återanslut värmekablaget.
**11** Sätt glaset på motorn och tryck fast det med en trasa tills det sitter på plats.
**12** Sväng spegeln bakåt och kontrollera att den fungerar korrekt.

---

### 21 Vindruta, bakruta och fasta fönster – allmän information

---

## Vindruta och bakruta

**1** Glaset till vindrutan och bakfönstret hålls på plats med ett särskilt fästmedel. Det är svårt,

20.8 . . . dra ut spegeln och koppla loss kablarna

besvärligt och tidsödande att byta sådana fasta fönster och arbetet lämpar sig därför inte för hemmamekaniker. Utan lång erfarenhet är det svårt att få en säker och vattentät fog. Dessutom är det stor risk att glaset spricker. Detta gäller särskilt lamellbyggda vindrutor. Vi rekommenderar alltså starkt att du låter en Saab-verkstad eller specialist utföra allt arbete av denna typ.

### Fast sidobakfönster

**2** I kombimodeller är det fasta sidobakfönstret fäst på samma sätt som vindrutan och bakrutan. Se punkt 1.

---

### 22 Soltak – demontering och montering

---

**1** På grund av komplexiteten i soltakets mekanism krävs avsevärd expertis för att reparera, byta eller justera soltakets delar. För att ta bort soltaket måste först den inre takklädseln tas bort, vilket är besvärligt och tidsödande. Därför innehåller det här avsnittet endast en beskrivning av takluckans och drivmotorns demontering, och vi rekommenderar att annat arbete med soltaket överlåts till en Saab-mekaniker.

### Tacklucka

#### Demontering

**2** Öppna takluckan och skruva loss skruvarna från den främre täcklisten.
**3** Stäng takluckan och tippa bakkanten. Dra täcklistens bakkant bakåt för att lossa klämmorna. Dra sedan bort täcklisten försiktigt, så att du inte skadar lacken.
**4** Dra försiktigt loss sidotäcklisterna från fästklämmorna.
**5** Lyft luckans baksida, lossa de två fästbultarna och lyft ut takluckan.

#### Montering

**6** Monteringen görs omvänt mot demonteringen. Justera takluckan så att den är i nivå med den omgivande takpanelen. Luckans framkant kan vara något lägre än takpanelen.

### Drivmotor

**Observera:** *Om drivmotorn är defekt går det att öppna och stänga soltaket med hjälp av en skruvmejsel. Dra bort kåpan från kontrollpanelen i taket och vrid runt motoraxeln med skruvmejseln. Vrid axeln moturs för att stänga takluckan.*

#### Demontering

**7** Öppna takluckan och skruva loss skruvarna från den främre täcklisten.
**8** Stäng takluckan och tippa bakkanten. Dra täcklistens bakkant bakåt för att lossa klämmorna. Dra sedan bort täcklisten försiktigt, så att du inte skadar lacken.
**9** Dra försiktigt loss sidotäcklisterna från fästklämmorna.

**24.2  Ta bort framsätets bakre fästbultar**

**24.4  Ta bort framsätets främre fästbultar**

på åtgärd, och ställ den säkert på pallbockar (se *Lyftning och stödpunkter*). Ta bort hjulet.
**12** Skruva loss plastskruvarna och -muttrarna som fäster fodret i karossen eller skärmen.
**13** Tryck loss fodret från skärmens ytterkant och dra bort det från hjulhuset.

**Montering**

**14** Monteringen sker i omvänd ordningsföljd.

## 24 Säten – demontering och montering

**10** Stäng takluckan. Kontrollera att kablarnas skjutfästen är centrerade mellan de två markeringarna på skenan. **Observera:** *Takluckan måste vara stängd när du monterar en ny motor, eftersom motorn levereras i stängt läge.*
**11** Skruva loss skruvarna och ta bort solskydden. Koppla loss kablaget till spegellampan.
**12** Bänd ut linsen från kupélampan med en skruvmejsel. Skruva sedan loss skruvarna och ta bort takkonsolen.
**13** Skruva loss skruvarna och ta bort backspegeln.
**14** Bänd försiktigt ner den inre takklädselns framkant och skruva loss motorns fästbultar. Var noga med att inte skada takklädseln. Ta bort motorn och koppla loss kablarna.

**Montering**

**15** Monteringen sker i omvänd ordning mot demonteringen. Flytta motorn bakåt och framåt efter behov, så att dreven kopplas ihop, innan du sätter i fästbultarna.

## 23 Karossens yttre detaljer – demontering och montering

### Dörrens skyddslister

**Demontering**

**1** Bänd ut skyddslisten i bakkant med en skruvmejsel. Skydda lacken med tejp.

**2** Dra bort listen och fästklämmorna från fästena i dörrpanelen och skjut listen bakåt från det främre fästhålet. Om klämmorna lossnar från skyddslisten, eller om fästena lossnar från dörrpanelen, sätter du tillbaka dem.

**Montering**

**3** Monteringen utförs i omvänd ordningsföljd mot demonteringen. Använde du skyddstejp låter du den sitta kvar på listens framsida, eftersom den gör det möjligt att skjuta listen framåt i det främre fästhålet.

### Tröskelhasplåt

**Demontering**

**4** Skruva loss skruven som fäster hasplåtens framsida i framhjulshusets foder.
**5** Skruva loss muttern som fäster hasplåtens främre del i framskärmen.
**6** Bänd ut gummilisten från hasplåtens topp.
**7** Skruva loss muttern som fäster hasplåten i bakhjulshusets foder.
**8** Skruva loss skruvarna och muttrarna som fäster hasplåten i tröskeln.
**9** Dra bort bakhjulshusets foder och ta bort hasplåten.

**Montering**

**10** Montering sker i omvänd ordningsföljd.

### Hjulhusfoder

**Demontering**

**11** Lyft upp bilen fram eller bak, beroende

### Framsäte

**1** Skjut sätet helt framåt. På modeller med elstyrt framsäte, och om motorn är trasig eller kärvar, höjer du sätet så mycket det går med den fjädrande armen och tar bort den övre säteskåpan. Ta sedan bort den främre bulten. Lossa Torx-skruvarna, ta tag i handtaget och dra ut det koniska drevet. Nu kan du demontera drevet. Fäst ett lämpligt verktyg med klämmor för att flytta framsätet för hand.
**2** Skruva loss sätets bakre fästbultar **(se bild)**.
**3** Skjut sätet helt bakåt.
**4** Skruva loss sätets främre fästbultar **(se bild)**.
**5** Lyft av framsidan av sätet och lossa flerstiftsanslutningskontakten från sätets nedre del – lossa även buntbandet och klämman **(se bilder)**.
**6** Lyft sätet inifrån fordonet och lossa vid behov säkerhetsbältet från det (se avsnitt 26).
**7** Monteringen utförs i omvänd ordningsföljd mot demonteringen. Dra åt fästbultarna till angivet moment. Den inre bulten ska dras åt först både fram och bak.

### Baksätets sits

**8** Fäll fram baksätets dyna.
**9** Lossa plastklämman från gångjärnet **(se bild)**.
**10** I förekommande fall kopplar du loss anslutningskontakten från dynans undersida.

**24.5a  Koppla loss anslutningskontakten . . .**

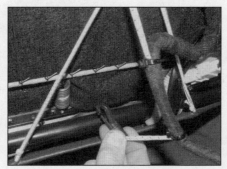

**24.5b  . . . och lossa buntbandet och klämman**

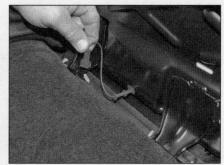

**24.9  Ta bort plastklämman från gångjärnet . . .**

24.11 . . . och ta bort baksätesdynan

24.15a  Lossa fästplattans hake . . .

24.15b . . . och ta sedan bort sätet från styrbulten (se pil)

**11** Ta ut dynan från bilen **(se bild)**.

**12** Montering utförs i omvänd ordningsföljd.

## Baksätets ryggstöd

### 40 % avsnitt

**13** I sedan- och kombimodeller fäller du baksätesdynan framåt och ryggstödet nedåt. Fäst sedan säkerhetsbältena i hållarna på C-stolpen.

**14** Vik ryggstödet något framåt och haka loss klädselkrokarna vid säkerhetsbältesfästet.

**15** Stick in handen bakom sätets styrbult och lossa spännbrickan (använd om det behövs en liten skruvmejsel för att bända loss styrbultens spännbricka). Lyft sedan ryggstödet och dra loss det från den inre svängtappen **(se bilder)**. Lyft bort ryggstödet inifrån bilen.

**16** Monteringen sker i omvänd ordningsföljd mot demonteringen. Tryck ner ryggstödet tills det låses på plats. Se till att mittbältet sitter framför ryggstödet.

### 60 % avsnitt

**17** Ta bort 40 % sektionen av ryggstödet enligt beskrivningen ovan.

**18** I sedanmodeller lossar du spärren genom att trycka på den med fingret. Dra sedan loss ryggstödet från fäststiften. Lyft bort ryggstödet inifrån bilen.

**19** I kombimodeller skruvar du loss bulten från det mittre säkerhetsbältets nedre fäste och skruvar loss gångjärnssprinten från mittstödet. Lossa klädselklämman och lyft ryggstödet från det vänstra sidofästet. Skjut ryggstödet mot dörren för att lossa mittsprintens tapp från stödet. Dra bort ryggstödet inifrån bilen **(se bilder)**.

**20** Monteringen utförs i omvänd ordningsföljd mot demonteringen. Tryck ner ryggstödet tills det låses på plats. I sedanmodeller ser du till att mittbältet sitter framför ryggstödet.

## 25 Styrmodul till förarsäte – demontering och montering

**Observera:** Styrmodulen finns endast i modeller med elmanövrerat säte.

## Demontering

**1** Framsätets styrmodul sitter på undersidan av förarsätet. Modulen innehåller minne för position och rörelsekontroll samt en kommunikationsfunktion för diagnostiksyfte. Systemet kommer ihåg läget på de elstyrda backspeglarna.

**2** Ta bort framsätet enligt beskrivningen i avsnitt 24.

**3** Koppla loss kablaget från modulen.

**4** Skruva loss fästskruvarna och ta bort modulen från sätet. Observera att ett av modulens bulthål är öppet i ena änden. Du behöver bara lösgöra motsvarande bult, varefter du kan dra bort modulen.

## Montering

**5** Montera tillbaka i omvänd ordningsföljd mot demonteringen.

## 26 Säkerhetsbälten – demontering och montering

⚠ **Varning: Om bilen varit inblandad i en olycka där bältessträckaren aktiverades måste bältessträckaren och hela säkerhetsbältet bytas ut.**

24.19a  Skruva loss bulten från mittbältets nedre fäste . . .

24.19b . . . skruva loss gångjärnssprinten från mittstödet . . .

24.19c . . . haka loss klädselklämman . . .

24.19d . . . lossa det yttre vänstra fästet . . .

24.19e . . . och lossa centrumsprinttappen från stödet

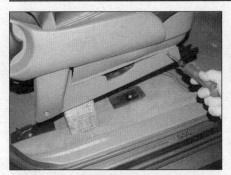

26.1a Om en sådan finns, skruva loss skruvarna . . .

26.1b . . . och ta bort plastkåpan

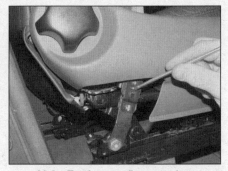

26.2a Tryck ner spärren med en skruvmejsel. . .

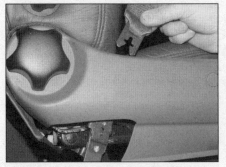

26.2b . . . och lossa säkerhetsbältet

26.3a Ta bort dekoren från B-stolpen . . .

26.3b . . . och dra igenom säkerhetsbältet

## Främre säkerhetsbälte och bältessträckare

**1** Skjut sätet framåt så långt det går. Se till att tändningen är avslagen och, om det behövs, ta bort plastkåpan **(se bilder)**.

**2** Lossa säkerhetsbältet från framsätet genom att trycka in spärren med en skruvmejsel **(se bilder)**.

**3** Dra en tätningsremsan bakåt från B-stolpen och bänd försiktigt loss klädseln från B-stolpen med en bred spårskruvmejsel och lyft bort den från luftkanalen. Dra säkerhetsbältet genom dekoren **(se bilder)**.

**4** Koppla loss kablaget till bältessträckaren **(se bild)**.

**5** Skruva loss de två muttrarna/bultarna och skruven. Ta bort framsätets haspel och bältessträckare **(se bild)**.

**6** Ta bort fästtappen från framsätets insida genom att först ta bort sätet (se avsnitt 24). Koppla sedan bort kablaget till bältespåminnarlampan från sätets undersida och klipp av buntbandet. Skruva loss bulten och ta bort fästtappen.

**7** Monteringen utförs i omvänd ordningsföljd mot demonteringen. Dra åt fästbultarna till angivet moment. Kontrollera att bältet sitter korrekt i framsätet genom att dra det rakt uppåt. Spärren ska synas på fästets utsida. Saab rekommenderar att krockkuddarna felkodsöks när det främre säkerhetsbältets haspel och bältessträckare monterats.

## Bakre yttre rem

### Sedanmodeller

**8** Fäll sätesdynan framåt och skruva loss muttern som fäster säkerhetsbältets nedre ände i golvet **(se bild)**.

**9** Ta bort fästklämman och ta bort högtalargallret från bagagehyllan **(se bild)**.

**10** Dra tillbaka tätningsremsan från C-stolpen och ta bort klädselpanelen från stolpen genom att försiktigt bända loss den med en

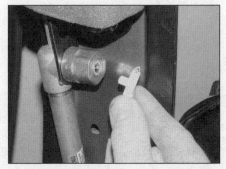

26.4 Koppla loss kablaget till bältesförspännaren

26.5 Fästbultar till det främre säkerhetsbältets haspel och bältesspännare

26.8 Låsmuttern för säkerhetsbältets fäste (se pil)

26.9 Ta bort högtalargallret

26.10 Lossa klädselpanelen från C-stolpen

26.11a Bakre säkerhetsbältets rulle fästbultar

26.11b Låsmuttern för säkerhetsbältets tapp (se pil)

26.13 Ta bort den bakre förvaringslådan i bagageutrymmet

## Kombimodeller

**13** Ta bort den bakre bagagehyllan i förekommande fall, samt förvaringslådan från bagageutrymmet **(se bild)**.

**14** Ta bort hasplåten från baklucköppningen.

**15** Ta bort den inre takklädseln och bänd loss D-stolpens panel med en bred spårskruvmejsel.

**16** Bänd ut kåporna, skruva loss skruvarna och bänd loss bagagehyllans stöd **(se bilder)**.

**17** Vik upp sätesdynan och fäll ner ryggstödet.

**18** Lyft dörrens tätningsremsa och dra ut den översta delen av sidostoppningen. Haka sedan loss botten och dra **(se bilder)**.

**19** Skruva loss skruvarna och dra bort panelen från ryggstödet. Koppla loss kablaget till CD-spelaren i förekommande fall.

**20** Med början uppifrån drar du bort panelen från C-stolpen. Observera styrsprinten baktill och nedtill **(se bild)**.

**21** Skruva loss muttern och ta bort bältets nedre ände från golvet.

**22** Ta bort styrningen från C-stolpens panel och mata bältesspännet och bältet genom styrningen.

**23** Ta bort isoleringskudden och styrningen. Skruva sedan loss och ta bort bälteshaspeln **(se bilder)**.

**24** Ta bort fästtappen genom att skruva loss fästmuttern/fästbulten och dra ut den från den bakre golvpanelen **(se bild)**.

**25** Monteringen görs i omvänd ordningsföljd mot demonteringen. Dra åt fästmuttrarna/-bultarna till angivet moment. Se till att gummitätningsremsan sitter korrekt över

bred skruvmejsel, så att fästklämmorna lossas **(se bild)**. Dra säkerhetsbältet genom hålet i panelen.

**11** Skruva loss fästmuttrarna och ta bort bälteshaspeln från C-stolpen. Ta bort

fästtappen genom att skruva loss fästmuttern och ta bort den från golvet **(se bilder)**.

**12** Montera i omvänd ordningsföljd mot demonteringen. Dra åt fästmuttrarna och fästbultarna till angivet moment.

26.16a Bänd ut kåporna . . .

26.16b . . . skruva loss skruvarna . . .

26.16c . . . och ta bort bagagehyllstödet

26.18a Lyft dörrens tätningsremsa . . .

26.18b . . . haka sedan loss sidostoppningen

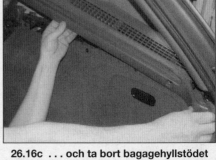

26.20 Ta bort panelen från C-stolpen

26.23a  Ta bort isoleringsdynan

26.23b  Haspel till bakre säkerhetsbälte och fästbultar

26.24  Det bakre säkerhetsbältets fästtappar

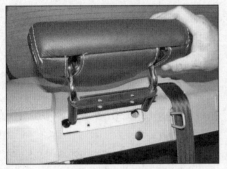
26.26  Ta bort nackskydden

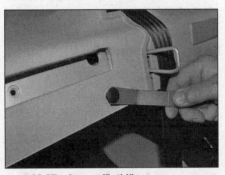
26.27a  Lossa fästklämmorna . . .

26.27b  . . . och ta bort den bakre hyllpanelen

D-stolpens panel, den inre takklädseln och hasplåten.

## Bakre mittbälte

### Sedanmodeller

**26** Fäll ner baksätenas ryggstöd, skruva loss fästskruvarna och ta bort huvudstöden från bagagehyllan bak **(se bild)**.
**27** Ta bort fästklämmorna längs framkanten av bagagehyllan bak, ta bort båda högtalargallren och bagagehylleklädseln från bilen **(se bilder)**. Lossa mittbältet när klädselpanel tas bort.
**28** Skruva loss fästmuttern och ta bort mittbältet från golvet(se bild).
**29** Skruva loss fästmuttern och ta bort bälteshaspeln från bagagehyllans bakre tvärbalk **(se bild)**.
**30** Ta bort fästtappen genom att skruva loss fästmuttern och ta bort den från golvet **(se bild 26.11b)**.
**31** Montering sker i omvänd arbetsordning, men dra åt fästmuttrarna till angivet moment. Se till att bältet löper över ryggstödets framsida.

### Kombimodeller

**32** Vik baksätesdynorna framåt och säkra de bakre säkerhetsbältena i hållarna.
**33** Vik 40 % ryggstödet något framåt och ta bort dekorfästklämman.
**34** Lossa den nedre spärren med en skruvmejsel och lyft bort ryggstödet.
**35** Skruva loss mittbältets nedre fäste och ta bort gångjärnssvängtappen i mitten. Låt fästbultarna sitta kvar.
**36** Lossa panelen från 60 % ryggstödet. Fäll

ryggstödet till upprätt läge och lossa det från det vänstra sidofästet. Flytta det framåt mot dörren och lossa svängtappen i mitten. Dra bort ryggstödet.
**37** Skruva loss skruven lossa kåpan från spärren.
**38** Lossa plattan från ryggstödet, ta bort panelen från spåret och dra bort plattan. Var försiktigt så att hörnet inte knäcks.
**39** Skruva loss skruvarna och ta bort bältesplattan från ryggstödets baksida.
**40** Ta bort styrningen från ryggstödet och bältet.
**41** Skär bort skumplasten om det behövs. Skruva loss skruvarna och ta bort styrningen. Lossa styrningen från bältet.
**42** Skruva loss haspeln tillsammans med säkerhetsbältet.
**43** Ta bort fästtappen genom att skruva loss fästmuttern/fästbulten och dra ut den från den bakre golvpanelen.

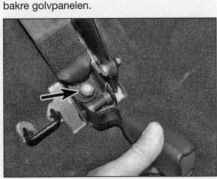
26.28  Låsmuttern för mittbältets infästning (se pil)

**44** Monteringen görs i omvänd ordningsföljd mot demonteringen. Dra åt fästmuttrarna/-bultarna till angivet moment.

## 27 Inre klädselpaneler – demontering och montering

### A-stolpens klädsel

**Observera:** *Stötdämpande specialmaterial mellan den inre takklädseln och takpanelen för att skydda föraren och passagerarna från skallskador vid kollision. Var noga med att inte påverka detta material.*
**1** Öppna den aktuella framdörren och dra bort tätningsremsan av gummi från dörröppningen vid A-stolpen.
**2** Arbeta från takklädseln och ner, ta ett fast tag i klädselpanelen och dra långsamt bort

26.29  Fästmuttern för mittbältets bälteshaspel (se pil)

den från stolpen så att pinnbultarna under lossnar en i taget.

**3** Lossa de övre klämmorna från klädselpanelen, men **ta inte bort** klämman och listen från stolpen eftersom de utgör en del av energiabsorbtionssystemet i takklädseln (se anmärkning).

**4** Montering sker i omvänd ordningsföljd.

## B-stolpens klädsel

**5** Skjut framsätet helt framåt, dra försiktigt loss B-stolpens klädselpanel och lyft ut den ur luftkanalen.

**6** Tryck in spärren med en vinklad skruvmejsel och lossa bältesfästet från framsätet.

**7** Ta bort bältesstyrningen och dra bältet genom B-stolpens klädselpanel. Ta bort klädselpanelen.

**8** Montering utförs i omvänd ordningsföljd.

## C-stolpens klädsel

### Sedanmodeller

**9** Fäll ner baksätets ryggstöd, skruva loss skruven och ta bort nackstödet **(se bild 26.13)**.

**10** Lossa fästklämman och ta bort högtalargallret från bagagehyllan **(se bild 26.9)**.

**11** Dra försiktigt loss klädselpanelen från C-stolpen, skruva loss säkerhetsbältet och mata det genom panelen **(se bild 26.26)**.

**12** Montering utförs i omvänd ordningsföljd.

### Kombimodeller

**13** Ta bort takets bakre korspanel från den inre takklädselns bakre del. Det behövs för att D-stolpens panel ska få plats.

**14** Dra försiktigt D-stolpens klädselpanel framåt och lossa den från fästklämmorna.

**15** Skruva loss skruvarna och ta bort bagagehyllstödet som sitter under det bakre sidofönstret.

**16** Börja uppifrån och dra bort C-stolpens klädselpanel. Observera styrsprinten på den bakre underkanten.

**17** Fäll baksätesdynan framåt och skruva loss bältets nedre fästmutter.

**18** Ta bort styrningen från C-stolpen och dra bältet genom panelen.

**19** Monteringen sker i omvänd ordningsföljd mot demonteringen.

## Bagageutrymmets sidoklädselpanel

### Sedanmodeller

**20** Ta i förekommande fall bort CD-växlaren från bagageutrymmets vänstra sida, samt skyddsnätet från den högra sidan.

**21** Lyft upp golvpanelen och lossa hasplåten från den bakre listen.

**22** Fäll ner baksätesryggstödet, skruva loss skruvarna och lossa golvpanelen i framkant.

**23** Skruva loss skruven och lossa högtalargallret från bagagehyllan.

**24** Skruva loss plastmuttrarna och ta bort sidoklädselpanelen.

**25** Monteringen sker i omvänd ordningsföljd.

### Kombimodeller

**26** Ta bort förvaringslådan från bagageutrymmet.

**27** Bänd loss kåporna och lossa skruvarna. Lossa sedan hasplåten från den bakre listen.

**28** Ta bort takets bakre korspanel från den inre takklädselns bakre del. Det behövs för att D-stolpens panel ska få plats.

**29** Dra försiktigt D-stolpens klädselpanel framåt och lossa den från fästklämmorna.

**30** Skruva loss skruvarna och ta bort bagagehyllstödet som sitter under det bakre sidofönstret.

**31** Dra ut toppen av sidostoppningen, haka loss botten och dra.

**32** Skruva loss skruvarna från toppen av sidoklädselpanelen. Om det behövs drar du sedan försiktigt bort panelen och kopplar loss kablaget från CD-spelaren. Dra bort panelen.

**33** Monteringen sker i omvänd ordningsföljd mot demonteringen. När du monterar sidoklädselpanelen igen sätter du först i den bakersta skruven.

## Instrumentbrädans nedre panel

### Förarsidan

**34** Skruva loss skruvarna och ta bort den nedre instrumentbrädespanelen tillsammans med luftkanalen på förarsidan **(se bilder)**.

**35** Skruva loss skruvarna och ta bort diagnosuttaget och datalänkkablaget **(se bilder)**.

**36** Ta bort fotbrunnsljuset från den nedre instrumentbrädespanelen eller koppla loss kablaget **(se bild)**.

**37** Montering sker i omvänd ordning.

## Inre takklädsel

**Observera:** Stötdämpande specialmaterial mellan den inre takklädseln och takpanelen för att skydda föraren och passagerarna från skallskador vid kollision. Var noga med att inte påverka detta material.

**38** Skruva loss skruvarna och ta bort solskydden. I förekommande fall kopplar du loss kablaget från spegellampan.

**39** Bänd försiktigt loss den inre ljuslinsen från takkonsolen.

**40** Skruva loss skruvarna och ta bort takkonsolen. I förekommande fall måste du koppla loss kablaget från den invändiga temperaturgivaren och mikrofonen.

27.34a Lossa skruvarna . . .

27.34b . . . och ta bort klädselpanelen med luftkanalen från instrumentbrädans nedre del

27.35a Lossa skruvarna . . .

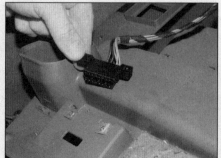

27.35b . . . ta bort diagnosuttaget och datalänkkablarna

27.36 Koppla loss kablaget från fotbrunnslampan

27.41 Backspegelns fästskruvar

28.1 Ta bort sargen runt växelspaken
(modeller med automatväxellåda)

28.2 Ta bort den yttre klädselpanelen från
askkoppen

**41** Skruva loss skruvarna och ta bort backspegeln **(se bild)**.
**42** Ta bort A-stolpens klädselpaneler enligt beskrivningen tidigare i detta avsnitt.
**43** Skruva loss skruvarna och ta bort handtagen som sitter över dörröppningarna.
**44** På modeller med taklucka tar du bort de tre klämmorna från taklucköppningens bakkant.
**45** Ta bort B-stolpens klädselpanel på passagerarsidan enligt beskrivningen tidigare i detta avsnitt.

### Sedanmodeller

**46** Lossa den översta delen av panelen på C-stolparna.
**47** Lossa bromsljuskåpan och koppla loss kablaget. För undan kablaget från konsolen.
**48** Lossa den inre takklädseln i bakkant genom att vrida de två klämmorna 90°.
**49** Sänk och skjut framsätena bakåt så långt det går. Fäll ner ryggstöden så får du bättre plats.
**50** Dra försiktigt bort den inre takklädseln från dörrtätningarna på förarsidan och passagerarsidan.
**51** På modeller med sollucka lossar du den inre takklädseln från hakarna i närheten av solluckan.
**52** Observera att en del kablar sitter tejpade överst på den inre takklädseln. Koppla loss kablaget i öppningen i takkonsolen, och koppla i förekommande fall loss larmkablarna.
**53** Skjut ratten framåt så långt det går. Lägg i backväxeln på modeller med manuell

växellåda. Lägg i läge 1 på modeller med automatväxellåda.
**54** Ta hjälp av en annan person, lyft försiktigt innertakklädseln genom passagerardörröppningen. Var noga med att inte skada klädseln.
*Varning: På modeller från och med kontrollerar du att stötdämpningskuddarna överst på takklädseln är hela. Om någon av dem är skadade måste hela den inre takklädseln bytas ut.*

### Kombimodeller

**55** Lossa klämmorna som fäster den inre takklädselns bakre tvärbalk i taket.
**56** Koppla loss kablaget från glaskrossgivaren och bagageutrymmeslampan.
**57** Dra försiktigt bort klädselpanelerna från D-stolparna och ta bort klädselpanelerna som sitter mellan C- och D-stolparna.
**58** Lossa klämmorna som fäster C-stolparnas klädselpaneler i överkant>.
**59** Ta bort bagagerumsnätets fästen, bänd loss kåporna och lossa klämmorna.
**60** Lossa den inre takklädseln i bakkant genom att vrida de två klämmorna 90°.
**61** Dra försiktigt bort den inre takklädseln från dörrtätningarna på förarsidan och passagerarsidan.
**62** På modeller med sollucka lossar du den inre takklädseln från hakarna i närheten av solluckan.
**63** Observera att en del kablar sitter tejpade överst på den inre takklädseln. Koppla loss kablaget i öppningen i takkonsolen, och

koppla i förekommande fall loss larmkablarna.
**64** Ta hjälp av en annan person, lyft försiktigt innertakklädseln genom baklucksöppningen. Var noga med att inte skada klädseln.
*Varning: På modeller från och med kontrollerar du att stötdämpningskuddarna överst på takklädseln är hela. Om någon av dem är skadade måste hela den inre takklädseln bytas ut.*

### Alla modeller

**65** Monterar du en ny innertakklädsel överför du kablarna från den gamla och fäster dem med ny tejp.
**66** Monteringen utförs i omvänd ordningsföljd mot demonteringen.

### 28  Mittkonsol – demontering och montering

### *Demontering*

**1** På modeller med manuell växellåda bänder du loss växelspaksdamasken från mittkonsolen. På modeller med automatväxellåda bänder du upp sargen runt växelspaken **(se bild)**.
**2** Om en askkopp är monterad öppnar du den och lossar den yttre (täckta) panelen med askkoppen **(se bild)**.
**3** Med en skruvmejsel bänder du loss fästflikarna och bänder loss askkoppen/förvaringsfacket från mittkonsolen **(se bilder)**. Skydda valnötspanelen med tejp.

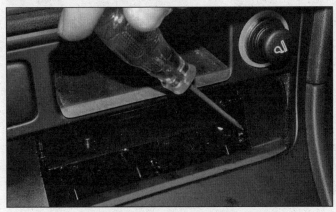

28.3a Bänd tillbaka fästflikarna (en på var sida)...

28.3b ... och ta bort askkoppen från mittkonsolen

28.4a Skruva loss skruvarna (markerade med pilar) . . .

28.4b . . . ta bort kåpan från växelspaken . . .

28.4c . . . koppla sedan loss kablarna från centrallåsbrytaren . . .

28.4d . . . och cigarrettändaren

28.5a Lossa fästskruven . . .

28.5b . . . lyft den bakre änden på konsolen . . .

**4** Skruva loss skruvarna och ta bort kåpan till växelspaken. Leta upp kabelplatserna och dra ur kontakterna. Det finns kontakter för centrallås och cigarrettändare **(se bilder)**. Lossa även kablaget från brytaren för sätesvärme och sätesventilation om sådan finns.
**5** Öppna locket i armstödet och skruva loss

den övre fästskruven. Lyft sedan den bakre klädselpanelen och ta bort den från konsolens baksida. Lossa kontaktdon(en) när den tas bort **(se bilder)**.
**6** Lägg i backväxeln (manuell växellåda) eller P (automatväxellåda). Ta ut startnyckeln.
**7** Vrid loss bajonettfästet till

stöldskyddsantennen från tändningslåset och koppla loss kablarna **(se bilder)**. Sätt i startnyckeln och lägg en neutral växel.
**8** Bänd ut fönsterhissens brytarpanel och koppla loss kablarna. Om det behövs kanske du först måste bända loss den lilla panelen bakom brytaren **(se bilder)**.

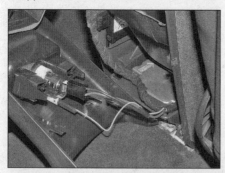

28.5b . . . och koppla loss kablaget

28.7a Ta bort stöldskyddsantennen . . .

28.7b . . . och koppla loss kablaget

28.8a Bänd ut den lilla panelen . . .

28.8b . . . tryck ut fönstrets elkontaktpanel . . .

28.8c . . . och koppla loss kablaget

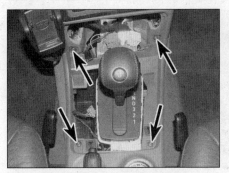

**28.9a  Skruva loss fästskruvarna (markerade med pilar) . . .**

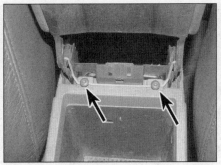

**28.9b  . . . och bakre skruvar (markerad med pilar) . . .**

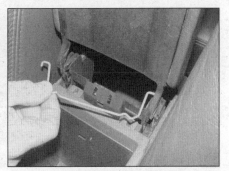

**28.9c  . . . observera läget hos fjädern till förvaringslådans lock . . .**

**28.9d  . . . ta bort den övre omgivande panelen från mittkonsolen**

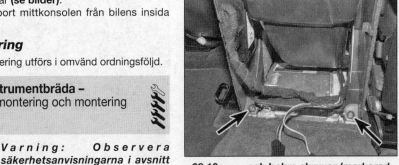

**28.10a  Ta bort hållarna . . .**

**28.10b  . . . lossa sidoskruvarna . . .**

**9** Skruva loss skruvarna och ta bort den övre sargpanelen från mittkonsolen, samtidigt som du drar bort damasken till handbromsspaken **(se bilder)**.
**10** Ta bort fästena och vik undan mattan. Lossa mittkonsolens främre och bakre fästskruvar **(se bilder)**.
**11** Dra bort mittkonsolen från bilens insida **(se bild)**.

## Montering

**12** Montering utförs i omvänd ordningsföljd.

---

### 29 Instrumentbräda – demontering och montering

⚠️ **Varning:  Observera säkerhetsanvisningarna i avsnitt 31 vid arbete med eller i närheten av krockkuddarna.**

## Demontering

**1** Koppla loss batteriets minusledare.
**2** Bänd försiktigt loss högtalargallren från sidorna av instrumentbrädan **(se bild)**. De är fästa med klämmor.

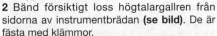

**28.10c  . . . och bakre skruvar (markerad med pilar) . . .**

**3** Skruva loss skruvarna och lyft ut högtalarna. Koppla loss kablaget **(se bilder)**.
**4** Ta försiktigt bort kåpan från mitten av instrumentbrädans topp genom att trycka den framåt och sedan lyfta upp den. Ta bort stöldskyddslysdioden, koppla bort kablarna

**28.11  . . . ta sedan bort mittkonsolen**

**29.2  Bänd ut högtalargallren . . .**

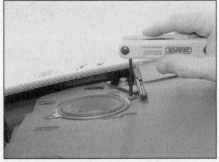

**29.3a  . . . skruva sedan loss skruvarna, lyft ut högtalaren . . .**

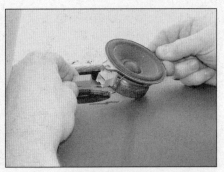

**29.3b  . . . och koppla loss kablaget**

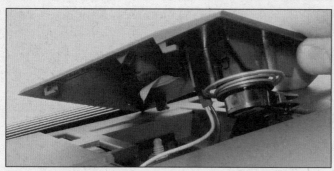

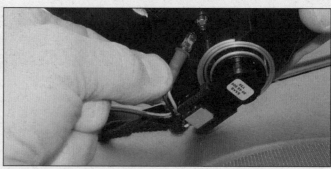

**29.4a  Ta bort centrumkåpan från instrumentbrädan . . .**

**29.4b  . . . ta bort stöldskyddslysdioden . . .**

från solsensorn och tryck ner den i hålet i instrumentbräda. Observera dragningen **(se bilder)**.
**5** Ta bort handskfacket enligt beskrivningen i avsnitt 30 och lyft ut luftkanalen.

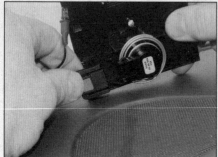

**29.4c  . . . och koppla loss solsensorkablarna**

**6** Demontera ratten enligt beskrivningen i kapitel 10.
**7** Skruva loss skruvarna och ta bort den nedre instrumentbrädespanelen tillsammans med luftkanalen på förarsidan.
**8** Skruva loss skruvarna från diagnosuttaget och koppla loss kablarna.
**9** Ta bort fotbrunnsljuset från den nedre instrumentbrädespanelen eller koppla loss kablaget.
**10** På modeller med manuell växellåda bänder du loss växelspaksdamasken från mittkonsolen. På modeller med automatisk växellåda bänder du upp sargen runt växelspaken med en skruvmejsel.
**11** Med en skruvmejsel bänder du ut askkoppen och hållaren alternativt förvaringsfacket. Skruva loss skruvarna bakom öppningen.
**12** Koppla loss kablarna från centrallåsbrytaren.
**13** Lyft upp växelspakskåpan och

koppla loss kablarna till sätesvärmen och cigarrettändaren.
**14** Ta bort instrumentpanelen och sargen enligt beskrivningen i kapitel 12.
**15** Skruva loss säkringsdosan från mellanväggen.
**16** Skruva loss skruvarna och ta bort damasken runt rattstången **(se bilder)**.
**17** Skruva loss skruvarna och ta bort luftkanalerna på förar- och passagerarsidorna **(se bilder)**.
**18** På modeller med passagerarkrockkudde kopplar du loss krockkuddskablaget. Skruva sedan loss skruven och ta bort krockkuddens fästband. Ta också bort kabelnätet från kardborrbandet i närheten av krockkudden **(se bild)**.
**19** Ta bort hasplåtarna från dörrtrösklarna på varje sida **(se bild)**.
**20** Ta bort hållarna, dra undan mattan från

**29.16a  Skruva loss skruvarna (markerade med pil) . . .**

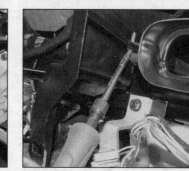

**29.16b  . . . och ta bort rattstångsdamasken**

**29.17a  Lossa skruvarna . . .**

**29.17b  . . . och ta bort luftkanalerna på båda sidorna**

**29.18  Kardborrband som fäster kablarna i närheten av passagerarkrockkudden**

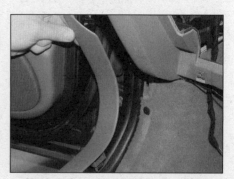

**29.19  Ta bort dörrtröskelns hasplåtar**

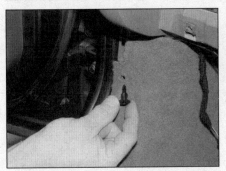

29.20a Ta bort hållarna . . .

29.20b . . . dra tillbaka mattan . . .

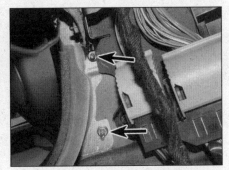

29.20c . . . skruva loss muttrarna (markerade med pilar) . . .

29.20d . . . och ta bort plattorna för instrumentbrädans nedre fästen

29.26a Skruva loss bultarna . . .

29.26b . . . och ta bort styrsprintfästet från mittkonsolens främre del

de främre fotbrunnarna, skruva loss muttrarna och ta bort plattorna till instrumentbrädans nedre fästen **(se bilder)**.

21 Ta bort den bakre änden av konsolen

29.27 Övre fästmutter för instrumentbrädans mitt – du behöver bara lösgöra den

genom att lyfta upp den och koppla loss kablarna.

22 Lägg i backväxeln (manuell växellåda) eller P (automatväxellåda). Ta ut startnyckeln.

23 Vrid loss bajonettfästet till stöldskyddsantennen från tändningslåset och koppla loss kablarna. Sätt i startnyckeln och lägg en neutral växel.

24 Bänd ut fönsterhissens brytare och koppla loss kablarna.

25 Skruva loss skruvarna och ta bort den övre omgivande panelen från mittkonsolen.

26 Markera dess monterade position. Skruva sedan loss och ta bort metallbygeln och fästsprinten från mittkonsolens framsida **(se bilder)**.

27 Skruva loss mittmuttern och de yttre bultarna från instrumentbrädans framkant **(se bild)**. Observera att du bara behöver lossa

mittmuttern eftersom hålet är öppet i ena änden. Ytterbultarna måste du dock ta bort helt.

28 Skruva loss instrumentbrädans nedre, yttre fästmuttrar, samt centrummuttrarna som fäster instrumentbrädan i värmeenheten **(se bilder)**.

29 Ta hjälp av en annan person. Lyft försiktigt instrumentbrädsenheten från mellanväggen och dra ut den genom en av de främre dörröppningarna **(se bild)**.

30 Skruva loss muttrarna och ta bort passagerarkrockkudden, om en sådan finns, från instrumentbrädan.

## Montering

31 Monteringen utförs i omvänd ordningsföljd mot demonteringen. Se beskrivningen i avsnitt 31 om hur man återmonterar krockkuddarna.

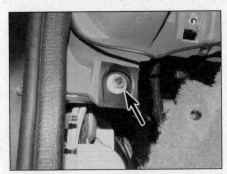

29.28a Skruva loss instrumentbrädans nedre, yttre muttrar . . .

29.28b . . . och centrummuttrarna som fäster instrumentbrädan i värmeenheten

29.29 Ta bort instrumentbräda enheten från bilens insida

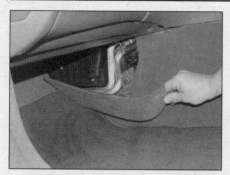

30.1  Ta bort mattskyddet från värme-/
ventilationsenheten nedanför handskfacket

30.2a  Lossa skruvarna . . .

30.2b  . . . ta bort instrumentbrädans nedre
klädselpanel och koppla loss kablarna från
fotbrunnslampan

## 30  Handskfack –
### demontering och montering

### Demontering

**1** Ta bort täckmattan från värme-/ventilation-
senheten under handskfacket **(se bild)**.
**2** Skruva loss skruvarna och ta bort
instrumentbrädans nedre klädselpanel. Ta
bort fotbrunnslampan eller lossa kablarna till
den **(se bilder)**.
**3** Skruva loss de tre fästskruvarna under
handskfacket och de tre skruvarna i det. Dra
tillbaka handskfacket så mycket att du kan
koppla loss kablarna från belysningen **(se
bilder)**.
**4** På modeller med luftkonditionering lossar
du kylluftslangen från handskfacket **(se bild)**.

**5** Dra  bort  handskfacket  från
instrumentbrädan.

### Montering
**6** Monteringen sker i omvänd ordningsföljd
mot demonteringen.

## 31  SRS-systemets delar –
### demontering och montering

### Allmän information

SRS styrs av en elektronisk styrenhet
(ECU). När bilens startnyckel vrids om, utför
ECM-enheten ett självtest av systemets
komponenter. Om ett fel upptäcks sparas det i
ECM-enhetens minne som ett fel. Sedan tänds
SRS-varningslampan i instrumentpanelen.

Om det händer ska bilen lämnas in till en
Saab-verkstad för att undersökas. Det krävs
specialutrustning för att kunna tyda felkoden
från SRS-systemets styrenhet, dels för att
avgöra felets natur och orsak, dels för att
nollställa felkoden och på så sätt hindra att
varningslampan fortsätter lysa, trots att felet
åtgärdats.

SRS-styrmodulen  innehåller  en
elektromekanisk, magnetisk säkerhetsgivare,
en mikroprocessor, tre säkerhetsströmkällor, en
spänningskonverterare samt en accelerometer.
När förarens eller passagerarens krockkudde
lösts ut genereras en permanent felkod i
ECM-enheten, som inte kan återställas.
ECM-enheten måste bytas ut.
***Varning: SRS-styrmodulen måste bytas
ut om någon av krockkuddarna på förar-
eller passagerarsidan lösts ut. Den kan
dock återanvändas upp till tre gånger
efter det att sidokrockkuddarna och/eller
bältessträckarna aktiverats.***

Styrmodulens kabelkontaktdon är försett
med kortslutningsbyglar, som aktiveras när
kontaktdonet kopplas loss. Kretsarna som
berörs är de elutlösta sprängladdningarna till
krockkuddarna framtill och på sidorna, samt
kretsen för krockkuddsvarningslampan. På
så sätt kan krockkuddarna inte utlösas när
styrmodulens kontaktdon är utdraget.

Av säkerhetsskäl avråds bilägare å det
bestämdaste att försöka diagnostisera fel på
SRS-systemet med vanlig verkstadsutrustning.
Informationen i det här avsnittet är
därför begränsade till de komponenter i
SRS-systemet som ibland måste demonteras

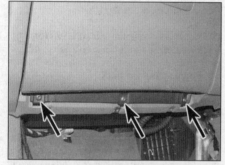

30.3a  Skruva loss de nedre skruvarna . . .

30.3b  . . . och de övre skruvarna . . .

30.3c  . . . dra ut handskfacket . . .

30.3d  . . . koppla loss
belysningskablaget . . .

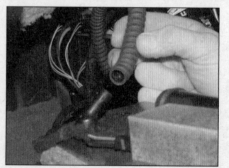

30.4  . . . och lossa kylluftslangen från
luftkonditioneringsenheten från handskfacket

**31.2a sätt in en skruvmejsel i rattens bakdel . . .**

**31.2b . . . och lossa fästfjäderklämmorna (markerade med pilar)**

**31.3 Koppla loss kablarna från krockkuddeenheten**

för att man ska komma åt bilens andra komponenter.

 **Varning: Följande säkerhetsanvisningar måste observeras vid arbete med bilens krockkuddar/SRS-system:**

- Stäng alltid av tändningen och dra ut startnyckeln innan du börjar arbeta med någon av komponenterna i SRS-systemet. Även om tillverkaren inte kräver det bör du dock koppla ifrån batteriet också.
- Försök inte skarva några av elkablarna i SRS-systemets kabelknippe.
- Undvik att hamra på eller kraftigt skaka bilens främre del, särskilt i motorrummet, eftersom det kan utlösa krockgivarna och aktivera SRS-systemet.
- Använd inte ohmmätare eller annan utrustning som kan leda ström till någon av SRS-systemets komponenter eftersom det kan orsaka att systemet utlöses av misstag.
- Krockkuddar (och bältessträckare) är klassade som pyrotekniska (explosiva) och måste lagras och hanteras i enlighet med relevanta lagar i respektive land. Låt inte dessa komponenter vara bortkopplade från elsystemet längre än nödvändigt. När de är bortkopplade är de instabila, och de riskerar att oväntat lösa ut. Lägg en frånkopplad krockkudde med metallfästet nedåt, på avstånd från brännbara material – lämna aldrig en krockkudde utan uppsikt.
- Bältessträckarna får inte utsättas för högre temperaturer än 100°C.

## Förarsidans krockkudde

### Demontering

1 Vrid tändningen till läget OFF, lämna nyckeln i brytaren med rattlåset öppet och vrid ratten 90° åt vänster.
2 För in en liten skruvmejsel genom hålet på baksidan av rattens nedre del för att lossa fästklämman. Vrid ratten 180° och för in en liten skruvmejsel genom hålet på baksidan av rattens nedre del för att ratt lossa den andra fästklämman **(se bilder).**
3 När de två klämmorna som håller fast den har lossats drar du försiktigt bort krockkuddemodulen från ratten. Lossa krockkuddens anslutningskontakter när den tas bort **(se bild).**
4 Lägg krockkudden på ett säkert ställe med metallfästet nedåt.

### Montering

5 Placera krockkudden över ratten och återanslut kabeln, se till att den sitter säkert på kabelfästet.
6 Sänk ner krockkudden i ratten och tryck till ordentligt tills fästklämmorna kommer på plats.
7 Slå på tändningen och kontrollera att SRS-systemets varningslampa slocknar. Om varningslampan inte slocknar, har styrenheten antagligen en felkod lagrad i sig och måste lämnas in till en Saab-verkstad för kontroll.

## Passagerarsidans krockkudde

### Demontering

8 Se till att tändningen är avslagen. Ta därefter

bort instrumentbrädan enligt beskrivningen i avsnitt 29.
9 Koppla loss kablarna från passagerarsidans krockkudde **(se bild).**
10 Skruva loss fästmuttrarna och ta bort passagerarsidans krockkudde från instrumentbrädan **(se bild).**
11 Förvara krockkudden på en säker plats och med metallbygeln vänd nedåt och kudden vänd uppåt.

### Montering

12 Placera krockkudden i instrumentbrädan och dra åt muttrarna ordentligt.
13 Montera instrumentbrädan enligt beskrivningen i avsnitt 29.
14 Slå på tändningen och kontrollera att SRS-systemets varningslampa slocknar. Om varningslampan inte slocknar, har styrenheten antagligen en felkod lagrad i sig och måste lämnas in till en Saab-verkstad för kontroll.

## Sidokrockkudde

**Observera:** Det här arbetet innebär att du måste ta bort tyget från sätets baksida, och är kanske bättre lämpat för en möbelhantverkare än för en mekaniker.

### Demontering

15 Se till att tändningen är avstängd.
16 Ta bort framsätet enligt beskrivningen i avsnitt 24.
17 Lossa ryggstödsklädseln från sätets botten och ta bort fästremsan.
18 Lossa klamrarna och ta bort brädan.
19 Ta bort fästremsorna och vik bort klädseln.
20 Koppla loss kablarna från sidokrockkudden. Skruva sedan loss fästmuttrarna och ta ut enheten.

### Montering

21 Placera sidokrockkudden på framsätet och dra åt muttrarna till angivet moment.
22 Sätt tillbaka klädseln och brädan, och fäst dem med nya häftklamrar.
23 Montera framsätet enligt beskrivningen i avsnitt 24.

## Krockkuddens kontaktfjäder

### Demontering

24 Se till att tändningen är avstängd.
25 Demontera ratten enligt beskrivningen i kapitel 10.

**31.9 Koppla loss kablarna från passagerarkrockkudden . . .**

**31.10 . . . skruva sedan loss fästmuttrarna**

**31.28 Låsstiftet för fjäderkontakten (se pil)**

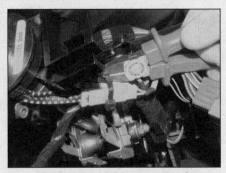

**31.29a Klipp av buntbandet . . .**

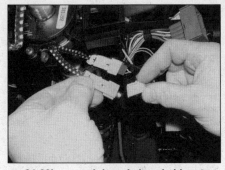

**31.29b . . . och koppla loss kablaget**

**31.30 Skruva loss kontaktfjäderenhetens fästskruvar (markerad med pil)**

**35** Slå på tändningen och kontrollera att SRS-systemets varningslampa slocknar. Om varningslampan inte slocknar, har styrenheten antagligen en felkod lagrad i sig och måste lämnas in till en Saab-verkstad för kontroll.

## Sidostötgivare

### Demontering

**36** Sidostötgivaren sitter inuti dörren bakom högtalaren. Ta först bort dörrens innerklädselpanel och vattenskyddsmembran enligt beskrivningen i avsnitt 13.
**37** Skruva loss fästbultarna, ta bort givaren från dörran och koppla loss kablaget **(se bilder)**.

### Montering

**38** Monteringen utförs i omvänd ordningsföljd mot demonteringen. Dra åt fästskruvarna till angivet moment. Givarens kabelkontakt ska vara vänd nedåt.

## Elektronisk styrmodul (ECM)

**Observera:** *Monterar du en ny ECM måste den programmeras av en Saab-verkstad med ett särskilt diagnostikverktyg.*

### Demontering

**39** Se till att tändningen är avstängd.
**40** Demontera mittkonsolen enligt beskrivningen i avsnitt 28. Den elektroniska styrenheten sitter centralt i golvpanelen under mittkonsolen **(se bild)**.
**41** Koppla loss kablarna från styrenheten.
**42** Observera dess monterade position. Lossa sedan fästbultarna och dra ut styrenheten från bilens insida.

### Montering

**43** Monteringen utförs i omvänd ordningsföljd mot demonteringen. Dra åt bultarna ordentligt. **Anslut inte kablarna** innan du drar åt fästbultarna. Se till att pilen på ECM-enheten pekar **bakåt** i bilens längdriktning. Det är viktigt, eftersom det är nödvändigt för att krockkuddssystemet ska fungera.

**26** Ta bort rattstångens övre och nedre kåpor. I den övre kåpan sitter två uppåtvända skruvar, och under den nedre sitter en skruv.
**27** Ta bort rattstångens brytare enligt beskrivningen i kapitel 12.
**28** Observera att kontaktfjäderenheten är låst i mittläget med ett låsstift när kontaktdonet lossas **(se bild)**.
**29** Arbeta under rattstången, ta bort kontaktfjäderenhetens kablage vid kontaktdonet och lösgör kablaget från eventuella fästklämmor **(se bilder)**.
**30** Observera den monterade positionen,

skruva oss skruvarna och ta bort krockkuddens kontaktfjäder från rattstångshållaren **(se bild)**.

### Montering

**31** Sätt enheten på rattstången. Sätt sedan i och dra åt fästbultarna.
**32** Anslut kabelkontaktdonet och sätt kabelnätet i haken. Se till att kablarna inte är vridna.
**33** Montera tillbaka rattstångens brytare enligt beskrivningen i kapitel 12.
**34** Montera rattstångskåporna och därefter ratten enligt beskrivningen i kapitel 10.

**31.37a Skruva loss de två fästbultar (markerade med pilar) . . .**

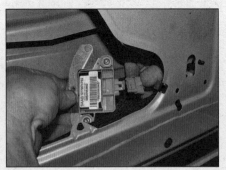

**31.37b . . . och ta bort sidokrockgivaren från dörrens insida**

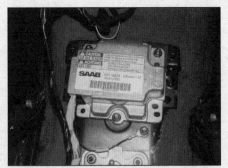

**31.40 Elektronisk styrenhet till SRS-krockkudde**

# Kapitel 12
# Karossens elsystem

## Innehåll

## Svårighetsgrad

| Enkelt, passar novisen med lite erfarenhet  | Ganska enkelt, passar nybörjaren med viss erfarenhet  | Ganska svårt, passar kompetent hemmamekaniker  | Svårt, passar hemmamekaniker med erfarenhet | Mycket svårt, för professionell mekaniker  |
|---|---|---|---|---|

## Specifikationer

| Systemtyp | 12 volt, negativ jord |
|---|---|

| Glödlampor, styrka | Watt |
|---|---|
| Bakre dimljus, backljus | 21 |
| Belysning för omkopplare och främre askkopp | 1,2 eller 2,0 |
| Bältesvarningslampa, läslampa (främre), takkonsol | 5 |
| Främre dimljus | 55 |
| Främre och bakre körriktningsvisare | 24 |
| Högt bromsljus: | |
| Kombi (LED) | 4 |
| Sedan | 5 |
| Inre huvljus, kupélampa, bagageutrymmeslampa, handskfack | 10 |
| Körriktningsvisare | 5 (eller 2,2 på vissa marknader) |
| Läslampa (bakre) | 4 |
| Registreringsskyltsbelysning | 5 |
| Sidoljus | 5 |
| Stoppljus/bakljus | 21/5 |
| Strålkastare – helljus och halvljus: | |
| Halogen | 55 |
| Xenon | 37 |

| Åtdragningsmoment | Nm |
|---|---|
| Vindrutetorkarmotor och länksystem | 8 |

1.3a Xenon lastgivare på framfjädringens länkarm . . .

1.3b . . . och bakfjädringens länkarm

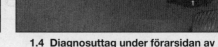

1.4 Diagnosuttag under förarsidan av instrumentbrädan

## 1 Allmän information och föreskrifter

⚠ **Varning: Innan något arbete utförs på elsystemet, läs igenom föreskrifterna i Säkerheten främst! i början av denna handbok och i kapitel 5A.**

⚠ **Varning: Slå alltid av tändningen och vrid nyckeln till läget LOCK innan du börjar arbeta med xenonstrålkastare. Anslut aldrig en strömkälla till xenonstrålkastare innan skyddskåpan är monterad. Försök inte reparera xenonstrålkastarkablar; Defekta kablar måste bytas ut i sin helhet. Vi rekommenderar att du använder skyddshandskar och skyddsglasögon.**

Elsystemet är ett 12-voltssystem med negativ jord och består av ett 12-voltsbatteri, en växelströmsgenerator med inre spänningsregulator, en startmotor och tillhörande elektriska komponenter och kablar.

Alla modeller är försedda med stöldskyddslarm och motorlåsningssystem, som omfattar dörrgivare, baklucksgivare, motorhuvsgivare och en glaskrossgivare. Systemet styrs av en elektronisk styrmodul, som aktiverar signalhornet när någon av givarna aktiveras. På en del modeller finns också en vätskefylld lutningsgivare, som känner av om bilen lyfts när alarmet är aktiverat. Glasskrossgivarna och lutningsgivarna kan avaktiveras separat, så att endast huvudlarmet är aktivt. Systemantennen är inbyggd i tändningslåset, och sändaren till motorlåsningssystemet sitter i startnyckeln.

På en del modeller finns xenonhalvljuslampor, som normalt inte behöver bytas ut under bilens livstid. För att förhindra att mötande trafik bländas är de försedda med automatisk nivåreglering, som omfattar lastgivare på de främre och bakre fjädringsarmarna **(se bilder)**.

Detta kapitel tar upp reparations- och servicearbeten för de elkomponenter som inte är associerade med motorn. Information om batteriet, generatorn och startmotorn finns i kapitel 5A. Många elektriska kretsar är kopplade till styrenheter, som kan felsökas med

ett specialtillverkat diagnostikinstrument som ansluts till kontakten under instrumentbrädan på förarsidan **(se bild)**.

Innan du kopplar bort kablar från några elektriska komponenter ska du först lossa batteriets minuskabel för att undvika kortslutningar och bränder. Observera att du måste stänga av larmet innan du kopplar bort batteriet.

## 2 Felsökning av elsystemet – allmän information

**Observera:** *Se föreskrifterna i Säkerheten främst! och i avsnitt 1 i detta kapitel innan arbetet påbörjas. Följande tester relaterar till huvudkretsen och ska inte användas för att testa känsliga elektroniska kretsar (exempelvis motorstyrsystem och system för låsningsfria bromsar), speciellt där en elektronisk styrenhet (ECM) används.*

### Allmänt

En typisk elkrets består av en elektrisk komponent, alla brytare, reläer, motorer, säkringar, smältinsatser eller kretsbrytare som rör den komponenten, samt det kablage och de kontaktdon som länkar komponenten till batteriet och karossen. För att underlätta felsökningen i elkretsarna finns kopplingsscheman i slutet av det här kapitlet.

Studera relevant kopplingsschema för att förstå den aktuella kretsens olika komponenter, innan du försöker diagnostisera ett elfel. De möjliga felkällorna kan reduceras genom att man undersöker om andra komponenter som hör till kretsen fungerar som de ska. Om flera komponenter eller kretsar slutar fungera samtidigt, rör felet antagligen en delad säkring eller jordanslutning.

Elektriska problem har ofta enkla orsaker, som lösa eller korroderade anslutningar, defekta jordanslutningar, trasiga säkringar eller defekta reläer (i avsnitt 3 finns information om hur man testar reläer). Se över skicket på alla säkringar, kablar och anslutningar i en felaktig krets innan komponenterna kontrolleras. Använd kopplingsscheman för att se vilka kabelanslutningar som behöver testas för att hitta felet.

I den nödvändiga basutrustningen för elektrisk felsökning ingår en kretstestare eller voltmeter (en 12-volts glödlampa med testkablar kan användas till vissa kontroller), en ohmmätare (för att mäta motstånd och kontrollera kontinuitet), ett batteri och en uppsättning testkablar, samt en extrakabel, helst med en kretsbrytare eller säkring, som kan användas till att koppla förbi misstänkta kablar eller elektriska komponenter. Innan felsökning med hjälp av testinstrument påbörjas, använd kopplingsschemat för att bestämma var kopplingarna ska göras.

För att hitta källan till ett periodiskt återkommande kabelfel (vanligen på grund av en felaktig eller smutsig anslutning eller skadad isolering), kan ett vicktest göras på kabeln. Det innebär att man vickar på kabeln för hand för att se om felet uppstår när den rubbas. Det ska därmed vara möjligt att ringa in felet till en speciell kabelsträcka. Denna testmetod kan användas tillsammans med vilken annan testmetod som helst i de följande underavsnitten.

Förutom problem som uppstår på grund av dåliga anslutningar kan två typer av fel uppstå i en elkrets – kretsavbrott eller kortslutning.

Kretsavbrott orsakas av ett brott någonstans i kretsen, vilket hindrar strömflödet. Ett kretsbrott gör att komponenten inte fungerar, men utlöser inte säkringen.

Kortslutningar orsakas av att ledarna går ihop någonstans i kretsen, vilket medför att strömmen tar ett alternativ, lättare väg (med mindre motstånd), vanligtvis till jordningen. Kortslutning orsakas oftast av att isoleringen nötts, varvid en ledare kan komma åt en annan ledare eller jordningen, t.ex. karossen. En kortslutning bränner i regel kretsens säkring.

### Hitta ett kretsbrott

Koppla ena ledaren på en kretsprovare eller en voltmeters negativa ledning till antingen batteriets negativa pol eller en annan känd jord för att kontrollera om en krets är bruten.

Anslut den andra ledaren till ett skarvdon i kretsen som ska testas, helst närmast batteriet eller säkringen.

Slå på kretsen, men tänk på att vissa kretsar bara är strömförande med tändningslåset i ett visst läge.

Om spänning ligger på (visas antingen

3.2a  Säkringslåda i den högra delen av
instrumentbrädan . . .

3.2b  . . . och i motorrummet

3.2c  Högströmssmältsäkringar på
batterilådans sida

genom att testlampan lyser eller genom ett utslag från voltmetern, beroende på vilket verktyg som används), betyder det att delen mellan kontakten och brytaren är felfri.

Fortsätt kontrollera resten av kretsen på samma sätt.

När en punkt nås där ingen ström finns tillgänglig måste problemet ligga mellan den punkt som nu testas och den föregående med ström. De flesta fel kan härledas till en trasig, korroderad eller lös anslutning.

### Hitta en kortslutning

Koppla bort strömförbrukarna från kretsen för att leta efter en eventuell kortslutning (strömförbrukare är delar som drar ström i en krets, t.ex. lampor, motorer och värmeelement).

Ta bort den aktuella säkringen från kretsen och anslut en kretsprovare eller voltmeter till säkringens anslutningar.

Slå på kretsen, men tänk på att vissa kretsar bara är strömförande med tändningslåset i ett visst läge.

Om spänning ligger på (indikerat antingen genom att testlampan lyser eller ett voltmätarutslag, beroende på vad som används), betyder det att en kortslutning föreligger.

Om det inte finns någon spänning vid kontrollen, men säkringarna fortsätter att gå sönder när strömförbrukarna är påkopplade är det ett tecken på ett internt fel i någon av strömförbrukarna.

### Hitta ett jordfel

Batteriets minuspol är kopplad till jord –

3.4a  Använd medföljande plastverktyg . . .

metallen i motorn/växellådan och karossen. Många system är kopplade så att de bara tar emot en positiv matning och strömmen leds tillbaka genom metallen i karossen. Det innebär att komponentfästet och karossen utgör en del av kretsen. Lösa eller korroderade fästen kan därför orsaka flera olika elfel, allt ifrån totalt haveri till svårfångade, partiella fel. Vanligast är att lampor lyser svagt (särskilt när en annan krets som delar samma jordpunkt används samtidigt) och att motorer (t.ex. torkarmotorerna eller kylarens fläktmotor) går långsamt. En krets kan påverka en annan, till synes orelaterad, krets. Observera att på många fordon används särskilda jordningsband mellan vissa komponenter, såsom motorn/växellådan och karossen, vanligtvis där det inte finns någon direkt metallkontakt mellan komponenterna på grund av gummiupphängningar etc.

Koppla bort batteriet och anslut den ena ledaren på en ohmmätare till en känd, god jordpunkt för att kontrollera om en komponent är korrekt jordad. Koppla den andra ledaren till den kabel eller jordkoppling som ska kontrolleras. Resistansen ska vara noll. Om inte kontrollerar du anslutningen enligt följande.

Om en jordanslutning misstänks vara defekt, koppla isär anslutningen och rengör den ner till ren metall både på karossen och kabelanslutningen eller fogytan på komponentens jordanslutning. Se till att ta bort alla spår av rost och smuts och skrapa sedan bort lacken med en kniv för att få fram en ren metallyta. Dra åt

3.4b  . . . och ta bort säkringen från
säkringsdosan

kopplingsfästena ordentligt vid monteringen; om en kabelterminal monteras, använd låsbrickor mellan anslutning och karossen för att vara säker på att en ren och säker koppling uppstår. När kopplingen återansluts, rostskydda ytorna med ett lager vaselin, silikonfett eller genom att regelbundet spraya på fuktdrivande aerosol eller vattenavstötande smörjmedel.

## 3  Säkringar och reläer – allmän information

### Säkringar

1  Säkringar är utformade för att bryta en elektrisk krets när en given spänning uppnås, för att skydda komponenter och kablar som kan skadas av för höga spänningar. För stor strömstyrka beror alltid på något fel i kretsen, vanligen kortslutning (se avsnitt 2).

2  Säkringarna är placerade antingen i säkringsdosan till höger på instrumentbrädan eller i säkringsdosan i motorrummets vänstra bakre del (se bilder). Högströmssmältsäkringar sitter även bredvid batteriet i det främre vänstra hörnet av motorrummet.

3  Man kommer åt instrumentbrädans säkringsdosa genom att öppna framdörren på förarsidan och ta loss plastkåpan. Säkringsdosan i motorrummet öppnar man genom att öppna motorhuven och ta bort plastkåpan.

4  Ta bort säkringen genom att dra loss den från sockeln med hjälp av plastverktyget i säkringsdosan (se bilder).

5  Undersök säkringen från sidan, genom det genomskinliga plasthöljet, en trasig säkring har en smält eller trasig ledning.

6  Det finns reservsäkringar i de blanka fästena i säkringsdosan.

7  Innan du byter ut en trasig säkring ska du söka efter och åtgärda felet. Använd alltid en säkring med rätt kapacitet (se kopplingsscheman i slutet av detta kapitel).

*Varning: Byt aldrig ut en säkring mot en med högre kapacitet, och gör aldrig tillfälliga lösningar med ståltråd eller metallfolie. Det kan leda till allvarligare skador eller bränder.*

3.8a Skruva loss skruven . . .

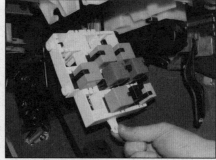

3.8b . . . och sänk ner relähållaren ur huset

## Reläer

**8** Reläer är elstyrda brytare som används i vissa kretsar. Reläerna sitter under instrumentbrädans högra del eller till vänster i motorrummet. Reläerna kommer du åt genom att lossa skruven och sänka relähållaren **(se bilder)**.
**9** Om en relästyrd komponent går sönder, och du tror att reläet är trasigt, lyssnar du noga på reläet när kretsen sluts. Om reläet fungerar bör man kunna höra ett klickljud när det aktiveras. Om så inte är fallet ligger felet i systemets komponenter eller kablage. Om reläet inte aktiveras beror det på att det inte får ström, eller att det är fel på reläet. Kom ihåg att undersöka anslutningarna när du söker efter elektriska fel. Kontrollera reläets funktion tillsammans med en enhet som fungerar, men var försiktig: en del reläer är identiska vad gäller utseende och funktion, men är i själva verket olika.
**10** Slå av tändningen innan du byter ett relä. Reläet kan sedan enkelt tas ut från sockeln och ett nytt relä sättas dit.

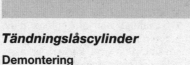

## 4  Kontakter och kontroller – demontering och montering

## Tändningslåscylinder

### Demontering

**1** Ta bort startnyckelns antenn från cylindern genom att vrida den något medurs och lyfta den.
**2** Vrid startnyckeln till läget OFF, men låt den sitta kvar.

**3** Böj en svetsstång i rät vinkel och sätt in den genom det bakre hålet i brytarens kåpa för att lossa låsspärren. Nu kan du ta bort låscylindern från huset. Se *Tändningslås och lås* nedan. Där finns information om var du sätter i svetselektroden.

### Montering

**4** Montering sker i omvänd ordningsföljd.

## Tändningskontakt och lås

### Demontering

**5** Tändningskontakten och låset är inbyggda i växlingsenheten mellan framsätena. Ta bort mittkonsolen enligt beskrivningen i kapitel 11. Tändningslåset är inbyggt i växlingshuset.
**6** Ta bort växlingshuset genom att lägga i fyrans växel och lossa klämman vid universalkopplingen. Skruva loss bultarna som håller fast huset i golvet. Lyft sedan huset och koppla loss kablarna. Ta också bort varmluftskanalen.
**7** Ta bort automatväxellådans växlingshus genom att ta bort luftkanalen, koppla loss kablaget upptill, ta bort låsringen och trycka loss kabelkulstiftet, samtidigt som du lossar vajerändbeslaget. Skruva loss bultarna som håller fast huset mot golvet. Lyft sedan upp huset och lossa kablaget och buntbanden. Dra ut klämman och lyft upp växlingsvajern från huset **(se bilder)**.
**8** Ta bort tändningslåscylindern enligt beskrivningen tidigare i detta kapitel. Skruva sedan loss skruvarna och ta bort omkopplaren

4.7a Ta bort luftkanalen . . .

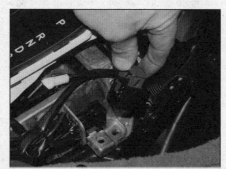

4.7b . . . lossa kontaktdonet . . .

4.7c . . . och dra bort låsringen . . .

4.7d . . . och ta bort kabelkulstiftet . . .

4.7e . . . Demonterat kulstift . . .

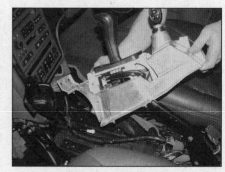

4.7f . . . Lyft upp huset . . .

4.7g . . . koppla loss de nedre kablarna . . .

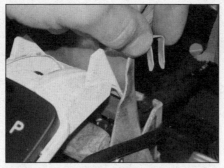

4.7h . . . och koppla loss växelvajern från huset

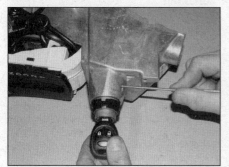

4.8a Tryck ner spärren . . .

4.8d . . . och ta bort tändningslåscylindern . . .

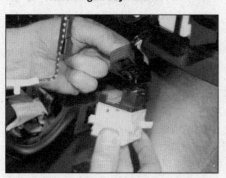

4.12b . . . och koppla loss kablaget

från huset. Observera hur distansbrickan sitter **(se bilder).**

## Montering

**9** Monteringen utförs i omvänd ordningsföljd mot demonteringen.

### Rattstångens brytare

#### Demontering

**10** Ställ in ratten i det nedersta och bakersta läget och lås den. För att lättare komma åt, ta bort ratten enligt beskrivningen i kapitel 10.

4.8b . . . ta bort tändningslåscylindern . . .

4.8e . . . och sedan distansbrickan

4.12c Ta bort kombinationsbrytaren för torkare/spolare . . .

**11** Ta bort rattstångens övre och nedre kåpor. I den övre kåpan sitter två uppåtvända skruvar, och under den nedre sitter en skruv.
**12** Ta bort fästklämmorna och dra ut kombinationsomkopplaren. Koppla därefter loss kablaget **(se bilder).**

## Montering

**13** Monteringen sker i omvänd ordningsföljd mot demonteringen.

### Brytare till den elektriska fönsterhissen

#### Demontering

**14** Använd en skruvmejsel och bänd brytarens framsida uppåt från mittkonsolens bakre del.

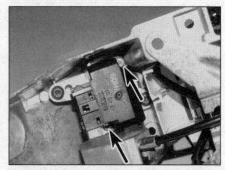

4.8c . . . skruva loss skruvarna (markerade med pil) . . .

4.12a Ta bort kombinationsbrytaren för indikatorn/belysningen . . .

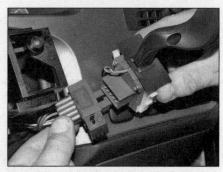

4.12d . . . och koppla loss kablaget

4.15 Koppla loss kablarna från den elektriska fönsterhissen

15 Koppla loss kablarna (se bild).

### Montering
16 Monteringen sker i omvänd ordningsföljd mot demonteringen.

## Helljushöjdomkopplare
### Demontering
17 Bänd försiktigt bort motståndet från instrumentbrädan med hjälp av en skruvmejsel. Om det sitter fast tar du bort ljuskontakten (se stycke 23) och trycker ut den från baksidan.
18 Koppla loss kablaget.

### Montering
19 Monteringen sker i omvänd ordningsföljd mot demonteringen.

## Innerbelysningens brytare
### Demontering
20 Använd en skruvmejsel och bänd försiktigt bort brytaren från mittkonsolens bakre del. Du kommer åt ljusomkopplarna på takkonsolen när du har tagit bort glaset och kåpan (se bild).

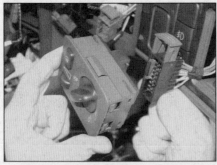

4.24 . . . och koppla loss kablaget

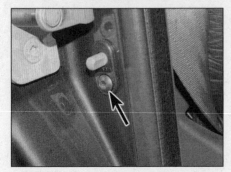

4.36 Fästskruv till kupélampans brytare

4.20 Skruva loss kartläsningslampans brytare

21 Koppla loss kablaget.

### Montering
22 Montera i omvänd ordningsföljd mot demonteringen.

## Omkopplare för belysning och bakre dimljus/instrumentbelysningsmotstånd
### Demontering
23 Ta bort locket från huvudsäkringsdosan i änden av instrumentbrädan. Sätt ett finger i öppningen i säkringsdosan och tryck ut belysningsomkopplaren från baksidan (se bild).
24 Koppla loss kablarna (se bild).

### Montering
25 Monteringen sker i omvänd ordningsföljd.

## Bromsljusbrytare
### Demontering
26 Ta bort kontakten genom att först ta bort

4.30 Skruva loss varningsblinkersbrytaren

4.39 Ta bort TCS kontakten (tidigare modeller)

4.23 Tryck ut belysningsbrytaren bakifrån . . .

den nedre klädselpanelen från instrumentbrädan enligt beskrivningen i kapitel 11.
27 Vrid brytaren moturs 90° och ta bort den från fästet.
28 Koppla loss kablaget från brytaren.

### Montering
29 Monteringen utförs i omvänd ordningsföljd mot demonteringen.

## Varningslampans brytare
### Demontering
30 Brytaren hålls på plats av två plastflikar med både fäst- och borttagningsdelar. Bänd försiktigt loss brytaren från instrumentbrädan med en skruvmejsel. Du kan också trycka ut brytaren från baksidan när du har tagit bort SID-modulen eller radio-/CD-spelaren (se bild).
31 Koppla loss kablaget.

### Montering
32 Monteringen sker i omvänd ordningsföljd mot demonteringen.

## Kontakt till den elektriska sidobackspegeln
### Demontering
33 Bänd försiktigt loss brytaren från den triangulära panelen på framdörren.
34 Koppla loss kablaget.

### Montering
35 Monteringen sker i omvänd ordningsföljd mot demonteringen.

## Kupélampans brytare
### Demontering
36 Öppna dörren och skruva loss skruven som håller fast kupébelysningsbrytaren i B- eller C-stolpen (se bild).
37 Ta bort brytaren och koppla loss kablaget. Tejpa fast kabeln på stolpen, så att den inte faller ner.

### Montering
38 Monteringen sker i omvänd ordningsföljd mot demonteringen.

## TCS-omkopplare
### Demontering
39 Bänd försiktigt bort kontakten från instrumentbrädan med hjälp av en skruvmejsel. På tidigare modeller, ta bort Radio/CD-spelaren och tryck ut brytaren (se bild). På tidigare

4.42 Ta bort den främre dimljusbrytaren

5.2 Lossa skruvarna . . .

modeller tar du bort ljuskontakten (se stycke 23) och trycker ut den från baksidan.

**40** Koppla loss kablaget.

### Montering

**41** Monteringen utförs i omvänd ordningsföljd mot demonteringen.

## Främre dimljusbrytare

### Demontering

**42** Bänd försiktig ut omkopplaren från instrumentbrädan. Du kan också ta bort ljusbrytaren och trycka ut omkopplaren från baksidan **(se bild)**.

**43** Koppla loss kablaget.

### Montering

**44** Monteringen sker i omvänd ordningsföljd mot demonteringen.

## 5  Innerbelysningens glödlampor – byte

### Instrumentpanelen

**1** Ta bort instrumentpanelen enligt beskrivningen i avsnitt 9.

**2** Skruva loss och ta bort de åtta skruvarna som håller fast den bakre panelen i modulen **(se bild)**. **Observera:** *Observera att fyra skruvar är korta och fyra är långa. Notera därför var de sitter.*

**3** Lossa de två sidoklämmorna och ta bort den bakre panelen **(se bild)**.

**4** Koppla loss anslutningskontakterna och ta bort kretskorten **(se bilder)**.

**5** Vrid den lamphållare du vill ta bort och ta bort den från instrumentpanelen. Lamphållarpositionerna är markerade på kretskortet **(se bilder)**.

**6** Montera den nya glödlampan i omvänd ordningsföljd.

## Bakre innerbelysning

### Passagerarutrymme

**7** Bänd försiktigt ut det inre ljusglaset med en skruvmejsel **(se bild)**. Observera att glaskrossgivaren sitter i ljuskåpan.

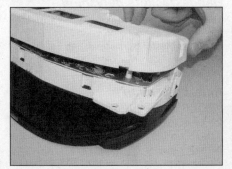

5.3 . . . lossa klämmorna och ta bort den bakre panelen

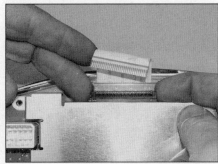

5.4a  Koppla loss anslutningskontakterna . . .

5.4b . . . och ta bort kretskorten

5.5a  Skruva loss glödlampan/lamphållaren från kretskortet

5.5b  Glödlampornas positioner är markerade på kretskortet

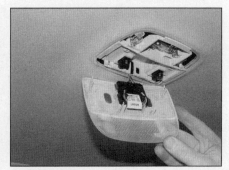

5.7  Bänd ner innerbelysningens glas . . .

**5.8 . . . tryck ner och vrid om glödlamporna på sidan eller lossa den mittre festonglödlampan från polerna**

8 Ta bort sidoglödlamporna genom att trycka ner och vrida dem. ta bort den festonglödlampan genom att lossa den från polerna **(se bild)**.
9 Montera den nya glödlampan i omvänd ordningsföljd.

## Bagageutrymme (kombi)

10 Bänd försiktigt ut det inre ljusglaset med en skruvmejsel **(se bild)**.
11 Ta bort festonglödlampan från anslutningarna **(se bild)**.
12 Montera den nya glödlampan i omvänd ordningsföljd mot demonteringen.

## Bagageutrymme (sedan)

13 Bänd försiktigt loss det inre ljusglaset från klädselpanelen med en skruvmejsel.
14 Ta bort festonglödlampan från polerna.
15 Montera den nya glödlampan i omvänd ordningsföljd.

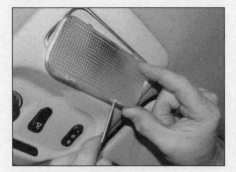

**5.22a Bänd loss glaset . . .**

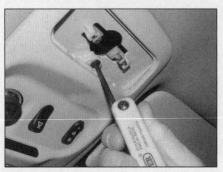

**5.23a Lossa fästskruven . . .**

**5.10 Ta bort bagageutrymmets innerbelysningsglas . . .**

**5.16 Bänd ut innerbelysningens glas . . .**

### Bakluckans lastljus

16 Bänd försiktigt bort innerbelysningen/ glaset från klädselpanelen med en skruvmejsel **(se bild)**.

**5.22b . . . och ta bort festonglödlampan**

**5.23b . . . fäll ner kåpan . . .**

**5.11 . . . och glödlampan**

**5.17 . . . och ta bort festonglödlampan från polerna**

17 Ta bort festonglödlampan från anslutningarna **(se bild)**.
18 Montera den nya glödlampan i omvänd ordningsföljd mot demonteringen.

### Handskfackets belysning

19 Öppna handskfacket och bänd loss glaset/belysningsenheten.
20 Ta bort festonglödlampan från polerna.
21 Montera den nya glödlampan i omvänd ordningsföljd.

### Innerbelysning/ kartläsningslampa (fram)

22 Bänd loss glaset med en liten skruvmejsel och ta bort glödlampan från polerna **(se bilder)**.
23 Skruva loss kåpans fästskruv. I förekommande fall tar du bort mikrofonen och temperaturgivaren från kåpan **(se bilder)**.

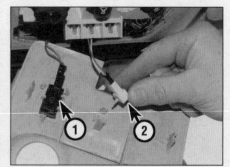

**5.23c . . . och ta bort mikrofonen (1) och temperaturgivaren (2)**

5.24a Vrid ut glödlampans reflektor moturs ur huset . . .

5.24b . . . och dra ut insticksglödlampan

5.24c Använd spolarröret för att ta bort. . .

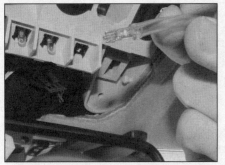

5.24d . . . de kilformade glödlamporna

5.26 Ta bort sargen runt växelspaken (modeller med automatväxellåda)

5.27 Ta bort den yttre klädselpanelen från askkoppen

**24** Ta bort glödlampan genom att vrida dess reflektor moturs och dra ut lampan. Ta bort belysningsglödlampan med en bit slang, som du använder för att ta tag i lampan **(se bilder)**.

5.28a Bänd tillbaka fästflikarna . . .

**25** Montera den nya glödlampan i omvänd ordningsföljd.

### Cigarrettändare

**26** På modeller med manuell växellåda bänder du loss växelspaksdamasken från mittkonsolen. På modeller med automatväxellåda bänder du upp sargen runt växelspaken **(se bild)**.
**27** Öppna askkoppen och ta bort den yttre panelen tillsammans med askkoppen **(se bild)**.
**28** Med en skruvmejsel bänder du loss fästflikarna och bänder loss askkoppen/förvaringsfacket från mittkonsolen **(se bilder)**. Skydda valnötspanelen med tejp.
**29** Skruva loss skruvarna och ta bort kåpan till växelspaken. Leta upp kabelplatserna och dra ur kontakterna. Det finns kontakter för sätesvärme, sätesventilation och

cigarrettändare. Koppla även loss kablarna från centrallåsbrytaren **(se bilder)**.
**30** När kåpan är borttagen lossar du lampkablaget från cigarettändarens baksida. Ta sedan bort lampfästet och ta ut lampan.
**31** Montera den nya glödlampan i omvänd ordningsföljd.

### Fönsterbelysningsbrytare

**32** Ta bort reglaget till den elektriska fönsterhissen enligt beskrivningen i avsnitt 4.
**33** Ta bort lamphållaren genom att vrida den moturs med en skruvmejsel.
**34** Montera den nya glödlampan i omvänd ordningsföljd.

### Belysning till spak på automatväxellåda

**35** Ta bort lägesindikatorpanelen och därefter

5.28b . . . och ta bort askkoppen från mittkonsolen

5.29a Skruva loss fästskruvarna . . .

5.29b . . . och ta bort kåpan från växelspaken

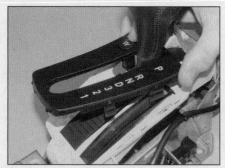

5.35a Ta bort lägesindikator- panelen . . .

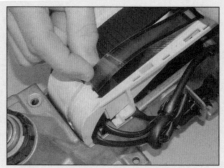

5.35b . . . följt av den gröna remsan . . .

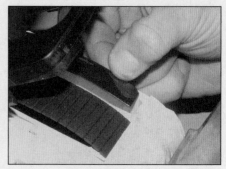

5.35c . . . och skjutanordningen . . .

5.36a . . . Ta bort den graderade remsan . . .

5.36b . . . och ta ut glödlampan med en lämplig gummislang

5.39 Ta bort lamphållaren från Saabs informationsdisplay (SID-modul)

den gröna remsan och skjutanordningen (**se bilder**).

**36** Ta bort den gradade remsan. Ta sedan ut lampan med hjälp av en bit gummislang (**se bilder**).

**37** Montera den nya glödlampan i omvänd ordningsföljd.

### Belysning till Saab Information Display-modulen (SID)

**38** Ta bort SID-modulen (se avsnitt 10).

**39** Vrid lamphållaren moturs med en skruvmejsel och ta bort den från modulen (**se bild**). Det finns totalt sex lamphållare. Saab rekommenderar att du byter ut alla lampor samtidigt, eftersom de har samma förväntade livslängd.

**40** Montera den nya glödlampan i omvänd ordningsföljd.

### Strålkastarbrytarens belysning

**41** Ta bort ljuskontakten (se avsnitt 4).

**42** Vrid lamphållaren från brytarens baksida (**se bild**).

**43** Montera den nya glödlampan i omvänd ordningsföljd.

### Belysning till varningsblinkerskontakten

**44** Ta bort varningsblinkerskontakten enligt beskrivningen i avsnitt 4.

**45** Vrid lamphållaren från brytarens sida (**se bild**).

**46** Montera den nya glödlampan i omvänd ordningsföljd.

### Belysning till klimatanläggningsmodulen

**47** Ta bort klimatanläggningsmodulen enligt beskrivningen i kapitel 3A, avsnitt 9.

**48** Vrid lamphållaren med en skruvmejsel och ta bort den från modulens baksida (**se bild**).

**49** Montera den nya glödlampan i omvänd ordningsföljd.

### 6 Yttre glödlampor – byte

**1** Tänk på följande när en glödlampa ska bytas:
a) *Slå av all ytterbelysning och tändningen.*
b) *Kom ihåg att om lyset nyligen varit tänd kan lampan vara mycket het.*
c) *Kontrollera alltid hållaren och lampkontakterna. Se till att de är rena och har kontakt med varandra.*
d) *Se alltid till att den nya lampan har rätt specifikationer och att den är helt ren innan den monteras.*

5.42 Ta bort lamphållaren från baksidan av belysningsbrytaren

5.45 Ta bort lamphållaren från sidan av varningsblinkerskontakten

5.48 Ta bort lamphållaren från baksidan av klimatanläggningsmodulen

6.2 Skruva loss plastkåpan . . .

6.3 . . . koppla loss kablaget . . .

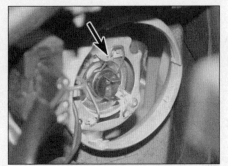

6.4a . . . ta ut fjäderklämman . . .

*e) Vidrör inte glaset på halogenglödlampor (strålkastare och främre dimljus) med fingrarna, eftersom det kan förkorta lampans livslängd. Om du råkar vidröra glaset, rengör lampan med denaturerad sprit.*

### Halogenstrålkastare

**2** Öppna motorhuven och ta bort kåpan från strålkastarens baksida **(se bild)**. Du kommer lättare åt den vänstra strålkastaren om du tar bort batterikåpan. Beroende på modell, kan man lättare komma åt höger strålkastare genom att flytta luftinsugsslangen till sidan.
**3** Koppla loss kablaget från helljuslampan **(se bild)**.
**4** Lossa fjäderklämman och ta bort glödlampan **(se bilder)**.
**5** Montera den nya glödlampan i omvänd ordningsföljd, men se till att glödlampans styrtappar hakar i strålkastarens baksida ordentligt. På senare modeller måste du sätta tillbaka plastkåpan med fliken vänd uppåt.

### Xenon strålkastare

⚠ *Varning: Vi rekommenderar att du använder handskar och skyddsglasögon när du byter ut xenonglödlampor. Lamporna innehåller kvicksilver under högt tryck. Slå inte på strålkastarna när någon lampa är borttagen. Uttagen är strömförande (minst 23 000 volt), och du riskerar att skada dig.*

### Halvljus

**6** Ta bort strålkastaren enligt beskrivningen i avsnitt 7.
**7** Ta bort skyddet från baksidan av strålkastaren **(se bild)**.
**8** Lossa fästklämmorna och ta ut xenon-glödlampan en aning. Lossa sedan kontaktdonet **(se bilder)**.
**9** Ta bort glödlampan och xenonlampenheten från strålkastaren **(se bild)**.
**10** Montera den nya glödlampan i omvänd ordningsföljd.

### Helljus

**11** Öppna motorhuven och lossa gummikåpan från strålkastarens baksida **(se bild)**. Du kommer lättare åt den vänstra strålkastaren om du tar bort batterikåpan. Beroende på modell, kan man lättare komma åt höger

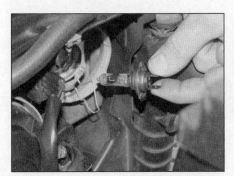

6.4b . . . och ta bort glödlampan

strålkastare genom att flytta luftinsugsslangen till sidan.
**12** Koppla loss kablaget från lampan **(se bild)**.
**13** Lossa fjäderclipsen och dra bort glödlampan från lamphållaren **(se bilder)**. Använd en pappersnäsduk eller en ren

6.8a . . . lossa klämmorna i pilarnas riktning . . .

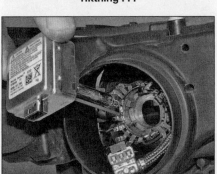

6.9 . . . och ta loss xenon-enheten

6.7 Ta bort gummikåpan . . .

trasa för att undvika att vidröra glödlampan.
**14** Montera den nya glödlampan i omvänd ordningsföljd, men se till att glödlampans styrtappar hakar i strålkastarens baksida ordentligt. När du sätter tillbaka plastkåpan ska pilen UP vara vänd uppåt.

6.8b . . . lossa sedan kablaget . . .

6.11 Lossa gummikåpan . . .

6.12 . . . koppla loss kablaget . . .

6.13a . . . lossa fjäderclipsen (markerad med pil) . . .

6.13b . . . och ta bort glödlampan

6.16a Dra loss det främre parkeringsljusets lamphållare från strålkastaren . . .

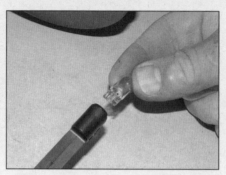

6.16b . . . och dra ut insticksglödlampan

6.19 Lossa gummikåpan . . .

## Parkeringsljus

**15** Med motorhuven öppen, lokalisera plaststiftet på nedre delen av strålkastarenhetens baksida. Du kommer lättare åt den vänstra strålkastaren om du

6.20a . . . lossa fästklämmorna (markerade med pil) . . .

tar bort batterikåpan. Beroende på modell, kan man lättare komma åt höger strålkastare genom att flytta luftinsugsslangen till sidan.
**16** Dra loss lamphållaren från strålkastaren. Dra sedan loss glödlampan från lamphållaren **(se bilder)**.

6.20b . . . och ta bort glödlampan och hållaren

**17** Montera den nya glödlampan i omvänd ordningsföljd.

## Körriktningsvisare

**18** Ta bort den främre strålkastarenheten enligt beskrivningen i avsnitt 7 av detta kapitel.
**19** Ta bort skyddet från baksidan av strålkastaren **(se bild)**.
**20** Lösgör fästklämmorna och dra bort lamphållaren från belysningsenheten **(se bilder)**.
**21** Montera den nya glödlampan i omvänd ordningsföljd.

## Sidokörriktningsvisare

**22** Tryck försiktigt lampan framåt mot plastklammerns spänne, lossa sedan lampans bakre del från framskärmen **(se bild)**.
**23** Vrid lamphållaren och ta bort glaset, dra sedan ut den kilformiga glödlampan **(se bilder)**.

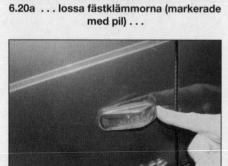

6.22 Tryck körriktningsvisarens lampa framåt . . .

6.23a . . . ta bort lamphållaren . . .

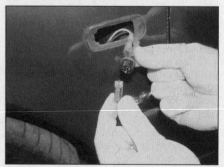

6.23b . . . dra ut den kilformade glödlampan

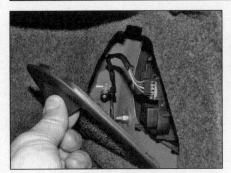

6.26 Lossa klädselpanelen

6.27a Kläm ihop låsflikarna och ta bort lamphållaren ...

6.27b ... eller på bakluckan vrider du lamphållaren för att ta bort den

Låt inte kablarna falla ner i utrymmet bakom skärmen.
**24** Montera den nya glödlampan i omvänd ordningsföljd.

## Bakljusenhet

### Sedanmodeller

**25** Bakljusarmaturen består av lampor i den bakre karossen samt i bakluckan.
**26** För att komma åt karossens belysningsenhet, öppna bakluckan och lossa plastpanelen från belysningsenhetens baksida **(se bild)**. Man kommer lättare åt bakluckans ljusenhet om man lossar klädselpanelen genom att först ta bort handtaget och tillhörande fästanordningar (tryck på mitten av fästanordningarna).
**27** Kläm ihop låsflikarna och ta bort lamphållaren från armaturen **(se bilder)**. Arbeta inifrån bakluckan och vrid lamphållaren från ljusenhetens baksida.
**28** Tryck ner och vrid relevant glödlampa och ta bort den från lamphållaren **(se bild)**.
**29** Montera den nya glödlampan i omvänd ordningsföljd. Dra ut fästenas mittpunkter innan du monterar dem.

### Kombimodeller

**30** Bakljusarmaturen består av lampor i den bakre karossen samt i bakrutan.
**31** Ta bort bakljusenheten som det beskrivits i avsnitt 7 för att komma åt glödlampan i karossens lampenhet. Du kommer åt baklucksarmaturen genom att öppna bakluckan, vrida fästet ett kvarts varv moturs och ta bort kåpan **(se bild)**.
**32** Lossa fästklämmorna och ta bort lamphållaren från ljusenheten.
**33** Tryck ner och vrid relevant glödlampa och ta bort den från lamphållaren **(se bilder)**.
**34** Montera den nya glödlampan i omvänd ordningsföljd.

## Främre dimljus

**35** Dra åt handbromsen. Lyft sedan upp framvagnen och ställ den på pallbockar (se *Lyftning och stödpunkter*).
**36** Sträck in handen uppåt bakom dimljusen. Lossa anslutningskontakt och vrid

6.28 Ta loss glödlampan genom att trycka ner och vrida den

lamphållaren moturs för att ta bort den **(se bilder)**.
**37** Ta bort glödlampan från lamphållaren. **Observera:** *Glödlampan kan vara en del*

6.31 Öppna klaffen så att du kommer åt bakluckans armatur

*av lamphållaren, hör med din lokala Saab-verkstad.*
**38** Montera den nya glödlampan i omvänd ordningsföljd.

6.33a Ta bort lamphållaren och tryck ner och vrid om glödlampan för att ta bort den

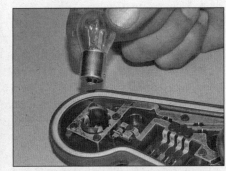

6.33b Skruva loss glödlampan från bakljusarmaturen

6.36a Lossa kontaktdonet...

6.36b ... och skruva sedan loss lamphållaren

6.39a Använd en liten skruvmejsel . . .

6.39b . . . lossa lampenhetens lins

6.40 Ta bort festonglödlampan

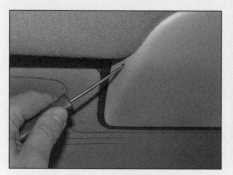

6.42a Lossa fästklämmorna . . .

6.42b . . . och ta bort plastkåpan

6.43 Dra ut den kilformade glödlampan

## Registreringsskyltsbelysning

**39** Använd en liten skruvmejsel för att lossa nummerplåtbelysningens lampkupa **(se bilder)**. Ta bort tätningen och kontrollera dess skick.
**40** Dra loss festonglödlampan från lamphållaren **(se bild)**.
**41** Montera den nya glödlampan i omvänd ordningsföljd.

## Övre bromsljus

### Sedanmodeller

**42** Ta bort täckpanelen baktill på innerklädseln genom att försiktigt trycka in de två klämmorna på sidorna **(se bilder)**.
**43** Ta loss glödlampan från hållaren **(se bild)**.
**44** Montera den nya glödlampan i omvänd ordningsföljd. Se till att täckpanelen är helt införd i klämmorna.

## Kombimodeller

**45** Öppna bakluckan, bänd loss kåporna och lossa skruvarna. Ta bort täckpanelerna längs bakrutans sidor och överkant **(se bilder)**.

**46** Koppla loss kablarna från det höga bromsljuset. Skruva sedan loss muttrarna och ta bort lampenheten från bakluckan **(se bilder)**.

6.45a Ta bort sidopanelen på bakrutan . . .

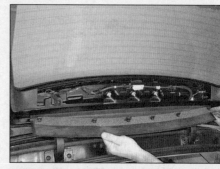

6.45b . . . och den övre panelen

6.46a Koppla loss kablaget . . .

6.46b . . . skruva loss muttrarna . . .

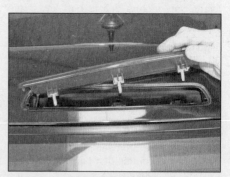

6.46c . . . och dra ut belysningsenheten från bakluckan

**47** Skruva loss skruvarna och ta bort kretskortet tillsammans med lysdioderna **(se bilder)**. Var noga med att inte skada styrsprintarna.
**48** Montera det nya kretskortet i omvänd ordningsföljd.

### 7 Yttre armaturer – demontering och montering

### Strålkastare

 *Varning: På modeller med xenonstrålkastare måste tändningen vara avslagen och startnyckeln i läget LOCK.*

**1** Demontera den främre stötfångaren enligt beskrivningen i kapitel 11.
**2** Skruva loss de övre och nedre strålkastarfästbultar **(se bilder)**.
**3** Ta loss strålkastarenheten framåt, och ta bort den från fästbyglarna **(se bild)**.
**4** Lossa anslutningskontakten medan strålkastaren tas bort från fordonet **(se bild)**.
**5** Monteringen utförs i omvänd ordningsföljd mot demonteringen, men kontrollera och justera strålkastarinställningen snarast möjligast.

### Körriktningsvisare

**6** Den främre körriktningsvisaren är en del av strålkastarenheten. Ta bort strålkastarenheten enligt beskrivningen i stycke 1 till 5.

### Sidokörriktningsvisare

**7** Se tillvägagångssättet för sidblinkerljus i avsnitt 6 (ytterbelysningens glödlampor) i detta kapitel.

### Bakljusenheter

#### Sedanmodeller

**8** Bakljusarmaturen består av lampor i den bakre karossen samt i bakluckan.
**9** Ta bort armaturen genom att öppna bakluckan och dra undan mattan i bagageutrymmet.
**10** Ta bort armaturen i bakluckan genom att ta loss panelen. Du lossar den genom att ta bort handtaget och fästena (tryck ner fästenas mittpunkter).

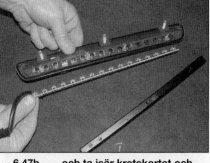

6.47a Skruva loss skruvarna . . .

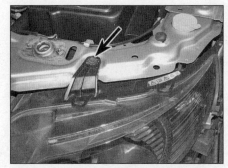

och ta isär kretskortet och lysdioderna (6.47b)

7.2a Skruva loss strålkastarens övre . . .     7.2b . . . och nedre fästbultar

7.3 Ta bort strålkastaren . . .     7.4 . . . och koppla loss kontaktdonet

**11** Ta bort lamphållarna från bakljusenheten enligt beskrivningen i avsnitt 6 (ytterbelysningens glödlampor) av detta kapitel.
**12** Skruva loss muttrarna och ta bort bakljusenheten från bilen **(se bilder)**.

**13** På bakluckans belysningsenhet, ta bort gummigenomföringen från bakluckans kant för att komma åt den yttre fästmuttern **(se bilder)**.
**14** Monteringen utförs i omvänd ordningsföljd

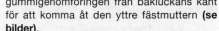

7.12a Skruva loss bakljusenhetens fästmuttrar (markerade med pilar) . . .     7.12b . . . och ta bort ljusenheten     7.13a Ta bort gummigenomföringen . . .

7.13b ... och skruva loss ljusenhetens fästmuttrar (markerade med pilar) ...

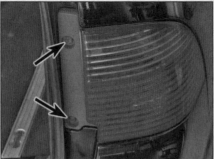

7.16a Skruva loss fästskruvarna ...

7.16b ... och dra lampenheten bakåt och lossa den från fästklämman (se pil)

7.16c Koppla loss kontaktdonet

mot demonteringen. Dra åt muttrarna ordentligt.

### Kombimodeller

15 Bakljusarmaturen består av lampor i den bakre karossen samt i bakluckan.

16 För att ta bort karossens belysningsenhet öppnar du bakdörren och skruvar sedan loss fästskruvarna på bakljusenhetens kant. Dra ut ljusenheten ut mot bilens bakände och lossa den från den inre fästklämman på framkanten.

Koppla loss kontaktdonet när enheten tas bort (se bilder).

17 För att ta bort bakljusenheten, ta bort den bakre panelen och lossa lamphållaren från ljusenhetens baksida. Ta sedan bort gummigenomföringen från bakrutans kant för att komma åt den yttre fästmuttern. Lossa fästmuttrarna och ta bort ljusenheten från bakrutan (se bilder).

18 Montering utförs i omvänd ordningsföljd. Innan du monterar ljusarmaturen tar du bort fästet från karossen och sätter tillbaka det på armaturen. Kontrollera tätningen till bakrutans belysningsenhet före återmontering.

### Främre dimljus

19 Dra åt handbromsen. Lyft sedan upp framvagnen och ställ den på pallbockar (se Lyftning och stödpunkter).

20 Sträck in handen bakom dimljusen. Tryck in och vrid glödlampan moturs för att ta bort den från lamphållaren. Om det behövs kan lamphållaren tas bort från kablarna.

21 Skruva loss fästskruvarna, och ta sedan bort dimstrålkastare från stötfångaren (se bilder).

22 Montera i omvänd ordningsföljd mot demonteringen. Justera dimljuset genom att först parkera bilen 10 meter från en vägg. Gör ett märke i väggen på samma höjd som glasets centrum. Gör ett annat märke 10-20 cm under det första märket. Justera därefter ljusstrålens höjd genom att vrida knoppen på insidan av lampan (se bild).

### Registreringsskyltsbelysning

23 Ta bort armaturen i genom att ta loss panelen. Du lossar den genom att ta bort handtaget och relevanta fästanordningar bakluckan/bakdörren.

24 Skruva loss fästbultarna från insidan på bakluckan/bakdörren och ta bort nummerplåtsbelysningen.

25 Koppla från anslutningskontakten när enheten tas bort.

26 Monteringen utförs i omvänd ordningsföljd mot demonteringen.

### Övre bromsljus

#### Sedanmodeller

27 Ta bort täckpanelen baktill på innerklädseln genom att försiktigt trycka in de två klämmorna på sidorna (se bilder 6.42a och 6.42b).

7.17a Lossa lamphållaren ...

7.17b ... och skruva loss ljusets fästmuttrar (markerad med pilar)

7.21a Skruva loss fästskruvarna (markerade med pilar) ...

7.21b ... och ta bort dimljuset från stötfångaren

7.22 Dimstrålkastarens justeringsskruv (markerad med pil)

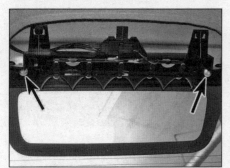

7.28a Skruva loss de två fästskruvarna ...

7.28b ... och ta bort ljusenheten från takpanelen

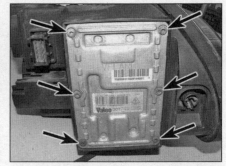

7.35 Skruva loss skruvarna (markerade med pilar) för att ta bort strålkastarens styrmodul

28 Skruva loss lamphållarens fästskruvar. Koppla därefter loss kablaget och ta ut lampenheten från takpanelen **(se bilder)**.
29 Monteringen utförs i omvänd ordningsföljd mot demonteringen.

### Kombimodeller

30 Öppna bakluckan, bänd loss kåporna, skruva loss skruvarna och ta bort bakrutans dekorkåpor.
31 Skruva loss muttrarna, dra bort det höga bromsljuset och koppla loss kablaget enligt beskrivningen i avsnitt 6, stycke 46.
32 Skruva loss skruvarna och ta bort kretskortet tillsammans med lysdioderna. Var försiktig så att inte styrsprintarna skadas **(se bilder 6.47a och 6.47b)**.
33 Monteringen sker i omvänd ordningsföljd mot demonteringen.

### Styrmodul för xenonstrålkastare

⚠️ **Varning:** *Observera säkerhetsföreskrifterna för modeller med xenonstrålkastare, som finns tidigare i detta kapitel. Observera att modulen också är känslig för statisk elektricitet. Jorda dig själv regelbundet under tiden som demonteringen och monteringen.*
**Observera:** *Byter du ut modulen måste den programmeras av en Saab-verkstad med speciell utrustning.*
34 Demontera strålkastaren enligt beskrivningen tidigare i detta avsnitt.
35 Skruva loss de sex skruvarna och ta bort modulen från strålkastaren **(se bild)**.
36 Koppla loss kablaget och ta bort modulen.

37 Kontrollera modultätningens skick och byt ut den om det behövs.
38 Monteringen sker i omvänd ordningsföljd mot demonteringen.

### 8 Strålkastarinställning – allmän information

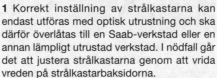

1 Korrekt inställning av strålkastarna kan endast utföras med optisk utrustning och ska därför överlåtas till en Saab-verkstad eller en annan lämpligt utrustad verkstad. I nödfall går det att justera strålkastarna genom att vrida vreden på strålkastarbaksidorna.
2 En del modeller är försedda med inställningsreglage, så att strålkastarna kan justeras efter variationer i bilens last. Strålkastarnas riktning ändras med hjälp av ett reglage på instrumentbrädan som styr de elektriska justermotorerna i strålkastarnas bakre delar. Reglaget ska vara ställt enligt följande, beroende på bilens last:

| Fordonslast | Kontaktläge |
|---|---|
| Upp till 3 personer (inte fler än en i baksätet), inget bagage | 0 |
| Upp till 3 personer i baksätet, upp till 30 kg bagage | 1 |
| Upp till 3 personer i baksätet, upp till 80 kg bagage | 2 |
| Upp till 5 personer, fullt bagageutrymme | 3 |
| Upp till 5 personer, fullt bagageutrymme, bogsering av husvagn eller släpvagn | 3 |

3 På modeller med xenonstrålkastare finns ett automatiskt nivåregleringssystem. Om

systemet går sönder tänds en varningslampa på instrumentpanelen, och strålkastarna vinklas nedåt för att inte mötande trafik ska bländas. I så fall måste du minska hastigheten, eftersom ljuset inte når lika långt.
4 Om du tillfälligt vill justera strålkastarna ställer du bilen på ett plant underlag 10 m från en vägg. Däcken ska ha specificerat tryck, bränsletanken vara fylld till hälften och en person ska sitta i förarsätet. Slå på tändningen och kontrollera i förekommande fall att inställningsreglaget är i läge 0. Mät sträckan från marken till korset i mitten av strålkastaren. Dra av 5 cm om lamporna är av halogentyp och 7,5 cm om lamporna är av xenontyp. Rita ett märke på väggen på samma höjd. Justera strålkastarna genom att vrida reglagen på baksidan av strålkastarna tills ljuskäglans mittpunkt är i höjd med märket **(se bilder)**.

### 9 Instrumentpanel och elektronisk enhet – demontering och montering

## Instrumentpanelen

### Demontering

1 Ställ in ratten i det nedersta och bakersta läget och lås den.
2 Ta bort rattstångens övre och nedre kåpor. I den övre kåpan sitter två uppåtvända skruvar, och under den nedre sitter en skruv.
3 Tryck ner fästklämmorna, ta bort den kombinerade omkopplaren till

8.4a Strålkastarens justeringsskruvar

8.4b Ändra den lodräta justeringsskruven ...

8.4c ... och den horisontella justeringsskruven

9.10a Fästskruvarna sitter inuti öppningarna

9.10b Ta bort den omgivande instrumentpanelen

9.10c Skruvar som fäster mugghållaren i den omgivande instrumentpanelen

9.11a Skruva loss fästskruvarna på sidorna . . .

9.11b . . . dra bort instrumentpanelen från instrumentbrädan . . .

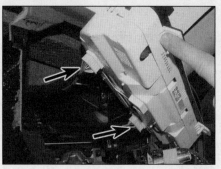

9.11c . . . och koppla loss kablaget

körriktningsvisaren och vindrutetorkaren och koppla loss kablaget.

**4** Ta bort radion/CD-spelaren och dess fästlåda enligt beskrivningen i avsnitt 17.

**5** Om tillämpligt, ta bort Saab Information Display-enheten (SID) (beroende på modell), enligt beskrivningen i avsnitt 10.

**6** Ta bort luftkonditionerings-/värme- och ventilationsenheten enligt beskrivningen i kapitel 3. Låt stolsvärmeenheten sitta kvar.

**7** Ta bort brytarna på insidan av rattstången från instrumentbrädan.

**8** Ta bort locket från huvudsäkringsdosan i änden av instrumentbrädan. Stick in ett finger i säkringsdosans öppning och tryck ut lampbrytarna från baksidan. Koppla loss de svarta, gröna och orangefärgade kontaktdonen. Notera deras platser.

**9** Bänd försiktigt ut blindknapparna från instrumentbrädan.

**10** Skruva loss skruvarna och ta bort den

omgivande sargen. Det finns sex skruvar och fyra klämmor inuti öppningarna. Med sargen borttagen kan du, om det behövs, ta bort mugghållaren när fästskruvarna lossats **(se bilder)**.

**11** Skruva loss instrumentpanelens fästskruvar, dra ut enheten och koppla loss kontaktdonen. Dra bort enheten från mellanväggen **(se bilder)**.

### Montering

**12** Montering utförs i omvänd ordningsföljd.

## Elektronisk enhet

### Demontering

**13** Demontera instrumentpanelen enligt beskrivningen.

**14** Skruva loss och ta bort de 8 skruvarna som håller fast den bakre panelen i modulen. Observera att fyra skruvar är korta och fyra är långa. Notera därför var de sitter.

**15** Lossa de två sidoklämmorna och ta bort den bakre panelen.

**16** Koppla loss anslutningskontakterna och ta bort kretskorten. Skruva därefter loss skruvarna och ta bort den elektroniska enheten **(se bilder)**.

### Montering

**17** Montering sker i omvänd ordningsföljd.

### 10 Saab Information Display (SID), modul – allmän information, demontering och montering

**Observera:** *Om du monterar en ny SID-modul måste den programmeras av en Saab-verkstad med diagnostikverktyget Tech2.*

### Allmän information

**1** (SID)-modulen tillhandahåller information för föraren och styr displaybelysningen och färddatorn. I modulen visas även servicepåminnelser. Följande komponenter används:

    *a) Yttertemperaturgivare.*
    *b) Rattsignalhorn och ljudkontroller.*
    *c) Kylvätskenivågivare.*
    *d) Spolarvätskenivågivare.*
    *e) Givare för strålkastarglödtrådar.*
    *f) Displaybelysningsmotstånd.*
    *g) Innerbelysningsgivare för automatisk kontroll av displaybelysning.*

### Demontering

**Observera:** *Detta förfarande gäller modeller utrustade med SID-modul ovanför radion/CD-spelaren.*

9.16a Lossa skruvarna . . .

9.16b . . . och ta bort den elektroniska enheten

**10.3a  Stick in handen genom öppningen i radion/cd-spelaren och tryck ut SID-enheten**

**10.3b  Ta bort SID-enheten . . .**

**10.4  . . . och koppla loss kablaget**

**2** Ta bort radion/CD-spelaren enligt beskrivningen i avsnitt 17.
**3** Sträck in handen bakom SID-modulen och tryck ut den ur instrumentbrädan **(se bilder)**.
**4** Koppla loss kablarna och ta bort modulen **(se bild)**.

## Montering

**5** Montera tillbaka i omvänd ordningsföljd mot demonteringen.

## 11 Cigarrettändare – demontering och montering

## Demontering

**1** Det finns två cigarrettändare. En sitter ovanför askkoppen och en annan på baksidan av mittkonsolen.

### Främre cigarrettändare

**2** På modeller med manuell växellåda tar du bort den främre cigarrettändaren genom att bända loss växelspaksdamasken från mittkonsolen. På modeller med automatisk växellåda bänder du upp sargen runt växelspaken med en skruvmejsel.
**3** Använd en skruvmejsel, lösgör fästklämmorna och ta bart askfatet och dess hållare eller förvaringsfacket (vad som är tillämpligt) enligt beskrivningen i kapitel 11, avsnitt 28.
**4** Skruva loss skruvarna och ta bort växelspakskåpan. Lokalisera kablagets anslutningspunkter och lossa sedan pluggarna till brytarna och cigarrettändaren **(se bild)**.
**5** Ta bort tändarelementet. Lossa sedan cigarrettändarsockeln och belysningsringen från kåpan.

### Bakre cigarrettändare

**6** Ta bort den bakre änden av mittkonsolen enligt beskrivningen i kapitel 11, avsnitt 28.
**7** Ta bort tändarelementet. Lossa sedan cigarrettändarsockeln och belysningsringen **(se bild)**.

## Montering

**8** Montering utförs i omvänd ordningsföljd.

## 12 Signalhorn – demontering och montering

## Demontering

**1** Demontera den främre stötfångaren enligt beskrivningen i kapitel 11.
**2** Koppla loss kablarna från signalhornet **(se bild)**.
**3** Observera att signalhornen är markerade med respektive tonhöjder. Signalhornet med hög tonhöjd är märkt med ett H, och hornet med låg tonhöjd är märkt med ett L.
**4** Skruva loss fästmuttern och ta ut signalhornsenheten **(se bild)**.

## Montering

**5** Montera tillbaka i omvänd ordningsföljd mot demonteringen. När signalhornet monteras måste det vinklas nedåt och utåt med 15° till 20°.

## 13 Vindruta och bakruta torkararmar – demontering och montering

## Torkararm

**1** Se till att vindrutetorkarna är i viloläge. Markera vindrutetorkarens placering med en bit tejp.
**2** Om en sådan finns, bänd loss kåpan från muttern som håller fast vindrutetorkararmen.

**11.4  Lossa den främre cigarrettändarens kontaktdon**

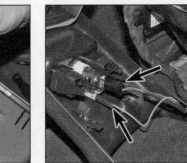

**11.7  Lossa den bakre cigarrettändarens kontaktdon**

**12.2  Signalhornets anslutningskontakt**

**12.4  Två horn som sitter bakom det främre gallret**

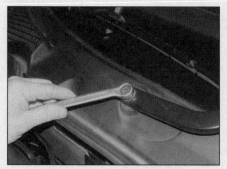

**13.3 Skruva loss muttern . . .**

**13.4 . . . dra sedan loss torkararmen från spindeln med en liten avdragare**

**13.8 Skruva loss muttern . . .**

**13.9 . . . och lossa armen från skaftet**

**3** Skruva loss muttern som fäster torkararmen vid axeln (se bild).
**4** Ta bort armen från axeln genom att försiktigt vicka den fram och tillbaka. Om den sitter hårt drar du loss den med en liten avdragare (se bild).
**5** Montera tillbaka i omvänd ordningsföljd mot demonteringen.

### Bakruta torkararm

**6** Se till att baklucketorkaren står i viloläget. Markera vindrutetorkarens placering med en bit tejp.
**7** Lyft upp kåpan längst ner på bakrutans torkararm.

**15.2 Ta bort gummitätningarna från spindlarna**

**15.3 Dra loss gummitätningsremsan**

**15.4a Skruva loss centrumsprintarna . . .**

**15.4b . . . ta bort fästena . . .**

**8** Skruva loss muttern som fäster torkararmen vid axeln (se bild).
**9** Ta bort armen från axeln genom att försiktigt vicka den från sida till sida (se bild). Använd en liten avdragare om den sitter hårt.
**10** Montering sker i omvänd ordningsföljd.

## 14 Regnsensor – demontering och montering

### Demontering

**1** Regnsensorn sitter överst i mitten på vindrutan, precis framför backspegeln.
**2** Saabmekaniker använder ett speciellt demonteringsverktyg för att ta bort regnsensorns hölje, men en lämplig hävarm av plast eller trä kan användas. Skydda vindrutan med en bit tunt trä, som du lägger mellan vindrutan och demonteringsverktyget. Bänd försiktigt loss kåpan genom att trycka in sidorna en och en mot den inre takklädseln.
**3** Tryck försiktigt sensor mot vindrutan. Böj sedan fästklämmorna och ta bort sensorn från fästet. Var försiktig så att du inte skadar vindrutan.
**4** Koppla loss kablaget och ta bort sensorn.

### Montering

**5** Rengör vindrutan noggrant innan du sätter tillbaka givaren. Kontrollera att givarens fästklämmor är i gott skick. Annars måste de bytas.
**6** Monteringen sker i omvänd ordningsföljd mot demonteringen.

## 15 Vindrutetorkarens motor och länksystem – demontering och montering

### Vindrutetorkarens motor

#### Demontering

**1** Ta bort torkararmarna enligt beskrivningen i avsnitt 13.
**2** Ta bort gummitätningarna från spindlarna (se bild).
**3** Dra loss gummitätningslisten från framsidan av ventilområdet (se bild).
**4** Ta bort hållarna och dra bort vindrutans ventillucka från spindlarna. Notera var hakarna sitter under vindrutan (se bilder).

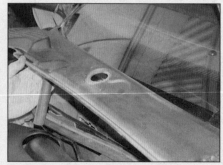

**15.4c . . . och dra bort ventilluckan**

15.5a Ta bort plastkåpan . . .

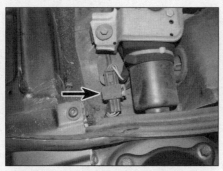

15.5b . . . och koppla loss kablarna från torkarmotorn

15.6 Ta bort torkarmotorn och länksystemet

15.7 Fästbultar för torkarmotorn på ramen

15.13a Koppla loss spolarslangen . . .

15.13b . . . och kablarna från bakluckans torkarmotor

5 Ta bort plastkåpan och koppla loss kablarna från torkarmotorn **(se bilder)**.
6 Skruva loss fästbultarna och lyft bort torkarmotorn och länksystemet från torpedväggen **(se bild)**.
7 Vid behov kan torkarmotorn skruvas loss från ramen när du har kopplat loss länkarmen och tagit bort den från drivaxeln **(se bild)**. Observera att du kan behöva vrida vevarmen något för att komma åt en av fästbultarna.

**Montering**
8 Montering sker i omvänd arbetsordning, men dra åt fästbultarna till angivet moment.

### Bakluckans torkarmotor
**Demontering**
9 Demontera torkararmen enligt beskrivningen i avsnitt 13.

10 Öppna bakluckan, bänd loss kåporna, skruva loss skruvarna och ta bort bakrutans dekorkåpor.
11 Lossa skruvarna och ta bort det inre handtaget från bakluckans klädselpanel.
12 Skruva loss skruvarna från klädselpanelens nedre kant. Dra sedan panelens översta del nedåt för att lossa den från de övre klämmorna. Dra sedan panelen bakåt för att lossa styrsprinten vid handtaget.
13 Koppla loss spolarslangen och kablarna från bakluckans torkarmotor **(se bilder)**.
14 Skruva loss fästbygelns skruvar och ta ut torkarmotorn ur bakluckan medan du för spindelhuset genom gummigenomföringen **(se bilder)**.
15 Skruva loss fästbygeln från torkarmotorn.

**Montering**
16 Monteringen sker i omvänd ordningsföljd mot demonteringen.

### 16 Spolarsystem till vindruta, baklucka och strålkastare – demontering och montering

**Demontering**
1 Spolarvätskebehållaren och pumpen är placerade under den vänstra framskärmen **(se bild)**. Du kommer åt dem genom att ta bort hjulhusfodret. Om du behöver mer utrymme kan du ta bort den främre stötfångaren.
2 Placera en behållare under spolarvätskebehållaren, koppla sedan loss

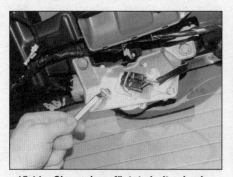

15.14a Skruva loss fästets bultar (sedan modeller) . . .

15.14b . . . och ta bort torkarmotorn från bakluckan

15.14c Fästets fästmuttrar (kombi modeller)

**16.1 Spolarvätskebehållare och pump (med demonterad främre stötfångare)**

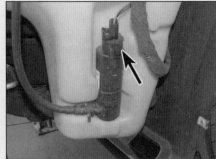

**16.2 Spolarpumpens kontaktdon**

**16.3 Spolarvätskebehållarens bakre fästbult**

**16.5a Lossa försiktigt kåpan över spolarmunstycket. . .**

**16.5b . . . koppla loss spolröret . . .**

ut behållaren nedåt från framskärmens panel **(se bild)**. Ta vid behov bort vätskenivågivaren (om sådan finns) från behållaren.

**4** Ta bort vindrutans spolarmunstycken genom att lossa isoleringen från motorhuven, koppla loss slangarna och sedan trycka ner låsflikarna och dra loss munstyckena från huven.

**5** För att ta bort spolarmunstyckena på strålkastarna måste man först ta bort stötfångarens kåpa enligt beskrivningen i kapitel 11. Dra ut spolarmunstycket och lossa kåpan från munstycket. Arbeta sedan på insidan av stötfångaren. Lossa spolarvätskans rör, ta bort fästklämman och spolarmunstycket från stötfångarens kåpa **(se bilder)**.

## Montering

**6** Monteringen sker i omvänd ordningsföljd mot demonteringen.

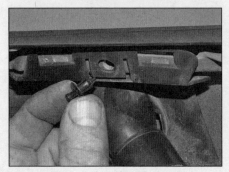

**16.5c . . . lossa fästklämman . . .**

**16.5d . . . och lossa spolarmunstycket från fästet under stötfångarens kåpa**

## 17 Radio/CD-spelare – demontering och montering

*Varning: Alla modeller har en radio/ CD-spelare som är programmerad för just den bil den sitter i. Ingen radiokod finns eller behövs. Om du flyttar en anläggning från en bil till en annan måste den programmeras om av en Saab-verkstad som använder Tech2-utrustning. Observera även att samma utrustning måste användas för att separera anläggningen från den första bilen innan den demonteras.*

pumpkablarna och spolarrören och låt vätskan rinna ut **(se bild)**. Dra ut pumpen ur behållaren, ta sedan bort bussningen.

**3** Lossa anslutningskontakterna och

spolarvätskeröret från spolarvätskepumpen för att komma åt behållaren. Ta bort påfyllningslocket från påfyllningsrörets överdel. Skruva sedan loss fästbultarna och ta

## Demontering

**1** Ta först försiktig bort täckpluggarna på modeller där radio/CD-spelaren hålls fast av skruv (nya täckpluggar kan behövas vid återmonteringen). Skruva loss fästskruvarna, två på varje sida **(se bilder)**.

**2** På modeller där radio/CD-spelaren hålls fast av DIN-fästen krävs två DIN-demonteringsverktyg för att lossa fästklämmorna. Verktygen kan köpas i biltillbehörsbutiker och sticks in genom hålen

**17.1a Använd stark fästtejp för att ta bort plastkåpor**

**17.1b Skruva loss de fyra fästskruvar för Radio/CD-spelaren**

**17.2 Lossa radion/cd-spelarens fästklämmor med två DIN-demonteringsverktyg**

**17.3a Ta bort audioenheten från instrumentbrädan . . .**

**17.3b . . . och koppla loss kontaktdonen och antennkabelhylsan**

på sidorna av anläggningen tills de hakar i fästklamrarna **(se bild)**.

**3** Dra försiktigt bort radion från instrumentbrädan när klamrarna/skruvarna är lossade. Observera kabel- och antennanslutningarna på baksidan av monteringslådan **(se bilder)**.

**4** I förekommande fall (beroende på modell) kan radions monteringslåda lossas från instrumentbrädan. Bänd upp fästflikarna, dra ut lådan och koppla loss kablarna och antennkontakten.

### Montering

**5** Montera tillbaka i omvänd ordningsföljd mot demonteringen. Tryck in radio-/CD-enheten med ett fast grepp i monteringslådan tills fästremsorna hakar i.

### 18 Högtalare – demontering och montering

#### Högtalare på instrumentbrädan

**Demontering**

**1** Bänd försiktigt ut högtalargrillen med en skruvmejsel **(se bild)**.

**2** Skruva loss skruvarna som fäster högtalaren i instrumentbrädan med en torx-nyckel och lyft ut den försiktigt.

**3** Koppla loss kablarna och tejpa fast dem på instrumentbrädan så de inte ramlar tillbaka i hålet **(se bild)**.

**Montering**

**4** Montering sker i omvänd ordningsföljd.

#### Högtalare i dörren

**Demontering**

**5** Ta bort dörrklädseln enligt beskrivningen i kapitel 11.

**6** Skruva loss fästskruvarna. Ta loss högtalaren och koppla loss kablarna **(se bilder)**.

**Montering**

**7** Montering sker i omvänd ordningsföljd.

#### Bagagehyllans högtalare

**Demontering**

**8** Fäll ner baksätets ryggstöd och lossa högtalargrillen.

**9** Skruva loss skruvarna, lyft ut högtalaren och koppla loss kablarna.

**Montering**

**10** Montering sker i omvänd ordningsföljd.

### Högtalare i bagageutrymmet

**Demontering**

**11** Fäll ner baksätets ryggstöd och ta bort den högra sidostoppningen mellan höger dörr och ryggstödet genom att dra ut övre delen och lyfta bort den från det nedre fästet. Ta även bort klädselpanelen.

**12** Demontera den högra förvaringslådan från golvet.

**13** Ta bort bakluckeöppningens hasplåt genom att bända ut kåporna och lossa skruvarna. Plåten sitter även fast med klämmor.

**14** Ta bort den inre takklädselns

**18.1 Bänd ut grillen . . .**

**18.6a Lossa fästskruvarna . . .**

bakre klädselpanel och koppla loss belysningskablarna.

**15** Ta loss panelen från den högra D-stolpen. Skruva sedan loss skruvarna och ta bort höger bagagehyllstöd.

**16** Skruva loss skruvarna och ta bort bagageutrymmets högra klädselpanel.

**17** Skruva loss fästbultarna, ta ut bashögtalaren och koppla sedan loss kablarna.

**Montering**

**18** Montering utförs i omvänd ordningsföljd.

### 19 Förstärkare – demontering och montering

**Observera:** *Även om de ser likadana ut är förstärkarna i sedan- och kombimodeller olika beroende på att de har olika kupéarea.*

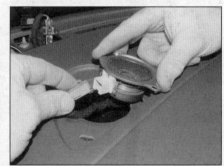

**18.3 . . . ta bort högtalaren och koppla loss kablaget**

**18.6b . . . ta bort högtalaren och koppla loss kablaget**

## Demontering

**1** Öppna passagerardörren och ta bort den inre rampanelen.
**2** Ta bort instrumentbrädans nedre panel under handskfacket.
**3** Vik bort mattan och skruva loss förstärkarens nedre fästmuttrar. Lossa den övre fästmuttern men ta inte bort den.
**4** Lyft ut förstärkaren och koppla loss anslutningskontakten.

## Montering

**5** Montera tillbaka i omvänd ordningsföljd mot demonteringen.

## 20 CD-växlare – demontering och montering

**Varning: Liksom radion/CD-spelaren är CD-växlaren programmerad för just den bil den sitter i. Ingen radiokod finns eller behövs. Om du flyttar en anläggning från en bil till en annan måste den programmeras om av en Saab-verkstad som använder Tech2-utrustning. Observera även att samma utrustning måste användas för att separera anläggningen från den första bilen innan den demonteras.**

## Demontering

**1** CD-växlaren sitter i bagageutrymmet. Skruva loss fästskruvarna – två fram och två bak.
**2** Flytta CD-växlaren åt sidan och koppla loss kablarna. Lyft ut enheten ur bagageutrymmet.
**3** Om CD-växlaren ska placeras vågrätt måste du ändra slutinställningen så att pekaren står på H-markeringen. Observera att det sitter fyra röda transportskruvar på nya enheter.

## Montering

**4** Montering sker i omvänd ordningsföljd.

## 21 Antennförstärkare och filter – demontering och montering

**1** På sedanmodeller är den separata AM-antennkretsen inbyggd överst i bakrutan och FM-antennen är inbyggd i bakrutans eller sidorutornas värmeenhet. Antennsignalen förstärks av en förstärkare som sitter på den högra C-stolpen och ett antennfilter sitter på den vänstra C-stolpen.
**2** Kombimodeller har ett av två olika system. Det första systemet använder en AM/FM-antenn som är inbyggd i den bakre högra sidorutan och tillhörande förstärkare och filter som sitter på D-stolpen. Det andra systemet använder dessutom en FM-antenn som är inbyggd i den bakre vänstra sidorutan och tillhörande förstärkare och filter som sitter på D-stolpen. Det andra systemet har

en funktion som använder antennen med bäst signalmottagning för radiomottagning.

## Antennförstärkare (sedanmodeller)

### Demontering

**3** Ta bort panelen från den högra C-stolpen enligt beskrivningen i kapitel 11.
**4** Observera hur kablarna går till förstärkaren och koppla sedan loss den.
**5** Koppla loss antennen från förstärkaren; var dock försiktig med att inte skada interna kontakter.
**6** Skruva loss fästmuttrarna och ta loss förstärkaren från bilen.

### Montering

**7** Montering sker i omvänd ordningsföljd.

## Antennfilter (sedanmodeller)

### Demontering

**8** Ta bort panelen från den vänstra C-stolpen enligt beskrivningen i kapitel 11.
**9** Koppla loss kabeln som går till filtret vid kontakten.
**10** Skruva loss muttern som fäster filterledningen i karossen och ta bort filtret från bilen.

### Montering

**11** Monteringen utförs i omvänd ordningsföljd mot demonteringen.

## Antennförstärkare och filter (kombimodeller)

### Demontering

**12** Ta bort panelen och innertakklädseln från D-stolpen samt de två listerna mellan C- och D-stolparna enligt beskrivningen i kapitel 11. Ta ut klämmorna från innertakklädseln och ta bort bagagenätsfästena. Bänd försiktigt ner innertakklädseln i bakkant, så att du kommer åt förstärkaren.
**13** Observera hur kablarna går till förstärkaren och filtret och koppla sedan loss den.
**14** Koppla loss antennen från förstärkaren. Var dock försiktig med att inte skada interna kontakter.
**15** Skruva loss fästmuttrarna och ta loss förstärkaren och filtret från bilen.

### Montering

**16** Monteringen sker i omvänd ordningsföljd mot demonteringen.

## 22 Uppvärmda säten komponenter – allmän information, demontering och montering

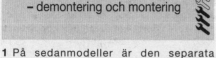

### Allmän information

**1** Vissa modeller har fram- och baksäten med termostatreglerad uppvärmning. Sätena har separata reglage med tre inställningar där

värmen kan justeras eller stängas av. Varje säte har två värmeelement – ett i ryggstödet och ett i sätesdynan.
**2** Kylda framsäten finns också på vissa modeller, med separata reglage för varje säte och tre fläkthastigheter samt ett frånläge. Fläktarna suger ut den varma luften från det tyg som har kontakt med kroppen.

### Demontering och montering

**3** Man kommer åt värmeelementen genom att ta bort stoppningen från sätet – något som bör överlåtas till en Saab-verkstad.
**4** Ta bort kylfläkten genom att först demontera framsätet enligt beskrivningen i kapitel 11. Om förarsätet har en programmerbar styrmodul tar du bort den enligt beskrivningen i kapitel 11 så att du kommer åt kylfläkten. Skruva loss fläktmotorns fästmuttrar, koppla loss kablarna och lossa buntbanden. Monteringen utförs i omvänd ordningsföljd mot demonteringen.

## 23 DICE-styrmodul – allmän information, demontering och montering

### Allmän information

**1** DICE-systemet (Dash Integrated Central Electronics) är ett centralt styrsystem för fordonets elektriska huvudkretsar. Styrmodulen kommunicerar med de olika systemen via fordonets kabelnät och instrumentbussen (I-bussen). DICE kan ge en diagnos över kretsfel och generera felkoder som kan användas för att avgöra vilken komponent eller krets som är defekt. DICE kontrollerar följande funktioner:
   a) Ytterbelysning.
   b) Innerbelysning.
   c) Motståndskontroll.
   d) Ljudvarningar för tändning och parkeringsljus.
   e) Intermittent torkarfunktion mellan 2 och 15 sekunder.
   f) Strålkastarspolarsystem.
   g) Eluppvärmd bakruta och sidospeglar.
   h) Kylarfläkt.
   i) Luftkonditionering.
**2** DICE-styrmodulen kan programmeras efter ursprungsland. För belysningssystemet påverkar detta hel- och halvljusfunktionerna samt huruvida ljus måste användas även dagtid. Modulen sitter bredvid säkringarna på förarsidan av instrumentbrädan.

### Demontering

**3** Koppla loss batteriets minusledare.
**4** Ta bort instrumentbrädans nedre panel på förarsidan.
**5** Skruva loss skruven och sänk ner relähållaren från huset så att du lättare kommer åt DICE-styrmodulen.

**6** Skruva loss skruvarna och lossa modulen från huset **(se bilder)**.
**7** Koppla loss kablarna från styrmodulen.

## Montering

**8** Montering utförs i omvänd ordningsföljd. Byter du ut modulen måste den programmeras av en Saab-verkstad.

### 24 Parkeringshjälp, komponenter
– allmän information, demontering och montering

## Allmän information

**1** Saabs parkeringshjälpsystem SPA (Saab Parking Assistance) finns som tillval för alla modeller. Fyra ultraljudsgivare på den bakre stötfångaren mäter avståndet till det närmaste objektet bakom bilen och meddelar föraren via ljudsignaler genom instrumentbrädans SID-display. Ju närmare föremålet kommer, desto snabbare blir ljudsignalerna. Texten PARK ASSIST visas på displayen när du lägger i backen och signalen övergår till en kontinuerlig ton om objektet är närmare än 30 cm.
**2** På sedanmodeller sitter SPA-modulen bakom det bakre ryggstödet, under sidopanelen på vänster sida. På kombimodeller sitter den under golvet i bagageutrymmet.

## Styrenhet

### Sedanmodeller

**3** Öppna den vänstra bakdörren och fäll den större baksätesdynan och ryggstödet framåt.
**4** Vik bort dörrens tätningslist så att du kommer åt den bakre sidopanelen. Lossa den övre klämman och böj försiktigt ut sidopanelen.
**5** Ta bort ljudisoleringen.
**6** Lossa styrmodulens fästskruvar. Lyft upp modulen och dra ut skruvarna genom de räfflade hålen.
**7** Koppla loss kablarna och ta bort modulen från bilen.
**8** Montering utförs i omvänd ordningsföljd. Se till att den grå pluggen fästs på den grå hylsan och den svarta pluggen på den svarta hylsan. Om brickor används ska de sättas framför fästplattan.

### Kombimodeller

**9** Lyft upp baksätesdynorna och fäll fram ryggstödet.
**10** Lossa den främre delen av golvet i bagageutrymmet så att du kommer åt framsidan av den nedre panelen. Lossa den nedre panelen från klämmorna och lyft upp den.
**11** Koppla loss kablaget.
**12** Skruva loss fästmuttrarna och ta bort modulen från insidan av bilen.
**13** Monteringen sker i omvänd ordningsföljd mot demonteringen. Se till att den grå pluggen fästs på den grå hylsan och den svarta

pluggen på den svarta hylsan. Om brickor används ska de sättas framför fästplattan.

## Avståndsgivare

### Sedanmodeller

**14** Arbeta från båda sidorna och bänd försiktigt loss den bakre stötfångarens hörnskyddsremsor där de angränsar till mittremsan. Saabs mekaniker använder ett specialverktyg för detta, men om du är försiktig går det även bra med en skruvmejsel.
**15** Bänd ut mittremsan från stötfångaren så att du kommer åt de fyra körsträcksgivarna.
**16** Lossa plastklämmorna och ta bort givarna från hållarna innan du kopplar loss kablarna.
**17** Tryck ner de stora och små fästena och ta bort hållarna från mittremsan.
**18** Montering utförs i omvänd ordningsföljd. Tryck ner hållarna ordentligt i mittremsan så att fästena hakar i.

### Kombimodeller

**19** Körsträcksgivarna sitter på den bakre stötfångarens övre mittpanel. Panelen kan tas bort separat från huvuddelen av stötfångaren.
**20** Arbeta från båda sidor och bänd försiktigt loss den bakre stötfångarens hörnskyddsremsor.
**21** Öppna bakluckan och skruva loss fästskruvarna till den bakre stötfångarens övre mittpanel.
**22** Lossa underdelen av mittpanelen från fästklämmorna och lyft på panelen så att flikarna lossnar från skruvarna. Tryck in hörnen på panelen och dra den bakåt.
**23** Lossa plastklämmorna och ta bort givarna från hållarna innan du kopplar loss kablarna.
**24** Tryck ner de stora och små fästena och ta bort hållarna från mittremsan.
**25** Monteringen sker i omvänd ordningsföljd. Tryck ner hållarna ordentligt i mittremsan så att fästena hakar i.

### 25 Stöldskyddssystem, komponenter – allmän information, demontering och montering

## Allmän information

**1** Saabs stöldskyddssystem kallas för TWICE (Theft Warning Integrated Central Electronics).

**23.6a Lossa skruvarna . . .**

**23.6b . . . och lossa modulen från huset**

Den elektroniska styrmodulen TWICE styr följande systems:
a) Lamptest inklusive parkerings- och bromsljus.
b) Säkerhetsbältesvarning inklusive givare som känner av om någon sitter i passagerarsätet.
c) Eluppvärmt baksäte.
d) Elstyrd passagerarsäte.
e) Centrallås.
f) Elöppning av baklucka.
g) Stöldskyddsspärr.
h) Stöldskyddslarm inklusive glaskross- och vinkelgivare.

## Elektronisk styrmodul (ECM)

**Varning: Om du monterar en ny elektronisk styrmodul måste den programmeras om av en Saab-verkstad som använder Tech2-utrustning. Alla sändare och fjärrkontroller måste bytas ut och alla nya startnycklar måste programmeras samtidigt.**

### Demontering

**2** Ta bort vänster framsäte enligt beskrivningen i kapitel 11.
**3** Vik undan mattan och ta vid behov bort skyddslisten så att du kommer åt styrmodulen på golvpanelen.
**4** Koppla loss kablarnas multikontakt från styrmodulen.
**5** Skruva loss plastmuttrarna och ta bort modulen inifrån bilen.

### Montering

**6** Monteringen sker i omvänd ordningsföljd mot demonteringen. Byter du ut modulen måste den programmeras av en Saab-verkstad.

## Glaskrossgivare

**Observera:** På kombimodeller finns det två glaskrossgivare, en central över baksätet och en baktill i bagageutrymmets innerbelysning. Den bakre givaren är inbyggd i armaturen och kan inte bytas ut separat.

### Demontering

**7** Bänd försiktigt loss glaset från den bakre innerbelysningen. Lossa sedan lamphållaren med en skruvmejsel och ta loss enheten från den inre takklädseln.

**25.8 Glaskrossgivare monterad i innerbelysningen bak**

**25.29 Fjärrkontrollsmottagarens plats**

**8** Koppla loss kablarna och ta bort glaskrossgivaren från lampan **(se bild)**.

### Montering

**9** Monteringen utförs i omvänd ordningsföljd. Observera att det fins två typer av givare, en för modeller med tygklädsel och en för modeller med läderklädsel.

## Varningsljus ovanpå instrumentbrädan

### Demontering

**10** Ljusdioden sitter på en platta. Skjut plattan framåt och ta bort den.
**11** Tryck bort dioden från plattan, koppla loss kablarna och ta bort dioden. Lysdiodernas ben är ömtåliga; var försiktig så att de inte går sönder.

### Montering

**12** Montering utförs i omvänd ordningsföljd.

## Motorhuvsbrytare

### Demontering

**13** Öppna motorhuven och dra bort motorhuvsbrytaren från sin placering på säkringsdosan i motorrummets vänstra bakre del.
**14** Koppla loss kablaget.

### Montering

**15** Monteringen sker i omvänd ordning mot demonteringen.

## Brytare i bagageutrymmet

**Observera:** *På kombimodeller är brytaren inbyggd i bakluckans lås och kan inte bytas ut separat.*

### Demontering

**16** Ta bort bakluckans lås enligt beskrivningen i kapitel 11.
**17** Lägg låset på en bänk, bänd loss brickorna i handtaget och ta bort brytaren från låset.

### Montering

**18** Montering utförs i omvänd ordningsföljd.

## Alarm signalhorn/siren

### Demontering

**19** Dra åt handbromsen. Lyft sedan upp framvagnen och ställ den på pallbockar (se *Lyftning och stödpunkter*). Demontera vänster framhjul.
**20** Arbeta under det främre vänstra hjulhuset och ta bort den främre delen av hjulhusfodret så att du kommer åt signalhornet.
**21** Koppla loss kablarna från signalhornet.
**22** Skruva loss fästmuttrarna och bultarna och ta loss signalhornet under framskärmen.

### Montering

**23** Monteringen sker i omvänd ordningsföljd mot demonteringen.

## Lutningsgivare

### Demontering

**24** Ta bort den inre rampanelen från framsidan och baksidan av B-stolpen se enligt instruktionerna i kapitel 11.
**25** Ta bort det högra framsätet (kapitel 11). Lossa B-stolpens nedre klämmor och dra ut mattan. Vik undan mattan så att du kommer åt lutningsgivaren.
**26** Koppla loss kablarna. Skruva sedan loss fästmuttrarna och ta bort lutningsgivaren från bilen.

### Montering

**27** Monteringen sker i omvänd ordningsföljd mot demonteringen. När du har monterat lutningsgivaren, kontrollera systemet genom att aktivera alarmet och se efter att dioden glöder i ca 10 sekunder innan den börjar blinka. Vänta i 15 sekunder och avaktivera sedan alarmet. Helst bör du låta en Saab-verkstad söka igenom systemet efter felkoder.

## Fjärrkontrollsmottagare

### Demontering

**28** Lyft upp armstödet på mittkonsolen. Lossa sedan den främre kanten av konsolens bakre panel med en skruvmejsel tills klämman lossnar. Lyft upp den bakre panelen och fäll den utåt. Koppla sedan loss brytarkablarna.
**29** Ta bort eventuella klämmor från konsolens sidovägg. Ta bort mottagaren och koppla loss kablarna **(se bild)**.

### Montering

**30** Monteringen sker i omvänd ordningsföljd mot demonteringen. Om det behövs kan du använda extra tejp eller en extra klämma för att fästa kablarna i konsolen.

## Saab 9-5 kopplingsscheman

**Schema 1**

### Förklaringar till symboler

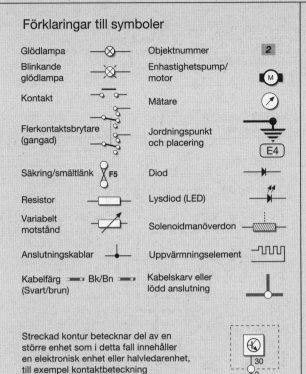

| | | | |
|---|---|---|---|
| Glödlampa | | Objektnummer | 2 |
| Blinkande glödlampa | | Enhastighetspump/ motor | |
| Kontakt | | Mätare | |
| Flerkontaktsbrytare (gangad) | | Jordningspunkt och placering | E4 |
| Säkring/smältlänk F5 | | Diod | |
| Resistor | | Lysdiod (LED) | |
| Variabelt motstånd | | Solenoidmanöverdon | |
| Anslutningskablar | | Uppvärmningselement | |
| Kabelfärg Bk/Bn (Svart/brun) | | Kabelskarv eller lödd anslutning | |

Streckad kontur betecknar del av en
större enhet som i detta fall innehåller
en elektronisk enhet eller halvledarenhet,
till exempel kontaktbeteckning
30-standard DIN (batteriets pluspol), stift nr 2

### Förklaringar till kretsar

Schema 1    Information om kopplingsscheman
Schema 2    Startning, laddning, motorkylfläkt & signalhorn
Schema 3    Sido-, bak-, nummerplåt, stopp- och backljus
Schema 4    Halogen & xenon strålkastare
Schema 5    Dimstrålkastare, körriktningsvisare & varningsblinkers
Schema 6    lInstrumentenhet, cigarrettändaren & eltacklucka
Schema 7    Uppvärmda säten, uppvärmd bakruta, elspeglar
           & kompressorkobling
Schema 8    Centrallås & elektriska fönsterhissar
Schema 9    Innerbelysning & ljudsystem
Schema 10   Strålkastarjustering, bakre spolare/torkare,
           strålkastarspolare

### Jordpunkter

E1   På stötpanelen bakom vänster strålkastare
E2   I bagageutrymmet under vänster baklykta
E3   På mittkonsolen mellan framsätena
E4   På motorn
E5   På tvärbalken under vänster framsäte
E6   På tvärbalken under höger framsäte
E7   På växellådan
E8   Vänster innerskärm bakom batteriet
E9   På stötpanelen bakom höger strålkastare
E10  Bakom vänster stänkskyddspanel vid instrumentbrädans
     nedre vänstra del
E11  På vänster A-stolpe till vänster om instrumentbrädan
E12  Bakom instrumentbrädans mitt
E13  Bakom instrumentbrädans mitt
E14  På höger A-stolpe till höger om instrumentbrädan
E15  Bakom instrumentbrädans mitt
E16  På hyllan vid den högra bakre högtalaren
E17  I taket över vänster D-stolpe
E18  På höger innerskärm vid påfyllningslockets öppning

### Vanliga motorrumssäkringar

| Säkring | Kapacitet | Skyddad krets |
|---|---|---|
| F1 | 40A | Vänster och höger motorkylfläkt |
| F2 | 40A | ESP |
| F3 | 30A | ESP |
| F4 | 7.5A | Belastningsvinkelgivare |
| F5 | 15A | Extravärmare |
| F6 | 10A | Larm, luftkonditioneringskompressor |
| F7 | 15A | Ljustuta, helljusrelä |
| F8 | - | |
| F9 | 20A | Strålkastarspolarpump |
| F10 | 15A | Vänster helljus |
| F11 | 15A | Vänster halvljus |
| F12 | 15A | Höger helljus |
| F13 | 15A | Höger halvljus |
| F14 | 30A | Höger kylfläkt, höghastighet |
| F15 | 15A | Dimstrålkastare |
| F16 | 30A | Bakrutetorkare, strålkastarspolarmotor |
| F17 | 15A | Signalhorn |

### Vanliga kupésäkringar

| Säkring | Kapacitet | Skyddad krets |
|---|---|---|
| FA | 30A | Släpvagnsljus |
| FB | 10A | Antispinnsystem |
| FC | 7.5A | Elektriska dörrspeglar, DICE, manuell justering av strålkastare |
| F1 | 15A | Bromsljuskontakt |
| F2 | 15A | Backljus |
| F3 | 10A | Vänster sidoljus |
| F4 | 10A | Höger sidoljus |
| F5 | 7.5A | DICE/TWICE |
| F6 | 30A | Elektriska fönsterhissar höger – förinstallerat släpkablage |
| F6B | 10A | Stoppljus – förinstallerat släpkablage |
| F7 | 10A | Bränsleinsprutning |
| F8 | 15A | Bagageutrymmets belysning, bagageutrymmets lås, dörrbelysning, cirkulationspump, parkeringsassistans, SID |
| F9 | 15A | Ljudsystem, CD-växlare, diagnosuttag |
| F10 | 15A | Uppvärmd baksäte, taklucka, centrallås |
| F11 | 30A | Elstyrd passagerarstol |
| F12 | 7.5A | Antispinnsystem |
| F13 | 20A | Förstärkare |
| F14 | 30A | Motorstyrning |
| F15 | 20A | Bränslepump, förvärmning lambdasonde |
| F16 | 20A | DICE, körriktningsvisare |
| F16B | 7.5A | Vägtullsenhet, OnStar |
| F17 | 20A | Motorstyrning, instrumentenhet, DICE/TWICE |
| F18 | 40A | Uppvärmd bakruta och speglar |
| F19 | 10A | Mobiltelefonenhet, OnStar |
| F20 | 15A | Automatisk klimatanläggning, kupébelysning, bakre dimstrålkastare |
| F21 | 10A | Radio, automatiskt avbländande speglar, navigering, automatisk nivåinställning av strålkastarna, farthållare |
| F22 | 40A | Fläktmotor |
| F23 | 15A | Centrallås, telefon, speglar med minne |
| F24 | 20A | Ljuskontakt |
| F25 | 30A | Elstyrd förarstol |
| F26 | 7.5A | Parkeringsassistans, minnesinställning av stolar, taklucka, dörrspeglar med minnesinställning, klimatanläggning |
| F27 | 10A | Motorstyrning, instrumentenhet, SID, DICE |
| F28 | 7.5A | Krockkudde |
| F29 | 10A | ESP |
| F30 | 7.5A | Startmotor |
| F31 | 7.5A | Farthållare, vattenventil, främre dimstrålkastare, regnsensor, DICE |
| F32 | - | Reserv |
| F33 | 7.5A | Färdriktningsvisarkontakt |
| F34 | 30A | Cigarrettändare |
| F35 | 15A | Varselljus |
| F36 | 30A | Vänster elfönster |
| F37 | 30A | Vindrutetorkare |
| F38 | 30A | Uppvärmda säten |
| F39 | 20A | Bensin limp home solenoid (auto. trans) |
| | 30A | Dieselfilter uppvärmningselement |

H47127

## Kabelfärg

| Bu | Blå | Rd | Röd |
|---|---|---|---|
| Vt | Violett | Ye | Gul |
| Og | Orange | Bn | Brun |
| Pk | Rosa | Wh | Vit |
| Gy | Grå | Bk | Svart |
| Gn | Grön | | |

## Teckenförklaring

1 Batteri
2 Startmotor
3 Växelströmsgenerator
4 Tändningslås
5 Maxi-säkringsdosa
6 Motorsäkringsdosa
7 Säkringsdosan på passagerarsidan
8 Växellådans intervallbrytare
9 Startrelä
10 Låghastighetsrelä
11 Vänster höghastighetsrelä
12 DICE styrenhet
13 Luftkonditioneringens trycksensor
14 Vänster motorkylfläkt
15 Höger motorkylfläkt
16 Höger höghastighetsrelä
17 SID styrenhet
18 Signalhorn
19 Hornsrelä
20 Hornskontakt
21 Klockfjäder
22 Audio fjärrkontroll
23 Motorstyrenhet
24 Temperaturgivare för kylvätska

**Schema 2**

H47128

**Vanligt start-och laddningssystem**

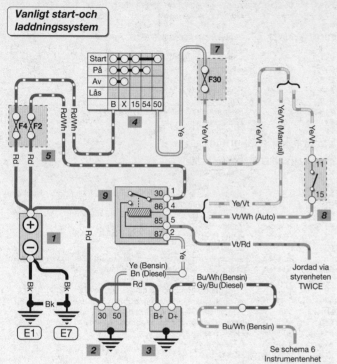

**Vanlig signalhorn**

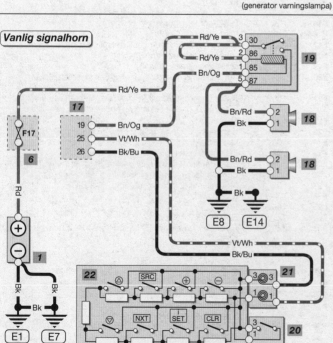

**Vanliga kylfläktar – Bensin**

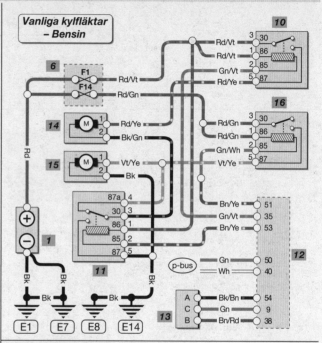

**Vanliga kylfläktar – Diesel**

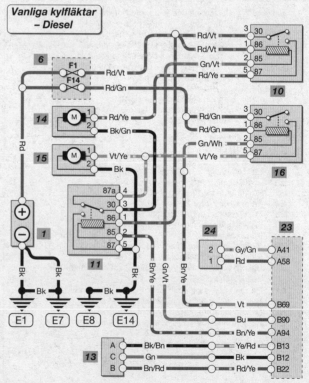

## Kabelfärg

| | | | |
|---|---|---|---|
| **Bu** | Blå | **Rd** | Röd |
| **Vt** | Violett | **Ye** | Gul |
| **Og** | Orange | **Bn** | Brun |
| **Pk** | Rosa | **Wh** | Vit |
| **Gy** | Grå | **Bk** | Svart |
| **Gn** | Grön | | |

## Teckenförklaring

1   Batteri
4   Tändningslås
5   Maxi-säkringsdosa
7   Säkringsdosan på passagerarsidan
8   Växellådans intervallbrytare
12  DICE styrenhet
25  Bromsljuskontakt
26  TWICE styrenhet
27  Vänster bakljusarmatur
    a = bromsljus
    b = bakljus

28  Höger bakljusarmatur
    a = bromsljus
    b = bakljus
29  Högt bromsljusenhet
30  Backljuskontakt
31  Vänster baklucka ljusarmatur
    a = backljus
32  Höger baklucka ljusarmatur
    a = backljus
33  Nummerplåtsbelysning

34  Vänster strålkastarenhet
    a = sidoljus
35  Höger strålkastarenhet
    a = sidoljus
36  Kombinerad belysningskontakt
    a = ljuskontakt
    c = brytarbelysning

**Schema 3**

H47129

### Vanligt stoppljus

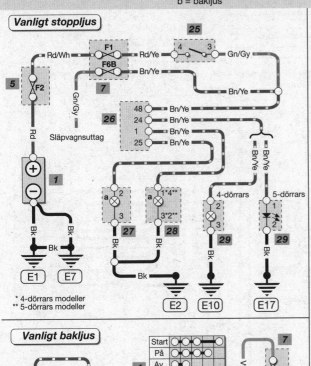

\* 4-dörrars modeller
\*\* 5-dörrars modeller

### Vanligt bakljus

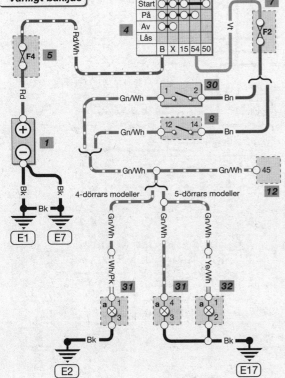

### Vanlig sido-, bak- och nummerplåtsbelysning

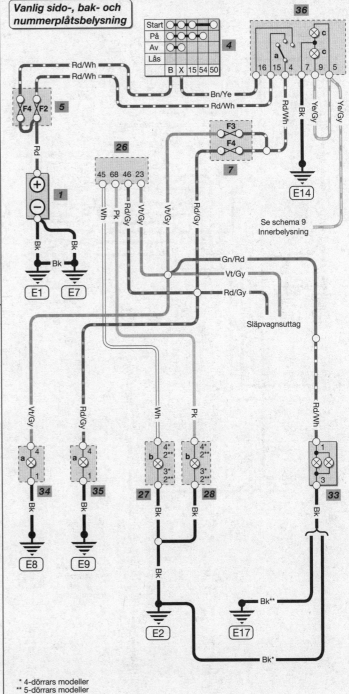

\* 4-dörrars modeller
\*\* 5-dörrars modeller

## Kabelfärg

| | | | |
|---|---|---|---|
| Bu | Blå | Rd | Röd |
| Vt | Violett | Ye | Gul |
| Og | Orange | Bn | Brun |
| Pk | Rosa | Wh | Vit |
| Gy | Grå | Bk | Svart |
| Gn | Grön | | |

## Teckenförklaring

1 Batteri
4 Tändningslås
5 Maxi-säkringsdosa
6 Motorsäkringsdosa
7 Säkringsdosan på passagerarsidan
12 DICE styrenhet
34 Vänster strålkastarenhet
   a = sidoljus
   b = helljus
   c = halvljus
   d = xenon ljusenhet
   e = nivåmotor

f = Styrenhet för automatisk nivåjustering
   av strålkastare
g = magnetventil för xenonbelysningsskärm
35 Höger strålkastarenhet
   a = sidoljus
   b = helljus
   c = halvljus
   d = xenon ljusenhet
   e = nivåmotor
36 Kombinerad belysningskontakt
   a = ljuskontakt
39 Halvljuskontakt

## Schema 4

40 Trådövervakningsenhet
41 Halvljusrelä
42 Helljusrelä

H47130

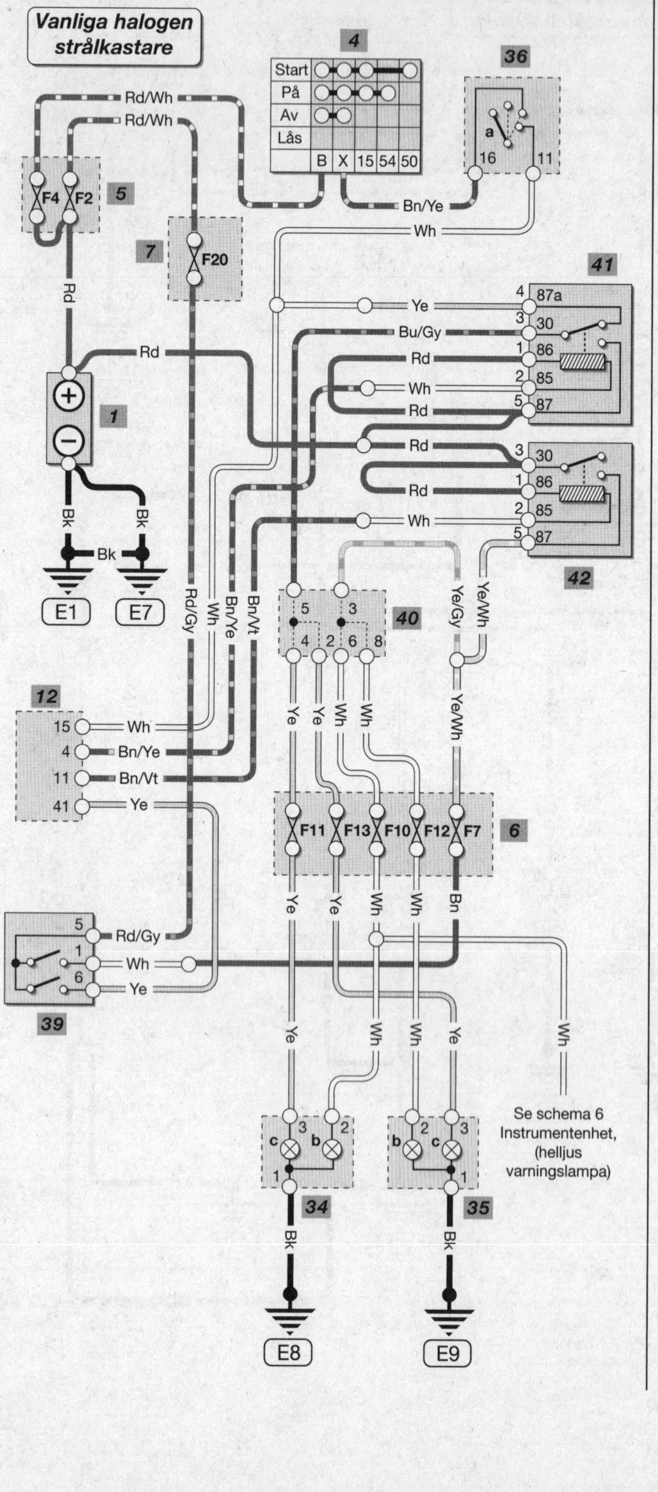

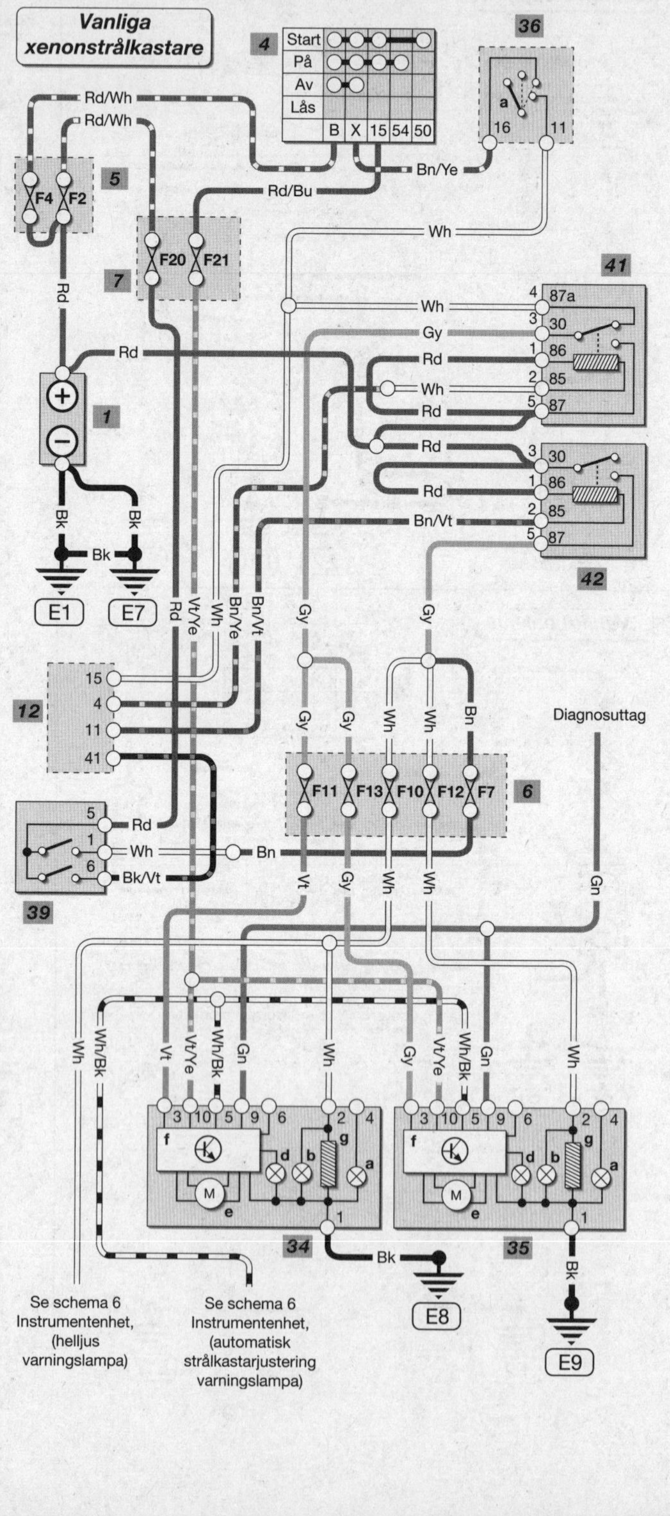

**Vanliga halogen strålkastare**

**Vanliga xenonstrålkastare**

Se schema 6 Instrumentenhet, (helljus varningslampa)

Se schema 6 Instrumentenhet, (helljus varningslampa)

Se schema 6 Instrumentenhet, (automatisk strålkastarjustering varningslampa)

Diagnosuttag

## Kabelfärg

| | | | |
|---|---|---|---|
| **Bu** | Blå | **Rd** | Röd |
| **Vt** | Violett | **Ye** | Gul |
| **Og** | Orange | **Bn** | Brun |
| **Pk** | Rosa | **Wh** | Vit |
| **Gy** | Grå | **Bk** | Svart |
| **Gn** | Grön | | |

## Teckenförklaring

1  Batteri
4  Tändningslås
5  Maxi-säkringsdosa
6  Motorsäkringsdosa
7  Säkringsdosan på passagerarsidan
12  DICE styrenhet
27  Vänster bakljusarmatur
c = körriktningsvisare
28  Höger bakljusarmatur
c = körriktningsvisare
32  Höger baklucka ljusarmatur
c = bakre dimstrålkastare
34  Vänster strålkastarenhet
h = körriktningsvisare
35  Höger strålkastarenhet
h = körriktningsvisare
36  Kombinerad belysningskontakt
a = ljuskontakt
b = bakre dimstrålkastarkontakt
45  Främre dimstrålkastarrelä
46  Främre dimljuskontakt
47  Vänster främre dimljus
48  Höger främre dimljus
50  Tändningskontakt
51  Färdriktningsvisarkontakt
52  Varningsblinkersbrytare
53  Vänster körriktningsvisare
54  Höger körriktningsvisare

**Schema 5**

H47131

**Vanliga främre dimstrålkastare**

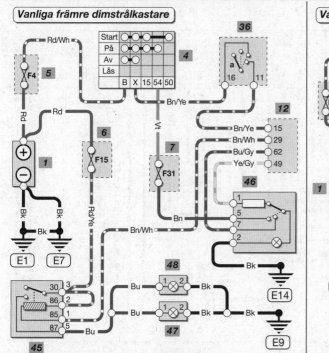

**Vanliga bakre dimstrålkastare**

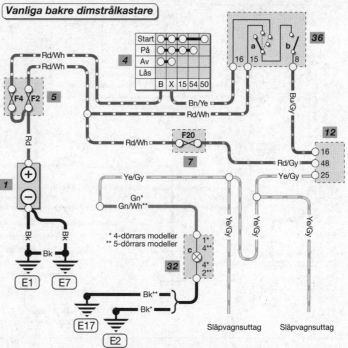

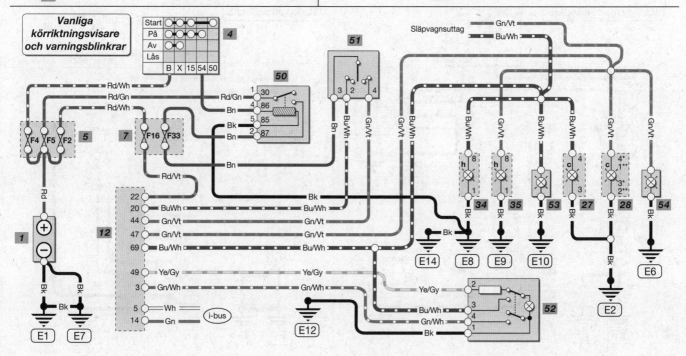

## Kabelfärg

| | | | |
|---|---|---|---|
| **Bu** | Blå | **Rd** | Röd |
| **Vt** | Violett | **Ye** | Gul |
| **Og** | Orange | **Bn** | Brun |
| **Pk** | Rosa | **Wh** | Vit |
| **Gy** | Grå | **Bk** | Svart |
| **Gn** | Grön | | |

## Teckenförklaring

1 Batteri
4 Tändningslås
5 Maxi-säkringsdosa
7 Säkringsdosan på passagerarsidan
36 Kombinerad belysningskontakt
   a = ljuskontakt
50 Tändningskontakt
56 Nedre bromsoljekontakt
57 Handbromskontakt

58 Bränslemätargivare
59 Oljetryckskontakt
60 Instrumentenhet

**Schema 6**

H47132

**Vanlig instrumentenhet**

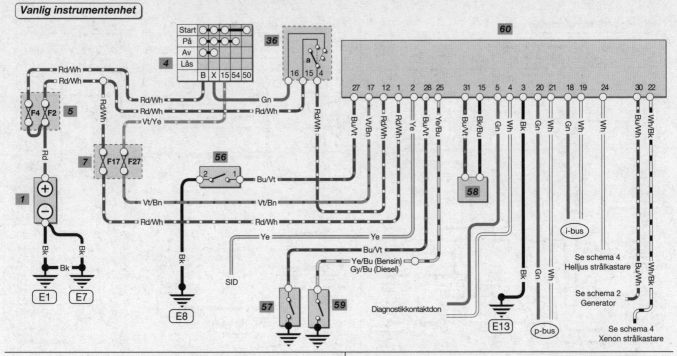

**Vanlig cigarrettändare**

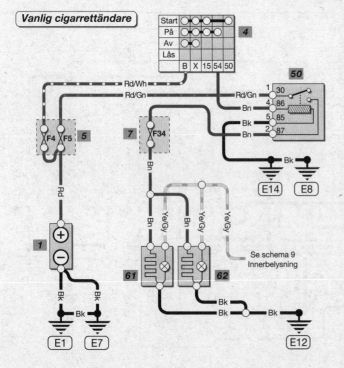

**Vanlig eltacklucka**

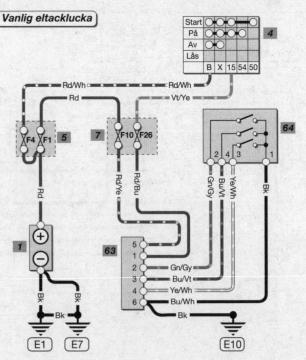

## Kabelfärg

Bu Blå  Rd Röd
Vt Violett  Ye Gul
Og Orange  Bn Brun
Pk Rosa  Wh Vit
Gy Grå  Bk Svart
Gn Grön

## Teckenförklaring

1 Batteri
4 Tändningslås
5 Maxi-säkringsdosa
7 Säkringsdosan på passagerarsidan
12 DICE styrenhet
38 Kompressorkopplingsrelä
50 Tändningskontakt
65 Motorstyrenhet
66 Motorstyrenhetens huvudrelä
67 Elvärmd sätesdyna vänster fram
68 Elvärmd sätesdyna höger fram
69 Elvärmt ryggstöd vänster
70 Elvärmt ryggstöd höger
71 Uppvärmd bakruta
72 Uppvärmd bakruta relä
73 Antennmodul
74 Ljudisoleringsfilter
75 Bränslepåfyllningslock frånkopplingskontakt
76 Bränslepåfyllningslockets frånkopplingsventil
77 Bränslepåfyllningslockets frånkopplingsrelä
78 Elspegelkontakt
79 Spegelenhet på förarsiden
80 Spegelenhet på passagerarsidan
81 Luftkonditioneringens kontrollpanel
82 Kompressorkobling

## Schema 7

H47133

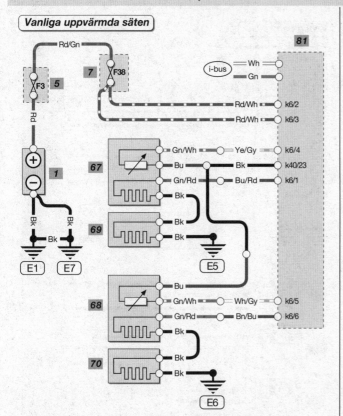

Vanliga uppvärmda säten

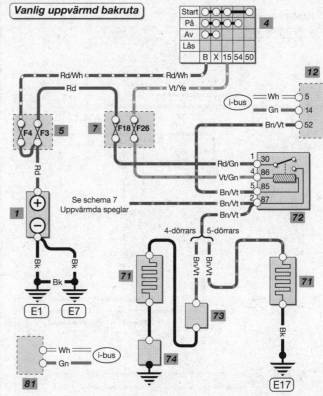

Vanlig uppvärmd bakruta

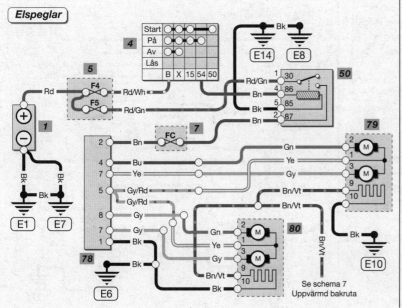

Elspeglar

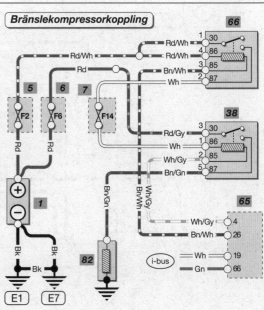

Bränslekompressorkoppling

## Kabelfärg

| | | | |
|---|---|---|---|
| **Bu** | Blå | **Rd** | Röd |
| **Vt** | Violett | **Ye** | Gul |
| **Og** | Orange | **Bn** | Brun |
| **Pk** | Rosa | **Wh** | Vit |
| **Gy** | Grå | **Bk** | Svart |
| **Gn** | Grön | | |

## Teckenförklaring

1 Batteri
4 Tändningslås
5 Maxi-säkringsdosa
7 Säkringsdosan på passagerarsidan
26 TWICE styrenhet
50 Tändningskontakt
83 Elfönsterbrytarens styrenhet
84 Förarplatsens fönstermotor
85 Passagerarplatsens fönstermotor

86 Fönstermotor vänster bak
87 Fönstermotor höger bak
88 Fönsterbrytare vänster bak
89 Fönsterbrytare höger bak
90 Centrallåsets fjärrkontrollmottagare
91 Bakluckans låsmotor (4 dörrar)
92 Bakrutans låsmotor (5 dörrar)
93 Bagageutrymmesbelysningens brytare
94 Mikrobrytare för bakrutans lås (5 dörrar)

95 Tanklocksluckans magnetventil
96 Bagageutrymmets-bakrutans
   frånkopplingskontakt
97 Centrallåsets huvudbrytare
98 Förarplatsens låsenhet
99 Passagerarplatsens låsenhet
100 Vänster bakre låsmotor
101 Höger bakre låsmotor

## Schema 8

H47134

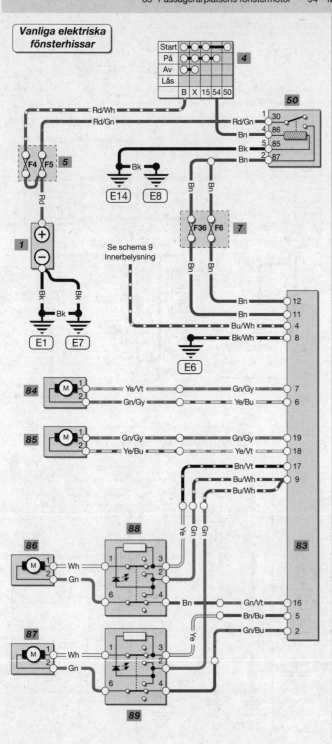

**Vanliga elektriska fönsterhissar**

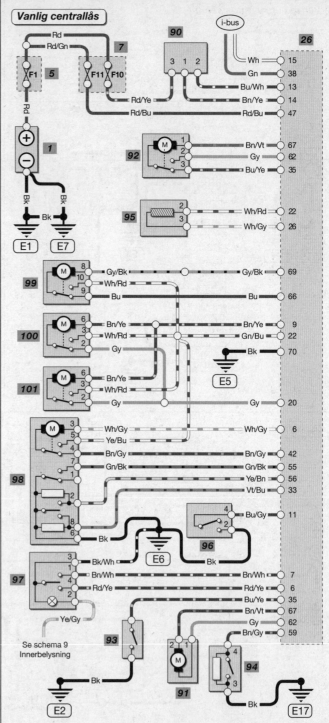

**Vanlig centrallås**

## Kabelfärg

| | | | |
|---|---|---|---|
| **Bu** | Blå | **Rd** | Röd |
| **Vt** | Violett | **Ye** | Gul |
| **Og** | Orange | **Bn** | Brun |
| **Pk** | Rosa | **Wh** | Vit |
| **Gy** | Grå | **Bk** | Svart |
| **Gn** | Grön | | |

## Teckenförklaring

1 Batteri
4 Tändningslås
5 Maxi-säkringsdosa
7 Säkringsdosan på passagerarsidan
12 DICE styrenhet
17 SID styrenhet
26 TWICE styrenhet
92 Bakrutans låsmotor (5 dörrar)
93 Bagageutrymmesbelysningens brytare
103 Innerbelysningsmotstånd
104 Handskfackljus & kontakt
105 Vänster fotutrymme belysning
106 Höger fotutrymme belysning

107 Främre taklamp
   a = kartlampa
   b = innerbelysningskontakt
108 Vänster sminkspegel
109 Höger sminkspegel
110 Taklamp i mitten
   a = läslampa
   b = innerbelysningskontakt
111 Kupélampan på förarsidan
112 Kupélampan på passagerarsidan
113 Antenn (i bakruta)
114 Filter
117 Bagageutrymmet ljus

118 Audioenhet
119 Antennförstärkare
121 Telefonanslutning
122 Vänster högtalar i instrumentbräda
123 Höger högtalar i instrumentbräda
124 Vänster högtalar i bakdörren
125 Höger högtalar i bakdörren

## Schema 9

H47135

**Vanlig innerbelysning**

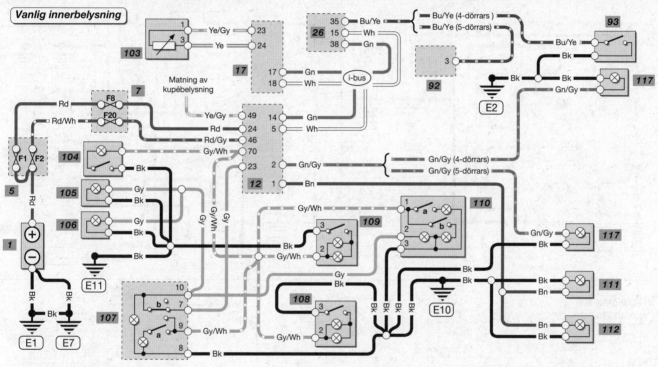

**Vanlig audiosystem**

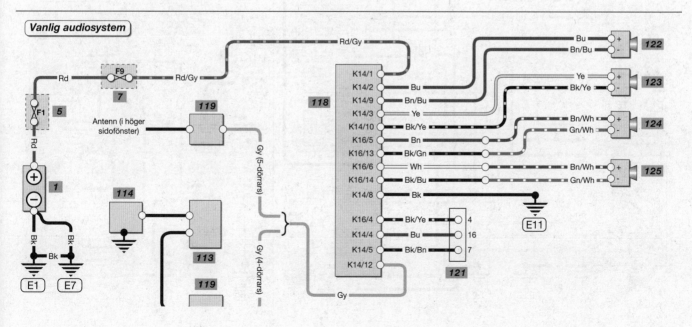

Schema 10

## Kabelfärg

Bu Blå    Rd Röd
Vt Violett Ye Gul
Og Orange  Bn Brun
Pk Rosa    Wh Vit
Gy Grå     Bk Svart
Gn Grön

## Teckenförklaring

1 Batteri
4 Tändningslås
5 Maxi-säkringsdosa
6 Motorsäkringsdosa
7 Säkringsdosan på passagerarsidan
12 DICE styrenhet
50 Tändningskontakt
34 Vänster strålkastarenhet
  e = nivåmotor

35 Höger strålkastarenhet
  e = nivåmotor
130 Strålkastarjustering kontakt
131 Främre torkarmotor
132 Främre spolarpump
133 Främre spolar-/torkarkontakt
  a = spolarkontakt
  b = torkarkontakt
  c = torkarrelä

134 Främre torkarrelä
135 Strålkastarspolarrelä
136 Strålkastarspolarpump
137 Bakre torkarrelä
138 Bakre torkarmotor
139 Bakre spolarpump
140 Bakre spolar-/torkarkontakt
  a = spolarkontakt
  b = torkarkontakt

H47136

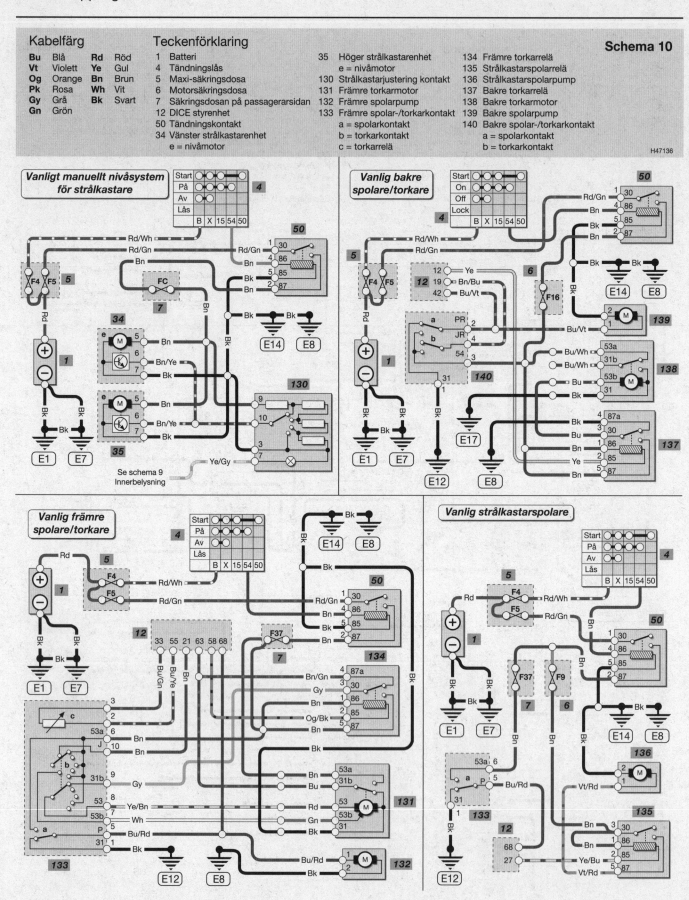

# Mått och vikter

**Observera:** *Alla siffror är ungefärliga och kan variera beroende på modell. Se tillverkarens uppgifter för exakta mått.*

## Dimensioner

Total längd (inklusive stötfångare):
| | |
|---|---|
| Sedan | 4836 mm |
| Kombi | 4841 mm |

Total bredd (inklusive sidobackspeglar) . . . . . . . . . 2042 mm

Total höjd:
| | |
|---|---|
| Sedan | 1454 mm |
| Kombi | 1465 mm |

Axelavstånd . . . . . . . . . . . . . . . . . . . . . . . . . . . . . . 2703 mm

Spårbredd (beroende på hjuldimension):
| | |
|---|---|
| Fram | 1522 mm |
| Bak | 1528 mm |

Höjd över marken (typisk) . . . . . . . . . . . . . . . . . . . . 116 mm

Vändcirkeldiameter:
| | |
|---|---|
| Vägg till vägg | 11,9 m |
| Vägkant till vägkant | 11,3 m |

Bagageutrymmets längd:
Sedan:
| | |
|---|---|
| Baksätet uppfällt | 1092 mm |
| Baksätet nedfällt | 1714 mm |

Kombi:
| | |
|---|---|
| Baksätet uppfällt | 1087 mm |
| Baksätet nedfällt | 1732 mm |

## Vikter

Bilens bruttovikt (GVW):
| | |
|---|---|
| Sedan | 2070 till 2150 kg |
| Kombi | 2140 till 2220 kg |

Fordonets vikt utan förare och last:
| | |
|---|---|
| Kombi | 1525 till 1700 kg |
| Sedan | 1590 till 1775 kg |

Maximal axelbelastning:
Sedan:
| | |
|---|---|
| Framaxel | 1175 kg |
| Bakaxel | 1050 kg |

Kombi:
| | |
|---|---|
| Framaxel | 1175 kg |
| Bakaxel | 1125 kg |

Maximal taklast . . . . . . . . . . . . . . . . . . . . . . . . . . . . 100 kg

Maximal last i bagageutrymmet . . . . . . . . . . . . . . . . 80 kg

Maximal sammanlagd vikt för tak och bagageutrymme:
| | |
|---|---|
| Sedan | 120 kg |
| Kombi | 120 kg |

Max bogseringsvikt:
| | |
|---|---|
| Obromsad släpvagn | 750 kg |
| Släpvagn med bromsar | 1800 kg |

Max belastning på dragkula . . . . . . . . . . . . . . . . . . . 50 till 75 kg

På grund av höga oljepriser, minskande reserver och ökat medvetande om avgasutsläpp har alternativa bränslen kommit i fokus de senaste åren. De tre huvudtyperna av alternativa bränslen i Europa är etanol, biodiesel och gasol (LPG). Etanol och biodiesel används vanligen i blandningar med bensin respektive konventionell diesel. Fordon som kan växla mellan alternativa och konventionella bränslen utan några modifieringar eller återställning från förarens sida kallas FFV (flexible fuel vehicle).

## Etanol

Etanol (etylalkohol) är samma ämne som alkoholen i öl, vin och sprit. Precis som sprit framställs den oftast genom jäsning av vegetabiliska råvaror följt av destillation. Efter destillationen avlägsnas vattnet, och alkoholen blandas med bensin i förhållandet upp till 85 % (därför kallas bränslet E85). Blandningar med upp till 5 % etanol (10 % i USA) kan användas till alla bensindrivna fordon utan ändringar och har redan fått stor spridning eftersom etanolen höjer oktantalet. Blandningar med högre andel etanol kan endast användas i specialbyggda fordon.

Det går att göra motorer som går på 100 % etanol men det kräver mekaniska modifieringar och ökade kompressionstal. Sådana fordon finns i princip bara i länder som t.ex. Brasilien där man har beslutat att ersätta bensinen med etanol. I de flesta fall kan dessa fordon inte köras på bensin med gott resultat.

Etanol förgasas inte lika lätt som bensin under kalla förhållanden. Tidiga FFV-fordon var tvungna att ha en separat tank med ren bensin för kallstarter. I länder med kallt klimat som exempelvis Sverige, minskar man andelen etanol i E85-bränslet till 70 % eller 75 % på vintern. Med vinterblandningen måste man dock fortfarande använda motorblocksvärmare vid temperaturer under -10°C. En del insprutningssystem har en uppvärmd bränslefördelarskena för bättre resultat vid kallstart.

En annan nackdel med etanol är att den innehåller betydligt mindre energi än samma mängd bensin och därför ökar bränsleförbrukningen. Ofta vägs det upp av lägre skatt på etanol. Uteffekten påverkas dock inte nämnvärt eftersom motorstyrningssystemet kompenserar med ökad bränslemängd.

## Modifiering av motorer

En FFV-motor går lika bra med E85, bensin eller en blandning av dessa. Den har ett motorstyrningssystem som känner av andelen alkohol i bränslet och justerar bränslemängden och tändläget därefter. Komponenter som kolvringar, oljetätningar på ventiler och andra delar som kommer i kontakt med bränsle, med start från bränsletanken, är gjorda av material som är beständiga mot alkoholens korrosiva verkan. Tändstift med högre värmetal kan också krävas.

För de flesta moderna bensinmotorer finns det ombyggnadssatser på eftermarknaden. Det bör dock påpekas att om man endast ändrar motorstyrningens mjukvara ('chipping')

kan det leda till problem om komponenterna i bränslesystemet inte är avsedda för alkohol.

## Biodiesel

Biodiesel framställs från grödor som exempelvis raps och från kasserad vegetabilisk olja. Oljan modifieras kemiskt för att få liknande egenskaper som hos vanlig diesel. Allt dieselbränsle som säljs i EU kommer att innehålla 5 % biodiesel under 2010, och alla dieselbilar kommer att kunna använda denna blandning ('B5') utan problem.

En bränsleblandning med 30 % biodiesel ('B30') börjar dyka upp på tankställen även om den inte är allmänt spridd i skrivande stund. Detta bränsle har inte godkänts av alla fordonstillverkare och det är därför klokt att kontrollera med tillverkaren innan användning, särskilt om fordonets garanti fortfarande gäller. Äldre fordon med mekaniskt insprutningssystem påverkas troligen inte negativt. Men common rail-systemen som sitter i moderna fordon är känsliga och kan skadas redan vid mycket små förändringar i bränslets viskositet eller smörjegenskaper.

Det går att göra hemmagjord biodiesel av kasserad olja från restaurangkök; det finns många utrustningar på marknaden för detta syfte. Bränsle som tillverkats på detta sätt är naturligtvis inte certifierat enligt någon norm och ska användas på egen risk. I en del länder beskattas sådant bränsle.

Ren vegetabilisk olja (SVO) kan inte användas i de flesta dieselmotorer utan modifiering av bränslesystemet.

## Modifiering av motorer

Precis som med etanol kan biodiesel angripa gummislangar och packningar i bränslesystemet. Det är därför viktigt att dessa hålls i gott skick och att de är gjorda av rätt material. I övrigt behöver inga större ändringar göras. Det kan dock vara klokt att byta bränslefiltret oftare. Biodiesel är något trögflytande när den är kall, vilket gör att ett smutsigt filter kan vålla problem när det är kallt.

När man använder ren vegetabilisk olja (SVO) måste bränsleledningarna utrustas med en värmeväxlare och ett system för att kunna starta fordonet med konventionellt bränsle. Det finns ombyggnadssatser, men det är något för de verkliga entusiasterna. Precis som med hemmagjord biodiesel, kan användningen vara belagd med skatt.

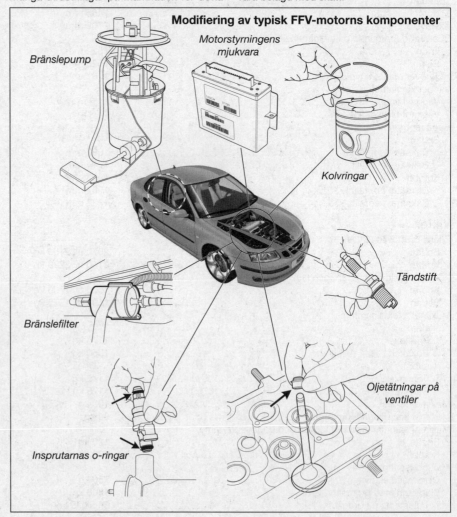

**Modifiering av typisk FFV-motorns komponenter**

Bränslepump — Motorstyrningens mjukvara — Kolvringar — Tändstift — Oljetätningar på ventiler — Insprutarnas o-ringar — Bränslefilter

Reservdelar finns att köpa från ett antal olika ställen, t.ex. Saabverkstäder, tillbehörsbutiker och motorspecialister. För att säkert få rätt del krävs ibland att bilens chassinummer uppges. Ta om möjligt med den gamla delen för säker identifiering. Många delar, t.ex. startmotor och generator, finns att få som fabriksrenoverade utbytesdelar – delar som returneras ska alltid vara rena.

Våra råd när det gäller inköp av reservdelar är följande.

## Auktoriserade märkesverkstäder

Det här är det bästa stället för inköp av reservdelar som är specifika för just din bil och inte allmänt tillgängliga (t.ex. märken, klädsel, vissa karosspaneler etc). Det är även det enda ställe man bör köpa reservdelar från om bilens garanti fortfarande gäller.

## Tillbehörsbutiker

Dessa är ofta bra ställen för inköp av underhållsmaterial (olje-, luft- och bränslefilter, glödlampor, drivremmar, fett, bromsklossar, bättringslack etc.). Tillbehör av detta slag som säljs av välkända butiker håller ofta samma standard som de som används av biltillverkaren.

Förutom delar säljer dessa butiker även verktyg och allmänna tillbehör. De har ofta bra öppettider och något lägre priser. Vissa tillbehörsbutiker har reservdelsdiskar där så gott som alla typer av komponenter kan köpas eller beställas.

## Grossister

Bra grossister lagerhåller alla viktigare komponenter som slits ut relativt snabbt. De kan ibland också tillhandahålla enskilda komponenter som behövs för renovering av större enheter (t.ex. bromstätningar och hydrauldelar, lagerskålar, kolvar och ventiler). Grossister kan i vissa fall också ta hand om arbeten som omborrning av motorblocket, omslipning av vevaxlar etc.

## Specialister på däck och avgassystem

Dessa kan vara oberoende återförsäljare eller ingå i större kedjor. De har ofta bra priser jämfört med märkesverkstäder, men det lönar sig alltid att jämföra priser hos flera försäljare. Kontrollera även vad som ingår vid priskontrollen – ibland ingår t.ex. inte ventiler och balansering vid köp av ett nytt däck.

## Andra inköpsställen

Var misstänksam när det gäller delar som säljs på loppmarknader och liknande. De är inte alltid av usel kvalitet, men det blir svårt att reklamera köpet om de är otillfredsställande. Köper man komponenter som är avgörande för säkerheten, som bromsklossar, på ett sådant ställe riskerar man inte bara sina pengar utan även sin egen och andras säkerhet.

Begagnade delar eller delar från en bildemontering kan i vissa fall vara prisvärda, men sådana inköp bör endast göras av en mycket erfaren hemmamekaniker.

# Identifikationsnummer

Bilens *identifikationsnummer* eller *chassinummer* finns på flera platser på bilen:
a) På en dekal som sitter på nederdelen av passagerarsidans B-stolpe *(se bild)*.
b) Stämplat på mellanväggen baktill i motorrummet *(se bild)*.
c) Till vänster på instrumentbrädan, så att det är synligt genom vindrutans nedre vänstra hörn *(se bild)*.

*Motornumret* är inpräglat på motorblockets vänstra sida

*Växellådans nummer* är tryckt på en plåt på växelhusets främre övre del.

Etiketten med *däcktryck och färgkod* sitter på den framåtvända kanten på passagerardörrens B-stolpe *(se bild)*.

Etikett med VIN fäst på passagerardörrens B-stolpe

VIN-kod instansad på mellanväggen i bakre motorrummet

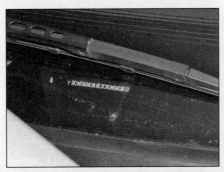
VIN-kod instansad på vänster sida av instrumentbrädan så att den kan avläsas genom vindrutan nere till vänster.

Däcktrycket och färgkoddekalen sitter på framkanten av passagerardörrens B-stolpe

När service, reparationer och renoveringar utförs på en bil eller bildel bör följande beskrivningar och instruktioner följas. Detta för att reparationen ska utföras så effektivt och fackmannamässigt som möjligt.

## Tätningsytor och packningar

Vid isärtagande av delar vid deras tätningsytor ska dessa aldrig bändas isär med skruvmejsel eller liknande. Detta kan orsaka allvarliga skador som resulterar i oljeläckage, kylvätskeläckage etc. efter montering. Delarna tas vanligen isär genom att man knackar längs fogen med en mjuk klubba. Lägg dock märke till att denna metod kanske inte är lämplig i de fall styrstift används för exakt placering av delar.

Där en packning används mellan två ytor måste den bytas vid ihopsättning. Såvida inte annat anges i den aktuella arbetsbeskrivningen ska den monteras torr. Se till att tätningsytorna är rena och torra och att alla spår av den gamla packningen är borttagna. Vid rengöring av en tätningsyta ska sådana verktyg användas som inte skadar den. Små grader och repor tas bort med bryne eller en finskuren fil.

Rensa gängade hål med piprensare och håll dem fria från tätningsmedel då sådant används, såvida inte annat direkt specificeras.

Se till att alla öppningar, hål och kanaler är rena och blås ur dem, helst med tryckluft.

## Oljetätningar

Oljetätningar kan tas ut genom att de bänds ut med en bred spårskruvmejsel eller liknande. Alternativt kan ett antal självgängande skruvar dras in i tätningen och användas som dragpunkter för en tång, så att den kan dras rakt ut.

När en oljetätning tas bort från sin plats, ensam eller som en del av en enhet, ska den alltid kasseras och bytas ut mot en ny.

Tätningsläpparna är tunna och skadas lätt och de tätar inte annat än om kontaktytan är fullständigt ren och oskadad. Om den ursprungliga tätningsytan på delen inte kan återställas till perfekt skick och tillverkaren inte gett utrymme för en viss omplacering av tätningen på kontaktytan, måste delen i fråga bytas ut. Tätningarna bör alltid bytas ut när de har demonterats.

Skydda tätningsläpparna från ytor som kan skada dem under monteringen. Använd tejp eller konisk hylsa där så är möjligt. Smörj läpparna med olja innan monteringen. Om oljetätningen har dubbla läppar ska utrymmet mellan dessa fyllas med fett.

Såvida inte annat anges ska oljetätningar monteras med tätningsläpparna mot det smörjmedel som de ska täta för.

Använd en rörformad dorn eller en träbit i lämplig storlek till att knacka tätningarna på plats. Om sätet är försedd med skuldra, driv tätningen mot den. Om sätet saknar skuldra bör tätningen monteras så att den går jäms med sätets yta (såvida inte annat uttryckligen anges).

## Skruvgängor och infästningar

Muttrar, bultar och skruvar som kärvar är ett vanligt förekommande problem när en komponent har börjat rosta. Bruk av rostupplösningsolja och andra krypsmörjmedel löser ofta detta om man dränker in delen som kärvar en stund innan man försöker lossa den. Slagskruvmejsel kan ibland lossa envist fastsittande infästningar när de används tillsammans med rätt mejselhuvud eller hylsa. Om inget av detta fungerar kan försiktig värmning eller i värsta fall bågfil eller mutterspräckare användas.

Pinnbultar tas vanligen ut genom att två muttrar låses vid varandra på den gängade delen och att en blocknyckel sedan vrider den undre muttern så att pinnbulten kan skruvas ut. Bultar som brutits av under fästytan kan ibland avlägsnas med en lämplig bultutdragare. Se alltid till att gängade bottenhål är helt fria från olja, fett, vatten eller andra vätskor innan bulten monteras. Underlåtenhet att göra detta kan spräcka den del som skruven dras in i, tack vare det hydrauliska tryck som uppstår när en bult dras in i ett vätskefyllt hål

Vid åtdragning av en kronmutter där en saxsprint ska monteras ska muttern dras till specificerat moment om sådant anges, och därefter dras till nästa sprinthål. Lossa inte muttern för att passa in saxsprinten, såvida inte detta förfarande särskilt anges i anvisningarna.

Vid kontroll eller omdragning av mutter eller bult till ett specificerat åtdragningsmoment, ska muttern eller bulten lossas ett kvarts varv och sedan dras åt till angivet moment. Detta ska dock inte göras när vinkelåtdragning använts.

För vissa gängade infästningar, speciellt topplocksbultar/muttrar anges inte åtdragningsmoment för de sista stegen. Istället anges en vinkel för åtdragning. Vanligtvis anges ett relativt lågt åtdragningsmoment för bultar/muttrar som dras i specificerad turordning. Detta följs sedan av ett eller flera steg åtdragning med specificerade vinklar.

## Låsmuttrar, låsbleck och brickor

Varje infästning som kommer att rotera mot en komponent eller en kåpa under åtdragningen ska alltid ha en bricka mellan åtdragningsdelen och kontaktytan.

Fjäderbrickor ska alltid bytas ut när de använts till att låsa viktiga delar som exempelvis lageröverfall. Låsbleck som viks över för att låsa bult eller mutter ska alltid byts ut vid ihopsättning.

Självlåsande muttrar kan återanvändas på mindre viktiga detaljer, under förutsättning att motstånd känns vid dragning över gängen. Kom dock ihåg att självlåsande muttrar förlorar låseffekt med tiden och därför alltid bör bytas ut som en rutinåtgärd.

Saxsprintar ska alltid bytas mot nya i rätt storlek för hålet.

När gänglåsmedel påträffas på gängor på en komponent som ska återanvändas bör man göra ren den med en stålborste och lösningsmedel. Applicera nytt gänglåsningsmedel vid montering.

## Specialverktyg

Vissa arbeten i denna handbok förutsätter användning av specialverktyg som pressar, avdragare, fjäderkompressorer med mera. Där så är möjligt beskrivs lämpliga lättillgängliga alternativ till tillverkarens specialverktyg och hur dessa används. I vissa fall, där inga alternativ finns, har det varit nödvändigt att använda tillverkarens specialverktyg. Detta har gjorts av säkerhetsskäl, likväl som för att reparationerna ska utföras så effektivt och bra som möjligt. Såvida du inte är mycket kunnig och har stora kunskaper om det arbetsmoment som beskrivs, ska du aldrig försöka använda annat än specialverktyg när sådana anges i anvisningarna. Det föreligger inte bara stor risk för personskador, utan kostbara skador kan också uppstå på komponenterna.

## Miljöhänsyn

Vid sluthantering av förbrukad motorolja, bromsvätska, frostskydd etc. ska all vederbörlig hänsyn tas för att skydda miljön. Ingen av ovan nämnda vätskor får hällas ut i avloppet eller direkt på marken. Kommunernas avfallshantering har kapacitet för hantering av miljöfarligt avfall liksom vissa verkstäder. Om inga av dessa finns tillgängliga i din närhet, fråga hälsoskyddskontoret i din kommun om råd.

I och med de allt strängare miljöskyddslagarna beträffande utsläpp av miljöfarliga ämnen från motorfordon har alltfler bilar numera justersäkringar monterade på de mest avgörande justeringspunkterna för bränslesystemet. Dessa är i första hand avsedda att förhindra okvalificerade personer från att justera bränsle/luftblandningen och därmed riskerar en ökning av giftiga utsläpp. Om sådana justersäkringar påträffas under service eller reparationsarbete ska de, närhelst möjligt, bytas eller sättas tillbaka i enlighet med tillverkarens rekommendationer eller aktuell lagstiftning.

Domkraften i bilens verktygssats ska endast användas för hjulbyten – se *Hjulbyte* i början av den här boken. Vid alla andra arbeten ska bilen lyftas med en hydraulisk domkraft (eller garagedomkraft), som alltid ska åtföljas av pallbockar under bilens stödpunkter.

Använder du en garagedomkraft eller pallbockar, ska du alltid ställa domkraftens eller pallbockens huvud under, eller alldeles intill, någon av de relevanta stödpunkterna **(se bild)**. Båda framhjulen kan lyftas upp genom att placera domkraften under fronten på fjädringens kryssrambalk. Båda bakhjulen kan lyftas upp genom att placera domkraften bredvid den bakre bogserögian, alternativt under dragkroken om en sådan finns.

Försök **inte** hissa upp bilen med domkraften under bakaxeln, fotrummet, motorns sump, växellådssumpen eller någon av fjädringens komponenter.

Den domkraft som följer med bilen passar in i stödpunkterna under karmunderstyckena – se *Hjulbyte* i början av den här handboken. Se till att domkraftens huvud sitter korrekt innan du börjar lyfta bilen.

**Arbeta aldrig** under, runt eller nära en lyft bil om den inte har ordentligt stöd på minst två punkter.

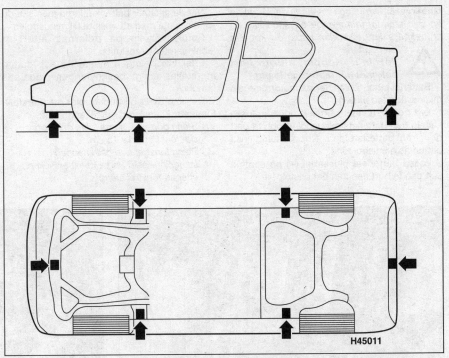

H45011

**Stödpunkter för garagedomkraft**

# Koppla loss batteriet

**Observera:** *Om någon annan ljudanläggning än den standardmonterade används ska du anteckna säkerhetskoden innan du kopplar bort batteriet.*

⚠️ **Varning: Koppla aldrig bort batteriet när motorn är igång.**

Batteriet sitter till vänster på motorrummets mellanvägg **(se bilder).**

Lyft bort batteriets värmeskydd/låda, lossa kabeln från batteriets minuspol (-) och ta bort den från batteristolpen. Koppla alltid loss batteriets minuspol först.

Lossa batteriets pluskabel (+) på samma sätt och ta bort den från batteristolpen.

När du ansluter batterikablarna igen ska du alltid avsluta med att ansluta till minuspolen.

Smörj vaselin på polernas efter att ledningarna återanslutits.

Efter inkopplingen måste tid och datum återställas enligt beskrivningen i ägarens handbok.

Det kan även bli nödvändigt att återställa fönstrets klämskydd på följande sätt:

1) *Stäng dörrarna, starta bilen och öppna sidofönstret cirka 15 cm.*
2) *Stäng fönstret och håll knappen i stängningsläget under minst en sekund efter att fönstret stängts.*

3) *Tryck på nedåt -knappen och låt fönstret öppna sig på egenhand.*
4) *Vänta i minst 1 sekund. Stäng sedan fönstret och håll knappen intryckt tills stängningen bekräftas av en ljudsignal.*

I vissa fall händer det att flera diagnostiska felkoder genereras på grund av att batteriet kopplats ur och in igen. Dessa koder kan man bortse från. De kommer inte att skapas igen efter att en gång ha blivit raderade. Låt en Saab-handlare eller specialiserad verkstad göra detta eftersom det krävs speciell diagnosutrustning för att radera dessa koder.

**Batteriet sitter framme till vänster i motorrummet**

**Koppla alltid loss batteriets minuspol först**

# Stöldskyddssystem för radio/CD-spelare – föreskrifter

Den radio/kassettbandspelare som är standardmonterad i Saab 9-5 är försedd med ett elektroniskt lås, som är unikt för varje bil. När ljudanläggningen slås på utförs ett test, som kontrollerar att fordonets och ljudanläggningens koder stämmer överens. Stämmer de överens slås anläggningen på. I annat fall visas ett meddelande i displayen om att anläggningen är låst och inte går att slå på.

Om en annan radio/kassettbandspelare än standardanläggningen är monterad, kan den vara utrustad med en inbyggd säkerhetskod för att hindra tjuvar. Om strömmen till enheten bryts aktiveras systemet. Även om strömmen omedelbart återställs kommer enheten inte att fungera förrän korrekt kod angetts. Om du inte känner till koden för ljudanläggningen ska du därför **inte** lossa batteriets jordledning eller ta ut enheten ur bilen.

Rådfråga en Saab-verkstad om säkerhetskoden glömts bort eller på något sätt gått förlorad. Vid uppvisande av ägarbevis kan du få en ny säkerhetskod.

## Inledning

En uppsättning bra verktyg är ett grund-läggande krav för var och en som överväger att underhålla och reparera ett motorfordon. För de ägare som saknar sådana kan inköpet av dessa bli en märkbar utgift, som dock uppvägs till en viss del av de besparingar som görs i och med det egna arbetet. Om de anskaffade verktygen uppfyller grund-läggande säkerhets- och kvalitetskrav kommer de att hålla i många år och visa sig vara en värdefull investering.

För att hjälpa bilägaren att avgöra vilka verktyg som behövs för att utföra de arbeten som beskrivs i denna handbok har vi sammanställt tre listor med följande rubriker: Underhåll och mindre reparationer, Reparation och renovering samt Specialverktyg. Ny-börjaren bör starta med det första sortimentet och begränsa sig till enklare arbeten på fordonet. Allt eftersom erfarenhet och själv-förtroende växer kan man sedan prova svårare uppgifter och köpa fler verktyg när och om det behövs. På detta sätt kan den grundläggande verktygssatsen med tiden utvidgas till en reparations- och renoverings-sats utan några större enskilda kontantutlägg. Den erfarne hemmamekanikern har redan en verktygssats som räcker till de flesta reparationer och renoveringar och kommer att välja verktyg från specialkategorin när han känner att utgiften är berättigad för den användning verktyget kan ha.

## Underhåll och mindre reparationer

Verktygen i den här listan ska betraktas som ett minimum av vad som behövs för rutinmässigt underhåll, service och mindre reparationsarbeten. Vi rekommenderar att man köper blocknycklar (ring i ena änden och öppen i den andra), även om de är dyrare än de med öppen ände, eftersom man får båda sorternas fördelar.

☐ Blocknycklar - 8, 9, 10, 11, 12, 13, 14, 15, 17 och 19 mm
☐ Skiftnyckel - 35 mm gap (ca.)
☐ Tändstiftsnyckel (med gummifoder)
☐ Verktyg för justering av tändstiftens elektrodavstånd
☐ Sats med bladmått
☐ Nyckel för avluftning av bromsar
☐ Skruvmejslar:
Spårmejsel - 100 mm lång x 6 mm diameter
Stjärnmejsel - 100 mm lång x 6 mm diameter
☐ Kombinationstång
☐ Bågfil (liten)
☐ Däckpump
☐ Däcktrycksmätare
☐ Oljekanna
☐ Verktyg för demontering av oljefilter
☐ Fin slipduk
☐ Stålborste (liten)
☐ Tratt (medelstor)

## Reparation och renovering

Dessa verktyg är ovärderliga för alla som utför större reparationer på ett motorfordon och tillkommer till de som angivits för Underhåll och mindre reparationer. I denna lista ingår en grundläggande sats hylsor. Även om dessa är dyra, är de oumbärliga i och med sin mång-sidighet - speciellt om satsen innehåller olika typer av drivenheter. Vi rekommenderar 1/2-tums fattning på hylsorna eftersom de flesta momentnycklar har denna fattning.

Verktygen i denna lista kan ibland behöva kompletteras med verktyg från listan för Specialverktyg.

☐ Hylsor, dimensioner enligt föregående lista
☐ Spärrskaft med vändbar riktning (för användning med hylsor) (se bild)
☐ Förlängare, 250 mm (för användning med hylsor)
☐ Universalknut (för användning med hylsor)
☐ Momentnyckel (för användning med hylsor)
☐ Självlåsande tänger
☐ Kulhammare
☐ Mjuk klubba (plast/aluminium eller gummi)
☐ Skruvmejslar:
Spårmejsel - en lång och kraftig, en kort (knubbig) och en smal (elektrikertyp)
Stjärnmejsel - en lång och kraftig och en kort (knubbig)
☐ Tänger:
Spetsnostång/plattång
Sidavbitare (elektrikertyp)
Låsringstång (inre och yttre)
☐ Huggmejsel - 25 mm
☐ Ritspets
☐ Skrapa
☐ Körnare
☐ Purr
☐ Bågfil
☐ Bromsslangklämma
☐ Avluftningssats för bromsar/koppling
☐ Urval av borrar
☐ Stållinjal
☐ Insexnycklar (inkl Torxtyp/med splines) (se bild)

## (höger kolumn)

☐ Sats med filar
☐ Stor stålborste
☐ Pallbockar
☐ Domkraft (garagedomkraft eller stabil pelarmodell)
☐ Arbetslampa med förlängningssladd

## Specialverktyg

Verktygen i denna lista är de som inte används regelbundet, är dyra i inköp eller som måste användas enligt tillverkarens anvis-ningar. Det är bara om du relativt ofta kommer att utföra tämligen svåra jobb som många av dessa verktyg är lönsamma att köpa. Du kan också överväga att gå samman med någon vän (eller gå med i en motorklubb) och göra ett gemensamt inköp, hyra eller låna verktyg om så är möjligt.

Följande lista upptar endast verktyg och instrument som är allmänt tillgängliga och inte sådana som framställs av biltillverkaren speciellt för auktoriserade verkstäder. Ibland nämns dock sådana verktyg i texten. I allmänhet anges en alternativ metod att utföra arbetet utan specialverktyg. Ibland finns emellertid inget alternativ till tillverkarens specialverktyg. När så är fallet och relevant verktyg inte kan köpas, hyras eller lånas har du inget annat val än att lämna bilen till en auktoriserad verkstad.

☐ Ventilfjäderkompressor (se bild)
☐ Ventilslipningsverktyg
☐ Kolvringskompressor (se bild)
☐ Verktyg för demontering/montering av kolvringar (se bild)
☐ Honingsverktyg (se bild)
☐ Kulledsavdragare
☐ Spiralfjäderkompressor (där tillämplig)
☐ Nav/lageravdragare, två/tre ben (se bild)
☐ Slagskruvmejsel
☐ Mikrometer och/eller skjutmått (se bilder)
☐ Indikatorklocka (se bild)
☐ Stroboskoplampa
☐ Kamvinkelmätare/varvräknare
☐ Multimeter

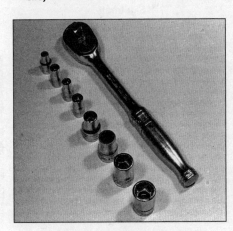

**Hylsor och spärrskaft**

**Bits med splines/torx**

Nycklar med splines/torx

Ventilfjäderkompressor (ventilbåge)

Kolvringskompressor

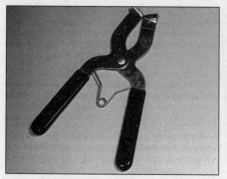

Verktyg för demontering och montering av kolvringar

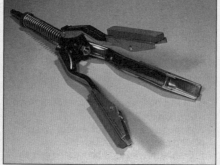

Honingsverktyg

Trebent avdragare för nav och lager

Mikrometerset

Skjutmått

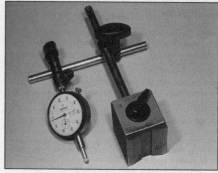

Indikatorklocka med magnetstativ

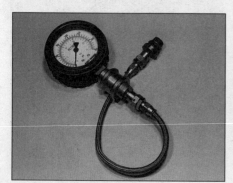

Kompressionsmätare

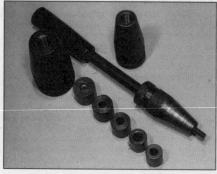

Centreringsverktyg för koppling

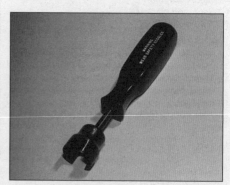

Demonteringsverktyg för bromsbackarnas fjäderskålar

☐ Kompressionsmätare *(se bild)*
☐ Handmanövrerad vakuumpump och mätare
☐ Centreringsverktyg för koppling *(se bild)*
☐ Verktyg för demontering av
 bromsbackarnas fjäderskålar *(se bild)*
☐ Sats för montering/demontering av
 bussningar och lager *(se bild)*
☐ Bultutdragare *(se bild)*
☐ Gängverktygssats *(se bild)*
☐ Lyftblock
☐ Garagedomkraft

## Inköp av verktyg

När det gäller inköp av verktyg är det i regel bättre att vända sig till en specialist som har ett större sortiment än t ex tillbehörsbutiker och bensinmackar. Tillbehörsbutiker och andra försöljningsställen kan dock erbjuda utmärkta verktyg till låga priser, så det kan löna sig att söka.

Det finns gott om bra verktyg till låga priser, men se till att verktygen uppfyller grundläggande krav på funktion och säkerhet. Fråga gärna någon kunnig person om råd före inköpet.

## Vård och underhåll av verktyg

Efter inköp av ett antal verktyg är det nödvändigt att hålla verktygen rena och i fullgott skick. Efter användning, rengör alltid verktygen innan de läggs undan. Låt dem inte ligga framme sedan de använts. En enkel upphängningsanordning på väggen för t ex skruvmejslar och tänger är en bra idé. Nycklar och hylsor bör förvaras i metalllådor. Mätinstrument av skilda slag ska förvaras på platser där de inte kan komma till skada eller börja rosta.

Lägg ner lite omsorg på de verktyg som används. Hammarhuvuden får märken och skruvmejslar slits i spetsen med tiden. Lite polering med slippapper eller en fil återställer snabbt sådana verktyg till gott skick igen.

## Arbetsutrymmen

När man diskuterar verktyg får man inte glömma själva arbetsplatsen. Om mer än rutinunderhåll ska utföras bör man skaffa en lämplig arbetsplats.

Vi är medvetna om att många ägare/mekaniker av omständigheterna tvingas att lyfta ur motor eller liknande utan tillgång till garage eller verkstad. Men när detta är gjort ska fortsättningen av arbetet göras inomhus.

Närhelst möjligt ska isärtagning ske på en ren, plan arbetsbänk eller ett bord med passande arbetshöjd.

En arbetsbänk behöver ett skruvstycke. En käftöppning om 100 mm räcker väl till för de flesta arbeten. Som tidigare sagts, ett rent och torrt förvaringsutrymme krävs för verktyg liksom för smörjmedel, rengöringsmedel, bättringslack (som också måste förvaras frostfritt) och liknande.

Ett annat verktyg som kan behövas och som har en mycket bred användning är en elektrisk borrmaskin med en chuckstorlek om minst 8 mm. Denna, tillsammans med en sats spiralborrar, är i praktiken oumbärlig för montering av tillbehör.

Sist, men inte minst, ha alltid ett förråd med gamla tidningar och rena luddfria trasor tillgängliga och håll arbetsplatsen så ren som möjligt.

Sats för demontering och montering av lager och bussningar

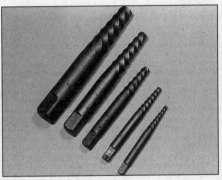
Bultutdragare

Gängverktygssats

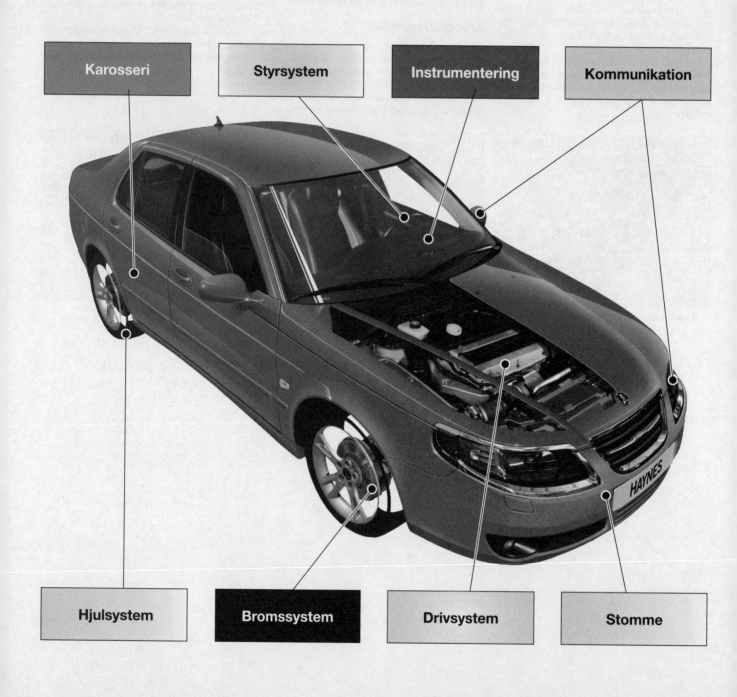

Karosseri

Styrsystem

Instrumentering

Kommunikation

Hjulsystem

Bromssystem

Drivsystem

Stomme

Vanliga personbilar kontrollbesiktigas första gången efter tre år, andra gången två år senare och därefter varje år. Åldern på bilen räknas från det att den tas i bruk, oberoende av årsmodell, och den måste genomgå besiktning inom fem månader.

Tiden på året då fordonet kallas till besiktning bestäms av sista siffran i registreringsnumret, enligt tabellen nedan.

| Slutsiffra | Besiktningsperiod |
| --- | --- |
| 1 | november t.o.m. mars |
| 2 | december t.o.m. april |
| 3 | januari t.o.m. maj |
| 4 | februari t.o.m. juni |
| 5 | maj t.o.m. september |
| 6 | juni t.o.m. oktober |
| 7 | juli t.o.m. november |
| 8 | augusti t.o.m. december |
| 9 | september t.o.m. januari |
| 0 | oktober t.o.m. februari |

Om fordonet har ändrats, byggts om eller om särskild utrustning har monterats eller demonterats, måste du som fordonsägare göra en registreringsbesiktning inom en månad. I vissa fall räcker det med en begränsad registreringsbesiktning, t.ex. för draganordning, taklucka, taxiutrustning etc.

## Efter besiktningen

Nedan visas de system och komponenter som kontrolleras och bedöms av besiktaren på Svensk Bilprovning. Efter besiktningen erhåller du ett protokoll där eventuella anmärkningar noterats.

Har du fått en 2x i protokollet (man kan ha max 3 st 2x) behöver du inte ombesiktiga bilen, men är skyldig att själv åtgärda felet snarast möjligt. Om du inte åtgärdar felen utan återkommer till Svensk Bilprovning året därpå med samma fel, blir dessa automatiskt 2:or som då måste ombesiktigas. Har du en eller flera 2x som ej är åtgärdade och du blir intagen i en flygande besiktning av polisen, blir dessa automatiskt 2:or som måste ombesiktigas. I detta läge får du även böta.

Om du har fått en tvåa i protokollet är fordonet alltså inte godkänt. Felet ska åtgärdas och bilen ombesiktigas inom en månad.

En trea innebär att fordonet har så stora brister att det anses mycket trafikfarligt. Körförbud inträder omedelbart.

### Karosseri

- Dörr
- Skärm
- Vindruta
- Säkerhetsbälten
- Lastutrymme
- Övrigt

Vanliga anmärkningar:
Skadad vindruta
Vassa kanter
Glappa gångjärn

### Styrsystem

- Styrled
- Styrväxel
- Hjälpstyrarm
- Övrigt

Vanliga anmärkningar:
Glapp i styrleder
Skadade styrväxeldamasker

### Instrumentering

- Hastighetsmätare
- Taxameter
- Varningslampor
- Övrigt

### Kommunikation

- Vindrutetorkare
- Vindrutespolare
- Backspegel
- Strålkastarinställning
- Strålkastare
- Signalhorn
- Sidoblinkers
- Parkeringsljus fram
                    bak
- Blinkers
- Bromsljus
- Reflex
- Nummerplåts-
  belysning
- Övrigt

Vanliga anmärkningar:
Felaktig ljusbild
Skadad strålkastare
Ej fungerande parkeringsljus
Ej fungerande bromsljus

### Hjulsystem

- Däck
- Stötdämpare
- Hjullager
- Spindelleder
- Länkarm fram
            bak
- Fjäder
- Fjädersäte
- Övrigt

Vanliga anmärkningar:
Glapp i spindelleder
Utslitna däck
Dåliga stötdämpare
Rostskadade fjädersäten
Brustna fjädrar
Rostskadade länkarms-
    infästningar

### Bromssystem

- Fotbroms fram
            bak
            rörelseres.
- Bromsrör
- Bromsslang
- Handbroms
- Övrigt

Vanliga anmärkningar:
Otillräcklig bromsverkan på
    handbromsen
Ojämn bromsverkan på
    fotbromsen
Anliggande bromsar på
    fotbromsen
Rostskadade bromsrör
Skadade bromsslangar

### Drivsystem

- Avgasrening, EGR-
  system (-88)
- Avgasrening
- Bränslesystem
- Avgassystem
- Avgaser (CO, HC)
- Kraftöverföring
- Drivknut
- Elförsörjning
- Batteri
- Övrigt

Vanliga anmärkningar:
Höga halter av CO
Höga halter av HC
Läckage i avgassystemet
Ej fungerande EGR-ventil
Skadade drivknutsdamasker
Löst batteri

### Stomme

- Sidobalk
- Tvärbalk
- Golv
- Hjulhus
- Övrigt

Vanliga anmärkningar:
Rostskador i sidobalkar, golv
och hjulhus

## 1 Kontroller som utförs från förarsätet

### Handbroms

☐Kontrollera att handbromsen fungerar ordentligt utan för stort spel i spaken. För stort spel tyder på att bromsen eller bromsvajern är felaktigt justerad.
☐Kontrollera att handbromsen inte kan läggas ur genom att spaken förs åt sidan. Kontrollera även att handbromsspaken är ordentligt monterad.

### Fotbroms

☐Tryck ner bromspedalen och håll den nedtryckt i ca 30 sek. Kontrollera att den inte sjunker ner mot golvet, vilket tyder på fel på huvudcylindern. Släpp pedalen, vänta ett par sekunder och tryck sedan ner den igen. Om pedalen tar långt ner måste broms-arna justeras eller repareras. Om pedalens rörelse känns "svampig" finns det luft i bromssystemet som då måste luftas.

☐Kontrollera att bromspedalen sitter fast ordentligt och att den är i bra skick. Kontrollera även om det finns tecken på oljeläckage på bromspedalen, golvet eller mattan eftersom det kan betyda att packningen i huvudcylindern är trasig.
☐Om bilen har bromsservo kontrolleras denna genom att man upprepade gånger trycker ner bromspedalen och sedan startar motorn med pedalen nertryckt. När motorn startar skall pedalen sjunka något. Om inte kan vakuumslangen eller själva servoenheten vara trasig.

### Ratt och rattstång

☐Känn efter att ratten sitter fast. Undersök om det finns några sprickor i ratten eller om några delar på den sitter löst.

☐Rör på ratten uppåt, nedåt och i sidled. Fortsätt att röra på ratten samtidigt som du vrider lite på den från vänster till höger.
☐Kontrollera att ratten sitter fast ordentligt på rattstången, vilket annars kan tyda på slitage eller att fästmuttern sitter löst. Om ratten går att röra onaturligt kan det tyda på att rattstångens bärlager eller kopplingar är slitna.

### Rutor och backspeglar

☐Vindrutan måste vara fri från sprickor och andra skador som kan vara irriterande eller hindra sikten i förarens synfält. Sikten får inte heller hindras av t.ex. ett färgat eller reflekterande skikt. Samma regler gäller även för de främre sidorutorna.
☐Backspeglarna måste sitta fast ordentligt och vara hela och ställbara.

### Säkerhetsbälten och säten

**Observera:** *Kom ihåg att alla säkerhetsbälten måste kontrolleras - både fram och bak.*
☐Kontrollera att säkerhetsbältena inte är slitna, fransiga eller trasiga i väven och att alla låsmekanismer och rullmekanismer fungerar obehindrat. Se även till att alla infästningar till säkerhetsbältena sitter säkert.

☐Framsätena måste vara ordentligt fastsatta och om de är fällbara måste de vara låsbara i uppfällt läge.

### Dörrar

☐Framdörrarna måste gå att öppna och stänga från både ut- och insidan och de måste gå ordentligt i lås när de är stängda. Gångjärnen ska sitta säkert och inte glappa eller kärva onormalt.

## 2 Kontroller som utförs med bilen på marken

### Registreringsskyltar

☐Registreringsskyltarna måste vara väl synliga och lätta att läsa av, d v s om bilen är mycket smutsig kan det ge en anmärkning.

### Elektrisk utrustning

☐Slå på tändningen och kontrollera att signalhornet fungerar och att det avger en jämn ton.
☐Kontrollera vindrutetorkarna och vindrutespolningen. Svephastigheten får inte vara extremt låg, svepytan får inte vara för liten och torkarnas viloläge ska inte vara inom förarens synfält. Byt ut gamla och skadade torkarblad.

☐Kontrollera att strålkastarna fungerar och att de är rätt inställda. Reflektorerna får inte vara skadade, lampglasen måste vara hela och lamporna måste vara ordentligt fastsatta. Kontrollera även att bromsljusen fungerar och att det inte krävs högt pedaltryck för att tända dem. (Om du inte har någon medhjälpare kan du kontrollera bromsljusen genom att backa upp bilen mot en garageport, vägg eller liknande reflekterande yta.)
☐Kontrollera att blinkers och varningsblinkers fungerar och att de blinkar i normal hastighet. Parkeringsljus och bromsljus får inte påverkas av blinkers. Om de påverkas beror detta oftast på jordfel. Se också till att alla övriga lampor på bilen är hela och fungerar som de ska och att t.ex. extraljus inte är placerade så att de skymmer föreskriven belysning.
☐Se även till att batteri, elledningar, reläer och liknande sitter fast ordentligt och att det inte föreligger någon risk för kortslutning

### Fotbroms

☐Undersök huvudbromscylindern, bromsrören och servoenheten. Leta efter läckage, rost och andra skador.

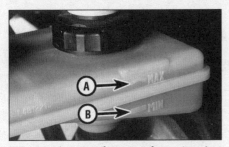

☐ Bromsvätskebehållaren måste sitta fast ordentligt och vätskenivån skall vara mellan max- (A) och min- (B) markeringarna.

☐ Undersök båda främre bromsslangarna efter sprickor och förslitningar. Vrid på ratten till fullt rattutslag och se till att broms-slangarna inte tar i någon del av styrningen eller upphängningen. Tryck sedan ner broms-pedalen och se till att det inte finns några läckor eller blåsor på slangarna under tryck.

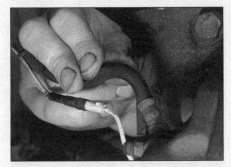

## Styrning

☐ Be någon vrida på ratten så att hjulen vrids något. Kontrollera att det inte är för stort spel mellan rattutslaget och styrväxeln vilket kan tyda på att rattstångslederna, kopplingen mellan rattstången och styrväxeln eller själva styrväxeln är sliten eller glappar.

☐ Vrid sedan ratten kraftfullt åt båda hållen så att hjulen vrids något. Undersök då alla damasker, styrleder, länksystem, rörkopp-lingar och anslutningar/fästen. Byt ut alla delar som verkar utslitna eller skadade. På bilar med servostyrning skall servopumpen, driv-remmen och slangarna kontrolleras.

## Stötdämpare

☐ Tryck ned hörnen på bilen i tur och ordning och släpp upp. Bilen skall gunga upp och sedan gå tillbaka till ursprungsläget. Om bilen

fortsätter att gunga är stötdämparna dåliga. Stötdämpare som kärvar påtagligt gör också att bilen inte klarar besiktningen. (Observera att stötdämpare kan saknas på vissa fjäder-system.)

☐ Kontrollera också att bilen står rakt och ungefär i rätt höjd.

## Avgassystem

☐ Starta motorn medan någon håller en trasa över avgasröret och kontrollera sedan att avgassystemet inte läcker. Reparera eller byt ut de delar som läcker.

## Kaross

☐ Skador eller korrosion/rost som utgörs av vassa eller i övrigt farliga kanter med risk för personskada medför vanligtvis att bilen måste repareras och ombesiktas. Det får inte heller finnas delar som sitter påtagligt löst.

☐ Det är inte tillåtet att ha utskjutande detaljer och anordningar med olämplig utformning eller placering (prydnadsföremål, antenn-fästen, viltfångare och liknande).

☐ Kontrollera att huvlås och säkerhetsspärr fungerar och att gångjärnen inte sitter löst eller på något vis är skadade.

☐ Se också till att stänkskydden täcker hela däckets bredd.

## 3 Kontroller som utförs med bilen upphissad och med fria hjul

*Lyft upp både fram- och bakvagnen och ställ bilen på pallbockar. Placera pall-bockarna så att de inte tar i fjäder-upphängningen. Se till att hjulen inte tar i marken och att de går att vrida till fullt rattutslag. Om du har begränsad utrust-ning går det naturligtvis bra att lyfta upp en ände i taget.*

## Styrsystem

☐ Be någon vrida på ratten till fullt rattutslag. Kontrollera att alla delar i styrningen går mjukt och att ingen del av styrsystemet tar i någonstans.

☐ Undersök kuggstångsdamaskerna så att de inte är skadade eller att metallklämmorna glappar. Om bilen är utrustad med servo-styrning ska slangar, rör och kopplingar kontrolleras så att de inte är skadade eller

läcker. Kontrollera också att styrningen inte är onormalt trög eller kärvar. Undersök länk-armar, krängningshämmare, styrstag och styrleder och leta efter glapp och rost.

☐ Se även till att ingen saxpinne eller liknande låsmekanism saknas och att det inte finns gravrost i närheten av någon av styrmeka-nismens fästpunkter.

## Upphängning och hjullager

☐ Börja vid höger framhjul. Ta tag på sidorna av hjulet och skaka det kraftigt. Se till att det inte glappar vid hjullager, spindelleder eller vid upphängningens infästningar och leder.

☐ Ta nu tag upptill och nedtill på hjulet och upprepa ovanstående. Snurra på hjulet och undersök hjullagret angående missljud och glapp.

☐ Om du misstänker att det är för stort spel vid en komponents led kan man kontrollera detta genom att använda en stor skruvmejsel eller liknande och bända mellan infästningen och komponentens fäste. Detta visar om det är bussningen, fästskruven eller själva infäst-ningen som är sliten (bulthålen kan ofta bli uttänjda).

☐ Kontrollera alla fyra hjulen.

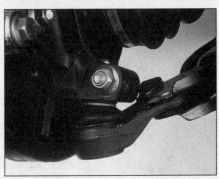

## Fjädrar och stötdämpare

☐ Undersök fjäderbenen (där så är tillämpligt) angående större läckor, korrosion eller skador i godset. Kontrollera också att fästena sitter säkert.

☐ Om bilen har spiralfjädrar, kontrollera att dessa sitter korrekt i fjädersätena och att de inte är utmattade, rostiga, spruckna eller av.

☐ Om bilen har bladfjädrar, kontrollera att alla bladen är hela, att axeln är ordentligt fastsatt mot fjädrarna och att fjäderöglorna, bussningarna och upphängningarna inte är slitna.

☐ Liknande kontroll utförs på bilar som har annan typ av upphängning såsom torsionfjädrar, hydraulisk fjädring etc. Se till att alla infästningar och anslutningar är säkra och inte utslitna, rostiga eller skadade och att den hydrauliska fjädringen inte läcker olja eller på annat sätt är skadad.

☐ Kontrollera att stötdämparna inte läcker och att de är hela och oskadade i övrigt samt se till att bussningar och fästen inte är utslitna.

## Drivning

☐ Snurra på varje hjul i tur och ordning. Kontrollera att driv-/kardanknutar inte är lösa, glappa, spruckna eller skadade. Kontrollera också att skyddsbälgarna är intakta och att driv-/kardanaxlar är ordentligt fastsatta, raka och oskadade. Se även till att inga andra detaljer i kraftöverföringen är glappa, lösa, skadade eller slitna.

## Bromssystem

☐ Om det är möjligt utan isärtagning, kontrollera hur bromsklossar och bromsskivor ser ut. Se till att friktionsmaterialet på bromsbeläggen (A) inte är slitet under 2 mm och att bromsskivorna (B) inte är spruckna, gropiga, repiga eller utslitna.

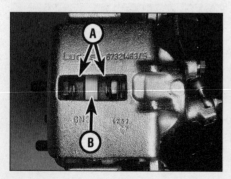

☐ Undersök alla bromsrör under bilen och bromsslangarna bak. Leta efter rost, skavning och övriga skador på ledningarna och efter tecken på blåsor under tryck, skavning, sprickor och förslitning på slangarna. (Det kan vara enklare att upptäcka eventuella sprickor på en slang om den böjs något.)

☐ Leta efter tecken på läckage vid bromsoken och på bromssköldarna. Reparera eller byt ut delar som läcker.

☐ Snurra sakta på varje hjul medan någon trycker ned och släpper upp bromspedalen. Se till att bromsen fungerar och inte ligger an när pedalen inte är nedtryckt.

☐ Undersök handbromsmekanismen och kontrollera att vajern inte har fransat sig, är av eller väldigt rostig eller att länksystemet är utslitet eller glappar. Se till att handbromsen fungerar på båda hjulen och inte ligger an när den läggs ur.

☐ Det är inte möjligt att prova bromsverkan utan specialutrustning, men man kan göra ett körtest och prova att bilen inte drar åt något håll vid en kraftig inbromsning.

## Bränsle- och avgassystem

☐ Undersök bränsletanken (inklusive tanklock och påfyllningshals), fastsättning, bränsleledningar, slangar och anslutningar. Alla delar måste sitta fast ordentligt och får inte läcka.

☐ Granska avgassystemet i hela dess längd beträffande skadade, avbrutna eller saknade upphängningar. Kontrollera systemets skick beträffande rost och se till att rörklämmorna är säkert monterade. Svarta sotavlagringar på avgassystemet tyder på ett annalkande läckage.

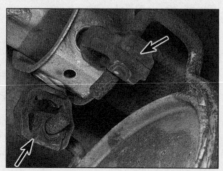

## Hjul och däck

☐ Undersök i tur och ordning däcksidorna och slitbanorna på alla däcken. Kontrollera att det inte finns några skärskador, revor eller bulor och att korden inte syns p g a utslitning eller skador. Kontrollera att däcket är korrekt monterat på fälgen och att hjulet inte är deformerat eller skadat.

☐ Se till att det är rätt storlek på däcken för bilen, att det är samma storlek och däcktyp på samma axel och att det är rätt lufttryck i däcken. Se också till att inte ha dubbade och odubbade däck blandat. (Dubbade däck får användas under vinterhalvåret, från 1 oktober till första måndagen efter påsk.)

☐ Kontrollera mönsterdjupet på däcken – minsta tillåtna mönsterdjup är 1,6 mm. Onormalt däckslitage kan tyda på felaktig framhjulsinställning.

## Korrosion

☐ Undersök alla bilens bärande delar efter rost. (Bärande delar innefattar underrede, tröskellådor, tvärbalkar, stolpar och all upphängning, styrsystemet, bromssystemet samt bältesinfästningarna.) Rost som avsevärt har reducerat tjockleken på en bärande yta medför troligtvis en tvåa i besiktningsprotokollet. Sådana skador kan ofta vara svåra att reparera själv.

☐ Var extra noga med att kontrollera att inte rost har gjort det möjligt för avgaser att tränga in i kupén. Om så är fallet kommer fordonet ovillkorligen inte att klara besiktningen och dessutom utgör det en stor trafik- och hälsofara för dig och dina passagerare.

### 4 Kontroller som utförs på bilens avgassystem

## Bensindrivna modeller

☐ Starta motorn och låt den bli varm. Se till att tändningen är rätt inställd, att luftfiltret är rent och att motorn går bra i övrigt.

☐ Varva först upp motorn till ca 2500 varv/min och håll den där i ca 20 sekunder. Låt den sedan gå ner till tomgång och iaktta avgasutsläppen från avgasröret. Om tomgången är onaturligt hög eller om tät blå eller klart synlig svart rök kommer ut med avgaserna i mer än 5 sekunder så kommer bilen antagligen inte att klara besiktningen. I regel tyder blå rök på att motorn är sliten och förbränner olja medan svart rök tyder på att motorn inte förbränner bränslet ordentligt (smutsigt luftfilter eller annat förgasar- eller bränslesystemfel).

☐ Vad som då behövs är ett instrument som kan mäta koloxid (CO) och kolväten (HC). Om du inte har möjlighet att låna eller hyra ett dylikt instrument kan du få hjälp med det på en verkstad för en mindre kostnad.

## CO- och HC-utsläpp

☐ För närvarande är högsta tillåtna gränsvärde för CO- och HC-utsläpp för bilar av årsmodell 1989 och senare (d v s bilar med katalysator enligt lag) 0,5% CO och 100 ppm HC.

På tidigare årsmodeller testas endast CO-halten och följande gränsvärden gäller:

| | |
|---|---|
| årsmodell 1985-88 | 3,5% CO |
| årsmodell 1971-84 | 4,5% CO |
| årsmodell -1970 | 5,5% CO. |

Bilar av årsmodell 1987-88 med frivilligt monterad katalysator bedöms enligt 1989 års komponentkrav men 1985 års utsläppskrav.

☐ Om CO-halten inte kan reduceras tillräckligt för att klara besiktningen (och bränsle- och tändningssystemet är i bra skick i övrigt) ligger problemet antagligen hos förgasaren/bränsleinsprutningsystemet eller katalysatorn (om monterad).

☐ Höga halter av HC kan orsakas av att motorn förbränner olja men troligare är att motorn inte förbränner bränslet ordentligt.

## Dieseldrivna modeller

☐ Det enda testet för avgasutsläpp på dieseldrivna bilar är att man mäter röktätheten. Testet innebär att man varvar motorn kraftigt upprepade gånger.

**Observera:** *Det är oerhört viktigt att motorn är rätt inställd innan provet genomförs.*

☐ Mycket rök kan orsakas av ett smutsigt luftfilter. Om luftfiltret inte är smutsigt men bilen ändå avger mycket rök kan det vara nödvändigt att söka experthjälp för att hitta orsaken.

## 5 Körtest

☐ Slutligen, provkör bilen. Var extra uppmärksam på eventuella missljud, vibrationer och liknande.

☐ Om bilen har automatväxellåda, kontrollera att den endast går att starta i lägena P och N. Om bilen går att starta i andra växellägen måste växelväljarmekanismen justeras.

☐ Kontrollera också att hastighetsmätaren fungerar och inte är missvisande.

☐ Se till att ingen extrautrustning i kupén, t ex biltelefon och liknande, är placerad så att den vid en eventuell kollision innebär ökad risk för personskada.

☐ Bilen får inte dra åt något håll vid normal körning. Gör också en hastig inbromsning och kontrollera att bilen inte då drar åt något håll. Om kraftiga vibrationer känns vid inbromsning kan det tyda på att bromsskivorna är skeva och bör bytas eller fräsas om. (Inte att förväxlas med de låsningsfria bromsarnas karakteristiska vibrationer.)

☐ Om vibrationer känns vid acceleration, hastighetsminskning, vid vissa hastigheter eller hela tiden, kan det tyda på att drivknutar eller drivaxlar är slitna eller defekta, att hjulen eller däcken är felaktiga eller skadade, att hjulen är obalanserade eller att styrleder, upphängningens leder, bussningar eller andra komponenter är slitna.

## Motor

- ☐ Motorn går inte runt vid startförsök
- ☐ Startmotorn vrider runt motorn långsamt
- ☐ Motorn går runt, men startar inte
- ☐ Motorn är svårstartad när den är kall
- ☐ Motorn är svårstartad när den är varm
- ☐ Startmotorn ger i från sig oljud eller kärvar
- ☐ Motorn startar, men stannar omedelbart
- ☐ Ojämn tomgång
- ☐ Motorn feltänder vid tomgång
- ☐ Motorn feltänder vid alla varvtal
- ☐ Överstegring av motorn
- ☐ Långsam acceleration
- ☐ Låg motorkapacitet
- ☐ Motorn misständer
- ☐ Varningslampan för oljetryck lyser när motorn är igång
- ☐ Glödtändning
- ☐ Motorljud

## Kylsystem

- ☐ Överhettning
- ☐ Alltför stark avkylning
- ☐ Yttre kylvätskeläckage
- ☐ Inre kylvätskeläckage
- ☐ Korrosion

## Bränsle- och avgassystem

- ☐ Överdriven bränsleförbrukning
- ☐ Bränsleläckage och/eller bränslelukt
- ☐ Störande oljud eller för mycket avgaser från avgassystemet

## Koppling

- ☐ Pedalen går i golvet – inget tryck eller mycket lite motstånd
- ☐ Kopplingen tar inte (det går inte att lägga i växlar)
- ☐ Kopplingen slirar (motorvarvtalet ökar utan att hastigheten ökar)
- ☐ Skakningar vid frikoppling
- ☐ Missljud när kopplingspedalen trycks ner eller släpps upp

## Manuell växellåda

- ☐ Växelspaken skakar
- ☐ Svårt att lägga i växlar
- ☐ Växeln hoppar ur
- ☐ Vibrationer
- ☐ Missljud i friläge när motorn går
- ☐ Missljud när en speciell växel ligger i
- ☐ Smörjmedelsläckage

## Automatisk växellåda

- ☐ Oljeläckage
- ☐ Växellådsoljan är brun eller luktar bränt
- ☐ Allmänna problem med växlingen
- ☐ Växellådan växlar inte ner (kickdown) när gaspedalen är helt nedtryckt
- ☐ Motorn startar inte på någon växel, eller startar på andra växlar än Park eller Neutral
- ☐ Växellådan slirar, växlar trögt, låter illa eller är utan drift i framväxlarna eller backen

## Drivaxlar

- ☐ Klickande eller knackande ljud vid svängar (i låg fart med fullt rattutslag)
- ☐ Vibrationer vid acceleration eller inbromsning

## Bromssystem

- ☐ Bilen drar åt ena sidan vid inbromsning
- ☐ Oljud (slipljud eller högt gnisslande) vid inbromsning
- ☐ Bromspedalen känns svampig vid nedtryckning
- ☐ Överdriven pedalväg
- ☐ Överdriven pedalkraft krävs för att stanna bilen
- ☐ Skakningar i bromspedal eller ratt vid inbromsning
- ☐ Bromsarna kärvar
- ☐ Bakhjulen låser sig vid normal inbromsning

## Fjädrings- och styrningssystem

- ☐ Bilen drar åt ena sidan
- ☐ Hjulen vinglar och skakar
- ☐ Överdrivna krängningar och/eller nigningar vid kurvtagning eller bromsning
- ☐ Vandrande eller allmän instabilitet
- ☐ Överdrivet stel styrning
- ☐ Överdrivet spel i styrningen
- ☐ Bristande servoeffekt
- ☐ Betydande däckslitage

## Elsystem

- ☐ Batteriet laddar ur på bara ett par dagar
- ☐ Tändningslampan fortsätter lysa när motorn går
- ☐ Tändningslampan tänds inte
- ☐ Ljusen fungerar inte
- ☐ Instrumentavläsningarna missvisande eller ryckiga
- ☐ Signalhornet fungerar dåligt eller inte alls
- ☐ Vindrute-/bakrutetorkarna fungerar dåligt eller inte alls
- ☐ Vindrute-/bakrutespolarna fungerar dåligt eller inte alls
- ☐ De elektriska fönsterhissarna fungerar dåligt eller inte alls
- ☐ Centrallåset fungerar dåligt eller inte alls

# Inledning

De fordonsägare som underhåller sina bilar inom rekommenderade intervall kommer inte att behöva använda den här delen av handboken ofta. Idag är bilens delar så pålitliga att om de inspekteras eller byts med rekommenderade mellanrum är plötsliga haverier tämligen sällsynta. Fel uppstår vanligen inte plötsligt, de utvecklas med tiden. Speciellt större mekaniska haverier föregås vanligen av karakteristiska symptom under hundra- eller tusentals kilometer. De komponenter som vanligen havererar utan föregående varning är i regel små och lätta att ha med i bilen.

Vid all felsökning är det första steget att bestämma var man ska börja söka. Ibland är detta uppenbart, men ibland behövs lite detektivarbete. En bilägare som gör ett halvdussin slumpvisa justeringar eller komponentbyten kan lyckas åtgärda ett fel (eller dess symptom), men han eller hon kommer inte veta vad felet beror på om det uppstår igen. Till sist kommer bilägaren att ha lagt ner mer tid eller pengar än vad som var nödvändigt. Ett lugnt och metodiskt tillvägagångssätt är bättre i det långa loppet. Försök alltid tänka på vilka varningstecken eller avvikelser från det normala som förekommit

tiden före felet – strömförlust, höga eller låga mätaravläsningar, ovanliga lukter etc. Kom ihåg att defekta komponenter som säkringar eller tändstift kanske bara är tecken på ett bakomliggande fel.

Följande sidor fungerar som en enkel guide till de vanligaste problemen som kan uppstå med bilen. Problemen och deras möjliga orsaker grupperas under rubriker för olika komponenter eller system som Motorn, Kylsystemet etc. Kapitel och/eller avsnitt som tar upp detta problem visas inom parentes. Se den aktuella delen i kapitlet för systemspecifik information. Oavsett fel finns vissa grundläggande principer. Dessa är:

*Bekräfta felet.* Detta görs helt enkelt för att kontrollera att symptomen är kända innan arbetet påbörjas. Detta är extra viktigt om du undersöker ett fel åt någon annan som kanske inte har beskrivit problemet korrekt.

*Förbise inte det självklara.* Om bilen till exempel inte startar, finns det verkligen bensin i tanken? (Ta inte någon annans ord för givet på denna punkt och lita inte heller på bränslemätaren!) Om ett elektriskt fel indikeras, leta efter lösa eller brutna ledningar innan testutrustningen tas fram.

*Bota sjukdomen, inte symptomen.* Att byta ett urladdat batteri mot ett fulladdat tar dig från vägkanten, men om orsaken inte åtgärdas kommer även det nya batteriet snart att vara urladdat. Byts nedoljade tändstift ut mot nya rullar bilen, men orsaken till nedsmutsningen måste fortfarande fastställas och åtgärdas (om den inte berodde att tändstiften hade fel värmetal).

*Ta inte någonting för givet.* Glöm inte att även "nya" delar kan vara defekta (särskilt om de skakat runt i bagageutrymmet månader i sträck). Utelämna inte några komponenter vid en felsökning bara för att de är nya eller nymonterade. När felet slutligen upptäcks inser du antagligen att det fanns tecken på felet från början.

## Dieselfelsökning

De flesta startproblem på små dieselmotorer är elberoende. Mekaniker som är mer bekanta med bensinmotorer än dieselmotorer kanske betraktar dieselmotorns insprutningsventiler och pump på samma sätt som tändstiften och fördelaren, men det är oftast ett misstag.

När man undersöker anmärkningar om startsvårigheter för någon annans räkning måste man se till att personen känner till den rätta startmetoden och följer den. Vissa förare är inte medvetna om hur viktig varningslampan för förvärmningen är – många moderna motorer klarar av detta vid milt väder, men när vintern kommer börjar problemen.

Som en tumregel kan man säga att om motorn är svårstartad, men går bra när den slutligen går så är problemet elektriskt (batteri, startmotor eller förvärmningssystem). Om dålig kapacitet kombineras med startsvårigheter finns förmodligen problemet i bränslesystemet. Kontrollera lågtryckssidan (matning) av bränslesystemet innan du misstänker insprutningsventilerna och högtryckspumpen. Det vanligaste bränsleförsörjningsproblemet är att det kommer in luft i systemet och alla rör från bränsletanken måste kontrolleras om luftläckage misstänks. Normalt är pumpen den sista delen man undersöker eftersom det inte finns någon anledning till att det skulle vara fel på den om den inte har manipulerats.

# Motor

## Motorn går inte runt vid startförsök

☐ Batterianslutningarna sitter löst eller är korroderade (*Veckokontroller*)
☐ Batteriet urladdat eller defekt (kapitel 5A).
☐ Brutna, lösa eller urkopplade ledningar i startmotorkretsen (kapitel 5A).
☐ Defekt solenoid eller kontakt (kapitel 5A).
☐ Defekt startmotor (kapitel 5A).
☐ Startmotorns drev eller svänghjulet/drivplattans startkrans har lösa eller brutna kuggar (kapitel 2A eller 5A).
☐ Motorns jordkabel defekt eller urkopplad (kapitel 2A).

## Startmotorn vrider runt motorn långsamt

☐ Delvis urladdat batteri (ladda upp, använd startkablar, eller hjälpstarta) (kapitel 5A).
☐ Batteripolerna är lösa eller korroderade (*Veckokontroller*).
☐ Batteriets jord till karossen defekt (kapitel 5A).
☐ Motorn jordledning lös (kapitel 2A).
☐ Startmotorns (eller solenoidens) kablar lösa (kapitel 5A).
☐ Startmotorn defekt invändigt (kapitel 5A).

## Motorn går runt, men startar inte

☐ Bränsletanken tom.
☐ Batteriet urladdat (motorn roterar långsamt) (kapitel 5A).
☐ Batterianslutningarna sitter löst eller är korroderade (*Veckokontroller*)
☐ Delar i tändningen fuktiga eller skadade – bensinmodeller (kapitel 1A och 5B).
☐ Brutna, lösa eller urkopplade ledningar i tändningskretsen – bensinmodeller (kapitel 1A och 5B).
☐ Slitna, defekta eller felaktigt justerade tändstift – bensinmodeller (kapitel 1A).
☐ Förvärmningssystemet defekt – dieselmodeller (kapitel 5A).
☐ Bränsleinsprutningssystemet defekt – bensinmodeller (kapitel 4A).
☐ Luft i bränslesystemet – dieselmodeller (kapitel 4B).
☐ Större mekaniskt fel (t.ex. kamaxeldrivning) (kapitel 2).

## Motorn är svårstartad när den är kall

☐ Batteriet urladdat (kapitel 5A)
☐ Batterianslutningarna sitter löst eller är korroderade (*Veckokontroller*)

☐ Slitna, defekta eller felaktigt justerade tändstift – bensinmodeller (kapitel 1A).
☐ Förvärmningssystemet defekt – dieselmodeller (kapitel 5A).
☐ Bränsleinsprutningssystemet defekt – bensinmodeller (kapitel 4A).
☐ Andra fel på tändsystemet – bensinmodeller (kapitel 1A och 5B).
☐ Låg cylinderkompression (kapitel 2A eller 2B).

## Motorn svårstartad när den är varm

☐ Smutsigt eller igensatt luftfilter (kapitel 1A eller 1B).
☐ Defekt bränsleinsprutningssystem – bensinmodeller (kapitel 4A).
☐ Låg cylinderkompression (kapitel 2A eller 2B).

## Startmotorn ger oljud ifrån sig eller går väldigt ojämnt

☐ Startmotorns drev eller svänghjulet/drivplattans startkrans har lösa eller brutna kuggar (kapitel 2A eller 5A).
☐ Startmotorns fästbultar lösa eller saknas (kapitel 5A)
☐ Startmotorns interna delar slitna eller skadade (kapitel 5A).

## Motor startar, men stannar omedelbart

☐ Lösa eller defekta ledningar i tändningskretsen – bensinmodeller (kapitel 1A och 5B).
☐ Vakuumläcka i gasspjällshus eller insugsgrenrör – bensinmodeller (kapitel 4A).
☐ Igensatt insprutningsventil/defekt bränsleinsprutningssystem – bensinmodeller (kapitel 4A).

## Ojämn tomgång

☐ Igensatt luftfilter (kapitel 1A eller 1B).
☐ Vakuumläckage i gasspjällshuset, insugningsgrenröret eller tillhörande slangar – bensinmodeller (kapitel 4A).
☐ Slitna, defekta eller felaktigt justerade tändstift – bensinmodeller (kapitel 1A).
☐ Ojämna eller låga cylinderkompressioner (kapitel 2).
☐ Kamloberna slitna (kapitel 2A eller 2B).
☐ Kamkedja felaktigt monterad (kapitel 2A).
☐ Kamremmen felaktigt monterad (kapitel 2B).
☐ Igensatt insprutningsventil/defekt bränsleinsprutningssystem – bensinmodeller (kapitel 4A).
☐ Fel på insprutningsventil(er) – dieselmodeller (kapitel 4B).

# Motor (forts.)

## Feltändning vid tomgång

- [ ] Slitna, defekta eller felaktigt justerade tändstift – bensinmodeller (kapitel 1A).
- [ ] Vakuumläckage i gasspjällshuset, insugningsgrenröret eller tillhörande slangar – bensinmodeller (kapitel 4A).
- [ ] Igensatt insprutningsventil/defekt bränsleinsprutningssystem – bensinmodeller (kapitel 4A).
- [ ] Fel på insprutningsventil(er) – dieselmodeller (kapitel 4B).
- [ ] Ojämn eller låg cylinderkompression (kapitel 2A eller 2B).
- [ ] Lös, läckande eller trasig slang i vevhusventilationen (kapitel 4C).

## Feltändning vid alla varvtal

- [ ] Chokat bränslefilter (kapitel 1A eller 1B).
- [ ] Defekt bränslepump eller lågt tryck – bensinmodeller (kapitel 4A).
- [ ] Blockerad bensintanksventil eller delvis igentäppta bränslerör (kapitel 4A eller 4B).
- [ ] Vakuumläckage i gasspjällshuset, insugningsgrenröret eller tillhörande slangar – bensinmodeller (kapitel 4A).
- [ ] Slitna, defekta eller felaktigt justerade tändstift – bensinmodeller (kapitel 1A).
- [ ] Fel på insprutningsventil(er) – dieselmodeller (kapitel 4B).
- [ ] Defekt tändspole – bensinmodeller (kapitel 5B).
- [ ] Ojämna eller låga cylinderkompressioner (kapitel 2).
- [ ] Igensatt insprutningsventil/defekt bränsleinsprutningssystem – bensinmodeller (kapitel 4A).

## Överstegring av motorn

- [ ] Vakuumläckage i gasspjällshuset, insugningsgrenröret eller tillhörande slangar – bensinmodeller (kapitel 4A).
- [ ] Chokat bränslefilter (kapitel 1A eller 1B).
- [ ] Defekt bränslepump eller lågt tryck – bensinmodeller (kapitel 4A).
- [ ] Blockerad bensintanksventil eller delvis igentäppta bränslerör (kapitel 4A eller 4B).
- [ ] Igensatt insprutningsventil/defekt bränsleinsprutningssystem – bensinmodeller (kapitel 4A).
- [ ] Fel på insprutningsventil(er) – dieselmodeller (kapitel 4B).

## Långsam acceleration

- [ ] Slitna, defekta eller felaktigt justerade tändstift – bensinmodeller (kapitel 1A).
- [ ] Vakuumläckage i gasspjällshuset, insugningsgrenröret eller tillhörande slangar – bensinmodeller (kapitel 4A).
- [ ] Igensatt insprutningsventil/defekt bränsleinsprutningssystem – bensinmodeller (kapitel 4A).
- [ ] Fel på insprutningsventil(er) – dieselmodeller (kapitel 4B).

## Låg motorkapacitet

- [ ] Kamrem/kedja felaktigt monterad eller för lös (kapitel 2).
- [ ] Chokat bränslefilter (kapitel 1A eller 1B).
- [ ] Defekt bränslepump eller lågt tryck – bensinmodeller (kapitel 4A).
- [ ] Ojämna eller låga cylinderkompressioner (kapitel 2).
- [ ] Slitna, defekta eller felaktigt justerade tändstift – bensinmodeller (kapitel 1A).
- [ ] Vakuumläckage i gasspjällshuset, insugningsgrenröret eller tillhörande slangar – bensinmodeller (kapitel 4A).
- [ ] Igensatt insprutningsventil/defekt bränsleinsprutningssystem – bensinmodeller (kapitel 4A).
- [ ] Fel på insprutningsventil(er) – dieselmodeller (kapitel 4B).
- [ ] Kärvande bromsar (kapitel 1A, 1B och 9).
- [ ] Kopplingen slirar (kapitel 6).

## Motorn misständer

- [ ] Kamrem/kedja felaktigt monterad eller för lös (kapitel 2).
- [ ] Vakuumläckage i gasspjällshuset, insugningsgrenröret eller tillhörande slangar – bensinmodeller (kapitel 4A).
- [ ] Igensatt insprutningsventil/defekt bränsleinsprutningssystem – bensinmodeller (kapitel 4A).

## Varningslampan för oljetryck lyser när motorn är igång

- [ ] Låg oljenivå eller felaktig oljekvalitet (se *Veckokontroller*).
- [ ] Defekt oljetrycksgivare (kapitel 2 eller 5A).
- [ ] Slitna motorlager och/eller sliten oljepump (kapitel 2A, 2B eller 2C).
- [ ] Motorns arbetstemperatur för hög (kapitel 3).
- [ ] Defekt oljetrycksventil (kapitel 2A, 2B eller 2C).
- [ ] Igentäppt oljeupptagarsil (kapitel 2A, 2B eller 2C).

**Observera:** *Lågt oljetryck vid tomgång i en motor som gått långt behöver inte betyda att något är fel. Hastig tryckminskning vid körning är betydligt allvarligare. Kontrollera alltid mätaren eller varningslampans givare innan motorn döms ut.*

## Glödtändning

- [ ] För mycket sotavlagringar i motorn (kapitel 2C).
- [ ] Motorns arbetstemperatur hög (kapitel 3).
- [ ] Bränsleinsprutningssystemet defekt – bensinmodeller (kapitel 4A).

## Motorljud

### Förtändning (spikning) eller knackning under acceleration eller belastning

- [ ] Fel tändläge/defekt tändsystem – bensinmodeller (Kapitel 1A och 5B).
- [ ] Fel värmetal på tändstift – bensinmodeller (kapitel 1A).
- [ ] Felaktig bränslegrad (kapitel 4A eller 4B).
- [ ] Vakuumläckage i gasspjällshuset, insugningsgrenröret eller tillhörande slangar – bensinmodeller (kapitel 4A).
- [ ] För mycket sotavlagringar i motorn (kapitel 2C).
- [ ] Igensatt insprutningsventil/defekt bränsleinsprutningssystem – bensinmodeller (kapitel 4A).

### Visslande eller väsande ljud

- [ ] Läckage i insugsgrenrörets eller gasspjällshusets packning – bensinmodeller (kapitel 4A).
- [ ] Läckande avgasgrenrörspackning eller skarv mellan rör och grenrör (kapitel 4A eller 4B).
- [ ] Läckande vakuumslang (kapitel 4A, 4B, 5 och 9).
- [ ] Blåst topplockspackning (kapitel 2).

### Knackande eller skallrande ljud

- [ ] Slitna ventilinställningsdrev eller kamaxel (kapitel 2C).
- [ ] Defekt hjälpaggregat (kylvätskepump, växelströmsgenerator, etc.) (Kapitel 3, 5A, etc.).

### Knackande ljud eller slag

- [ ] Slitna vevstakslager (regelbundna hårda knackningar som eventuellt minskar under belastning) (kapitel 2C).
- [ ] Slitna ramlager (muller och knackningar som eventuellt tilltar vid belastning) (kapitel 2C).
- [ ] Kolvslammer (hörs mest vid kyla) (kapitel 2C).
- [ ] Defekt hjälpaggregat (kylvätskepump, växelströmsgenerator, etc.) (Kapitel 3, 5A, etc.).

# Kylsystem

### Överhettning

☐ Trasig drivrem – eller, i förekommande fall, felaktigt justerad (kapitel 1).
☐ För lite kylvätska i systemet (*Veckokontroller*)
☐ Defekt termostat (kapitel 3).
☐ Igensatt kylare eller grill (kapitel 3).
☐ Defekt elektrisk kylfläkt eller termostatkontakt (kapitel 3).
☐ Defekt trycklock (kapitel 3).
☐ Tändningsinställningen felaktig eller tändsystemet defekt (kapitel 1 och 5B).
☐ Defekt temperaturgivare (kapitel 3).
☐ Luftbubbla i kylsystemet (kapitel 1).

### För stark avkylning

☐ Defekt termostat (kapitel 3).
☐ Defekt temperaturgivare (kapitel 3).

### Yttre kylvätskeläckage

☐ Åldrade eller skadade slangar eller slangklämmor (kapitel 1).
☐ Läckage i kylare eller värmepaket (kapitel 3).
☐ Defekt trycklock (kapitel 3).
☐ Vattenpumpens inre tätning läcker (kapitel 3).
☐ O-ringstätningen mellan vattenpumpen och motorblocket eller husets packning läcker (kapitel 3).
☐ Kokning på grund av överhettning (kapitel 3).
☐ Kylarens hylsplugg läcker (kapitel 2).

### Inre kylvätskeläckage

☐ Topplockspackningen läcker (kapitel 2).
☐ Sprucket topplock eller motorblock (kapitel 2).

### Korrosion

☐ Tömning och spolning sker sällan (kapitel 1).
☐ Felaktig kylvätskeblandning eller fel typ av kylvätska (*Veckokontroller*).

# Bränsle- och avgassystem

### Överdriven bränsleförbrukning

☐ Smutsigt eller igensatt luftfilter (kapitel 1A eller 1B).
☐ Bränsleinsprutningssystemet defekt – bensinmodeller (kapitel 4A).
☐ Fel på insprutningsventil(er) – dieselmodeller (kapitel 4B).
☐ Fel tändläge/defekt tändsystem – bensinmodeller (kapitel 1A och 5B).
☐ Bromsarna kärvar (kapitel 9).
☐ För lite luft i däcken (*Veckokontroller*).

### Bränsleläckage och/eller bränslelukt

☐ Skadad eller korroderad bränsletank, rör eller anslutningar (kapitel 4A eller 4B).

### Överdriven ljudnivå eller för mycket avgaser från avgassystemet

☐ Läckande avgassystem eller grenörsanslutningar (kapitel 1 och 4).
☐ Läckande, korroderade eller skadade ljuddämpare eller rör (kapitel 1 och 4).
☐ Kontakt med karossen eller fjädringen på grund av trasiga fästen (kapitel 4A).

# Koppling

### Pedalen går i golvet – inget tryck eller mycket lite motstånd

☐ Luft i hydraulsystemet/defekt huvud- eller slavcylinder (kapitel 6).
☐ Defekt hydraulurkopplingssystem (kapitel 6).
☐ Trasigt urkopplingslager (kapitel 6).
☐ Trasig tallriksfjäder i kopplingens tryckplatta (kapitel 6).

### Frikopplar inte (går ej att lägga i växlar)

☐ Luft i hydraulsystemet/defekt huvud- eller slavcylinder (kapitel 6).
☐ Defekt hydraulurkopplingssystem (kapitel 6).
☐ Lamellen fastnar på räfflorna på växellådans ingående axel (kapitel 6).
☐ Lamellen fastnar på svänghjul eller tryckplatta (kapitel 6).
☐ Defekt tryckplatta (kapitel 6).
☐ Urkopplingsmekanismen sliten eller felaktigt ihopsatt (kapitel 6).

### Kopplingen slirar (motorns varvtal ökar men inte bilens hastighet)

☐ Defekt hydraulurkopplingssystem (kapitel 6).
☐ Lamellbeläggen är mycket slitna (kapitel 6).

☐ Lamellbeläggen förorenade med olja eller fett (kapitel 6).
☐ Defekt tryckplatta eller svag tallriksfjäder (kapitel 6).

### Skakningar vid frikoppling

☐ Lamellbeläggen förorenade med olja eller fett (kapitel 6).
☐ Lamellbeläggen är mycket slitna (kapitel 6).
☐ Defekt eller skev tryckplatta eller tallriksfjäder (kapitel 6).
☐ Slitna eller lösa fästen till motor eller växellåda (kapitel 2A eller 2B).
☐ Slitna spår på lamellnavet eller växellådans ingående axel (kapitel 6).

### Missljud när kopplingspedalen trycks ner eller släpps upp

☐ Slitet urkopplingslager (kapitel 6).
☐ Slitna eller torra kopplingspedalbussningar (kapitel 6).
☐ Defekt tryckplatta (kapitel 6).
☐ Tryckplattans tallriksfjäder trasig (kapitel 6).
☐ Lamellens dynfjädrar defekta (kapitel 6).

# Manuell växellåda

### Växelspaken skakar

☐ Montera en modifierad O-ring runt basen på växelspakens kulskål (kapitel 7A, avsnitt 4).

### Svårt att lägga i växlar

☐ Defekt koppling (kapitel 6).
☐ Slitet eller skadat växellänkage (kapitel 7A).
☐ Felaktigt inställt växellänkage (kapitel 7A).
☐ Slitna synkroniseringsenheter (kapitel 7A).*

### Växeln hoppar ur

☐ Slitet eller skadat växellänkage (kapitel 7A).
☐ Felaktigt inställt växellänkage (kapitel 7A).
☐ Slitna synkroniseringsenheter (kapitel 7A).*
☐ Slitna väljargafflar (kapitel 7A).*

### Vibrationer

☐ För lite olja (kapitel 1).
☐ Slitna lager (kapitel 7A).*

### Missljud i friläge när motorn går

☐ Slitage i ingående axelns lager (missljud med uppsläppt men inte med nedtryckt kopplingspedal) (kapitel 7A).*
☐ Slitet urkopplingslager (missljud med nedtryckt pedal som möjligen minskar när pedalen släpps upp) (kapitel 6).

### Missljud när en specifik växel ligger i

☐ Slitna eller skadade kuggar på växellådsdreven (kapitel 7A).*

### Smörjmedelsläckage

☐ Oljetätningen läcker (kapitel 7A).
☐ Läckande husfog (kapitel 7A).*
☐ Läckage i ingående axelns oljetätning (kapitel 7A).*

*Även om de nödvändiga åtgärderna för de beskrivna symptomen är för komplicerade för att behandlas i den här handboken är informationen till hjälp vid spårning av felkällan, så att man tydligt kan beskriva felet för en yrkesmekaniker.*

# Automatisk växellåda

**Observera:** *På grund av automatväxelns komplicerade sammansättning är det svårt för hemmamekanikerna att ställa riktiga diagnoser och serva enheten. Om andra problem än följande uppstår ska bilen tas till en verkstad eller till en specialist på växellådor.*

### Oljeläckage

☐ Automatväxelolja är oftast tydligt rödfärgad. Växeloljeläckage bör inte blandas ihop med läckande motorolja, som lätt kan blåsas upp på växellådan av luftflödet i motorn.

☐ För att hitta läckan, använd avfettningsmedel eller en ångtvätt och rengör växelhuset och områdena runt omkring från smuts och avlagringar. Kör bilen med låg fart så att luftflödet inte blåser stänk från läckan för långt från källan. Hissa upp bilen och stöd den på pallbockar, och fastställ varifrån läckan kommer. Läckage uppstår ofta i följande områden.

a) Vätsketråg (växellådans sump).
b) Röret till oljemätstickan (kapitel 1).
c) Oljerören/anslutningarna mellan växellådan och oljekylaren (kapitel 7B).

### Växellådsoljan är brun eller luktar bränt

☐ Växellådsoljan behöver fyllas på eller bytas (kapitel 1).

### Allmänna problem med att växla

☐ Den troligaste orsaken till växlingsproblemet är en defekt eller felaktigt inställd växelväljarmekanism. Följande problem är vanliga vid en defekt väljarmekanism.

a) Motorn startar i andra växlar än Park eller Neutral.
b) Visaren på växelspaken pekar på en annan växel än den som ligger i.
c) Bilen rör sig när växlarna Park eller Neutral ligger i.
d) Dålig eller ojämn utväxling.
☐ Upplys en Saab-verkstad eller en specialist på automatiska växellådor om felen.

### Växellådan växlar inte ner (kickdown) när gaspedalen är helt nedtryckt

☐ Växellådans oljenivå är låg (kapitel 1).
☐ Felaktig inställning av växelvajer (kapitel 7B)

### Motorn startar inte i någon växel, eller startar i andra växlar än Park eller Neutral

☐ Startspärrens kontakt felaktigt inställd – i förekommande fall (kapitel 7B).
☐ Felaktig inställning av växelvajer (kapitel 7B)

### Växellådan slirar, växlar trögt, låter illa eller är utan drift i framväxlarna eller backen

☐ Ovanstående fel kan ha flera möjliga orsaker, men hemmamekanikern bör endast bry sig om en av de möjliga orsakerna – för hög eller för låg växeloljenivå. Innan du tar bilen till en verkstad eller växellådsspecialist kontrollerar du vätskenivån och vätskans skick enligt beskrivningen i kapitel 1. Korrigera vätskenivån om det behövs. Byt vätskan och filtret vid behov. Om problemet kvarstår behövs professionell hjälp.

# Drivaxlar

### Klickande eller knackande ljud vid svängar (i låg fart med fullt rattutslag)

☐ Bristfällig smörjning i knuten, eventuellt på grund av defekt damask (kapitel 8).
☐ Sliten yttre drivknut (kapitel 8).

### Vibrationer vid acceleration eller inbromsning

☐ Sliten inre drivknut (kapitel 8).
☐ Skadad eller skev drivaxel (kapitel 8).
☐ Slitet mellanlager – om tillämpligt (kapitel 8).

# Bromssystem

**Observera:** *Kontrollera däckens skick och lufttryck, framvagnens inställning samt att bilen inte är ojämnt belastad innan bromsarna antas vara defekta. Alla åtgärder i ABS-systemet, utom kontroll av rör- och slanganslutningar, ska utföras av en Saab-verkstad.*

## Bilen drar åt ena sidan vid inbromsning

- [ ] Slitna, defekta, skadade eller förorenade bromsklossar på en sida (kapitel 1 och 9).
- [ ] Skuren eller delvis skuren främre eller bakre bromsokskolv (kapitel 9).
- [ ] Olika sorters friktionsmaterial monterade på sidorna (kapitel 9).
- [ ] Bromsokets fästbultar lösa (kapitel 9).
- [ ] Slitna eller skadade komponenter i styrning eller fjädring (kapitel 1 och 10).

## Oljud (slipljud eller högt gnisslande) vid inbromsning

- [ ] Bromsklossarnas friktionsmaterial nedslitet till stödplattan (kapitel 1 och 9).
- [ ] Betydande korrosion på bromsskiva – kan framträda när bilen stått ett tag (kapitel 1 och 9).
- [ ] Främmande föremål (grus etc.) fast mellan bromsskivan och bromssköldsplåten (kapitel 1A, 1B och 9).

## Bromspedalen känns svampig vid nedtryckning

- [ ] Luft i hydraulsystemet (kapitel 9).
- [ ] Åldrade bromsslangar (kapitel 1 och 9).
- [ ] Huvudcylinderns fästen lösa (kapitel 9).
- [ ] Defekt huvudcylinder (kapitel 9).

## Överdriven pedalväg

- [ ] Defekt huvudcylinder (kapitel 9).
- [ ] Luft i hydraulsystemet (kapitel 9).

- [ ] Defekt vakuumservo (kapitel 9).
- [ ] Defekt vakuumpump – dieselmodeller (kapitel 9).

## Överdriven pedalkraft krävs för att stanna bilen

- [ ] Luft i hydraulsystemet (kapitel 9).
- [ ] Bromsoljan behöver bytas (kapitel 1).
- [ ] Defekt vakuumservo (kapitel 9).
- [ ] Defekt vakuumpump – dieselmodeller (kapitel 9).
- [ ] Bromsservons vakuumslangar urkopplade, skadade eller lösa (kapitel 1 och 9).
- [ ] Defekt primär- eller sekundärkrets (kapitel 9).
- [ ] Bromsokskolven kärvar (kapitel 9).
- [ ] Bromsklossarna felmonterade (kapitel 9).
- [ ] Fel typ av klossar monterade (kapitel 9).
- [ ] Förorenade bromsklossar (kapitel 9).

## Skakningar i bromspedal eller ratt vid inbromsning

- [ ] Påtagligt skev bromsskiva (kapitel 9).
- [ ] Bromsklossarnas friktionsmaterial slitet (kapitel 1 och 9).
- [ ] Bromsokets fästbultar lösa (kapitel 9).
- [ ] Slitage in fjädring eller styrningskomponenter eller fästen (kapitel 1 och 10).

## Bromsarna kärvar

- [ ] Bromsokskolven kärvar (kapitel 9).
- [ ] Feljusterad handbromsmekanism (kapitel 9).
- [ ] Defekt huvudcylinder (kapitel 9).

## Bakhjulen låser sig vid normal inbromsning

- [ ] Bromsokskolven kärvar (kapitel 9).
- [ ] Defekt bromstrycksregulator (kapitel 9).

# Fjädring och styrning

**Observera:** *Kontrollera att felet inte beror på fel lufttryck i däcken, blandade däcktyper eller kärvande bromsar innan fjädringen eller styrningen diagnosticeras som defekta.*

## Bilen drar åt ena sidan

- ☐ Defekt däck (*Veckokontroller*).
- ☐ Onormalt slitage för fjädring eller styrningskomponenter (kapitel 1 och 10).
- ☐ Felaktig framhjulsinställning (kapitel 10).
- ☐ Krockskada på styrning eller fjädringsdelarna (kapitel 1 och 10).

## Hjulen vinglar och skakar

- ☐ Framhjulen obalanserade (vibration känns huvudsakligen i ratten) (*Veckokontroller*).
- ☐ Bakhjulen obalanserade (vibration känns i hela bilen) (*Veckokontroller*).
- ☐ Hjulen skadade eller skeva (*Veckokontroller*).
- ☐ Defekt eller skadat däck (*Veckokontroller*).
- ☐ Slitna styrnings- eller fjädringsleder, bussningar eller komponenter (kapitel 1 och 10).
- ☐ Lösa hjulbultar.

## Kraftiga skakningar och/eller krängningar vid kurvtagning eller inbromsning

- ☐ Defekta stötdämpare (kapitel 1 och 10).
- ☐ Trasig eller svag spiralfjäder och/eller fjädringskomponent (kapitel 1 och 10).
- ☐ Slitage eller skada på krängningshämmare eller fästen (kapitel 10).

## Vandrande eller allmän instabilitet

- ☐ Felaktig framhjulsinställning (kapitel 10).
- ☐ Slitna styrnings- eller fjädringsleder, bussningar eller komponenter (kapitel 1 och 10).
- ☐ Hjulen obalanserade (*Veckokontroller*).
- ☐ Defekt eller skadat däck (*Veckokontroller*).
- ☐ Lösa hjulbultar.
- ☐ Defekta stötdämpare (kapitel 1 och 10).

## Överdrivet stel styrning

- ☐ För lite smörjmedel i styrväxeln (kapitel 10).
- ☐ Styrstagsändens eller fjädringens kulled anfrätt (kapitel 1 och 10).
- ☐ Brusten eller slirande drivrem (kapitel 1).

- ☐ Felaktig framhjulsinställning (kapitel 10).
- ☐ Kuggstången eller rattstången böjd eller skadad (kapitel 10).

## Överdrivet spel i styrningen

- ☐ Rattstångens kardanknut sliten (kapitel 10).
- ☐ Styrstagsändens kulleder slitna (kapitel 1 och 10).
- ☐ Sliten kuggstångsstyrning (kapitel 10).
- ☐ Slitna styrnings- eller fjädringsleder, bussningar eller komponenter (kapitel 1 och 10).

## Bristande servoeffekt

- ☐ Brusten eller slirande drivrem (kapitel 1).
- ☐ För hög eller låg nivå av styrservoolja (*Veckokontroller*).
- ☐ Styrservons oljeslangar igensatta (kapitel 1).
- ☐ Defekt servostyrningspump (kapitel 10).
- ☐ Defekt styrinrättning (kapitel 10).

## Överdrivet däckslitage

### Däcken slitna på inner- eller ytterkanten

- ☐ För lite luft i däcken (slitage på båda kanterna) (*Veckokontroller*).
- ☐ Felaktiga camber- eller castorvinklar (slitage på en kant) (kapitel 10).
- ☐ Slitna styrnings- eller fjädringsleder, bussningar eller komponenter (kapitel 1 och 10).
- ☐ Överdrivet hård kurvtagning.
- ☐ Skada efter olycka.

### Däckmönster har fransiga kanter

- ☐ Felaktig toe-inställning (kapitel 10).

### Slitage i mitten av däckmönstret

- ☐ För mycket luft i däcken (*Veckokontroller*).

### Däcken slitna på inner- och ytterkanten

- ☐ För lite luft i däcken (*Veckokontroller*).
- ☐ Slitna stötdämpare (kapitel 1 och 10).

### Ojämnt däckslitage

- ☐ Däcken obalanserade (*Veckokontroller*).
- ☐ Stort kast i hjul eller däck (*Veckokontroller*).
- ☐ Slitna stötdämpare (kapitel 1 och 10).
- ☐ Defekt däck (*Veckokontroller*).

# Elsystem

**Observera:** *Vid problem med start, se felen under Motor tidigare i detta avsnitt.*

## Batteriet laddar ur på bara ett par dagar

- ☐ Batteriet defekt invändigt (kapitel 5A).
- ☐ Batteriets elektrolytnivå låg – i förekommande fall (kapitel 5A).
- ☐ Batterianslutningarna sitter löst eller är korroderade (*Veckokontroller*)
- ☐ Sliten drivrem (kapitel 1).
- ☐ Generatorn laddar inte vid korrekt effekt (kapitel 5A).
- ☐ Generatorn eller spänningsregulatorn defekt (kapitel 5A).
- ☐ Kortslutning ger upphov till kontinuerlig urladdning av batteriet (kapitel 5A och 12).

## Tändningens varningslampa fortsätter att lysa när motorn går

- ☐ Trasig eller sliten drivrem (kapitel 1).
- ☐ Internt fel i generatorn eller spänningsregulatorn (kapitel 5A).
- ☐ Trasigt, urkopplat eller löst kablage i laddningskretsen (kapitel 5A).

## Tändningslampan tänds inte

- ☐ Varningslampans glödlampa trasig (kapitel 12).
- ☐ Trasigt, urkopplat eller löst kablage i varningslampans krets (kapitel 12).
- ☐ Defekt generator (kapitel 5A).

# Elsystem (forts.)

## Ljusen fungerar inte

- [ ] Trasig glödlampa (kapitel 12).
- [ ] Korrosion på glödlampa eller sockel (kapitel 12).
- [ ] Trasig säkring (kapitel 12).
- [ ] Defekt relä (kapitel 12).
- [ ] Trasigt, löst eller urkopplat kablage (kapitel 12).
- [ ] Defekt brytare (kapitel 12).

## Instrumentavläsningarna missvisande eller ryckiga

### Bränsle- eller temperaturmätaren ger inget utslag

- [ ] Defekt givarenhet (kapitel 3 och 4).
- [ ] Kretsavbrott (kapitel 12).
- [ ] Defekt mätare (kapitel 12).

### Bränsle- eller temperaturmätaren ger kontinuerligt maximalt utslag

- [ ] Defekt givarenhet (kapitel 3 och 4).
- [ ] Kortslutning (kapitel 12).
- [ ] Defekt mätare (kapitel 12).

## Signalhornet fungerar dåligt eller inte alls

### Signalhornet tjuter hela tiden

- [ ] Signalhornets kontakter permanent bryggkoppling eller tryckknapp fast i intryckt läge(kapitel 12).

### Signalhornet fungerar inte

- [ ] Trasig säkring (kapitel 12).
- [ ] Vajer eller vajeranslutningar lösa, trasiga eller urkopplade (kapitel 12).
- [ ] Defekt signalhorn (kapitel 12).

### Signalhornet avger ryckigt eller otillfredsställande ljud

- [ ] Lösa vajeranslutningar (kapitel 12).
- [ ] Signalhornets fästen sitter löst (kapitel 12).
- [ ] Defekt signalhorn (kapitel 12).

## Vindrute-/bakrutetorkarna fungerar dåligt eller inte alls

### Torkarna fungerar inte eller går mycket långsamt

- [ ] Torkarbladen fastnar vid rutan eller också är länksystemet anfrätt eller kärvar (Veckokontroller och kapitel 12).
- [ ] Trasig säkring (kapitel 12).
- [ ] Vajer eller vajeranslutningar lösa, trasiga eller urkopplade (kapitel 12).
- [ ] Defekt relä (kapitel 12).
- [ ] Defekt torkarmotor (kapitel 12).

### Torkarbladen sveper över för stor eller för liten yta av rutan

- [ ] Torkararmarna felaktigt placerade i spindlarna (kapitel 12).
- [ ] Påtagligt slitage i torkarnas länksystem (kapitel 12).
- [ ] Torkarmotorns eller länksystemets fästen sitter löst (kapitel 12).

### Torkarbladen rengör inte rutan effektivt

- [ ] Torkarbladens gummi slitet eller saknas (Veckokontroller).
- [ ] Torkararmens fjäder trasig eller armtapparna har skurit (Kapitel 12).
- [ ] Spolarvätskan har för låg koncentration för att beläggningen ska kunna tvättas bort (Veckokontroller).

## Vindrute-/bakrutespolarna fungerar dåligt eller inte alls

### Ett eller flera spolarmunstycken sprutar inte

- [ ] Igentäppt spolarmunstycke.
- [ ] Urkopplad, veckad eller igensatt spolarslang (kapitel 12).
- [ ] För lite spolarvätska i spolarvätskebehållaren (Veckokontroller).

### Spolarpumpen fungerar inte

- [ ] Trasiga eller lösa kablar eller anslutningar (kapitel 12).
- [ ] Trasig säkring (kapitel 12).
- [ ] Defekt spolarbrytare (kapitel 12).
- [ ] Defekt spolarpump (kapitel 12).

### Spolarpumpen går ett tag innan vätskan sprutas ut från munstyckena

- [ ] Defekt envägsventil i vätskematarslangen (kapitel 12).

## De elektriska fönsterhissarna fungerar dåligt eller inte alls

### Fönsterrutan rör sig bara i en riktning

- [ ] Defekt brytare (kapitel 12).
- [ ] Defekt motor (kapitel 11).

### Fönsterrutan rör sig långsamt

- [ ] Fönsterhissen anfrätt eller skadad, eller behöver smörjas (kapitel 11).
- [ ] Dörrens inre komponenter eller klädsel hindrar fönsterhissen (kapitel 11).
- [ ] Defekt motor (kapitel 11).

### Fönsterrutan rör sig inte

- [ ] Trasig säkring (kapitel 12).
- [ ] Fönsterhissen anfrätt eller sitter fast (kapitel 12).
- [ ] Defekt relä (kapitel 12).
- [ ] Trasiga eller lösa kablar eller anslutningar (kapitel 12).
- [ ] Defekt motor (kapitel 11).

## Centrallåset fungerar dåligt eller inte alls

### Totalt systemhaveri

- [ ] Trasig säkring (kapitel 12).
- [ ] Defekt relä (kapitel 12).
- [ ] Trasiga eller lösa kablar eller anslutningar (kapitel 12).
- [ ] Defekt motor (kapitel 11).

### Regeln låser men låser inte upp, eller låser upp men låser inte

- [ ] Defekt brytare (kapitel 12).
- [ ] Regelns reglagespakar eller reglagestag är trasiga eller urkopplade (Kapitel 11).
- [ ] Defekt relä (kapitel 12).
- [ ] Defekt motor (kapitel 11).

### En solenoid/motor arbetar inte

- [ ] Trasiga eller lösa kablar eller anslutningar (kapitel 12).
- [ ] Defekt motor (kapitel 11).
- [ ] Regelns reglagespakar eller reglagestag kärvar, är trasiga eller urkopplade (kapitel 11).
- [ ] Defekt dörrlås (kapitel 11).

# A

**ABS (Anti-lock brake system)** Låsningsfria bromsar. Ett system, vanligen elektroniskt styrt, som känner av påbörjande låsning av hjul vid inbromsning och lättar på hydraultrycket på hjul som ska till att låsa.

**Air bag (krockkudde)** En uppblåsbar kudde dold i ratten (på förarsidan) eller instrumentbrädan eller handskfacket (på passagerarsidan) Vid kollision blåses kuddarna upp vilket hindrar att förare och framsätespassagerare kastas in i ratt eller vindruta.

**Ampere (A)** En måttenhet för elektrisk ström. 1 A är den ström som produceras av 1 volt gående genom ett motstånd om 1 ohm.

**Anaerobisk tätning** En massa som används som gänglås. Anaerobisk innebär att den inte kräver syre för att fungera.

**Antikärvningsmedel** En pasta som minskar risk för kärvning i infästningar som utsätts för höga temperaturer, som t.ex. skruvar och muttrar till avgasrenrör. Kallas även gängskydd.

*Antikärvningsmedel*

**Asbest** Ett naturligt fibröst material med stor värmetolerans som vanligen används i bromsbelägg. Asbest är en hälsorisk och damm som alstras i bromsar ska aldrig inandas eller sväljas.

**Avgasgrenrör** En del med flera passager genom vilka avgaserna lämnar förbränningskamrarna och går in i avgasröret.

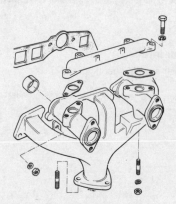
*Avgasgrenrör*

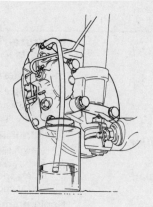
*Avluftning av bromsarna*

**Avluftning av bromsar** Avlägsnande av luft från hydrauliskt bromssystem.

**Avluftningsnippel** En ventil på ett bromsok, hydraulcylinder eller annan hydraulisk del som öppnas för att tappa ur luften i systemet.

**Axel** En stång som ett hjul roterar på, eller som roterar inuti ett hjul. Även en massiv balk som håller samman två hjul i bilens ena ände. En axel som även överför kraft till hjul kallas drivaxel.

**Axialspel** Rörelse i längdled mellan två delar. För vevaxeln är det den distans den kan röra sig framåt och bakåt i motorblocket.

# B

**Belastningskänslig fördelningsventil** En styrventil i bromshydrauliken som fördelar bromseffekten, med hänsyn till bakaxelbelastningen.

**Bladmått** Ett tunt blad av härdat stål, slipat till exakt tjocklek, som används till att mäta spel mellan delar.

*Bladmått*

**Bromsback** Halvmåneformad hållare med fastsatt bromsbelägg som tvingar ut beläggen i kontakt med den roterande bromstrumman under inbromsning.

**Bromsbelägg** Det friktionsmaterial som kommer i kontakt med bromsskiva eller bromstrumma för att minska bilens hastighet. Beläggen är limmade eller nitade på bromsklossar eller bromsbackar.

**Bromsklossar** Utbytbara friktionsklossar som nyper i bromsskivan när pedalen trycks ned. Bromsklossar består av bromsbelägg som limmats eller nitats på en styv bottenplatta.

**Bromsok** Den icke roterande delen av en skivbromsanordning. Det grenslar skivan och håller bromsklossarna. Oket innehåller även de hydrauliska delar som tvingar klossarna att nypa skivan när pedalen trycks ned.

**Bromsskiva** Den del i en skivbromsanordning som roterar med hjulet.

**Bromstrumma** Den del i en trumbromsanordning som roterar med hjulet.

# C

**Caster** I samband med hjulinställning, lutningen framåt eller bakåt av styrningens axialled. Caster är positiv när styrningens axialled lutar bakåt i överkanten.

**CV-knut** En typ av universalknut som upphäver vibrationer orsakade av att drivkraft förmedlas genom en vinkel.

# D

**Diagnostikkod** Kodsiffror som kan tas fram genom att gå till diagnosläget i motorstyrningens centralenhet. Koden kan användas till att bestämma i vilken del av systemet en felfunktion kan förekomma.

**Draghammare** Ett speciellt verktyg som skruvas in i eller på annat sätt fästes vid en del som ska dras ut, exempelvis en axel. Ett tungt glidande handtag dras utmed verktygsaxeln mot ett stopp i änden vilket rycker avsedd del fri.

**Drivaxel** En roterande axel på endera sidan differentialen som ger kraft från slutväxeln till drivhjulen. Även varje axel som används att överföra rörelse.

**Drivrem(mar)** Rem(mar) som används till att driva tillbehörsutrustning som generator, vattenpump, servostyrning, luftkonditioneringskompressor mm, från vevaxelns remskiva.

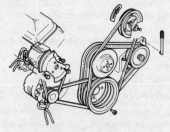
*Drivremmar till extrautrustning*

**Dubbla överliggande kamaxlar (DOHC)** En motor försedd med två överliggande kamaxlar, vanligen en för insugsventilerna och en för avgasventilerna.

# E

**EGR-ventil** Avgasåtercirkulationsventil. En ventil som för in avgaser i insugsluften.

**Elektrodavstånd** Den distans en gnista har att överbrygga från centrumelektroden till sidoelektroden i ett tändstift.

*Justering av elektrodavståndet*

**Elektronisk bränsleinsprutning (EFI)** Ett datorstyrt system som fördelar bränsle till förbränningskamrarna via insprutare i varje insugsport i motorn.

**Elektronisk styrenhet** En dator som exempelvis styr tändning, bränsleinsprutning eller låsningsfria bromsar.

# F

**Finjustering** En process där noggranna justeringar och byten av delar optimerar en motors prestanda.

**Fjäderben** Se MacPherson-ben.

**Fläktkoppling** En viskös drivkoppling som medger variabel kylarfläkthastighet i förhållande till motorhastigheten.

**Frostplugg** En skiv- eller koppformad metallbricka som monterats i ett hål i en gjutning där kärnan avlägsnats.

**Frostskydd** Ett ämne, vanligen etylenglykol, som blandas med vatten och fylls i bilens kylsystem för att förhindra att kylvätskan fryser vintertid. Frostskyddet innehåller även kemikalier som förhindrar korrosion och rost och andra avlagringar som skulle kunna blockera kylare och kylkanaler och därmed minska effektiviteten.

**Fördelningsventil** En hydraulisk styrventil som begränsar trycket till bakbromsarna vid panikbromsning så att hjulen inte låser sig.

**Förgasare** En enhet som blandar bränsle med luft till korrekta proportioner för önskad effekt från en gnistantänd förbränningsmotor.

# G

**Generator** En del i det elektriska systemet som förvandlar mekanisk energi från drivremmen till elektrisk energi som laddar batteriet, som i sin tur driver startsystem, tändning och elektrisk utrustning.

**Glidlager** Den krökta ytan på en axel eller i ett lopp, eller den del monterad i endera, som medger rörelse mellan dem med ett minimum av slitage och friktion.

**Gängskydd** Ett täckmedel som minskar risken för gängskärning i bultförband som utsätts för stor hetta, exempelvis grenrörets bultar och muttrar. Kallas även antikärvningsmedel.

# H

**Handbroms** Ett bromssystem som är oberoende av huvudbromsarnas hydraulikkrets. Kan användas till att stoppa bilen om huvudbromsarna slås ut, eller till att hålla bilen stilla utan att bromspedalen trycks ned. Den består vanligen av en spak som aktiverar främre eller bakre bromsar mekaniskt via vajrar och länkar. Kallas även parkeringsbroms.

**Harmonibalanserare** En enhet avsedd att minska fjädring eller vridande vibrationer i vevaxeln. Kan vara integrerad i vevaxelns remskiva. Även kallad vibrationsdämpare.

**Hjälpstart** Start av motorn på en bil med urladdat eller svagt batteri genom koppling av startkablar mellan det svaga batteriet och ett laddat hjälpbatteri.

**Honare** Ett slipverktyg för korrigering av smärre ojämnheter eller diameterskillnader i ett cylinderlopp.

**Hydraulisk ventiltryckare** En mekanism som använder hydrauliskt tryck från motorns smörjsystem till att upprätthålla noll ventilspel (konstant kontakt med både kamlob och ventilskaft). Justeras automatiskt för variation i ventilskaftslängder. Minskar även ventilljudet.

# I

**Insexnyckel** En sexkantig nyckel som passar i ett försänkt sexkantigt hål.

**Insugsrör** Rör eller kåpa med kanaler genom vilka bränsle/luftblandningen leds till insugsportarna.

# K

**Kamaxel** En roterande axel på vilken en serie lober trycker ned ventilerna. En kamaxel kan drivas med drev, kedja eller tandrem med kugghjul.

**Kamkedja** En kedja som driver kamaxeln.

**Kamrem** En tandrem som driver kamaxeln. Allvarliga motorskador kan uppstå om kamremmen brister vid körning.

**Kanister** En behållare i avdunstningsbegränsningen, innehåller aktivt kol för att fånga upp bensinångor från bränslesystemet.

*Kanister*

**Kardanaxel** Ett långt rör med universalknutar i bägge ändar som överför kraft från växellådan till differentialen på bilar med motorn fram och drivande bakhjul.

**Kast** Hur mycket ett hjul eller drev slår i sidled vid rotering. Det spel en axel roterar med. Orundhet i en roterande del.

**Katalysator** En ljuddämparliknande enhet i avgassystemet som omvandlar vissa föroreningar till mindre hälsovådliga substanser.

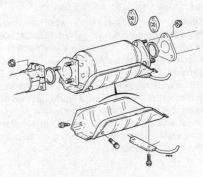
*Katalysator*

**Kompression** Minskning i volym och ökning av tryck och värme hos en gas, orsakas av att den kläms in i ett mindre utrymme.

**Kompressionsförhållande** Skillnaden i cylinderns volymer mellan kolvens ändlägen.

**Kopplingsschema** En ritning över komponenter och ledningar i ett fordons elsystem som använder standardiserade symboler.

**Krockkudde (Airbag)** En uppblåsbar kudde dold i ratten (på förarsidan) eller instrumentbrädan eller handskfacket (på passagerarsidan) Vid kollision blåses kuddarna upp vilket hindrar att förare och framsätespassagerare kastas in i ratt eller vindruta.

**Krokodilklämma** Ett långkäftat fjäderbelastat clips med ingreppande tänder som används till tillfälliga elektriska kopplingar.

**Kronmutter** En mutter som vagt liknar kreneleringen på en slottsmur. Används tillsammans med saxsprint för att låsa bultförband extra väl.

**Krysskruv** Se Phillips-skruv

*Kronmutter*

**Kugghjul** Ett hjul med tänder eller utskott på omkretsen, formade för att greppa in i en kedja eller rem.

**Kuggstångsstyrning** Ett styrsystem där en pinjong i rattstångens ände går i ingrepp med en kuggstång. När ratten vrids, vrids även pinjongen vilket flyttar kuggstången till höger eller vänster. Denna rörelse överförs via styrstagen till hjulets styrleder.

**Kullager** Ett friktionsmotverkande lager som består av härdade inner- och ytterbanor och har härdade stålkulor mellan banorna.

**Kylare** En värmeväxlare som använder flytande kylmedium, kylt av fartvinden/fläkten till att minska temperaturen på kylvätskan i en förbränningsmotors kylsystem.

**Kylmedia** Varje substans som används till värmeöverföring i en anläggning för luftkonditionering. R-12 har länge varit det huvudsakliga kylmediet men tillverkare har nyligen börjat använda R-134a, en CFC-fri substans som anses vara mindre skadlig för ozonet i den övre atmosfären.

# L

**Lager** Den böjda ytan på en axel eller i ett lopp, eller den del som monterad i någon av dessa tillåter rörelse mellan dem med minimal slitage och friktion.

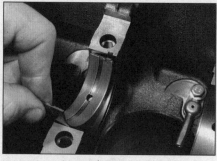
*Lager*

**Lambdasond** En enhet i motorns grenrör som känner av syrehalten i avgaserna och omvandlar denna information till elektricitet som bär information till styrelektroniken. Även kalla syresensor.

**Luftfilter** Filtret i luftrenaren, vanligen tillverkat av veckat papper. Kräver byte med regelbundna intervaller.

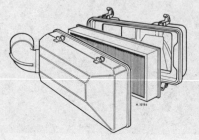
*Luftfilter*

**Luftrenare** En kåpa av plast eller metall, innehållande ett filter som tar undan damm och smuts från luft som sugs in i motorn.

**Låsbricka** En typ av bricka konstruerad för att förhindra att en ansluten mutter lossnar.

**Låsmutter** En mutter som låser en justermutter, eller annan gängad del, på plats. Exempelvis används låsmutter till att hålla justermuttern på vipparmen i läge.

**Låsring** Ett ringformat clips som förhindrar längsgående rörelser av cylindriska delar och axlar. En invändig låsring monteras i en skåra i ett hölje, en yttre låsring monteras i en utvändig skåra på en cylindrisk del som exempelvis en axel eller tapp.

# M

**MacPherson-ben** Ett system för framhjulsfjädring uppfunnet av Earle MacPherson vid Ford i England. I sin ursprungliga version skapas den nedre bärarmen av en enkel lateral länk till krängningshämmaren. Ett fjäderben - en integrerad spiralfjäder och stötdämpare - finns monterad mellan karossen och styrknogen. Många moderna MacPherson-ben använder en vanlig nedre A-arm och inte krängningshämmaren som nedre fäste.

**Markör** En remsa med en andra färg i en ledningsisolering för att skilja ledningar åt.

**Motor med överliggande kamaxel (OHC)** En motor där kamaxeln finns i topplocket.

**Motorstyrning** Ett datorstyrt system som integrerat styr bränsle och tändning.

**Multimätare** Ett elektriskt testinstrument som mäter spänning, strömstyrka och motstånd.

**Mätare** En instrumentpanelvisare som används till att ange motortillstånd. En mätare med en rörlig pekare på en tavla eller skala är analog. En mätare som visar siffror är digital.

# N

**NOx** Kväveoxider. En vanlig giftig förorening utsläppt av förbränningsmotorer vid högre temperaturer.

# O

**O-ring** En typ av tätningsring gjord av ett speciellt gummiliknande material. O-ringen fungerar så att den trycks ihop i en skåra och därmed utgör tätningen.

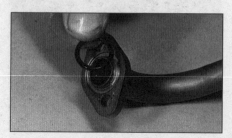
*O-ring*

**Ohm** Enhet för elektriskt motstånd. 1 volt genom ett motstånd av 1 ohm ger en strömstyrka om 1 ampere.

**Ohmmätare** Ett instrument för uppmätning av elektriskt motstånd.

# P

**Packning** Mjukt material - vanligen kork, papp, asbest eller mjuk metall - som monteras mellan två metallytor för att erhålla god tätning. Exempelvis tätar topplockspackningen fogen mellan motorblocket och topplocket.

*Packning*

**Phillips-skruv** En typ av skruv med ett korsspår, istället för ett rakt, för motsvarande skruvmejsel. Vanligen kallad krysskruv.

**Plastigage** En tunn plasttråd, tillgänglig i olika storlekar, som används till att mäta toleranser. Exempelvis så läggs en remsa Plastigage tvärs över en lagertapp. Delarna sätts ihop och tas isär. Bredden på den klämda remsan anger spelrummet mellan lager och tapp.

*Plastigage*

# R

**Rotor** I en fördelare, den roterande enhet inuti fördelardosan som kopplar samman centrumelektroden med de yttre kontakterna vartefter den roterar, så att högspänningen från tändspolens sekundärlindning leds till rätt tändstift. Även den del av generatorn som roterar inuti statorn. Även de roterande delarna av ett turboaggregat, inkluderande kompressorhjulet, axeln och turbinhjulet.

# S

**Sealed-beam strålkastare** En äldre typ av strålkastare som integrerar reflektor, lins och glödtrådar till en hermetiskt försluten enhet. När glödtråden går av eller linsen spricker byts hela enheten.

**Shims** Tunn distansbricka, vanligen använd till att justera inbördes lägen mellan två delar. Exempelvis sticks shims in i eller under ventiltryckarhylsor för att justera ventilspelet. Spelet justeras genom byte till shims av annan tjocklek.

**Skivbroms** En bromskonstruktion med en roterande skiva som kläms mellan bromsklossar. Den friktion som uppstår omvandlar bilens rörelseenergi till värme.

**Skjutmått** Ett precisionsmätinstrument som mäter inre och yttre dimensioner. Inte riktigt lika exakt som en mikrometer men lättare att använda.

**Smältsäkring** Ett kretsskydd som består av en ledare omgiven av värmetålig isolering. Ledaren är tunnare än den ledning den skyddar och är därmed den svagaste länken i kretsen. Till skillnad från en bränd säkring måste vanligen en smältsäkring skäras bort från ledningen vid byte.

**Spel** Den sträcka en del färdas innan något inträffar. "Luften" i ett länksystem eller ett montage mellan första ansatsen av kraft och verklig rörelse. Exempel, den sträcka bromspedalen färdas innan kolvarna i huvudcylindern rör på sig. Även utrymmet mellan två delar, exempelvis kolv och cylinderlopp.

**Spiralfjäder** En spiral av elastiskt stål som förekommer i olika storlekar på många platser i en bil, bland annat i fjädringen och ventilerna i topplocket.

**Startspärr** På bilar med automatväxellåda förhindrar denna kontakt att motorn startas annat än om växelväljaren är i N eller P.

**Storändslager** Lagret i den ände av vevstaken som är kopplad till vevaxeln.

**Svetsning** Olika processer som används för att sammanfoga metallföremål genom att hetta upp dem till smältning och sammanföra dem.

**Svänghjul** Ett tungt roterande hjul vars energi tas upp och sparas via moment. På bilar finns svänghjulet monterat på vevaxeln för att utjämna kraftpulserna från arbetstakterna.

**Syresensor** En enhet i motorns grenrör som känner av syrehalten i avgaserna och omvandlar denna information till elektricitet som bär information till styrelektroniken. Även kalla Lambdasond.

**Säkring** En elektrisk enhet som skyddar en krets mot överbelastning. En typisk säkring innehåller en mjuk metallbit kalibrerad att smälta vid en förbestämd strömstyrka, angiven i ampere, och därmed bryta kretsen.

# T

**Termostat** En värmestyrd ventil som reglerar kylvätskans flöde mellan blocket och kylaren vilket håller motorn vid optimal arbetstemperatur. En termostat används även i vissa luftrenare där temperaturen är reglerad.

**Toe-in** Den distans som framhjulens framkanter är närmare varandra än bak-kanterna. På bakhjulsdrivna bilar specificeras vanligen ett litet toe-in för att hålla framhjulen parallella på vägen, genom att motverka de krafter som annars tenderar att vilja dra isär framhjulen.

**Toe-ut** Den distans som framhjulens bakkanter är närmare varandra än framkanterna. På bilar med framhjulsdrift specificeras vanligen ett litet toe-ut.

**Toppventilsmotor (OHV)** En motortyp där ventilerna finns i topplocket medan kamaxeln finns i motorblocket.

**Torpedplåten** Den isolerade avbalkningen mellan motorn och passagerarutrymmet.

**Trumbroms** En bromsanordning där en trumformad metallcylinder monteras inuti ett hjul. När bromspedalen trycks ned pressas böjda bromsbackar försedda med bromsbelägg mot trummans insida så att bilen saktar in eller stannar.

*Trumbroms, montage*

**Turboaggregat** En roterande enhet, driven av avgastrycket, som komprimerar insugsluften. Används vanligen till att öka motoreffekten från en given cylindervolym, men kan även primäranvändas till att minska avgasutsläpp.

**Tändföljd** Turordning i vilken cylindrarnas arbetstakter sker, börjar med nr 1.

**Tändläge** Det ögonblick då tändstiftet ger gnista. Anges vanligen som antalet vevaxelgrader för kolvens övre dödpunkt.

**Tätningsmassa** Vätska eller pasta som används att täta fogar. Används ibland tillsammans med en packning.

# U

**Universalknut** En koppling med dubbla pivåer som överför kraft från en drivande till en driven axel genom en vinkel. En universalknut består av två Y-formade ok och en korsformig del kallad spindeln.

**Urtrampningslager** Det lager i kopplingen som flyttas inåt till frigöringsarmen när kopplingspedalen trycks ned för frikoppling.

# V

**Ventil** En enhet som startar, stoppar eller styr ett flöde av vätska, gas, vakuum eller löst material via en rörlig del som öppnas, stängs eller delvis maskerar en eller flera portar eller kanaler. En ventil är även den rörliga delen av en sådan anordning.

**Ventilspel** Spelet mellan ventilskaftets övre ände och ventiltryckaren. Spelet mäts med stängd ventil.

**Ventiltryckare** En cylindrisk del som överför rörelsen från kammen till ventilskaftet, antingen direkt eller via stötstång och vipparm. Även kallad kamsläpa eller kamföljare.

**Vevaxel** Den roterande axel som går längs med vevhuset och är försedd med utstickande vevtappar på vilka vevstakarna är monterade.

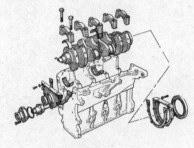

*Vevaxel, montage*

**Vevhus** Den nedre delen av ett motorblock där vevaxeln roterar.

**Vibrationsdämpare** En enhet som är avsedd att minska fjädring eller vridande vibrationer i vevaxeln. Enheten kan vara integrerad i vevaxelns remskiva. Kallas även harmonibalanserare.

**Vipparm** En arm som gungar på en axel eller tapp. I en toppventilsmotor överför vipparmen stötstångens uppåtgående rörelse till en nedåtgående rörelse som öppnar ventilen.

**Viskositet** Tjockleken av en vätska eller dess flödesmotstånd.

**Volt** Enhet för elektrisk spänning i en krets 1 volt genom ett motstånd av 1 ohm ger en strömstyrka om 1 ampere.

# Sakregister REF•29

**Observera:** *Hänvisningarna i sakregistret är i formen "Kapitelnummer" • "Sidnummer".*

## A

**ABS (Anti-lock Braking System)** – 9•17, 9•18
**ABS/ESP/TCS-hydraulenhet** – 9•18
**Allmänna reparationsanvisningar** – REF•4
**Antenn**
förstärkare – 12•24
filter – 12•24
**Arbetsutrymmen** – REF•7
**Armaturer** – 12•15
glödlampor – 12•7, 12•10
**Asbest** – 0•5
**A-stolpens klädselpaneler** – 11•25
**Att hitta läckor** – 0•9
**Automatisk växellåda** – 7B•1 och framåt
brytarbelysning – 12•9
felsökning – REF•16
vätska – 0•16, 1A•10, 1A•17, 1B•10, 1B•14
vätskekylare – 7B•3
vätskeläckage – 1A•7, 1B•8
vätsketemperaturgivare – 7B•4
**Avdunstningsreglering** – 4C•1, 4C•2
**Avgaser**
återcirkuleringssystem – 4C•2, 4C•4
temperaturgivare – 4C•4
**Avgasgrenrör** – 4A•17, 4B•11
**Avgassystem** – 1A•10, 1B•11, 4A•17, 4B•12
**Avgasutsläppskontroll** – 4C•2, 4C•4
**Avluftningsventil** – 4C•2
**Avståndsgivare för parkeringshjälp** – 12•25
**Avstängningsstyrventil** – 4C•3

## B

**Backar** – 9•11
**Backljuskontakt** – 7A•5
**Bagageutrymme**
brytare (alarmsystem) – 12•26
glödlampa – 12•8
sidoklädselpanel – 11•26
**Bakfönster** – 11•20
**Bakljusenhet** – 12•13, 12•15
**Baklucka** – 11•15
handtag – 11•19
lås – 11•17
låsmotor – 11•18
**Bakruta** – 11•16
glödlampa lastning – 12•8
handtag – 11•19
lås – 11•17
låsmotor – 11•18
spolarsystem – 12•21
torkararm – 12•20
torkarmotor – 12•21
**Balansaxlar** – 2C•14
**Batteri** – 0•5, 0•14, 5A•2, 5A•3, REF•6
**Belysningskontakt** – 12•6
belysning – 12•10
**Bilbesiktningen** – REF•10 *och framåt*

**Blyfri bensin** – 4A•4
**Bogsering** – 0•9
**Bogseringsbalk** – 1A•8, 1B•9
**Bromsljus** – 12•14, 12•16
brytare – 9•17, 12•6
**Bromsoken** – 9•8, 9•9
*Bromssystem* – 1A•9, 1B•10, 9•1 *och framåt*
felsökning – REF•21
felsökning (ABS) – 9•18
klossar – 1A•11, 1B•11, 9•5, 9•6
vätska – 0•12, 0•16, 1A•17, 1B•16
vätskeläckage – 1A•7, 1B•8
**Brytare och reglage** – 12•4
backljus – 7A•5
bagageutrymme (alarmsystem) – 12•26
bromsljus – 9•17
ESP – 9•19
farthållare – 4A•4
fönster – 12•9
ljus – 12•10
motorhuv alarmsystem – 12•26
pedaler – 4A•4
TCS – 9•19
varningsblinker – 12•10
varningslampa för handbroms på – 9•16
varningslampa för oljetryck – 2A•12, 5A•6
**Brännskador** – 0•5
*Bränsle- och avgassystem – bensinmotorer* – 4A•1 *och framåt*
felsökning – REF•19
*Bränsle- och avgassystem – dieselmotorer* – 4B•1 *och framåt*
**Bränslefilter** – 1A•14, 1B•12
**Bränslefördelarskena** – 4A•11, 4B•7
**Bränsleinjektorer** – 4A•11, 4B•7
elkomponenter – 4B•4
**Bränslemätargivare** – 4A•7, 4B•4
**Bränslepump** – 4A•6, 4B•4, 4B•6
drev – 2B•8
relä – 4A•7
**Bränsletank** – 4A•7, 4B•4
**Bränsletryck**
givare – 4B•5
regulator – 4A•11, 4B•5
**B-stolpens klädselpaneler** – 11•26
**Bucklor** – 11•3

## C

**CD-spelare** – 12•22
skivväxlare – 12•24
stöldskyddssystem – REF•6
**Cigarrettändare** – 12•19
glödlampa – 12•9
**C-stolpens klädselpaneler** – 11•26

## D

**Damasker**
drivaxel – 1A•10, 1B•11, 8•5
kuggstång – 10•17
**Delar** – REF•3

**Observera:** *Hänvisningarna i sakregistret är i formen "Kapitelnummer" • "Sidnummer".*

**Observera:** *Hänvisningarna i sakregistret är i formen "Kapitelnummer"* • *"Sidnummer".*

**Observera:** *Hänvisningarna i sakregistret är i formen "Kapitelnummer" • "Sidnummer".*

*Observera: Hänvisningarna i sakregistret är i formen "Kapitelnummer" • "Sidnummer".*

**Observera:** *Hänvisningarna i sakregistret är i formen "Kapitelnummer" • "Sidnummer".*